ALLEGRA

DU MÊME AUTEUR

Aux Éditions Julliard

LE REMPART DES BÉGUINES, *roman*.

LA CHAMBRE ROUGE, *roman*.

CORDÉLIA, *nouvelles*.

LES MENSONGES, *roman* (Prix des Libraires, 1957).

L'EMPIRE CÉLESTE, *roman* (Prix Femina, 1958).

LES PERSONNAGES, *roman*.

LETTRE A MOI-MÊME.

MARIE MANCINI, LE PREMIER AMOUR DE LOUIS XIV (Prix Monaco, 1965).

Aux Éditions Bernard Grasset

LES SIGNES ET LES PRODIGES, *roman*.

TROIS AGES DE LA NUIT, *histoires de sorcellerie*.

LA MAISON DE PAPIER.

LE JEU DU SOUTERRAIN, *roman*.

FRANÇOISE MALLET-JORIS
de l'Académie Goncourt

ALLEGRA

BERNARD GRASSET
PARIS

IL A ÉTÉ TIRÉ DE CET OUVRAGE
SOIXANTE-QUATRE EXEMPLAIRES
SUR VERGÉ DE LANA DONT CIN-
QUANTE EXEMPLAIRES DE VENTE
NUMÉROTÉS VERGÉ DE LANA 1 A 50
ET QUATORZE HORS COMMERCE
NUMÉROTÉS H.C. I A H.C. XIV,
CONSTITUANT L'ÉDITION ORIGINALE

I

On pourrait dire, dans un sens, que c'est une famille de femmes. Une famille où les figures de femmes prédominent, ont plus de densité, de personnalité, que les maris, les oncles, les pères. Et pourtant c'est une famille très traditionaliste, très conservatrice. C'est peut-être ça, justement. Une certaine forme de matriarcat règne parmi ces femmes, toutes dévouées à l'homme pourtant. La preuve, c'est qu'elles disent couramment : « Nous qui sommes corses d'origine » alors que la mère, Mme Svenson (née Santoni) a épousé un médecin suédois. Des trois filles, seule Josée, la seconde, a épousé un Corse, Antoine Sant'Orso. Paule, l'aînée, n'est pas mariée et dirige un institut de beauté. Allegra, la plus jeune, vient d'épouser un jeune interne en médecine, un Parisien — mais il est orphelin, ça compense un peu, au dire des femmes de la famille qui le considèrent ainsi comme plus facile à intégrer.

Paule est belle et intelligente; elle manque un peu d'humour. Josée a trente-deux ans et trois enfants. Nettement moins belle que sa sœur, mais menant de main de maître la carrière de son mari, la tenue de sa maison, l'éducation de ses enfants, et diverses bonnes œuvres, Josée rachète ses perfections par une causticité remarquable et se moque de ses propres vertus avec une sorte de grâce qui les lui fait pardonner. On peut s'attacher à elle, malgré ses frisettes conventionnelles et sa raideur morale et physique. Conventionnelle, mais pas insignifiante. Leur mère ne l'est pas non plus. Mme Svenson, mère de Paule, de Josée et d'Allegra (pas de garçon! quelle catastrophe! et pourtant elle adore ses filles et les trouve supérieures à n'importe quel homme, son mari excepté) est une brune un peu sèche, anguleuse, élégante avec austérité, et douée de cette fausse ardeur méridionale qui cache souvent une absence totale d'imagination. Si jamais elle a disposé d'un petit capital de romanesque, elle l'a dilapidé tout d'un coup en épousant un Suédois. Après quoi elle est restée à sec, malgré le beau prénom de Vanina qu'elle porte avec plus d'humour que de poésie. C'est une femme qui ne manque ni de bonté, ni d'esprit. Elle a la vertu un peu acerbe, la tendresse passablement agressive, et par-dessus tout un admirable désintéressement qui agace bien des gens. On peut l'aimer, mais à distance, à cause des coups de bec. Josée tient beaucoup de sa mère, le désintéressement mis à part.

Il y a aussi la grand-mère, robuste octogénaire, prénommée également Allegra (et non Lætitia : concession à une marraine italienne) et puis des cousines, des tantes, des marraines, des amies d'enfance qui sont « comme de la famille », divers clans familiaux qui ont chacun leur tradition et leur histoire, toute une structure divisée en groupes et en sous-groupes, une zoologie, une botanique, une véritable science que chacune de ces femmes possède sur le bout du doigt et interprète à sa façon.

C'est un joli nom, Allegra. C'est ce qu'on dit le plus souvent en parlant de la plus jeune, d'Allegra Svenson, vingt-trois ans, en voyage de noces en Italie. C'est qu'il semble qu'il n'y ait pas grand-chose d'autre à en dire. Il y a aussi des amis de la famille qui disent qu'elle est jolie, mais ça dépend des jours.

Les deux Allegra, la grand-mère et la petite-fille, sont pour l'instant absentes du grand appartement inconfortable des Batignolles. Pendant que le *jeune ménage* revient d'Italie en passant par la Corse, avec étapes familiales obligatoires, l'aïeule est allée inspecter des propriétés sans valeur dont elle dispose un peu partout, louées à perte à des cousins par alliance. Les réunions de famille n'en continuent pas moins. Ce soir, on attend

Allegra la jeune qui doit arriver de Marseille, avec son mari, par le train de 20 h 17. Il est évidemment exclu que les jeunes gens ne viennent pas immédiatement se retremper dans l'atmosphère familiale.

L'appartement des Batignolles tient de la pension de famille, de l'hôpital, du campement. Couleur jaune et beige des murs, meubles bretons, ou normands, odeurs d'encaustique et d'encens, de désinfectants, de confitures parfois, et dans les pièces peu meublées, sonores, une sorte de propreté négligée. Les « belles pièces » de façade sont réservées à la salle d'attente, au cabinet du docteur Svenson, et au salon dont on ne se sert pratiquement jamais. Sur la cour, vaste, sablonneuse où se garent les voitures, donnent la chambre à coucher des époux, l'ancienne chambre de jeune fille d'Allegra, la salle à manger peinte en jaune triste, et la cuisine qui est vaste, gaie, et où les femmes prennent leur repas avec soulagement, chaque fois que le docteur Svenson n'est pas là.

— Je me demande si elle est enceinte, dit Josée qui picore des olives, assise sur un coin de table, ses mèches dans les yeux.

— Elle pourrait... dit sa mère qui fume une cigarette, accoudée, l'œil sur le four. Sept semaines de voyage de noces! Tu te rends compte! Quand j'étais jeune, on partait huit jours, dix jours — je te parle de gens aisés — et bien contents...

— Nous, nous n'avons pris que trois semaines.

— Mais en Egypte.

— En Egypte à cause du Club qui nous faisait des prix.

— Tout ce que tu voudras, mais c'était tout de même l'Egypte. Toi, tu as vu les Pyramides, mon rêve!

— Si c'est vraiment ton rêve, tu ferais mieux d'en profiter, maintenant qu'Allegra est casée.

— Si je pouvais...

Vanina a un soupir. La volaille grésille dans le four. C'est le moment d'ajouter les oignons. Vanina se lève, écrase sa cigarette avec soin, prend les oignons et se met à les éplucher.

— Mais il faut tout de même que je sois là pour les

9

premiers mois... Qui sait... Allegra est si inexpérimentée...

— Pas plus que je ne l'étais. On apprend. Et elle a beau être ta préférée...

Josée plaisante, car elle sait bien que si sa mère a une préférence, c'est pour elle, ce qui se traduit extérieurement par plus de rigueur et de sarcasmes — mais elle ne s'y trompe pas. Aussi Vanina rougit-elle, ce qui la rajeunit. Sa conscience rigide lui reproche cette préférence masquée, mais évidente.

— Je te dis que je ne suis pas tranquille. Paule va vouloir reprendre la petite à l'Institut, ne serait-ce que par principe, ça va créer des conflits...

— Qu'est-ce que Jean-Philippe en pense?

Dans le conflit qui oppose depuis des années Josée et Vanina, femmes d'intérieur convaincues de leur sacerdoce, et Paule, femme qui travaille et s'arroge par là une supériorité, Jean-Philippe, gendre nouvellement intégré, n'a pas encore pris parti.

— J'ai peur, dit Vanina, qu'Allegra ne se rende pas compte des conséquences de ce qu'elle fera...

— Allegra n'est plus un bébé, tout de même!

— Qui est-ce qui n'est plus un bébé? demande la voix chaude de Paule, qui arrive par le couloir vitré. (Il faut noter que Paule et Josée, l'une mariée, l'autre indépendante, ont tenu à conserver la clé de l'appartement des Batignolles.)

— Ah! te voilà, Paula! dit plaisamment Mme Svenson, avec un baiser bref. Tu viens te documenter sur la lune de miel?

— Je viens attendre Allegra et Jean-Philippe avec vous, oui, répond Paule plus froidement — tout de suite placée sur le terrain de la controverse.

Josée a un petit clappement de lèvres désapprobateur.

— Ttt... Ttt... Nous aimerions mieux t'attendre, toi.

— Ça recommence, l'offensive? demande Paule avec une nonchalance mal jouée.

Elle attire un tabouret, s'assied entre sa mère et sa sœur.

— En tout cas, Jo, on voit que pour toi la lune de miel est passée... Tu sais que j'ai une excellente coiffeuse, maintenant, à l'Institut?

10

Josée (permanente triste, cheveux châtains sans accent) rougissante, s'apprête à répondre vertement, quand Mme Svenson, apparemment tonifiée par le climat familial, éclate de rire et propose l'apéritif. Ce sont alors les petits verres rouges et blancs, si laids, la liqueur de myrte, qu'elles détestent toutes les trois, mais qui est corse et que donc l'on boit religieusement, non sans un clin d'œil pour montrer que tout de même, on n'est pas dupe.

— Toujours aussi poisseux, ce vieux myrte!

— On dit : cette vieille myrte, non?

— Poisseuse comme la lune de miel!

Elles rient, boivent, se serrent l'une contre l'autre, et connaissent, bien qu'elles s'en défendent toutes les trois au nom de principes bien différents, un instant de pur bonheur.

— Nous parlions d'Allegra, dit Vanina, étalant ses cartes.

— Je disais à Maman que si elle ne profite pas du mariage d'Allegra pour le faire, son voyage en Egypte, c'est en petite voiture qu'ils les verront, les Pyramides!

— Eh bien, pourquoi n'iraient-ils pas, cet hiver? demande Paule innocemment. Après tout, si Allegra avait besoin de quelque chose, nous sommes là.

— C'est ça! Pour aller semer la zizanie dans son ménage! s'écrie Vanina avec une superbe inconscience. Au nom du ciel, n'allez pas vous en mêler!

— Mais enfin, est-ce qu'il y a quelque chose qui ne va pas? Vous avez de mauvaises nouvelles?

— D'Allegra? Voyons! Tu la connais... (Josée prend ici un ton suave, agrémenté d'une pointe d'accent corse.) Ciel bleu, soleil bleu, amour toujours... son côté Tino, tu sais?

Paule ne peut s'empêcher de rire, et se le reproche aussitôt.

— Pourquoi voudriez-vous qu'elle soit malheureuse? Vous passez votre temps à faire les marieuses, et quand ça réussit, vous vous plaignez que les gens soient heureux!

— Je ne me plains pas qu'ils soient heureux. Je voudrais qu'ils le restent, dit Vanina plus sèchement qu'elle ne le voudrait. Et je pense qu'une femme de médecin n'est pas à sa place dans un institut de beauté, même *rationnel*...

Paule s'attendait à cet assaut et reste (en apparence) de marbre.

— Ce n'est pas l'avis de Jean-Philippe, dit-elle sans cacher son triomphe.

— Smash! fait Josée, qui s'envoie un petit coup de myrte supplémentaire.

— Ah! Non? (Vanina est démontée, elle qui croyait prendre les devants.)

— Non. Ils m'ont écrit de Parme qu'ils espéraient que leur retard ne me mettrait pas dans l'embarras, et qu'Allegra reprendrait son travail dès mardi.

— C'est elle qui a écrit ça?

— Lui. Elle n'a fait que signer.

— Evidemment, dans ce cas... fait Vanina, trop loyale pour se dissimuler qu'elle a perdu la première manche. S'il est d'accord...

Josée veut éviter à sa mère de perdre complètement la face.

— C'est merveilleux l'influence que tu as sur Jean-Philippe! dit-elle à sa sœur, avec une intention perfide.

— Oh! fait Paule indignée.

Une sonnerie déclenchée par le four interrompt les hostilités.

— Mon Dieu, mes oignons! s'écrie Vanina, ramenée à la réalité. Elle enfourne rapidement les oignons, rallume le four pour cinq minutes, se rince les doigts, retire son tablier. — J'ai mis le beau service dans la salle à manger. Le train arrive à 8 h 17, ils devraient être là.

— Ne t'inquiète pas, ils ont dû avoir du mal à trouver un taxi, dit Paule, rassurante, regrettant déjà sa facile victoire.

Mme Svenson la foudroie du regard.

— Je m'inquiète pour mon canard, c'est tout.

Dans le silence crépitant, la sonnerie de l'entrée retentit, sur un rythme particulier destiné à faire comprendre qu'il s'agit d'un membre de la famille et non de la clientèle.

— Les voilà! s'écrie Paule, dressée aussitôt.

Josée se lève aussi, repoussant ses mèches folles, en proie à une animation et à une curiosité mal dissimulée.

— Naturellement les voilà, bougonne Vanina. Qui voulez-vous que ce soit? S'ils avaient manqué leur train, ils auraient prévenu.

Et tandis que Paule s'élance pour ouvrir, d'un mot elle dévoile à Josée la raison de sa mauvaise humeur soudaine.

— Elle n'a donc pas gardé la clé, elle?

Josée baisse les yeux, pudique, devant cette explosion de sentiment.

L'album de famille est ainsi composé d'images édifiantes — mariage de la cousine Maria, baptême d'un petit Sant'Orso, vacances en Corse, tablées de douze, de quinze visages joviaux, bouteilles débouchées, soleil sur des maillots à fleurs, aubes blanches des communiants, costumes stricts et capelines des grandes occasions; et il s'y glisse toujours, évidemment, un détail comique — enfant souffrant d'indigestion, robe déchirée, grimace malencontreuse — ou une dissonance : c'est le jour de la communion d'Antoine que Ninouche a rompu ses fiançailles, c'est à l'enterrement de Pascal que Rosette s'est chamaillée avec tante Reine au sujet de l'argenterie... Détails et dissonances qui sont à l'infini commentés, comme relevant un peu la chronique, qui sans cela serait fadasse, de la famille. Paule est-elle naïve ou trop nerveuse, ces dissonances, ces pointes, la font tressaillir et non sourire comme Josée et Vanina. Elle côtoie avec un petit frisson les cupidités, les trivialités, les perfidies inséparables d'une vraie vie de famille. En secret elle s'indigne, s'offusque, et malgré ses efforts ne parvient à offrir aux convives qu'un visage crispé, en face de l'inaltérable sourire d'Allegra. Peut-être est-ce à cause de tous ces sentiments contradictoires — attachement, révolte, estime et incompréhension — que Paule hésite à se marier. Introduire X ou Y, se dit-elle (pour ne pas se dire « Etienne ») dans cette machinerie trop bien huilée, dans cette mini-société si parfaitement contente de son fonctionnement, et

13

qu'on ne peut même pas (ils sont si dévoués, si obtus; si désintéressés, si profondément réactionnaires; loyaux, incultes, tendres, féroces, et si l'armature de principes nobles et de préjugés imbéciles qui les maintient ensemble, tout en les soutenant, parfois les blesse, ils ne s'en plaignent jamais), qu'on ne peut pas, vraiment, les détester... Introduire un malheureux là-dedans, il faudrait vraiment qu'il y fût préparé, comme Jean-Philippe, comme Antoine. Le premier, orphelin, interne, habitué à la gêne orgueilleuse des Svenson, le second, corse, et ne voyant que par les yeux de sa femme. Dans les deux cas, Josée et Allegra ont semblé guidées par leur instinct, et ont choisi l'homme qui pouvait permettre aux Svenson-Santoni-Lariaga de se livrer à leur passe-temps favori : l'absorption d'un gendre. « Je ne vois pas Etienne (X et Y ont disparu) dans ce rôle », songe Paule, mélancolique. Elle ne se voit pas elle-même en jeune mariée rougissante, ou présentant à sa famille un Etienne endimanché, ou « en voyage de noces » écrivant des cartes postales à des cousines au troisième degré. Elle ne se voit pas dans ce rôle, mais d'une certaine façon elle le regrette. Parce que le rôle qu'elle joue dans la pensée de sa mère, de Josée (la femme d'affaires, femme de tête, qui par-là même est à l'abri de tous les orages sentimentaux, sereine, cultivée, une espèce de nonne, en somme) ne lui convient pas davantage. Elle est trop discrète pour assumer celui de femme de mauvaise vie, de mouton noir, qui est disponible depuis la mort de Giulia en voiture (mort qui revêt dans les récits qu'on en fait un caractère symbolique, Giulia revenant de Menton — la Riviera! — avec un champion de tennis — c'est tout dire — et probablement ivres tous les deux). Il ne reste donc dans la galerie de portraits que la place de la tante célibataire « remarquable » de caractère et d'intelligence, un peu originale sans doute, mais il en faut, et que sa beauté grave prédispose à ce personnage d'abbesse.

Si seulement elle l'acceptait de bon gré, cette image, sa vie serait plus facile. Etienne ne serait qu'un à-côté. L'Institut tiendrait dans sa vie la place d'un couvent, d'une fondation, et si l'abbesse fait un petit écart dans sa jeunesse, qui va s'en scandaliser? L'affaire sera vite étouffée, pour l'honneur de l'Eglise et de la communauté. Mais il faudrait être bien sûre de soi, ou bien hypocrite, et Paule n'est ni l'un ni l'autre. L'adhésion sans problème de Vanina aux valeurs établies, l'acerbe résignation de Josée, ne sont pas son fait. Non plus que l'aisance apparente d'Allegra. Il faudra donc continuer à flotter sans savoir, sans savoir si elle désire ou ne désire pas épouser Etienne, si elle accepte ou n'accepte pas cette discrète suprématie que donne la solitude, si l'Institut est son but ou son alibi, si elle est (comme ont fini par le décréter les femmes de la famille) « heureuse comme ça », ou si elle ne l'est pas. Pour ne pas être hypocrite, il faut se résigner à n'y pas voir clair, car sur tous ces sujets, vraiment elle ne saurait donner aucune réponse. Au fait, Allegra est-elle hypocrite? Ou est-elle tout entière dans ce visage joyeux, ce cri qu'elle pousse en posant ses valises dans le couloir et en se jetant au cou de sa mère, de ses sœurs.

— Oh! que je suis contente de vous revoir! Que je suis heureuse!...

*
* *

Evidemment le mariage d'Allegra n'est pas l'événement du siècle, mais enfin son retour a suscité à l'Institut une petite agitation indécente et gentille. C'est le premier mardi de septembre, et Allegra a dû arriver très naturellement, sous un parapluie vert dégoulinant d'eau, sa trousse de maquillage à la main, un mince imperméable de ciré noir serré à la taille, l'œil très fait, l'air d'une petite fille maquillée en vamp. C'est une vraie blonde qui a « bon genre », quoi qu'elle fasse. Cela tient peut-être à ce blond cendré, à ce sourire discret qu'on peut appeler mystérieux si on veut. Allegra a le visage un peu long, en amande, de sa sœur Josée, mais le teint plus pâle. Elle n'est pas très grande, elle est mince et habillée comme les jeunes femmes sur les couvertures des magazines, à qui on explique comment être élégantes avec trois cents nouveaux francs et des accessoires. Seuls ses cils très noirs et ses yeux

15

d'un bleu franc, bleu marine (qui donne au regard une franchise excessive) sont remarquables, dans un ensemble qui pèche par l'excès des demi-teintes. Quand elle baisse les yeux, elle justifie cet acerbe propos de Josée : « Allegra? Elle est tellement banale que ça la fait remarquer. » Quand elle lève les yeux, une hésitation cesse. Jolie? Pas jolie? Si, jolie, décidément. On est soulagé. On allait laisser passer quelque chose.

— Alors, et ce voyage? Il est gentil ton mari? Et Parme, c'est bien? J'ai voulu faire un détour par là l'année dernière en revenant de.... Mais... Tu as vu ta famille à Gênes? Tout s'est bien passé?...

Odette, la diététicienne, Gabrielle la coiffeuse, Jicky, professeur d'éducation physique, s'empressent autour d'elle. Lucette et Renée ont des massages en train, mais vont accourir aussitôt après dans la salle d'attente, verre et nickel, avec des plantes vertes, où heureusement il n'y a qu'une cliente.

Paule est restée dans son bureau, un peu agacée par ce remue-ménage — et puis elle attend un coup de fil d'Etienne, qui est à Avignon. Sa liaison avec Etienne connaît des hauts et des bas; du moins lui épargne-t-on les « comment ça s'est passé » dont Allegra ne paraît pas se formaliser. « C'est normal, je suppose, quand on revient de voyage de noces » pense Paule, avec un amusement tempéré de mélancolie. « Elle accepte ça comme le reste... » Depuis qu'elle s'est mariée, Paule aime un peu moins sa sœur. Elle se sent trahie. Rien de sentimental : cela se situe plutôt sur un plan idéologique.

Paule, qui étouffe dans sa famille et n'a eu de cesse, entre seize et trente ans, qu'elle ne lui échappe, a créé sans le savoir, avec l'*Institut de Beauté Rationnelle,* quelque chose qui y ressemble beaucoup. Et d'abord parce que l'Institut, communauté de femmes fonctionnant pour des femmes, exclut du matin au soir, comme la vie d'une bourgeoise « femme d'intérieur », les fils, les maris, les amants, qui restent « à l'extérieur ». L'Institut est une coquille, un refuge féminin. Odette la diététicienne est attendue à la sortie par un certain Pierre, Jacqueline, monitrice de gymnastique, par un Marc « ami d'enfance », et Gabrielle par une kyrielle d'auto-

16

mobilistes anonymes, mais ni les uns ni les autres ne pénètrent dans l'Institut, impressionnés au bout d'une ou deux tentatives par les Imposantes en peignoir éponge, enturbannées, les Timides qui ouvrent la porte d'une cabine et la referment avec un cri de souris piégée, les Sportives qui passent en short, une serviette sur les épaules, pour aller au gymnase, l'œil admirablement absent. L'odeur un peu médicinale du lieu, le salon d'attente aux portes coulissantes en verre, les fauteuils blancs, la table basse blanche, le mur du fond blanc contre lequel s'étagent quelques pierres tourmentées, façon zen, tout cela respire une austérité raffinée, mais nullement voluptueuse, où un psychologue pourrait reconnaître le jansénisme détaché de Vanina. Tout cela repousse l'idée de harem, de papotage, de féminité parfumée que pourrait évoquer le terme d'institut de beauté.

Paule a tenu à cette note de sévérité, qui la soutient comme un corset. Femmes du monde venues ici retrouver une beauté de grand standing, ascétiques mannequins, dames âgées rééduquant leurs vertèbres, jeunes combattantes du journalisme, de la mode, de la publicité, il paraît évident que toutes ces volontés tendues, en short ou en peignoir à initiales, ne le sont pas en vue de l'amour. Paule sait d'un mot ramener au sérieux qui s'impose la minette rieuse ou la dactylo qui se veut plus sexy. Belle, oui, mais pourquoi ? Ce n'est jamais aux yeux de son amant qu'une femme est laide, c'est à ses propres yeux ; voilà un aphorisme de Paule. Et encore : une femme qui se sait belle est moins vulnérable qu'une autre. Et combien elle se voudrait, elle, moins vulnérable !

Ce moralisme agace Odette la diététicienne — surtout quand il se traduit par l'obligation de porter une blouse blanche.

— Je ne suis pas infirmière ! proteste-t-elle.

— Si vous ne leur en imposez pas, comment voulez-vous qu'elles prennent leur régime au sérieux ?

— Tant pis pour elles si elles se gavent !

— Odette ! Comment pouvez-vous... Le problème de l'apparence physique... les bienfaits d'une discipline... la frustration affective qui conduit... Même professionnellement... (là Paule récite son credo, avec cette chaleureuse sincérité qui la rend si sympathique et un peu agaçante).

— Ne sortez pas les grandes orgues, on n'est pas dimanche, riposte Odette. Elle met la blouse blanche, cependant. Mais on n'obtiendra pas d'elle qu'elle considère la diététique comme un apostolat, ni le fait que Mme Lagrange ait repris deux kilos comme une nouvelle catastrophique. Odette, au sein de l'Institut, représente l'opposition. Renée la masseuse, au contraire, est une inconditionnelle. Aux temps difficiles des débuts, arrivant une heure avant l'ouverture pour passer l'aspirateur, pétrissant avec une rage efficace les hanches généreuses et les nuques empâtées, elle a pour Paule et pour l'Institut une admiration fanatique et ne discerne jamais, dans la voix chaude et convaincue, le trébuchement, la défaillance qu'Odette observe avec malignité; Jacqueline la suit avec plus de modération, mais autant de confiance. Gabrielle qui habite momentanément la chambre de bonne de Paule, feint la plus grande vénération pour le dogme. Lucette, bonne grosse fille spontanée, bien qu'elle fasse tout pour s'y conformer, lâche de temps en temps une gaffe joviale et la souligne, la main sur la bouche, en pouffant de rire. Paule fait semblant de ne s'apercevoir de rien. Odette a un mince sourire. Il y a là un petit conflit latent qui n'éclate jamais, un tout petit volcan sans éruption qui se contente de fumer doucement.

Ainsi quand Allegra s'est mariée, Paule sait pertinemment qu'Odette a considéré cet événement (quelle que soit la satisfaction sereine que la « patronne » ait affichée) comme une sorte de triomphe personnel et anti-féministe. La position de Vanina et de Josée, en somme. La prolongation indue du voyage de noces a également donné lieu à de brefs mais ironiques commentaires où Odette a exprimé sa conviction qu'Allegra « trop heureuse » ne reprendrait pas sa place à l'Institut. Lucette a dit : « Tiens donc! Elle serait bien bête!» commentaire accueilli avec la plus grande froideur par Renée et Gabrielle qui prenaient un café au petit bar du gymnase.

Jacqueline (qui ne boit que du thé) a exprimé

18

quelques prudentes vérités sur le mariage, la meilleure et la pire des choses.

— Allegra reviendra mardi, a dit Paule, avec la même intonation exactement que l'avant-veille, dans la cuisine de l'appartement des Batignolles. Partout rencontrer les mêmes conflits, quelle lassitude... Et toujours cette honte devant ses propres victoires, si minimes soient-elles... — Son mari préfère ça, de toute façon...

Et voilà. Allegra est revenue.

— S'ils sont contents comme ça... a dit Lucette, bonne pâte.

Le volcan continue à fumer sans éruption. « Peut-être que c'est moi qui m'imagine qu'il y a là un volcan ? »

***

Quand elle sort avec Etienne, Paule se préoccupe constamment, avec nervosité, du moindre détail. Sa jupe la serre trop, les poignets de son chemisier sont-ils vraiment impeccables, est-ce qu'elle rit trop, pas assez ? Est-ce qu'elle aura l'air prétentieuse, peu féminine, si elle lui parle de son projet de laboratoire ? Et si elle parle d'autre chose, aura-t-elle l'aisance qu'il faut ? Spectacles, anecdotes drôles ? Elle ne sait pas, ne sait plus si elle va mettre son tailleur de fil à fil gris qui l'amincit mais accentue la régularité un peu sévère de ses traits, ou la robe bleue qui la rajeunit mais dans laquelle elle se sent un peu ridicule. Toujours des problèmes, des arrachements, l'impression de manquer à une sorte de dignité (dans le cas où elle opte pour les volants et la conversation évaporée) ou d'être inférieure aux autres femmes, parfumées et souriantes, dans ce restaurant « amusant » où Etienne l'emmène (quand elle a justement mis le tailleur gris et décidé de lui parler de ses problèmes avec le chimiste qu'elle voudrait engager). Dans les deux cas elle se sent tendue, pas tout à fait dans la note, mais heureusement Etienne, qui est dans le commerce des vins (et un ancien avant de rugby, comme il le rappelle souvent) ne s'en aperçoit pas.

Quand Etienne n'est pas là, Paule sort parfois avec la petite Gabrielle, à laquelle elle a prêté, pour la dépanner, sa chambre de bonne. Là, nulle nervosité. Quand elle sort avec Gabrielle, Paule n'a à se préoccuper que de l'apparence de Gabrielle, des goûts de Gabrielle, des malaises et des humeurs de Gabrielle. Elle ne se sent pas regardée. Elle n'est qu'un élément du confort de Gabrielle, du décor de Gabrielle, et tient-elle ce rôle, Gabrielle ne lui en demande pas plus, indifférente, mais affectueusement, à l'apparence, aux goûts, aux malaises de Paule. « Une femme de ce genre doit être au fond bien reposante », pense alors Paule. Mais prendre modèle sur Gabrielle, est-ce possible ? Parfois Paule observe cette amie de rencontre, l'épie comme pour surprendre un secret. Ne faut-il pas que Gabrielle en ait un pour, malade, trouver toujours quelqu'un pour la soigner, sans argent, quelqu'un pour lui en prêter, sans domicile (Paule est payée pour le savoir) quelqu'un pour l'héberger ?

La beauté blonde, frêle, plaintive de Gabrielle n'explique pas tout — et même elle explique bien peu de choses. Peut-être tout réside-t-il dans l'impression que Gabrielle donne à chacun qu'il lui est indispensable, l'occasion qu'elle fournit de s'affairer, de se dévouer, de se mettre en quatre. C'est peut-être aussi simple que ça ? « Quand j'ai mal à la tête, je ferme ma porte, je me couche, et j'attends que ça passe. Quand Gabrielle a mal à la tête, elle téléphone à tout Paris pour savoir quel cachet prendre, et tout le monde court. »

Même Etienne, quand il vient chercher Paule et trouve Gabrielle « un peu malade » ou « ayant le cafard » ou encore « toute drôle » (elle sort rarement d'un de ces états) décrète qu'on « ne peut pas la laisser comme ça » et court chercher un remède-miracle, ou confectionne un cocktail dont il a le secret, pour voir Gabrielle revenir à la vie, si plaintivement reconnaissante qu'il se sent aussitôt tenu à faire davantage, et que leur soirée, à Paule et à lui, se passe à emmener Gabrielle au cinéma, comme un enfant un peu mongolien qu'ils auraient eu par distraction. Est-ce que c'est ça qu'on appelle « une vraie femme » ? se demande Paule de bonne foi.

Une fois ou deux elle a bien essayé (comme on essaye

de changer de coiffure) de dire à Etienne (en rougissant intérieurement) qu'elle a mal à la tête, au ventre ou au dos. Mais lui, avec une bourrade affectueuse :

— Allons donc! On sait bien que tu es un roc!

Perplexe, elle se demande comment elles font, les autres, pour ne pas passer pour des rocs. Une question de caractère? Ou de maquillage?

*
* *

L'immeuble était plutôt laid, ni ancien ni moderne, une de ces hautes maisons ouvrières du début du siècle que des promoteurs débutants avaient retapée tant bien que mal. L'entrée, entre un restaurant exotique « Le Croissant d'Or » et un coiffeur, donnait sur un couloir assez large, dont une branche se transformait en escalier malpropre, tandis que l'autre aboutissait à une cour très sombre, où dormaient des poubelles sous une verrière. Un écriteau indiquait assez étrangement « La cour est au premier », ce qui signifiait qu'après avoir gravi un certain nombre de marches, dans des effluves de potage et de shampooing, on trouvait à gauche de l'escalier une ouverture sans porte, donnant effectivement sur une seconde courette qui menait au bâtiment B.

Le passage de la rue, assez tranquille mais non déserte, de l'escalier A, malpropre mais humain, à cette petite cour, espèce de puits blanc, entouré de hautes murailles à peine percées de rares et minuscules fenêtres, coïncidait avec un brusque silence qui vous tombait dessus de toute cette hauteur. On en ressentait une sorte de saisissement, d'inquiétude. On levait la tête, on cherchait le ciel en haut des parois aveuglantes, on se sentait prisonnier au centre d'un phare, au pied d'un cirque de falaises jusqu'à ce que quelqu'un, en descendant l'escalier A, le claquement des talons sur le dallage multiplié par cent, rompît le maléfice tout en vous faisant remarquer l'étonnante sonorité du lieu.

Alors on traversait le puits, rapidement, pour entreprendre la montée de l'escalier B, de l'autre côté, plus petit, plus coquet, et après avoir gravi trois étages encore, on se trouvait devant la porte du studio d'Allegra. « Ça ne fait jamais que quatre étages » disait Paule, gaillardement. C'était elle qui avait trouvé le studio.

Allegra est apparue, souriante. Elle a fait entrer Paule et Renée, son amie, la masseuse de l'Institut, dans le studio dont les proportions paraissent par contraste avec l'escalier et la petite porte, assez respectables. Il y a une moquette bleu ciel, de qualité médiocre, une table de bistro, un canapé en skaï noir et plusieurs de ces coussins-sièges dans lesquels on s'enfonce si malcommodément. Une porte s'ouvre sur une petite cuisine à carreaux de faïence imitation Delft; un petit escalier de bois bien ciré, encore un, au fond de la pièce, mène à la loggia, sous le toit, et à la salle de bains. C'est propre, banal et charmant comme Allegra elle-même, qui porte un jean de velours bleu assorti à la moquette, et un pull-over rouge et rose, en jacquard, tricoté par sa grand-mère, et assorti lui, à la nappe et aux serviettes dont elle se sert pour le thé.

Renée dit que le studio était ravissant. Allegra se récria poliment. C'était petit. Elle en avait tiré ce qu'elle avait pu, mais c'était petit.

— Mais le silence! Le silence en plein Paris! Tu ne te rends pas compte, c'est inappréciable! dit Paule.

Il y a du silence, c'est vrai. Un silence qui fait ressortir le claquement des talons sur les tommettes de l'escalier A, les cris lointains d'un bébé, d'une radio, le grondement d'une chaufferie, et par la fenêtre de la cuisine, les tintements, grincements, coups de marteau d'une serrurerie proche.

— Mais ce sont des bruits *humains*, voyons! dit Paule avec son fanatisme chaleureux.

Tout humain qu'il soit, ce claquement perpétuel de talons chaque fois que quelqu'un monte ou descend n'a rien de poétique, pense Renée. Mais quand elle fait observer à Paule que les odeurs de potage (toutes les cuisines du bâtiment A donnent sur la courette) et de shampooing (il y a le coiffeur au rez-de-chaussée, à côté du restaurant libanais où l'on doit utiliser beaucoup de friture) ne forment pas un mélange très agréable, non plus que l'amalgame des bruits de radio, de bébé, de serrurerie, et de disputes vespérales, Paule répond en mêlant confusément le Moyen Age, Marx, l'aliénation, le sens de l'Histoire et celui de l'humain. Ce qui donne à Renée le sentiment déplaisant de jouer le rôle du méchant réactionnaire dans une pièce de Brecht, pendant que Paule défend le pauvre et l'orphelin, en la personne d'Allegra, assise sur une chaise rouge, près de la fenêtre sans horizon.

C'est une caractéristique d'Allegra qu'on parle toujours d'elle en sa présence, comme si elle n'était pas là.

« Qu'est-ce qu'elle va faire quand nous serons parties? » se demande Renée. « Le thé qu'elle nous a servi, la nappe rose et rouge, les tartelettes aux myrtilles (il y a combien d'années, depuis mon enfance respectueuse et ennuyée, que je n'ai pas *pris le thé?* et c'était dans le salon de thé blanc et or, avec un orchestre féminin, où ma grand-mère, qui mettait pour ce faire un chapeau à voilette, allait rituellement rencontrer ses amies, qui mettaient le même genre de chapeau) tout cela n'a pas l'air vrai, pas plus qu'Allegra qui est trop propre, comment dire, trop impeccablement pareille aux images des magazines... Elle est banale d'une façon presque provocante » pense Renée qui n'est pas jeune, pas belle, mais pas banale, non, et portée à l'introspection. Elle pense encore que si Paule est très brune, Josée châtain clair, châtain triste, Allegra est blonde, d'un blond cendré, presque argenté, comme si le sang vigoureux de Vanina, noire comme sa mère, un peu pruneau même, s'était appauvri, affadi en arrivant à cette dernière fille. Allegra est svelte, de taille moyenne, le visage un peu allongé, les yeux bleu franc, bleu marine, et ses cheveux taillés en cloche, en petite fenêtre, encadrent son visage avec simplicité. Renée s'étonne, alors qu'elle croise Allegra tous les jours, dans les couloirs de l'Institut, de la reconnaître à peine. Enfin, n'exagérons rien, mais elle a un visage dont on ne se souvient pas. Une voix dont on ne se souvient pas. C'est pourquoi, pour une fois « en visite » chez Allegra, Renée essaye en sa présence de l'imaginer seule, de se créer un futur souvenir. Amusement de vieille fille, se dit-elle en se moquant d'elle-même — et aussi parce que la conversation des deux sœurs, pleine de références et de parentés, l'ennuie. «Va-t-elle s'affairer, avec ce sérieux un peu puéril, à laver ses tasses blanches et bleues avant l'arrivée de Jean-Philippe? Arroser les fleurs sur la fenêtre? Mettre un disque? S'ennuiera-t-elle? Courra-t-elle dix fois à la fenêtre, au bruit des talons multiples claquant sur les tommettes? Elle a l'air d'avoir vécu toute sa vie dans cette maison de poupée, ce mariage de poupée.» Renée soupire. Elle a son idéal, un idéal de femme seule qui ne se laisse pas aller, qui se tient au courant des arts, de la politique, qui part en week-end, malgré son peu de moyens — et quand sa mère et la chienne Uranie sont bien portantes. Elle trouve qu'Allegra use bien peu de ses atouts. Petite vie, petit bonheur... Entre la cuisine si propre, prête pour les rubriques d'Art Ménager (*Ce que vous pouvez tirer d'un placard un peu grand*), le thé, qui est délicieux (elle va sûrement l'acheter dans un magasin spécialisé), ses meubles neufs, pimpants, bon marché, on sent qu'elle évolue à l'aise sans se préoccuper de rien d'autre, sans pensée. On a presque le sentiment qu'à peine la porte refermée, elle va tout à fait cesser d'exister.

C'est peut-être un procédé, une coquetterie? se demande Renée qui en est tout à fait dépourvue. Car si on n'a jamais l'impression d'avoir communiqué avec Allegra, de l'avoir vraiment vue, il en demeure une insatisfaction qui fait qu'on veut la voir et la revoir encore, pour être sûre. C'est peut-être ça qu'on appelle le mystère féminin, une grâce inutile, un vide, la nostalgie imprécise d'un bonheur oublié? Renée s'en veut d'en être, malgré elle, un peu charmée.

— Eh bien, dit-elle, d'un ton imperceptiblement sec, il est peut-être temps...

Elles prennent congé. Paule discourt dans l'escalier, dans la rue, de sa voix chaude et sérieuse. Renée apprend que Jean-Philippe, qui serait «un garçon de tout premier ordre», a insisté pour qu'Allegra reprenne son travail à l'Institut. Paule s'en réjouit, car elle craignait que l'influence de sa mère et de Josée n'incitât Allegra à s'aliéner dans les travaux ménagers; elle voit dans l'intérêt qu'Allegra porte à ses voisins (elle a dû leur parler vaguement de deux danseuses, d'un bébé, d'un Suisse qui aurait le téléphone) une prise de conscience encourageante.

— Allegra a eu une vie trop protégée, trop bourgeoise, et peut-être au fond je ne lui ai pas rendu service en la prenant à l'Institut. Ça l'a enfermée dans un climat encore trop familial, trop sécurisant...

Il est curieux de voir ces belles lèvres douces prononcer des mots comme « sécurisant ». Il va mal au physique de Paule, qui a quelque chose de nonchalant, de voluptueux malgré ses efforts : une odalisque qui aurait sa licence de sociologie.

— Je crois, conclut-elle, qu'Allegra va encore évoluer beaucoup.

Renée approuve. Elle ne peut pas ne pas approuver. Paule a une telle vitalité, puissante et douce à la fois, une conviction si chaleureuse, un bon vouloir si total... On peut si aisément l'attendrir, si difficilement la convaincre... « *Du reste, de quoi pourrais-je la convaincre? Qu'est-ce qui me permet d'affirmer qu'Allegra ne va pas, en effet, évoluer? Rien, je la connais si peu, rien, sinon une certaine impression de* définitif. »

*
* *

Renée travaille à l'Institut depuis sa fondation. Avant, elle massait dans un Institut au nom prestigieux, mais son amitié pour Paule lui a fait prendre des risques. Elle ne le regrette pas. Sans doute, bien que les affaires de Paule soient en pleine extension, son salaire à elle n'atteint pas encore celui d'autrefois. Mais l'Institut a petit à petit remplacé pour elle la famille qu'elle n'a pas su, ou pas voulu, fonder. Et elle porte à toutes celles qui y travaillent un intérêt passionné, pas toujours bienveillant. Pourquoi serait-elle bienveillante? Elle ne doit rien à personne. Mais méchante, non. Attentive, un peu sévère, avec des principes bien à elle, qui font rire certaines clientes : « La beauté, c'est une arme et un devoir », dit cette petite femme laide à gros biceps, qui ressemble à un jockey malade. Aussi l'attention sourcilleuse qu'elle porte a de jolies jeunes femmes qui

25

travaillent avec elle, comme Allegra ou Gabrielle, est-elle parfois mal interprétée : on croit qu'elle les envie. Et d'une certaine manière c'est vrai : elle les envie, possédant tant d'atouts qu'elle n'a pas, d'en faire si mauvais usage. S'enliser dans le mariage, se disperser dans la frivolité ! Mais ce n'est pas une envie basse.

De toutes les femmes qui l'entourèrent, Renée fut certainement la seule à ne jamais juger Allegra. Elle seule eut l'intelligence de s'avouer qu'aucune logique ne pouvait expliquer ce qu'on appela « son cas ». Rien dans le comportement d'Allegra de ce qui fait dire aux bonnes gens « cela devait arriver » ou au contraire « qui aurait cru... ». Et si Renée, après une des rares visites qu'elle lui rendit, pensa à Allegra comme à une « femme-objet », ce fut presque avec une sorte d'admiration. La poésie, le mystère des objets vient justement de leur précision, des contours bien nets, de la place bien définie qu'ils occupent. Ainsi Allegra lui était-elle apparue, ce jour-là, non pas absente, mais douée au contraire d'une présence directe et évidente comme celle d'un bouquet de tulipes jaunes (elle pensait précisément à cette couleur éclatante, à cette fleur sans parfum, à cette matière lisse et compacte) comme celle d'une assiette vernissée. Rien ne prête moins à divagation que ces matières, que ces objets-là. Ils sont l'évidence, la présence même. Si présents qu'une fois les fleurs fanées, l'assiette brisée, il n'en reste rien. Totalement présents, totalement absents. Dès la porte franchie, pensait Renée, il ne reste rien d'Allegra. C'est ce que Paule appelle « son manque de personnalité ».

* *

L'enfant jouait souvent dans la courette, au fond du puits, au centre de la tour. Il était vêtu décemment, d'un pantalon de ski presque neuf, mais d'une coupe désuète, les jambes serrées par un élastique, en bas, qui faisait penser à un pantalon de golf. Son pull-over se boutonnait sur l'épaule, par trois boutons de cuivre marqués d'une ancre. Le tout était bleu marine, comme l'anorak qu'on lui mettait les jours de grand froid, cet hiver-là, et lui donnait l'air d'un orphelin bien soigné. Il portait de solides bottines, ou bottillons, peut-être lourds, qui lui faisaient traîner les pieds.

Son petit visage était régulier, un peu gras, un peu pâle, d'une boursouflure olivâtre, et on entendait rarement sa voix, ou alors de petits cris rauques, indistincts. « Végétations », disait Jean-Philippe, laconique. Il jouait tard dans la cour, avec un vieux frigidaire abandonné là. Quand elle rentrait de l'Institut, en septembre, en octobre, quand elle était seule, à midi (Jean-Philippe déjeunait à l'hôpital), Allegra le regardait.

Son jeu préféré était celui qu'il jouait au moyen du vieux frigidaire qui gisait comme une épave au fond du puits blanc. Il circulait longuement autour de l'objet, comme inconscient de sa présence, puis tout à coup s'immobilisait à quelque distance, semblait écouter quelque chose, et se précipitait, ouvrait la porte branlante, aussi haute que lui, pénétrait à l'intérieur, et tenant devant sa bouche une vieille boîte de conserve, sans produire aucun son il remuait les lèvres, avec une mimique affolée. Ce qui aurait pu paraître inquiétant à un spectateur placé au niveau de l'enfant, mais Allegra, qui jouissait d'une vue plongeante, eût été rassurée, si elle avait eu tendance à s'inquiéter, par la vue d'un énorme trou au sommet de l'objet, qui en assurait en tout cas l'aération. Quand l'objet avait cessé sa fonction de cabine téléphonique, il reprenait apparemment sa personnalité initiale, car l'enfant semblait y placer et en retirer des bouteilles, confectionnait de petits paquets de détritus, bouts de ficelles, boîtes de lait vides, qu'il allait vraisemblablement chercher dans les poubelles du rez-de-chaussée. Parfois son butin plus précieux indiquait une expédition jusque dans l'arrière-boutique du coiffeur : grandes bouteilles de shampooing, boîtes de poudre, bombes de laqué pas encore tout à fait vides. Un jour il se trouva en possession d'une bouteille de vernis et se fit avec le plus grand soin les ongles des pieds. Allegra regardait. L'enfant semblait nourrir une certaine aversion pour les bottines si lourdes qu'il portait habituellement, et qui faisaient tant de bruit dans l'escalier. Souvent, à peine arrivé dans la courette, il élevait ses gros yeux sombres vers les étages supérieurs, pour vérifier sans doute qu'il n'était pas épié, et, s'asseyant alors sur les trois petites marches qui reliaient la cour à l'escalier, se mettait en devoir de les retirer, gauchement et en soufflant. Allegra regardait.

★
★ ★

La vie s'organisait. La famille Svenson n'était pas une de ces familles modernes où le moindre malaise physiologique, ou psychologique, est pris au sérieux, disséqué, supporté par la cellule familiale tout entière. C'est que bien plus que dans ces familles-là (ridiculement réduites aux parents et aux enfants, alors que les Svenson gardaient en mémoire le lien de parenté le plus ténu, le plus éloigné), eux se sentaient une entité, une tribu, qui devait se perpétuer, que les scandales, les malheurs, les ruines, ne pouvaient atteindre; ils n'étaient qu'un tribut à une loi inexorable que personne ne discutait. Que la cousine Giulia, de Gênes, se soit conduite « comme une traînée » et puis soit morte dans un accident d'auto (elle avait bu, disait-on), qu'Octave et Amélie, en Corse, soient en train de mener doucement leur exploitation à la ruine, que la branche Santoni d'outre-mer ait été obligée de quitter l'Algérie en toute hâte et sans le sou, ce n'était que des accidents, des anecdotes. On se venait en aide : on ne s'attendrissait pas. Fût-ce sur soi-même. Josée n'ouvrait jamais la bouche sur le mal qui rongeait son fils Sauveur, un garçonnet de onze ans qui boitait affreusement. Vanina ne se plaignait jamais des fins de mois difficiles, des absences du docteur Svenson, de sa douleur au foie dont tout le monde riait, parce qu'elle glissait la main sous son pull-over et que les enfants s'écriaient rituellement« Napoléon! » Grand-mère Allegra ne se plaignait, bien sûr, de rien, malgré son veuvage, deux guerres, ses fils morts et son mari qui « avait traîné » des années, la réduisant à l'état d'esclave, avant de mourir enfin convulsé de douleur et de haines confuses. Un peu fou pour tout dire; dans les rares accalmies de sa douleur, il s'en allait jouer le peu d'argent que lui laissaient les cliniques, les infirmières et les radiographies, seul plaisir que lui permît sa santé délabrée. Tout cela était admirablement classique, et le récit, répété cent fois devant les enfants, des soirées de ce vieillard débile, qui sous l'influence de quelque piqûre, ressuscité pour une heure, courait « à son cercle » se donner l'illusion d'un peu de risque et de liberté, leur plaisait comme une chose d'un autre âge, comme un roman populaire, une chanson de geste; tout ce qui se passait chez les Svenson-Santoni-Lariaga avait cette dimension simpliste, bariolée, épique, et pourtant eux ne s'intéressaient à rien du monde extérieur. La guerre de 40 avait englouti l'oncle Antoine et l'oncle Pascal; la guerre d'Algérie avait signifié pour eux le retour précipité d'un certain nombre de bouches à nourrir; mai 68 avait coïncidé avec la maladie de Sauveur. En dehors de ces répercussions, qu'étaient les guerres, les révolutions, les épidémies? Des événements aussi inévitables et aussi inintéressants que ceux qui dorment dans les livres d'histoire. S'y attacher, croire que l'on pouvait si peu que ce soit modifier le cours de ces événements, était enfantin. C'était le Credo de la famille. Seul Antoine, le mari de Josée, s'intéressait quelque peu aux cours de la Bourse, à cause de l'organisme Soleil-Loisirs dont il était un des piliers. On le supportait, à condition qu'il n'en parlât point. Quant à Paule, qui avait des opinions politiques et des préoccupations sociales, elle eût été inexcusable, sans son état de célibat, qui, au dire de la famille, expliquait tout. Comment une femme aurait-elle « ces idées-là », si ce n'est par refoulement, désœuvrement de l'âme, solitude des sens? Car c'était un point de doctrine, un dogme indiscuté, que la virginité de Paule, qui avait trente-quatre ans était belle, et vivait seule; une Santoni, voyons! Cela allait de soi.

La vie s'organisait. Jean-Philippe et Allegra, c'était un « jeune ménage » de plus. Ils viendraient dîner tous les mardis, avec Paule, aux Batignolles; Josée et Antoine se réservaient le mercredi, et venaient avec leurs trois petits. Et tout le monde se retrouvait le dimanche, avec la cousine Lucette (qui travaillait aussi à l'Institut — depuis Alger) et l'un ou l'autre membre de la famille.

La conversation était héroïquement banale. Sa caractéristique principale était qu'elle eût pu avoir lieu trois siècles plus tôt — il n'y aurait eu que d'infimes modifications de vocabulaire à opérer.

On était en décembre. Il y avait quatre mois qu'Allegra était mariée.

Le temps semble toujours s'arrêter quand on parle d'Allegra. On a le sentiment qu'elle est partie des centaines de fois pour l'Institut, au petit matin, avec son mince ciré noir, sa trousse à la main (elle n'aime pas que Gabrielle puise dans ses produits), qu'elle est revenue des centaines de fois, avec une halte chez l'épicier de la rue d'Ecosse — celui qui est encore ouvert à une heure de l'après-midi et après huit heures le soir, parce qu'il est veuf et qu'il s'ennuie. Que cent fois elle lui a dit quelques mots gentils, faits pour être oubliés de suite. Que cent fois, pliant sous le poids du cabas, de la trousse, elle a monté un étage, a traversé le fond du puits, remonté trois étages encore et a pénétré dans le petit studio perché en haut de la muraille. Et là, comme il est difficile d'imaginer ce qu'elle pouvait faire et penser quand elle était seule dans cet ermitage, on a le sentiment qu'elle est restée des années près de sa petite fenêtre, assise sur une chaise, en train de coudre comme les jeunes filles des tableaux, ou, le front appuyé à la vitre, à regarder cet enfant qui jouait au fond du puits.

Mais on n'était qu'en décembre, et il n'y avait que quatre mois qu'Allegra était mariée, quatre mois environ, quand l'enfant a levé la tête et l'a vue. Sans doute lui a-t-elle souri, comme on sourit toujours à un enfant qui joue. Elle n'a pas vu s'il avait répondu à son sourire : le puits est profond. Elle a remarqué seulement combien il paraissait petit, vu de si haut.

On n'était qu'en décembre, période des cadeaux et des fêtes qui rendait Paule extrêmement nerveuse, car outre le travail qui se multipliait, Etienne, lui, disparaissait pour ne faire sa réapparition qu'à la mi-janvier, maudissant les « corvées » et les « obligations » (sa femme, dont il était séparé mais non divorcé et qui

30

vivait à Avignon, ses enfants qui étaient grands mais auxquels il restait attaché), et vêtu, parfumé, chaussé de neuf, chargé tel un arbre de Noël de briquets, boutons de manchettes et accessoires clinquants, bronzé par les sports d'hiver, reposé, joyeux enfin...

La banalité même de cette situation exaspérait Paule. Bien qu'elle fût capable de faire preuve de beaucoup d'abnégation, elle en rougissait, comme de la preuve qu'elle ne s'était pas dégagée entièrement de la femelle ancestrale, qui acceptait tout par destination. Le 22 décembre cependant, Etienne n'était pas reparti. Paule l'attendait pour dîner, il vint, porteur d'un petit sapin de Noël, tout givré.

— Je sais que tu n'aimes pas, dit-il en s'excusant, mais c'était aussi pour Gabrielle.

Comment aurait-il pu savoir « qu'elle n'aimait pas » ? Il filait le 15 décembre, depuis trois ans ! Il est vrai qu'elle disait alors par délicatesse : « Oh ! ça ne fait rien, je n'aime pas les fêtes », mais il aurait dû comprendre...

Gabrielle, en tout cas, aimait. Elle s'extasiait devant le sapin comme devant un joyau, et Paule, une fois de plus, se demanda comment elle avait pu laisser se perpétuer cette situation : Gabrielle incrustée chez elle, installant partout des étagères, des boîtes à épices et des gadgets pratiques.

— Quand pars-tu ?

— Mais je ne pars pas, ma chérie !

— Tu ne pars pas pour Noël ?

— Non. J'ai envie de passer Noël à Paris, pour une fois. On va faire une fête à tout casser. Tu veux ?

Bien sûr, elle voulait. Mais la famille ? Gabrielle battait des mains, ravie, tenant pour acquis qu'elle participerait à ces agapes.

— Chic ! On va faire comme tout le monde !

— C'est ça, déclarait Etienne, rayonnant, conscient de sa propre générosité. On va faire comme tout le monde. On mettra nos beaux habits et on fera les boîtes. On boira du champagne et on soufflera dans des mirlitons.

Paule était contente, bien sûr, mais perplexe. Si elle ne passait pas la Noël en famille, avec le long dîner, la cérémonie des cadeaux, entassés en pile multicolore dans la cheminée, les photos-couleurs exécutées par Antoine, qu'il promettait toujours de faire refaire et qu'on ne recevait jamais, les cantiques chantés par les petits, le champagne débouché par le docteur Svenson, solennellement, il y aurait une stupéfaction, des commentaires acerbes, et puis des suppositions qui lui seraient plus désagréables encore. « Si Paule n'est pas là... Ce n'est pas pour de simples amis qu'elle aurait lâché la famille à Noël... Enfin, quelque chose se dessine? » Elle les entendait d'avance, les tantes, les oncles, les cousins de Compiègne, les cousins de Marseille, les cousins d'Ajaccio, tous intéressés par sa vie intime, sujet passionnant qui débouchait sur mille lieux communs savoureux : les femmes de tête qui n'arrivent pas à se marier, la clientèle douteuse des Instituts de Beauté, pour retomber finalement sur les vertus traditionnelles des mères des femmes des jeunes filles de la Famille, ni frivoles ni intellectuelles et qui avaient bien mérité leurs admirables maris.

La solution était simple et s'offrait avec évidence en la personne de Gabrielle, enchantée.

— Dîne avec la petite et je vous rejoindrai avant minuit. Je ne peux pas lâcher la famille pour Noël.

Avant minuit, comme Cendrillon! Gabrielle trouvait l'arrangement excellent. Toujours mourante, déprimée, accablée, elle retrouvait une énergie de fer dès qu'il s'agissait de sortir et de s'habiller. Etienne protestait pour le principe. Il aimait bien Gabrielle, mais enfin...

— Tu ne peux vraiment pas dire à ta famille que tu es invitée par un ami de passage?

Le mot bien qu'involontaire fit faire la grimace à Paule.

— Mais ils t'inviteraient aussi! Ils ont le sens de l'hospitalité maladivement développé. Et à la fin de la soirée tu aurais hérité de trois cravates, deux briquets, un roman policier, sans compter une fiancée dont tu n'aurais que faire.

— Ah! parce qu'ils nous fianceraient?

Avec un tact ostentatoire, voyant que la conversation prenait un tour intime, Gabrielle était passée dans la cuisine.

— De gré ou de force! c'est leur rêve, de trouver un

malheureux auquel ils pourront mettre le couteau sur la gorge.

— Ça ne devrait pas être nécessaire, dit Etienne gentiment.

Gentiment, sans plus. Devait-elle, coquette, lui lancer une œillade : « Vraiment? » qui amorcerait des projets? Ou éclater en sanglots? Elle ne saurait jamais, jamais.

On finit par se mettre d'accord sur cette combinaison boiteuse. Elle n'arrivait jamais à décider, à choisir. Elle avait trop envie de bien faire, de faire plaisir à sa famille, à Etienne, d'être la fille, l'amante, la femme parfaite, de satisfaire à tous les impératifs anciens et modernes... Quant à se satisfaire elle-même... Comme si elle avait le temps d'y penser!

Aux alentours des fêtes une agitation insensée s'emparait de l'Institut. Adieu discipline, austérité, sérénité! Le mouvement s'accélérait jusqu'à la folie; les cours de gymnastique avaient l'air de vieux films passant trop vite sur la caméra, Mme Lagrange s'était mise à un régime trop sévère et se ridait comme une vieille pomme, on se bronzait trop vite aux ultra-violets, on transpirait dans les saunas, bref on donnait un fameux coup de collier. Lucette geignait, Renée serrait les dents, Odette râlait, Allegra maigrissait. Gabrielle qui avait un C.A.P. de coiffeuse mais qu'on employait aussi à l'esthétique n'avait pu se mettre au maquillage, elle manquait de tact et de sérieux, elle était trop docile aux suggestions des clientes, elle leur aurait fait une tête de clown si celles-ci l'avaient demandé.

— Vous ne ferez jamais une minette d'une vieille peau, disait-elle avec un fatalisme qu'aggravait la fatigue.

— C'est ce que tu penses et la cliente le sent. Et c'est pourquoi tu ne réussis pas, rétorquait Paule.

— Boff!

— Il y a autre chose que la jeunesse, voyons. Il y a le caractère, la personnalité... Tu peux mettre des accents sur un visage, l'affiner, le rendre intéressant même si tu ne le rends pas beau.

— Oh! là là! quel cinéma! geignait Gabrielle, et elle faisait observer qu'on avait dépassé l'heure de vingt minutes. Elle ne trouvait pas, elle, qu'il y avait « autre chose que la jeunesse ». Et quand elle avait des clientes jeunes, eh bien, dans le fond, elle avait le sentiment qu'elles auraient bien pu se maquiller toutes seules. La coiffure, oui, peut-être... Et encore! Est-ce qu'elle ne se coiffait pas toute seule, elle?

— Vous auriez dû préparer l'agrégation de philosophie, comme ça vous auriez été tranquille, disait Odette exaspérée.

C'était toujours comme ça aux environs de Noël; les rapports s'aigrissaient forcément, on faisait des journées de quatorze heures, et les clientes s'imaginaient qu'elles allaient pouvoir rattraper en quinze jours une année de laisser-aller, et se transformer en princesses de légende. Paule elle-même était partagée entre l'exaspération et l'attendrissement devant ce désir puéril de faire peau neuve, cette foi dans le miracle, qui faisait des plus rétives des disciples éperdues, des mystiques de la calorie et des abdominaux, exécutés avec une foi aveugle, comme un rosaire. Les façades s'effritaient, les dignités fichaient le camp, les amants, les maris, bannis le reste de l'année, faisaient une rentrée en force, comme une troupe de fantômes goguenards.

— Je voudrais tant lui faire une belle surprise...

— Pierre m'emmène au Liban pour la première fois...

— Nous irons à Megève, je ne peux pas arriver blanche comme un navet...

— Il faut que je rentre dans ma robe mauve, j'ai pris du 40 et j'ai encore deux kilos de trop.

La chimiste voulait avoir l'air d'un mannequin, la journaliste d'une odalisque, le mannequin d'une jeune fille du XVIᵉ arrondissement, et toutes voulaient avoir vingt ans et dix kilos de moins, sauf Mlle Nelly qui cherchait à grossir et n'y arrivait pas. Profonde humilité des femmes! Pauvres de nous, songeait Paule en courant de droite et de gauche, d'un Austerlitz à un Waterloo. De jour en jour les pudeurs s'effritaient, les réserves cédaient, on parlait ouvertement d'écraser une rivale, de conquérir un indifférent, les jupes s'allongeaient, s'écourtaient, on apportait sa robe longue, sa tunique, pour assortir le maquillage, et bien entendu, c'étaient les clientes les plus âgées, les plus bourgeoises, qui montraient leurs seins et donnaient dans la plume d'autruche. Elles en avaient eu envie pendant trente ans, et tout à coup, vlan! elles se décidaient quand il était trop tard. Il n'y a que les femmes pour ne pas sourire des femmes, songeait Paule, pour comprendre, pour avoir pitié de ces acharnements, de ces rêves conditionnés par le besoin de se montrer, et de se montrer différentes. Est-ce pour cela que les couturiers sont souvent pédérastes? Parce qu'il faut une sorte de dualité intérieure pour comprendre cette honte d'être femme, ce besoin de l'afficher en le déguisant, et toutes les femmes sontelles d'une certaine façon des travestis?

Même Josée vint à l'Institut quelques jours avant les fêtes, pour un nettoyage de peau. Elle était très bien sa peau; c'était même ce qu'elle avait de mieux, les yeux un peu petits, le nez un peu pointu, moins jolie qu'Allegra, moins racée que sa mère, plus sèche que Paule, et puis habillée toujours comme une dame d'œuvres quinquagénaire, les pulls ras du cou, les couleurs ternes, le fil de perles, les cheveux frisottés. Mais elle avait un teint mat, égal, pur, un visage sans rides, lisse comme une amande.

— Qu'est-ce que tu veux que je fasse à ta peau, voyons? Tu as la plus belle peau de la famille!

— Je ne sais pas, dit Josée en se regardant dans la glace. Est-ce qu'il n'y a vraiment rien à faire?

Rien à faire pour changer, pour créer cette fête qui n'était pas en elle, pour être plus femme ou pour l'être moins, car ce qu'on appelle « être femme », c'est, avec de la peinture de l'étoffe et des pierres brillantes, l'être moins... Josée se regardant au miroir ovale du petit salon de beauté de l'Institut avait ce regard incertain qu'elles ont toutes, d'une femme qui se regarde devant une autre femme, et quémande un remède à son infirmité première.

Quand elle voyait ce regard, Paule avait soudain horreur de l'Institut, de la tiédeur et du parfum du petit salon blanc, des plantes vertes, des tables basses. Le verre ne lui paraissait plus assez froid, l'aluminium pas assez rigide, le blanc même des murs pas assez austère. Elle prenait en horreur les cabines de massage, les lampes à bronzer, les masques de beauté verdâtres, et sur les fauteuils relax, toutes ces mortes enturbannées de tissu éponge qui attendaient la résurrection d'une chair rajeunie, pardonnée.

Ah! Raser tous ces crânes, dénuder ces visages, purifier tout cela! Mais purifier, n'était-ce pas encore mentir? Autant sourire aux bouclettes, aux faux cils, au ronronnement du pétrisseur malaxant les hanches, les cuisses. Quelle tristesse, cette chair! L'os, voilà la vérité. L'os, se disait-elle en regardant avec envie les maxillaires purs, les genoux secs, de Noëlle et Nelly, mais Nelly suppliait Odette de lui faire gagner trois kilos, et Noëlle se faisait faire des hormones pour les seins.

— Et si je changeais de coiffure? disait Jo.

Evidemment, ce reste de permanente sans caractère, cette couleur indécise de cheveux... Mais enfin cela faisait un tout avec ce que Paule savait de la vie de Josée, les dîners d'affaires pour la carrière d'Antoine, les œuvres de charité de la paroisse, les conciliabules avec le vicaire, les économies secrètes et les dépenses ostentatoires, la résignation devant la maladie de Sauveur, la discrétion de l'épouse qui se sait supérieure, et doit le cacher. Si on changeait quelque chose, est-ce que tout n'allait pas s'effondrer? Josée était Josée, conséquente et logique! Paule n'arrivait pas à l'imaginer autrement. Bien entendu Gabrielle, par exemple, n'eût pas fait ce raisonnement, et livrée à ses mains ingénieuses, Josée eût quitté l'Institut teinte en acajou et frisée à l'africaine.

— Mais pourquoi changer? soupira-t-elle. Tu es très bien. Un coup de peigne au dernier moment...

Josée se fâchait.

— Enfin, Paula, je ne te reconnais pas! Tu me dis toujours que je suis mal coiffée, que je devrais suivre tes conseils... et aujourd'hui...

— Je plaisantais.

Elles étaient seules dans la petite pièce attribuée à Gabrielle et Allegra, devant les deux coiffeuses, l'arsenal de flacons et de tubes, le casque à mise en plis posé devant elles comme une tête coupée. Odette, Renée, Gabrielle et Allegra étaient parties, Lucette était à la caisse essayant d'appeler un taxi pour sa dernière cliente; seule Jacqueline restait dans le gymnase avec quatre ou cinq obstinées, et on entendait des pieds frapper le sol, et la voix lasse qui articulait sans ardeur : « Flexion latérale du tronc... Une... deux... »

— Ça ne va pas? demanda Josée, alertée.

— Pas trop.

— Fatiguée? Cafard?

Paule s'assit. Dans un coin, une caisse d'échantillons dégorgeait des pots de couleur fade, donnant à toute la pièce un air d'abandon, de négligence, mais elle n'avait pas le courage de la traîner jusqu'au placard.

— Un coup de pompe. Tu sais, les fêtes, ici, c'est épuisant. Et puis...

— Et puis c'est très malsain de vivre seule, comme tu fais, trancha Josée. Sérieusement, je ne te taquine pas, mais tu devrais sortir un peu de tes pots de crème et voir la vie en face. Ce n'est pas ta coiffeuse qui te fera une compagnie. Tu finiras par faire de la dépression. Il y a d'autres solutions que de vivre seule ou avec une copine idiote.

Paule nota que Josée avait dit « copine » ce qui ne faisait pas partie de son vocabulaire courant. « Elle doit vouloir se mettre à ma portée, faire bohème »... Mais elle était si fatiguée qu'elle ne sourit même pas.

— Je ne suis pas seule... protesta-t-elle faiblement.

— Je suppose bien, dit Josée. Je voulais dire : sans vie commune...

Paule leva les yeux, surprise.

— J'ai l'esprit plus ouvert que tu ne crois, dit Josée soudain véhémente. Je ne suis pas de la génération de Maman, figure-toi, Je comprends très bien qu'à ton âge, indépendante, encore jeune, tu aies besoin...

— Merci pour encore jeune, dit Paule qui luttait contre le désarroi. Elle songea : « Pour que Jo me dise ça, il faut que j'aie pris un sacré coup de vieux. » Leurs regards se croisèrent, et Josée rougit.

— Est-ce qu'il est marié? fit-elle intrépidement.

— Naturellement. Ils sont tous mariés, ou divorcés, ou en train de divorcer... Ou alors pédérastes.

— Crois-moi, je ne te fais pas de morale, je ne te donne pas de conseils, mais secoue-toi, c'est le moment. Maman me tuerait si elle savait que je te dis ça, mais...

— Que tu me dis quoi?

— Prends-le pendant qu'il est encore temps. Sache ce que tu veux. Et si tu le veux vraiment, prends-le. N'attends pas qu'il se décide. Ils ne se décident jamais. Si tu le veux, prends-le. Ne te monte pas la tête avec des histoires de femme libre, de délicatesse, de foyer brisé, et tout ça. Même Maman, si tu la mets devant le fait accompli, sera ravie. Je sais, tu vas me dire, le mariage; mais crois-moi, il n'y a que le mariage qui les retient, qui les habitue à toi, qui empêche de se sentir... seule...

Paule allait de surprise en surprise. Cette Josée, où allait-elle chercher ça? Sûrement pas chez ses curés et ses dames catéchistes! Comme on connaît peu ses proches!

— ... Et même si Maman... poursuivait Jo, entraînée par une sorte de fébrilité. Crois-moi, il vient un moment où il faut passer outre à bien des choses... saisir sa chance...

Paule était presque choquée. Elle avait blâmé souvent l'étroitesse d'esprit de sa sœur, la docilité avec laquelle Jo s'était conformée au schéma traditionnel, mais ce blâme même l'aidait à se définir.

— Enfin, Jo, qu'est-ce que tu veux dire? Qu'est-ce qui se passe? murmura-t-elle, maladroitement. Est-ce qu'Antoine... Est-ce que Sauveur...

Il n'y avait qu'une catastrophe qui avait pu modifier ainsi l'image qu'elle se faisait de Josée, lui semblait-il.

— Je te parle de toi, dit Jo sèchement.

— Mais pourquoi?

Déjà Jo perdait l'éclat fiévreux qui l'avait embellie, redevenait terne avec application, semblait redouter de s'être en quelque façon trahie. Ni elle ni Paule n'avaient l'habitude des conversations intimes : elles s'en trouvaient l'une et l'autre horriblement gênées.

— Oh, tu sais... On se met à parler, comme ça... Tu as toujours l'air de penser que je n'ai pas d'opinions personnelles...

Josée revendiquant son droit à des opinions personnelles, on aura tout vu... pensa Paule. Mais elle était si lasse qu'elle n'eut pas la force de l'interroger davantage. Elle se sentait au bord des larmes, sans savoir pourquoi.

Déjà sa sœur se détournait, se tapotait les cheveux, reprenait sa voix tranchante de tous les jours.

— Tu as une sale mine. Tu travailles trop, et tu dois couver une grippe. Si j'étais toi, un grog bien tassé et au lit. Et puis dans le fond tu as raison. Je vais me faire faire une simple mise en plis lundi. Elle n'est pas si mal, cette coiffure...

*
* *

« Allegra n'est pas liante », disait sa mère, et elle ajoutait : « Mais pourquoi le serait-elle ? » Josée ajoutait encore : « Au fond, le premier avec lequel elle a réussi à avoir une conversation, elle l'a épousé. »

Elles riaient. Leur mépris bienveillant marquait l'insertion définitive de Jean-Philippe dans la famille. Les hommes y comptaient pour tout et pour rien.

Le docteur Svenson, taciturne et rêveur, se prêtait volontiers à ce rôle. Antoine Sant'Orso avec sa bonne figure de crapaud (dont il avait les yeux admirables, pailletés d'or), son caractère jovial et son étourderie, son incompétence secrète et son innocente forfanterie, représentait le type dans sa perfection. On ne savait trop encore dans quelle catégorie Jean-Philippe allait se classer, mais s'étant laissé imposer son studio par Paule, la date de son mariage par sa belle-mère, on supposait que l'insertion ne ferait pas de difficultés. Vanina contemplait son nouveau gendre avec la paisible satisfaction du propriétaire. Josée lui disait de mieux se couvrir car l'hiver était froid. Paule arrivait à l'entraîner dans des discussions auxquelles il se prêtait avec un sourire un peu ironique. Seul le docteur Svenson posait parfois sur son gendre un regard incertain — mais c'était son habitude. Une éternelle question planait dans ses yeux pâles. Alors Jo disait : Tu poses un diagnostic ? et Vanina, avec un petit soupir d'infirmière résignée, allait chercher la bouteille de genièvre qu'elle posait devant le géant mélancolique.

Jamais Vanina n'eût toléré qu'on dît de son mari qu'il buvait. Ni Josée, qu'Antoine manquait de compétence et de sérieux. Et la cousine Amélie, la tante Rosette, auraient défendu de la même manière Octave et Pascal, comme de gigantesques enfants-rois, maîtres et esclaves à la fois, idolâtrés et manipulés comme on voulait, dont la parole est comme un tonnerre et que par conséquent, on craint sans l'écouter. Jean-Philippe s'était adapté, conformé à l'archétype avec une bonne volonté surprenante. Aussi Vanina, qui ne péchait pas par excès de psychologie, était-elle en cette veille de Noël, parfaitement contente, à sa façon sèche et caustique. Elle bousculait Jo, les petites filles de Jo, Marie et Renata, elle envoyait filles, petites-filles, nièce et femme de ménage dans tous les coins de l'appartement, ou dehors, pour chercher une denrée oubliée, et transformait la fête du réveillon en une sorte d'épreuve sportive à laquelle les hommes ne participeraient qu'à titre de jurés, pour décerner le prix du cadeau le plus ingénieux, de la tarte la mieux réussie, de la robe la moins coûteuse et la plus élégante. Aussi Vanina, Josée, et les petites, « de vraies petites femmes », tartinaient-elles depuis l'aube. Paule suivait avec moins d'entrain. Elle était de mauvaise humeur, trop habillée pour une soirée en famille, avec sa tunique en lamé bleu, et le serait-elle assez pour rejoindre Etienne et Gabrielle chez Raspoutine ? Et ils auraient dîné agréablement, ils seraient en forme, tandis qu'elle, bourrée de dinde maison, étourdie de commentaires oiseux et idiots, se sentirait vieillir à chaque seconde, jusqu'au moment de quitter la famille dans un torrent de protestations et de plaisanteries.

Mais qu'est-ce qui la forçait à être là ? A jouer son rôle dans cette agitation rituelle, à figurer dans ce tableau vivant, qui n'avait plus de raison d'être, plus de sens profond dans le monde actuel ? Peut-être était-ce justement cela, ce sentiment que ces préparatifs laborieux, ce « mousseux » économique, ces privations qu'on s'imposait pour des cadeaux qui ne feraient même pas plaisir, ces robes ratées, ces bigoudis, et jusqu'à cette obligation d'aller à la messe de minuit, était si totalement dépassé, s'était comme desséché, et qu'eux, les malheureux, ne s'en doutaient pas, qu'ils continuaient à jouer avec conviction devant une salle vide, peut-être était-ce là la raison même de sa présence. Le sentiment qu'ils étaient tous, avec leurs défauts et leurs vertus, si désespérément isolés du reste du monde, réfugiés sur un radeau, apeurés et vaillants tout de même, car ce monde qu'ils fuyaient était plein de richesses et de tentations, et eux se cramponnaient comme des naufragés à leur espace réduit, à leur ration de biscuits de mer, à leurs hiérarchies qui n'avaient plus d'existence, à leurs tabous ridicules et respectables. Elle sentait bien qu'ils étaient tout cela à la fois, et elle ne pouvait adhérer pleinement ni avec ceux qui les trouveraient respectables, ni avec ceux qui les trouveraient ridicules. Bourgeois sans argent, réactionnaires sans opportunisme, ils étaient aussi religieux sans chaleur, sans autre conviction qu'une habitude — mais pas une habitude molle, une discipline plutôt, et en cela elle ne pouvait s'empêcher de les admirer, surtout les femmes, femmes de médecins de quartier, d'avocats sans causes, de propriétaires terriens aux terres incultes et qui ne pouvaient se payer de trayeuse électrique ni de batteuse-lieuse parce qu'il aurait fallu avoir recours à une coopérative et cela, jamais, tous cramponnés à une espèce de statut semi-aristocratique dont les femmes portaient tout le poids. Car c'étaient elles qui « représentaient » cette dignité et cette vertu inutile, qui faisaient passer leurs robes retaillées à la fillette ou à la sœur cadette, elles qui avaient une femme de ménage (deux heures par jour, pour qu'il ne fût pas dit qu'elles faisaient le gros ouvrage) mais qui faisaient des entremets avec du pain rassis, des chapeaux avec d'autres chapeaux plus anciens, et des enfants comme s'il en pleuvait. Femmes sacrifiées, femmes d'autrefois, esclaves et reines d'un royaume démuni, mais dures, féroces et gaies, d'une gaieté quasi militaire que Paule n'aurait jamais plus.

C'étaient pourtant ces femmes-là, si supérieures par le caractère et le courage à beaucoup d'hommes, qui étaient responsables de leur statut inférieur, pensait Paule. Il n'y avait qu'à les voir, avec leur intégrité de subalternes, veillant au grain, vives et grises, à côté de leurs hommes pérorant, bombant le torse, déjà un peu rouges après trois verres de pernod, et prêtes à préparer l'histoire drôle qu'ils allaient raconter, à écarter de leur digestion les enfants bruyants, à les ramener à la maison sur une inflexion de voix pâteuse et à endurer dignement le reproche de les empêcher de danser en rond. Pourquoi s'abaisser ainsi volontairement, fièrement? Mais pourquoi était-elle là?

— Mon Dieu : le plat en Limoges! Tu as vu? Marie, vite, va me le laver. Je crois qu'on ne s'en est pas servi depuis l'année dernière. Tu te souviens, Jo, quand Pascal a offert la lampe en inox à tante Marguerite et qu'elle a dit après trois minutes de silence, au moins : c'est inattendu!

Elle les entendait rire. Jo en oubliait Sauveur qui, sur le divan de la salle d'attente (transformée en buffet, et où étincelait l'arbre de Noël) lisait, sa jambe malade repliée sous lui. Vanina oubliait son mari. Rien ne valait pour elles cette chaleur, ces retrouvailles, ces médisances, cette affirmation que rien ne changeait.

— Vous ne savez pas ce que j'ai acheté à Jean-Pierre? Une magnifique liseuse, du cuir de tout premier ordre. Lui qui ne lit jamais, c'est trouvé, non? Et le plus drôle, c'est que la liseuse vient d'une vente de charité. Comme ça c'est tout de même une bonne action!

Et elles rirent encore, avec Lucette qui apportait une tarte aux poires de grandes dimensions. Allegra n'était pas encore arrivée, mais sans doute, elle aussi, eût-elle ri de bon cœur. Paule s'en trouvait désarmée. Qu'est-ce qu'elle avait à leur opposer? Tantôt elle les trouvait d'une étonnante puérilité, comme certaines religieuses, tantôt, en veine d'humilité, elle se disait que ces femmes avaient accès à des vérités qu'elle-même avait égarées. Dans les deux cas elle leur en voulait. Mais qu'est-ce qu'elle avait à leur opposer?

A ce moment on entendit la porte d'entrée claquer. Le docteur Svenson rentrait de sa dernière visite, et avait rencontré Allegra et Jean-Philippe dans l'escalier.

— Ah! les jeunes mariés! s'écria Lucette avec sa cordialité désarmante, la bouche pleine déjà de petits fours. Il y eut des exclamations, des plaisanteries. Le docteur portait un paquet mystérieux. Jean-Philippe avait une veste neuve. Allegra, malgré le travail à l'Institut et l'exiguïté de sa cuisine, avait trouvé moyen de confectionner des tartelettes. Enfant modèle! Elle

42

avait rejoint l'autre camp, sans bruit; Paule l'en aimait moins, non, se sentait plus loin d'elle.

En voilà encore une bien partie pour le bonheur et la bonne conscience, une vie de taupe dans son terrier, sans passions, sans problèmes... Mais avait-elle jamais cru Allegra capable de passion? Encore une fois, elle s'était fait des illusions.

Vanina vint poser la main sur l'épaule de sa fille aînée, sans un mot. Elle croyait comprendre sa mélancolie. Ses sœurs mariées, sa cousine fiancée, entourée de tantes prolifiques et d'une progéniture saine et bruyante, Paule ne pouvait pas ne pas faire un retour sur sa solitude. Vanina, qui ne voyait rien au-dessus, rien au-delà du mariage, se désolait secrètement pour elle. Son propre bonheur, tendu, secret, douloureux, lui pesait presque quand elle la voyait ainsi pensive.

— Ça va, ma Paula? dit-elle maladroitement.

— Mais très bien, Maman. J'attends la fin de ces effusions pour filer, dit Paule, agressive malgré elle.

— Tu ne dînes pas?

— Si, si... Il faut ce qu'il faut. Mais je pars tout de suite après.

— Où ça?

— Rejoindre des amis.

— Ah, bon... soupira Vanina. Et comme son mari, qui était allé se laver les mains et se changer, rentrait dans le salon, elle le rejoignit, rayonnante soudain. « Elle l'aime, indubitablement elle l'aime... » pensait Paule avec une sorte d'écœurement. Irait-elle vers Etienne, tout à l'heure, avec ce même sourire? « Et pourtant nos rapports sont plus vrais, moins conventionnels; eux, Papa et Maman, Jo et Antoine, ne se parlent jamais, n'ont aucun intérêt commun, ne se connaissent même pas... Alors, qu'est-ce qu'elle vaut, leur tranquillité, leur sourire? » Mais elle n'arrivait pas à se persuader complètement. La petite Marie était passée dans le salon d'attente, avait ouvert la porte communicante qui donnait dans la salle à manger, et se penchait pour allumer l'arbre de Noël. Il y eut un grand « Ah! » de satisfaction.

A l'heure des repas, toutes les femmes ont les mêmes
gestes. Allegra essuyait ses mains sur son tablier, souriait, radieuse. Une odeur de cannelle flottait dans le
studio.

— Mon chéri!

Elle l'embrassait. Elle embrassait si bien qu'il en
était gêné. Un peu.

— Tu ne sais pas ce que j'ai réussi à faire? Une tarte!
La tarte à la cannelle de ta grand-mère! Tu n'as pas l'air
de te rendre compte que c'est un exploit : avec le four
que nous avons! Je vais t'expliquer...

— Quelle enfant tu fais! dit-il tendrement.

Ils s'embrassèrent encore. Elle se frottait à lui d'une
façon à la fois enfantine et impudique, qui le touchait,
qui le gênait. Il la serra plus fort contre lui, par convenance. Par convenance! Non, il en avait envie, il l'aimait,
la désirait, mais il avait besoin de s'en excuser vis-à-vis
de lui-même. C'était compliqué.

— J'ai les places pour le concert, dit-elle, animée,
charmante. J'ai pu y faire un saut à l'heure de midi,
entre deux clientes. Mais j'ai eu de la chance, c'était
les dernières! Maintenant on va manger vite, vite, je n'ai
pas eu le temps de déjeuner, j'ai une faim!

Parfaite, elle était parfaite. Ravie d'avoir pu se passer
de déjeuner pour aller faire la queue à Pleyel, alors qu'il
aurait dû y aller samedi. Ravie d'avoir confectionné une
tarte sur un réchaud insuffisant, après huit heures de
travail. Prête à lui servir un repas soigné, à courir au
concert en métro, à faire l'amour... C'était la vie qu'il
avait rêvée, une vie bourgeoise ou presque, mis à part
les fins de mois difficiles, et même les milieux de mois.
Mais Allegra était loin de s'en plaindre. Sa mère l'avait
admirablement élevée. La différence, c'est que Vanina
et Josée enduraient leurs difficultés, leurs privations,
avec une sorte de satisfaction janséniste. Allegra, elle,
ne semblait pas s'en apercevoir. Il avait dit quelques
jours auparavant : « Il faudrait tout de même qu'on se
décide à acheter une voiture. Par traites, ce serait
possible, tu sais. Une deux chevaux, ou... » Elle avait

répondu : « Oh! Phil! Que tu es gentil! Ce serait si amusant d'avoir une voiture à nous! »

Si amusant!

Elle met la table. La petite table, comme dans Manon. Les assiettes blanches et bleues, si soigneusement choisies, sur la nappe du même bleu, avec les verres à pied (elle aime les verres à pied, elle a fait trois Prisunic pour trouver ceux qu'elle voulait, et elle les a trouvés — trois Prisunic et les magasins du Louvre « en nocturne »). Il est saisi d'une perversité brève.

— Tu sais, pour la voiture, j'ai réfléchi... Je me demande si on peut vraiment...

Elle lève les yeux en apportant le saladier, sourit.

— Si on achetait des bicyclettes, chéri? Des bicyclettes pliantes? Parce que plus tard, on pourrait les mettre dans la voiture...

Voilà. Il savait bien qu'il serait battu. Voiture, bicyclette, marche à pied, pour elle c'est tout un, elle sera toujours contente, elle aura toujours ce sourire sans arrière-pensée. Il éclate de rire, devant sa propre mauvaise foi.

— Comme tu es gentille! Viens m'embrasser.

Parfois il se demande si elle est un peu idiote. Cette pensée le rassure inexplicablement. Une ravissante idiote. Ils s'embrassent. Il est comme soulagé d'un poids. Il entame sa salade avec appétit.

— C'est délicieux, ma petite chérie. Il n'y a personne comme toi pour faire la salade.

Il rit encore, parce que ses propres paroles le font penser à une réclame de la télévision. Là, la jeune mariée devrait répondre, ravie : « C'est à cause de Salador. » Au fond, il est de très bonne humeur. Il ne sait déjà plus ce qui lui fait, chaque soir, quand il revoit Allegra, ce petit creux à l'estomac, comme un avion qui décollerait. Ça doit être l'amour, songe-t-il, à nouveau un peu gêné. Mais bah! un petit coup de rouge là-dessus, et ça passe. Ils vont passer une excellente soirée.

— On aurait dû prendre une place pour Paule. Elle qui aime tant Stockhausen...

— Paule, dit Allegra paisiblement, sort avec son ami, je crois.

— Paule a un ami ? (Il a déjà si bien adopté les tabous de la famille que la nouvelle le stupéfie.)

— Bien sûr, dit Allegra en coupant le rôti (petit, il le constate incidemment).

— Elle te l'a dit ?

— Elle ne me l'a pas dit carrément, mais...

— Pourquoi tu ne me l'as pas raconté ?

— Je ne pensais pas que ça t'intéressait, dit-elle de bonne foi.

— Je m'intéresse à ta famille, moi, dit-il vertueusement.

Cette fois c'est elle qui éclate de rire. L'un des deux dit :

— Embrasse-moi.

Ils mangent la tarte et vont au concert. Paule, chez elle, attend Etienne qui est en retard, comme d'habitude. (Mais elle ne s'habitue pas.)

Josée sert la soupe (Antoine dîne tard). Vanina sert les fruits. A l'heure des repas, toutes les femmes ont les mêmes gestes.

★
★ ★

Février, maintenant. De quelle année ? Pourquoi le préciserait-on, puisque pour Josée cela importe si peu. Peu d'années ont marqué dans sa vie. Elle n'a pas connu la guerre (la guerre, c'est important, à cause des approvisionnements, et des hommes qu'il faut soutenir, soigner, cacher, de quelque bord qu'ils soient, du moment qu'ils sont de la famille) mais elle a un point de repère dans les années passées à cause des disputes autour de l'Algérie française. Il y avait des membres de la famille là-bas qui ont été dépossédés, il y en avait d'autres qui n'étaient pas d'accord avec les premiers. Cela jetait une ombre sur les réunions. Mais il a fallu surtout aider les rapatriés, et d'accord ou pas d'accord, il y a eu là une période d'union sacrée, de recherche fébrile d'appartements, d'emplois, de subventions. C'est cette année-là que Paule a engagé sa cousine Lucette à l'Institut. C'est en mai 68 que Sauveur est tombé malade.

46

Et Josée n'est pas femme à se préoccuper de dates et de politique quand son fils est malade.

Josée n'ose pas demander la voiture à Antoine quand elle va à Saverny. D'abord cela obligerait Antoine à se rendre en taxi jusqu'aux somptueux bureaux de Soleil-Loisirs, et si l'un de ses collègues le surprenait il pourrait supposer que le couple n'a qu'une seule voiture. Ça n'est pas très bon pour le standing. Et puis Josée a le sentiment que les difficultés du trajet, le changement d'autobus à la Défense, la longue rue grise, le cheminement pénible en soutenant le petit Sauveur qui béquille courageusement sur les pavés, lui donnent une chance de réussir supplémentaire. Et puis, Saverny mis à la portée de la main, Saverny « à dix minutes de l'Etoile » comme disent les promoteurs immobiliers, ne serait plus Saverny. De même, le guérisseur, s'il avait le téléphone, s'il était aisément accessible, ne serait plus le mage, mais un médecin comme les autres, comme le docteur Svenson, comme Jean-Philippe, comme tous ceux qu'elle a consultés et qui lui ont dit qu'un jour peut-être...

Le guérisseur ne dit pas : avec le temps, ni, un jour. Il dit : avant la fin de l'année. On est en février, indubitablement. Plus que dix mois. Cela compte, cela marque. Plus tard, Josée saura le millésime de cette année. L'année où Sauveur a été guéri, grâce à elle. On est en février. Même Vanina ignore l'espoir de Josée. « Josée est admirable de courage », dit-elle avec une satisfaction qui n'est pas troublée par les souffrances de son petit-fils. Il est si normal de souffrir, d'une façon ou d'une autre! Josée est admirable de courage, mais surtout de dissimulation. Car en dépit de sa crânerie, elle se sent coupable de la maladie de Sauveur. Coupable vis-à-vis de lui, si beau, si intelligent. Coupable vis-à-vis des autres d'avoir mis au monde ce produit imparfait. Elle qui sait tout faire, la cuisine, la comptabilité, la couture, des doigts de fée, elle fait même ses chapeaux, comment cela a-t-il pu se produire? Fille de médecin, elle a l'habitude de considérer les malades avec une bienveillante condescendance. Ce sont les pauvres à la grille du château, mendiant un bol de soupe qu'on leur donne gracieusement, pénétré qu'on est du devoir envers les

47

inférieurs. Mais être devenue elle-même cette mendiante, à laquelle on parle comme à un enfant, un débile, qu'on se renvoie, qu'on se rejette! « Le professeur Larive, qui s'est spécialisé dans ce genre de cas, pourra peut-être... » L'humiliation de Josée est plus grande encore que son chagrin. Et la patience, l'indulgence de Sauveur vis-à-vis de ces grandes personnes qui, parce qu'il est un infirme, le déshabillent, le retournent, comme un objet, ou pire encore, bêtifient, comme si, parce qu'il boite, son intelligence s'était elle aussi arrêtée dans son développement, ne l'adoucissent pas. Lui, il peut pardonner. Mais elle... Dans le monde, Josée porte son malheur comme une couronne. « Les handicapés s'adaptent très bien; mon petit Sauveur, par exemple... » Elle sourit, du sourire orgueilleux de l'athlète de cirque qui soulève un poids en fonte. Et les jeunes épouses de cadres admirent sincèrement Mme Sant'Orso qui ne se plaint jamais. Elle ne se plaint jamais et elle est fière de Sauveur qui, à dix ans passés, ne se plaint jamais non plus. Mais, mon Dieu, comment avez-vous permis cela? Qu'est-ce que cela pouvait vous faire que Sauveur ait un vélo, qu'il fasse du patin à roulettes, qu'il aille à la piscine avec des copains? « Je n'aurais pas dû lui donner ce nom », pense-t-elle avec révolte. « Ça lui a porté malheur. » S'il y a un certain poids de souffrance en ce monde, et que quelqu'un doive le supporter, pourquoi Sauveur? Elle, qu'est-ce que ça lui aurait fait de boiter? Qu'est-ce que ça aurait changé à sa vie? Rien du tout. Debout avant l'aube, la maison tenue, les enfants impeccables, les menus soignés, avec le budget qu'elle a c'est vraiment un tour de force, avec sa volonté, sa patience de bourricot, qu'est-ce que ça lui aurait fait de boiter en plus? Est-ce qu'Il croit que ça l'amuse, Josée, le soir dans des restaurants à la mode, de promener son collier de perles, ses frisettes impitoyablement serrées, son irréprochable laideur? Une béquille ne serait qu'un accessoire de plus. Elle n'est plus à l'âge du patin à roulettes et du reste, elle a toujours, même enfant, été sérieuse. Faite pour être infirme. Cela devait tomber sur moi, pas sur Sauveur. Il y a maldonne. Ce qui lui est échu, de voir le malheur de Sauveur, de voir, les bras liés, sans pouvoir intervenir, le combat de son fils, le courage de son fils, elle ne peut pas (et elle n'en demande même plus pardon à Dieu), elle ne peut ni ne veut plus le supporter. Les bras liés. Un jour elle s'est dit : pourquoi liés? Liés par quoi?

Liés par Dieu, par Dieu qui l'a faite femme, c'est-à-dire vouée à souffrir sans mérite, à souffrir par vocation, avec naturel. Qui lutte, qui combat, qui se forge à défaut d'autre chose une volonté et un cœur d'homme? Sauveur. Mais elle, la responsable, la coupable, n'a que ce qu'elle mérite, et chaque jour dans le secret de son cœur, au lieu de se trouver par l'épreuve trempée et fortifiée, elle se trouve plus pleine de rancœurs basses, de louches jalousies, d'hypocrisies. Dieu la veut-il ainsi? La veut-il ainsi parce que femme? La méprise-t-il au point que même la souffrance, Il ne la lui donne que par personne interposée? « Mais j'étais capable de la supporter! Tout à fait capable! » Dieu l'a mésestimée.

Elle est allée chez le guérisseur. Sauveur guérira. Quant à Dieu... Josée n'est pas de celles qui pensent qu'après tout, Il pourrait comprendre, pardonner, qu'on se débrouillera encore. Elle ne marchande pas. Elle *sait* qu'elle enfreint délibérément une condamnation injuste, mais inéluctable, tout comme elle *sait* qu'en ayant recours, pour avoir l'adresse de Saverny, à Mme Boussu la couturière, elle a enfreint les dogmes familiaux les plus sacrés : ne pas se confier aux domestiques, aux inférieurs, aux stipendiés « dans leur propre intérêt ». Tant mieux. Plus elle bafouera de choses sacrées, plus Sauveur aura de chances d'être guéri. Elle-même se perd, et veut se perdre. De cela aussi elle est capable.

Certains de ses clients prétendent que « le bon docteur » est un vrai médecin, qui se cache uniquement à cause de « ses pouvoirs » et de ses méthodes de traitement peu orthodoxes. D'autres prétendent qu'il est un prêtre défroqué; on le dit oriental, on le dit lyonnais, expert en messes noires. De toute façon, on chuchote, dans sa salle d'attente miteuse, où il faut parfois attendre longtemps, entre un buffet boiteux et une table basse chargée de très vieux magazines. Rien, dans la petite maison grise, prise en tenaille entre une usine de poivre et d'épices (qui répand dans l'air une odeur douceâtre) et un garage de voitures d'occasion, ne corrobore cette idée de mystère. Rien non plus dans la personne du guérisseur, grand et gros homme au teint rougeaud, aux petits yeux bleus enfoncés dans une graisse rassurante, aux mains énormes de paysan dresseur de collets. Peut-être son sourire qui se veut jovial est-il un peu forcé, ses yeux évitent-ils de rencontrer ceux de Josée parfois.

— Alors, ce petit? Des progrès, cette semaine?

— Il est bien mieux, dit Josée avec décision.

— Montre voir, mon bonhomme?

Cette familiarité, cette voix onctueuse, ces grandes mains qui se frottent l'une contre l'autre! Mais il faut en passer par là, traverser les marais où grouillent les serpents, pour Sauveur.

Sauveur pose sa béquille, fait quelques pas, trébuche, est contraint de s'appuyer à la table, à la cheminée, et s'excuse, avec son charmant sourire.

— Ce n'est pas encore bien brillant, mais...

— Il y a des années qu'il n'a pas marché, même trois pas, sans béquille, intervient Josée. Le mieux est évident. Il lui faudra encore bien des séances, mais d'ici deux mois...

— Pour les vacances, ça suffira, précise Sauveur, sa gentille figure d'écureuil un peu maigre rayonnante de confiance.

On dirait que ce sont eux qui doivent impressionner et convaincre le gros homme aux yeux fuyants.

— Mais oui, mais oui... On pourra y arriver... marmonne-t-il. Il y a des influx cosmiques, telluriques, à faire mouvoir, mais il y a aussi des influences spirituelles... Grimpe sur la table, mon petit... qu'il faut aider par la pensée, la prière... Vous ne priez pas assez.

Elle a envie de hausser les épaules. Prier! On ne lui apprendra pas qu'elle enfreint *la* loi en n'acceptant pas. Qu'en voulant âprement, de toutes ses forces, que le mécanisme se déclenche, que les forces mauvaises, domestiquées s'inclinent à la servir, qu'en cachant cette volonté, ce secret, comme un magot sous une pile de linge, elle est coupable. Du moins personne, sinon Dieu, ne s'en doute. Que dirait Vanina? Paule, si logique, si rationnelle? Allegra la petite et la grand-mère Allegra?

Toutes horrifiées, sans doute, pour des raisons bien différentes. Mais surtout Vanina, si proche de Josée. Il lui a fallu sacrifier encore ce bien, si tendre, si précieux : la confiance totale de sa mère. Elle n'aurait pas compris. Elle, eût-elle une bande d'éclopés sur les bras, n'y verrait qu'une occasion de déployer son abnégation triomphante, ses forces intactes de championne du saut de haies, toujours prête à une course dont l'enjeu n'est même pas le salut éternel, mais une sorte de prix d'honneur qu'on se décerne à soi-même.

Josée en cela se sent, se sait différente de sa mère qui n'attache aucun prix aux choses de la terre. Quant aux choses du ciel, Vanina y croit, bien sûr, mais négligemment, par une sorte de concession. Elle n'a pas besoin de cela pour bien agir. Elle trouve ces promesses de récompense du ciel un peu douceâtres, un peu puériles. La grand-mère Allegra elle-même flétrissant certaines bigotes qui courent à l'église des Batignolles matin et soir :

— Quand on croit, on va à l'église une fois par semaine, ça suffit.

— Et quand on n'y croit pas? avait osé Paule un jour de révolte.

— Alors on y va deux fois, avait dit la première Allegra d'un ton sec. La foi sensible lui paraît une sorte de douceur que l'on s'accorde par faiblesse, une friandise bonne pour les enfants, dont un adulte apprend à se passer. Josée n'a pas appris tout à fait. Ces douceurs lui manquent, et parfois elle cesse de s'agiter, un abandon de l'âme la prend, elle nage soudain dans un soleil tiède et indifférent qui lui fait voir ses proches avec une lucide suavité, une douceur froide si proche du désespoir ou de l'amour qu'elle prend peur, et qu'au bord de l'abîme, d'une vacherie, d'un mot acerbe, elle se rattrape et redevient la fille de Vanina.

Sauveur est étendu sur la table nickelée couverte d'un linge d'une blancheur douteuse. Il pleut dehors, sur le jardinet mal soigné. La femme au goitre attend toujours dans l'antichambre au papier marron. Autour d'eux, la maison semble vide, elle a l'odeur un peu moisie, la sonorité des locaux abandonnés. Les mains blanches et grasses se promènent sur les jambes de Sauveur, se posent sur le genou. Le silence ne paraît pas gêner le petit garçon.

— Ça commence à chauffer un peu, dit-il avec gravité. Ça vient...

Encore un peu il dirait « courage » à l'homme dont la face épaisse s'empourpre.

Josée attend. Le guérisseur habite-t-il là ? Peu vraisemblable. On doit lui prêter ce pavillon autrefois coquet, déshonoré aujourd'hui par sa façade écaillée, sa marquise où deux ou trois vitraux fêlés demeurent, son jardinet de plantes mortes, maléfiques. Ainsi s'il était inquiété, pourrait-il disparaître du jour au lendemain. Cette clandestinité qui devrait la troubler rassure au contraire Josée. Justement parce qu'elle est farouchement honnête, aussi scrupuleuse au confessionnal que sur sa feuille d'impôts, il lui faut sacrifier cette honnêteté, cette droiture, et jusqu'à son amour-propre, et jusqu'à l'équilibre de son budget ; Sauveur guérira.

— Remets-toi debout, mon petit bonhomme.

— La jambe est déjà beaucoup plus souple, constate Josée avec satisfaction.

Sauveur se relève, le visage malicieux. Le secret de ces expéditions l'amuse beaucoup. Il se plie aux volontés du docteur comme à un jeu un peu magique, mais un jeu tout de même. Il est de fait que depuis trois semaines, Sauveur s'appuie davantage sur sa jambe. Un peu de forces semble revenir dans le membre atrophié. Le guérisseur lui-même en est surpris. Josée ne l'est pas. Ce qui la surprend plutôt, c'est sa propre audace. D'avoir su percevoir dans la voix de Mme Boussu la note de mystère, l'indication camouflée sous un ton faussement négligent : « Des fois il y a des cas où les médecins ne suffisent pas... Ce n'est pas pour dire du mal de la profession, madame Jo, mais... » Qu'est-ce qui, en elle, était prêt à recevoir cette suggestion, qui l'attendait ? Elle a pensé aux récits épiques de Vanina sur la guerre, la résistance. « On sentait bien tout de suite à qui on pouvait se fier, vous pensez... » Mme Boussu avait dû sentir que le terrain était propice. Mais à quoi ? Pourquoi ? Josée elle-même ne pourrait analyser ce qui l'a conduite à l'action, osée, absurde, de se rendre en secret chez un guérisseur. Moins encore, ce qui lui a donné tout de suite la conviction du succès. Une révolte? Le désespoir bien explicable d'une mère? (mais si Josée a des défauts, elle est trop lucide pour s'aveugler de ces justifications de mélo). Une tradition séculaire de superstition, remontée à la surface après des générations de rationalisme bourgeois? Est-elle en révolte contre les pieuses résignations de sa mère et de sa grand-mère, ou, au contraire, obéit-elle à un instinct profondément féminin du secret, de l'obscurité, des forces mystérieuses de la sorcellerie, instinct atrophié chez sa mère, chez Paule, par trop de conventions de diverses espèces? Mais qu'est-ce qui guidait les femmes qui dans les Catacombes se glissaient, avec des esclaves, des vieillards, des individus suspects, pour entendre une parole simple et mystérieuse? Vanina eût-elle été de celles-là, tremblantes d'appréhension et d'espoir, ou, matrone romaine pleine d'une méprisante pitié, se fût-elle contentée de rester chez elle, les jours de cirque, en murmurant comme elle le fait devant les alpinistes perdus sur les sommets, les explorateurs engloutis par la jungle : « Ils l'ont bien cherché, dans le fond... » ?

— C'est cent francs, ma petite dame.

Josée sursaute, ouvre son sac, paie. Tout se paie, dit Vanina. Si ce n'était qu'avec de l'argent...

— Voici, docteur.

— Oh! pas docteur! proteste-t-il avec sa grosse jovialité creuse. Un homme de bonne volonté seulement, qui voudrait pouvoir vous faire cadeau de son don...

— Je ne vous le demande pas, dit sèchement Josée, redevenue très Santoni.

Elle sort. Le guérisseur a posé un instant sa grande et lourde main sur son épaule, et elle l'a laissé faire. Tout se paie. Elle sort, l'empreinte de cette main moite, chargée de fluide, encore sensible sur son épaule, à travers le chemisier de crêpe, démodé.

— Tu as vu la dame au salon? Tu as vu la dame? demande Sauveur en manœuvrant sa béquille à travers le jardinet boueux. Qu'est-ce qu'elle a?

— Ça s'appelle un goitre, dit Josée qui marche vite, sans l'aider.

— Ben, c'est pas joli-joli! dit Sauveur en riant.

Ils débouchent dans la rue grise, interminable.

— Une béquille, ce n'est pas joli non plus, dit Josée.

Sauveur rit de plus belle, ses yeux noirs illuminés de malice dans son visage d'écureuil.

— Oui, mais moi c'est bientôt fini. Ça leur fera une drôle de surprise, hein, maman, quand ils me verront courir comme tout le monde?

— Oui, mon chéri, dit Josée radoucie. C'est pour ça qu'il ne faut rien dire, tu comprends. Pour la surprise.

Ils avancent, ils avancent vers le bout de la rue. Sauveur fredonne, son attention aux pavés inégaux se relâche. Il trébuche, Josée le rattrape de justesse.

— Oh! pardon! fait-il, confus.

Le cœur de Josée s'ouvre, un flot de douleur l'inonde. C'est lui qui lui demande pardon! Sauveur! Voilà l'avenue, les autobus, les magasins de chaussures.

— Si on prenait un taxi, Maman?

— L'autobus, dit Josée, laconique. Tu me coûtes assez cher comme ça, ajoute-t-elle, appuyant sur la plaie.

*
★ ★

L'enfant jouait au fond du puits, au pied de la falaise. Il jouait avec les débris abandonnés là, comme des épaves sur une plage. Le vieux frigo, la table de nuit boiteuse, des caisses. Il ne faisait pas de bruit. Il jouait parce qu'il faut jouer, sans gaieté, mais avec conscience, accomplissant un rite qui, à force de monotonie, finissait par se charger d'une poésie sévère. Parfois, en rentrant, Allegra lui tendait un bonbon, qu'il ne mangeait pas, mais mettait dans sa poche, avec un regard surpris, attentif. Il ne remerciait pas. Elle ne disait rien, car Jo l'avait persuadée qu'elle ne savait pas parler aux enfants. Du reste il n'avait pas l'air d'y tenir. Il ne criait pas en jouant. C'était un enfant vraiment pas encombrant. Quand il n'était pas là (il pleuvait trop ou il était trop tard le soir) elle le regrettait un peu parfois. Parce qu'elle avait le bonbon tout prêt, dans sa main.

Parfois elle apercevait l'une des deux filles du rez-de-chaussée. Diane ou Patricia, la rousse ou la brune, qui venait chercher l'enfant. Elles étaient serveuses au Croissant d'Or et elles se ressemblaient : ce devait être des sœurs. Mais elles ne semblaient pas très attachées à l'enfant qu'elles prenaient par la main sans dureté, mais en silence... Quand il les avait enlevés, l'une ou l'autre lui remettait ses bottillons et l'emmenait. Parfois quelques mots murmurés : « Allons, viens... » Claquement de la porte du vieux frigo que l'enfant refermait brusquement, claquement des chaussures qui redescendaient au rez-de-chaussée, de la porte en bas qui se refermait.

Allegra trouvait la maison triste, par rapport à l'immeuble des Batignolles, sans cesse parcouru par des locataires affairés, ou par des représentants, des clients du docteur Svenson ou du dentiste du quatrième. Quand elle regardait du haut de son ermitage les petites fenêtres du puits, elle n'y voyait presque jamais personne. Dans l'escalier, elle croisait parfois une vieille dame toujours pressée, un garçon qui habitait en haut du bâtiment A et qui portait un étui à violon sous le bras, mais les autres, en dehors de la tribu du Croissant d'Or, devaient partir avant ou après elle, rentrer plus tôt ou plus tard, elle ne les rencontrait jamais. Aussi eût-elle volontiers échangé quelques mots avec les deux sœurs. Mais elle hésitait à se précipiter dans la cour quand elle les apercevait, et à peine l'enfant installé, elles disparaissaient à nouveau.

Elles vivaient dans la cour inférieure, celle qui n'avait de jour que par une étroite verrière, avec un homme plus âgé — leur père sans doute, gérant du Croissant d'Or. Celui-là saluait Allegra, quand elle le rencontrait, avec un sourire las qui lui rappelait son propre père.

— Bonjour, monsieur Bellem.

— Bonjour, madame Vernier.

Tout de même, c'était une drôle de maison. Mais les Batignolles? Et le mas, autrefois, avant l'incendie?

Elle regardait l'enfant jouer, de sa fenêtre, le midi et le soir. Parfois il faisait noir déjà, et une ampoule blême, trop faible, s'allumait au fond de la cour. Enfin les talons claquaient sur les tommettes de l'escalier A, et une silhouette féminine venait prendre l'enfant par la main. Elle s'en trouvait soulagée.

Jean-Philippe, lui aussi, jetait parfois un regard dans la cour.

— J'ai mis un mot au syndic de l'immeuble pour qu'il fasse enlever ce frigidaire. Et cette table de nuit, ces boîtes de conserves. Quand on avait visité, ils avaient promis, tu te souviens, de débarrasser la cour, et naturellement... C'est un vrai dépotoir!

— Mais tu sais, le petit s'en sert beaucoup, avait dit Allegra.

Jean-Philippe tombait des nues.

— Quel petit?

— Le petit d'en bas.

— Il se sert de quoi?

— Du vieux frigidaire. Il joue avec.

— Un frigidaire n'est pas un jouet, avait dit Jean-Philippe, sans brutalité d'ailleurs. Il est tout rouillé, c'est même malsain, tu ne te rends pas compte.

— Mais il va s'ennuyer.

— Ça incitera peut-être ses parents à l'envoyer à la maternelle.

Puis il s'était mis à rire devant la mine perplexe d'Allegra.

— Quelle enfant tu fais! Achète-lui un ballon, et n'en parlons plus.

Qu'est-ce qu'il allait faire d'un ballon dans cette cour trop petite? Sans doute ne voulait-on pas qu'il allât dans la rue, trop dangereuse. Mais dans la cour il était seul. Qu'est-ce qu'on peut faire d'un ballon, quand on est seul? C'était — parmi bien d'autres — une de ces questions toutes simples que personne ne semble jamais se poser.

*
* *

C'est toujours au moment où l'on est le moins prêt à les affronter que les ennuis vous tombent dessus. Paule avait la grippe en plein mois de février, alors qu'elle aurait dû prendre une décision au sujet de la fabrication des produits de beauté, et Gabrielle s'était absentée deux ou trois fois cette semaine-là, sans prévenir, lui laissant des clientes hargneuses sur les bras; et le soir où avec 38°7 elle rentrait chez elle se coucher, elle n'avait pas eu de coup de téléphone d'Etienne depuis quinze jours, elle avait failli, en rentrant sa voiture dans le box, accrocher celle de Mme Fabre, sa voisine de palier, et par-dessus le marché, elle cassa son talon dans l'ascenseur. Un fait exprès. Elle avait mal au dos, elle n'avait pas eu le courage de s'arrêter chez Leclerc pour acheter ne fût-ce qu'un œuf, et pour une fois qu'elle aurait eu besoin d'elle, Gabrielle n'était pas là. Il est vrai qu'elles s'étaient disputées un peu trop souvent depuis Noël. Paule était exaspérée par la mollesse de Gabrielle, qui tout en faisant les projets les plus divers (étudier la musicologie, faire un reportage en Iran, se reconvertir dans le tissage artisanal) s'incrustait chez elle; depuis sept mois elle était là pour quinze jours.

— Tu devrais quand même trouver le courage de te décider, lui a dit Paule la veille encore. Ou tu cesses de te plaindre de ce que tu fais, ou tu changes carrément d'orientation. Tu n'as donc aucune volonté ? Qu'est-ce que tu fais ?

— Je me tire les cartes, a répondu Gabrielle, installée dans le living comme chez elle et penchée au-dessus de la table basse.

— Tu te tires les cartes ! Alors tu me demandes conseil et tu n'écoutes même pas...

— Mais si ! a fait Gabrielle prête aux larmes, image de l'innocence outragée. Je me tire les cartes pour voir si je trouverai la volonté, justement !

Il aurait fallu rire. Paule devait être surmenée, elle a claqué la porte. Ce soir, elle le regrette. La cohabitation pose certainement des problèmes; elle ne peut plus laisser un registre ouvert, un flacon débouché sans voir Gabrielle se précipiter, silencieuse et martyrisée, le chiffon à la main; plus de stylo-bille décapuchonné, plus de miettes sur la table de la cuisine, et partout des classeurs, des étagères à épices, des rangements pour les chaussures, achats pratiques, sans doute, mais que Paule juge superflus. Et puis Gabrielle ne regagne la chambre de bonne que pour y dormir, et son corps mince et soigné encombre le living plus qu'une poubelle de détritus. Méticuleusement propre, Gabrielle donne pourtant une impression d'abandon, de négligé, profondément déprimante. Son vêtement même, ces franges partout, ces châles; ces écharpes, ces longs cheveux de noyée, ces longs ongles d'oisive, ces longs soupirs... Encombrante. Mais cet encombrement, et même l'exaspération que Gabrielle excite en elle parfois, occupent l'esprit, évidemment, se dit Paule, dans un effort d'équité. Et ce soir elle aurait besoin d'avoir l'esprit occupé, fût-ce par un agacement amical.

Elle claque la porte de l'ascenseur, elle boitille bruyamment sur le palier de marbre, impeccable. Tant pis pour Mme Fabre, gynécologue. Encore une femme seule! (L'immeuble est très bien habité, lui a-t-on dit quand elle a acheté son studio.) Seule. C'est cela qu'elle n'a pas envie d'être ce soir. Au fond, si elle continue à loger Gabrielle, avec qui elle a si peu de chose en commun, c'est pour ne pas être seule. Egoïsme. Non qu'il y ait grand-chose à tirer de sa conversation mais enfin c'est une présence...

Le living est vide, bien en ordre. Gabrielle ne sort jamais sans un ultime rangement effectué avec sa langueur efficace. Paule a un remords. « Tout de même, elle me rend des services... » Bien sûr elle allait encore rentrer à trois heures du matin, avec un luxe de précautions qui n'empêcherait pas Paule de se réveiller en sursaut. Tout ça parce qu'elle ne voulait pas passer par l'escalier de service. Mais il y a la cafetière déjà prête sur un plateau dans la cuisine, le journal monté depuis la loge de la concierge, le petit mot bien en évidence sur la cheminée... Sans doute : « Je suis au cinéma, je ne rentre pas tard. » Ou « J'ai prévenu Mme Lopez, pas de rendez-vous avant neuf heures. Je ferai le petit déjeuner. » C'était cela la présence, un petit réconfort malgré tout, un mot sur la cheminée, des biscottes dans la cuisine qu'elle n'avait pas achetées elle-même, une nouvelle marque de thé, le bruit de l'ascenseur dans la nuit « la voilà qui rentre... » J'en suis déjà là, à me contenter de si peu? Même pas une amitié, mais mieux que rien, oui, certainement. « Si elle ne s'était pas mariée, j'aurais pu partager mon appartement avec Allegra. Mais finalement, est-ce que cela aurait été tellement plus agréable? » La question sans doute mérite d'être posée, mais Paule sent que si elle s'embarque dans cette voie, elle va s'agacer, mal dormir une fois de plus. Elle devrait se coucher, au lieu de rester là sur le bras du fauteuil, comme une invitée. « Qu'est-ce que j'attends? Je serai encore épuisée demain matin, et le premier rendez-vous est à neuf heures, et il faudra que je fasse comprendre à Mme Dupuy que si elle veut continuer ses massages, il faudrait d'abord payer sa première série. Et le représentant de chez Payot va passer, et je ne sais même pas ce qu'il me reste en crèmes de jour. Mais qu'est-ce que j'attends? Ah! oui, le mot... »

Elle va d'un pas lent jusqu'à la cheminée, prend l'enveloppe qui lui paraît inhabituellement lourde, l'ouvre. Elle ne lit que la première phrase : Ma Paula, tu vas me traiter de tous les noms, et je le mérite... »

Elle s'assied, la lettre à la main. Elle n'a pas besoin de lire le reste, quatre pages d'une écriture désordonnée, où les lettres s'accrochent les unes aux autres comme si elles allaient basculer. Elle sait, elle a toujours su. C'était cela qu'elle attendait, en somme. Quelque part, dans ce fouillis incohérent, elle va pouvoir lire cette phrase, écrite depuis toujours : « Je pars avec Etienne. » Sagement, elle repose la lettre, revient s'asseoir dans le premier fauteuil de cuir, le meilleur, se verse un petit verre de cognac, prend une cigarette. A quoi servirait de jeter le verre, de crier, de casser un bibelot? De toute façon Gabrielle n'est plus là pour réparer les dégâts.

Elle avale le petit verre de cognac d'un trait. Ses mains se reposent sur les accoudoirs, les serrent très fort. « Pour demain, on s'en tirera. Je ferai le masque et l'épilation de Mme Peters; Renée est toujours en avance, elle pourra préparer la paraffine, et Allegra maquiller Nelly pour son défilé... Et demain après-midi, je file chez Camille lui emprunter une coiffeuse. Elle me dépannera bien... »

Posément, elle reprend la lettre, se force à la lire. C'est bien le gâchis qu'elle attendait.

« Je n'ai pu résister... Il veut m'épouser dès que... Nous partons en Avignon... (*En* Avignon! minuscule snobisme qui lui a échappé.) Mais plus tard... nous revoir en toute amitié... Tu n'avais pas pour lui les sentiments... Nous habiterons chez son père... Ç'a été plus fort que moi. »

Ç'a été plus fort qu'elle, mais comme elle a tout dissimulé, organisé! Et pas un mot de lui bien entendu. Déjà le couple, la cruauté de l'un étayant la lâcheté de l'autre. Elle les imagine... non! elle ne les imagine pas, ne veut pas les imaginer. Elle réussit par un puissant effort à ne pas les imaginer. « C'est plus fort que moi! » Vraiment! Rien n'est plus fort que moi, pense Paule qui serre les dents, et ne pleure pas.

*
* *

A l'Institut, elle ne parla de rien. A qui aurait-elle parlé, du reste, sinon à Gabrielle, justement? Elle n'avait jamais dit à personne : mon amant s'appelle Etienne. Elle s'était fait une gloire de ne céder jamais à ce besoin de confidence que l'on dit féminin : il était donc juste qu'elle en fût récompensée — ou punie — par le silence autour d'elle, un silence d'une qualité tout de même un peu particulière. On se doutait, sans doute, de quelque chose, on soupirait, on commentait peut-être, mais en son absence. C'était toujours ça de gagné. Ou de perdu...

Mais cette discrétion méritoire n'était pas une vertu pour Maria. Maria Vega-Ramirez, la seule cliente de Paule qui lui fût devenue une amie, avertie par on ne sait quel instinct, cingla l'après-midi même vers l'Institut, pénétra en tornade dans le bureau de Paule, scruta son visage, et il ne lui fallut qu'une minute pour deviner la dépression, qu'une seconde pour supposer la passion malheureuse.

— Allons, Paula, ne faites pas la sotte! Parlez! dit-elle seulement.

Paula parla.

Maria venait du Venezuela, abondante en tout, en cheveux admirables, en cils vertigineux voilant des yeux trop grands, les seins dressés, la bouche sensuelle, des voiles voletant et virevoltant autour de son grand corps, et tintant de partout, avec des bracelets, des broches, des colliers et des plumes, tintant comme si elle avait porté sur elle tous les dollars du défunt Ramirez. On ne se pose jamais la question : Maria est-elle ridicule ? Grande, roulant avec orgueil des hanches haute-époque, elle a l'air dès le matin d'être prête pour un gala à l'Opéra, un bal à l'Elysée. Des gardes républicains fantômes font la haie devant elle, qui reste d'une bonhomie royale. Ses chapeaux insensés, ses bijoux d'une laideur grandiose, sa voix râpeuse et gaie comme celle de l'ara, toute sa personne volumineuse et vive exerce une influence tonique. Et si Paule maintenant pleure quelques larmes avares c'est avec soulagement. Elle a un alibi : Maria.

— Il faut crier, Paula ! conseille celle-ci avec véhémence. Pleurer, crier, casser quelque chose ! Tout le mal vient de ce sang-froid du Nord ! Courez-lui après, achetez un manteau de fourrure, retirez-vous quinze jours au couvent, et n'y pensez plus !

Sans doute Maria avait-elle raison. Mais aller au couvent paraissait à Paule un remède par trop exotique, une sorte de péripétie d'opéra. Quant à crier, toute seule chez elle, vraiment, ça ne lui venait pas. Et à l'Institut, les minces cloisons ripolinées, les portes de verre coulissantes, les tubes d'acier, toute cette blancheur, cette rigidité, cette transparence n'incitait pas aux abandons. Elle l'avait voulu ainsi. Elle n'était pas réconfortée par les conseils absurdes de Maria, mais elle lui était reconnaissante, comme elle lui était reconnaissante de porter avec tant de naturel ses gros seins, ses grands yeux, ses larges hanches, ses tout petits pieds, une féminité sans faiblesse et sans concessions.

— Et si je vous accompagnais là-bas avec la voiture ?

— Où ça ?

— A Avignon. Pour l'arracher à cette petite garce. Sûrement en vous voyant il comprendrait...

— Du moment qu'il est parti...

— Eh bien ? Du moment qu'il est parti ! Qu'est-ce que ça veut dire ? Qu'il ne sait pas ce qu'il veut. Il n'y a qu'à le faire revenir.

Comme Josée. Il faut savoir ce qu'on veut. La richissime, la tempétueuse Maria comme la petite bourgeoise, toutes elles savaient, apparemment, comment s'emparer d'un homme, comment le garder, le perdre, s'en venger, l'oublier, selon un code immémorial. Elle, elle avait transgressé le code. Elle ne sautait pas dans le premier train pour Avignon, elle ne faisait pas de tentative de suicide, elle ne couchait pas sur l'heure avec Monsieur Roger le représentant, le chimiste Privat, ou le premier homme agréable qui lui tombait sous la main. Et elle souffrait sans pleurer.

— Non... Je ne peux pas faire ça...

— Vous ne voulez pas le faire, c'est ça ? Vous le méprisez trop, je comprends...

Elle aurait voulu, comme Maria, penser en couleurs simples et violentes : je le méprise... Il me le faut... Le petit type minable... La garce... C'était d'une telle commodité !

— Si vous le méprisez, vous l'oublierez, tranchait Maria, et elle la prenait dans ses bras, et son parfum trop fort enveloppait Paule d'une migraine douce.

— Mais oui ! Vous souffrirez, bien sûr... Je connais tellement ça ! Depuis la mort du pauvre Manolo, j'ai souffert, moi aussi. Les sens ! Et je suis Vénézuélienne ! Et j'avais trente-deux ans quand le pauvre ami a disparu !

Le rire douloureux de la belle veuve emplissait le petit bureau. Les sens. Paule se cramponnait à cette planche de salut. Les sens, c'était simple, cela expliquait tout. Son humiliant chagrin, le coup de folie d'Etienne. Les sens !

— Eh bien, dès que je l'ai eu enterré, savez-vous ce que j'ai fait, mon bijou ? J'ai été trouver Monsieur le Vicaire général et je lui ai dit : « Prenez-moi ! » Mais non, trésor ! (à un mouvement de Paule) je sais qu'on dit beaucoup de choses de notre Eglise sud-américaine, mais... (le rire rauque comme un sanglot s'éleva d'un ton) Non ! Je lui ai dit : Prenez-moi pour vos saintes œuvres, vite ! Et le lendemain, j'étais dans les bas-fonds, avec Romuald, faisant le bien. Ça soulage, vous savez !

Paule doutait que de parcourir « les bas-fonds », fût-ce avec un chauffeur noir prénommé Romuald, et dans une Mercédès, fût pour elle un remède praticable. Se noyer dans le travail, lancer sérieusement cette fabrication avec l'idée de laquelle elle jouait depuis quelque temps ?... Mais aujourd'hui cette solution lui paraissait

aussi romanesque, aussi improbable, que l'idée de se
précipiter à Avignon et d'égorger Gabrielle.

— On va se voir davantage, ma Paula. La semaine
prochaine j'organise un petit dîner, tout simple, avec
un pianiste brésilien, un garçon charmant, célibataire,
très moderne.

— Oh! non, Maria... Ne jouez pas les marieuses, vous
aussi...

— Mais il ne s'agit pas de se marier, trésor! De se
changer les idées, simplement. Je vous présenterai mon
pianiste, vous n'en voudrez pas, je vous présenterai
un architecte, — de très beaux yeux, il a travaillé
deux ans à Brasilia — vous le trouverez affreux, et pendant qu'on discutera et que vous trouverez que Maria
est une folle, vous ne penserez pas à cet abominable
type et petit à petit vous prendrez le chemin de vous
trouver toute seule un autre affreux. Je vous aiderai,
vous verrez...

Pourquoi sont-ce toujours des femmes qui m'ont dit :
Je vous aiderai? Même Gabrielle, avant, elle m'a aidée,
un peu. Etienne, jamais.

Par son absurdité même, Maria l'aidait, à sa façon.

— Appelez-moi demain. Ne soyez pas courageuse.
Croyez-moi, ça ne nous sert à rien, à nous autres. Qui
est-ce qui a jamais désiré une femme pour son courage?
Il ne faut pas être courageuse...

Sur cet aphorisme, elle s'en alla, dans un cliquetis
parfumé. Paule s'interrogeait. Maria était courageuse,
pourtant. Courageusement femme. Courageusement
riche. Il doit s'agir d'une autre espèce de courage,
qu'elle me reproche.

Des « au revoir », « à demain », s'échangeaient dans
l'entrée. Paule regarda sa montre, et s'accorda une heure
pour pleurer.

Elle marcha de long en large, dans le gymnase vide,
parmi l'austérité des cordes lisses, des barres parallèles.
Elle voulait se donner tort et n'y parvenait pas. Elle
voulait se donner raison et n'y parvenait pas. Elle n'aurait pas dû souffrir. Elle aurait dû souffrir davantage.
Elle n'arrivait, faiblement, qu'à se moquer un peu d'elle-
même. Je suppose que c'est cela l'acquis de la femme
moderne, son seul trésor : ce faible sourire de Paule,

échevelée (elle a retiré ses épingles à cheveux) comme une héroïne romantique. Il faut noter qu'elle a retiré aussi ses chaussures, pour ne pas abîmer le tapis de sol neuf du gymnase. Cette organisation dans la douleur, cela, c'est la femme de toujours, celle qui met la soupe au feu en calculant que ça lui donne deux bonnes heures pour souffrir à fond, professionnellement. Elle marche, s'arrête devant le petit bar, éclate en sanglots, renifle, se verse un verre d'eau devant le distributeur, le boit, et pleure encore. Si seulement elle pouvait pleurer sans se poser de questions, sans s'interroger, sans se dire « J'aurais dû... » Mais qu'est-ce qu'elle aurait dû faire? Le tyranniser, l'empêcher de se sentir libre; le séparer de sa femme, le harceler. Ne pas s'imaginer que l'amour libre est libre, ne pas lui dire « Viens quand tu veux, comme tu veux » ou alors, le lui dire les yeux pleins de larmes, sacrifiée, ostentatoire. Ne pas être en bonne santé, active, gaie. Ne pas être crevée le soir, et ne pas surmonter sa fatigue. Se montrer mourante pour ressusciter l'instant d'après dans une robe à la mode, pour s'épanouir dans un restaurant ou une boîte de nuit. Ne pas être fatiguée raisonnablement. Etre plus, être moins. Le comprendre mieux, ou moins bien. « J'aurais dû... »

Etienne, mon pilier de rugby, mon commis voyageur, mon amour, le traiter en ennemi quelquefois; j'aurais dû... Mais n'était-ce pas le traiter en ennemi aussi que de le laisser libre? Libre d'aimer Gabrielle, de divorcer pour Gabrielle. Elle ne s'était laissée arrêter par aucun scrupule, Gabrielle, c'est certain. L'amitié, la dignité, la loyauté, elle n'avait pas dû y penser même une seconde. Etienne lui convenait, elle l'avait pris. Elle avait eu tort, raison, tort-raison...

J'aurais dû me méfier, dire du mal de Gabrielle à Etienne, être perfide, ou simplement ne pas la lui présenter, ou m'arranger pour que Gabrielle apparût sous un jour défavorable, ou du moins deviner ce qui se tramait, la tromperie classique. Maria aurait deviné, ou Josée, ou même Vanina... D'ailleurs j'avais deviné, je sentais... Mais elle n'avait pas voulu questionner, soupçonner : indigne d'elle. Et d'être plaquée, ridicule, tournant en rond dans ce gymnase, les joues en

feu, les cheveux défaits, laide, pathétique, récapitu-
lant les gestes, les mots, ce qu'elle *aurait dû faire*, dire,
ça, c'était digne d'elle?

Ici, elle s'arrête, le faible sourire reparaît. J'aurais
dû... J'aurais dû avoir tort, voilà tout.

*
* *

Paule se regarde dans la glace de la salle de bains.
Elle ferme les yeux, puis brusquement les rouvre pour
recevoir l'image de plein fouet. Immobile, ça peut aller.
Mais penchée à droite, à gauche, ce paquet sur les
hanches, l'estomac qui plisse, les cuisses, les genoux.
Désespérée elle s'assied sur le rebord de la baignoire,
dans une attitude disgracieuse qu'elle exagère exprès.
Elle dit à haute voix, en articulant bien : « Je suis trop
grosse. »

Qu'est-ce que ça veut dire, trop grosse? Je ne suis
pas obèse, et même, si je m'habille bien, en faisant
attention, pas de tricots trop moulants, pas de jupes
plissées sur les hanches, de longs gilets au contraire,
du flou, du sombre, je fais illusion. « Vous qui êtes
mince... » m'a dit Jean-Philippe un jour. Qu'est-ce qu'on
ne ferait pas pour l'homme qui vous a dit : « Vous qui
êtes mince! » Etienne n'a jamais... Elle repousse la
pensée d'Etienne. Je me pose un problème concret. Très
grosse, non. Disons que je suis... Elle ne trouve pas.
Il n'y a que des qualificatifs répugnants. *Potelée,* quelle
horreur! un porcelet rose lui apparaît. Un peu forte
est pis encore et fait penser à des appareils orthopé-
diques. « Je suis trop grosse, c'est tout, c'est un fait,
il n'y a pas à sortir de là. »

Si les gens ne s'en aperçoivent pas, cela vient du
visage de Paule, régulier, doux, mais assez osseux,
avec ces pommettes saillantes, ce nez fin, ce menton
délicat, un visage de femme mince, racée, élégante. Mais
elle sait bien, elle, qu'elle trompe son monde. Etienne
ne la trouvait pas grosse. Il disait... De nouveau, repousser le souvenir comme une vague obstinée.

Mais si on s'y trompe, si *on ne s'en aperçoit pas,*
peut-on dire qu'elle est vraiment trop grosse? Petite

fille, elle s'est crue laide, longtemps. Ou plutôt... Pas
exactement laide, mais affligée d'une sorte de tare, d'un
défaut, plus sensible que visible, qui l'obligeait à plus
de concessions, plus de perfections que les autres. Cette
tare, c'était peut-être d'être femme, tout simplement?
Vanina et grand-mère Allegra se sont montrées si déçues
devant toutes ces filles, en ont manifesté tant de contrition. « Moi qui n'ai eu *que* des filles » disait Vanina, et
grand-mère « Moi qui ait perdu mes deux fils... » On les
aimait, pourtant. On les aimait *quand même.*

On l'a aimée, Paule, même trop grosse. Mais l'est-elle
vraiment? Son chagrin se manifeste aujourd'hui sous
cette forme de dégoût de son corps, d'humilité rageuse.
« Habillée, je ne parais pas grosse, mais nue... » Cependant elle plaît. Elle n'a que trente-quatre ans, sa vie
n'est pas finie, on lui fait des propositions, indiscutable-
ment elle plaît. Alors pourquoi, pour qui est-elle grosse?
« Je ne sais pas, je me sens grosse, je sais que je suis
grosse, c'est ma plaie cachée, mon talon d'Achille... On
a le droit d'être grosse, après tout. Et pourtant, dans les
critiques de Maman, de Josée, c'est la seule qui me
blesse, dans les injures d'automobilistes, la seule qui
m'atteigne, j'ai été dans des manifestations, je me suis
fait insulter, rien ne m'a vexée qu'une fois : « Grosse
p... » Il ne pouvait pas me voir, le type, j'étais derrière
un bureau très haut, mes épaules minces, mes mains
très fines, mon visage mince, comment a-t-il su? Ça se
lit sur mon front. »

D'un bond elle se relève. Le rebord de la baignoire
a marqué ses cuisses, par-derrière. Elle tourne la tête,
elle regarde son dos, sa chute de reins, elle se remet
de face, elle regarde ses seins, pas tombants, non, mais
lourds, marqués d'une aréole brune, elle a beau se
souvenir des hommes — il y en a eu quelques-uns —
qui lui ont dit qu'elle était belle, même maigre elle
serait grosse.

*
★ ★

Mme Santoni mère, la vieille Allegra Santoni, était
revenue. L'appartement des Batignolles sembla aussi-

66

tôt s'animer, ses habitants se ressaisir. En l'absence de l'aïeule, un certain relâchement (qui eût été encore de la rigueur dans bien des familles) s'introduisait. Vanina allait s'asseoir après dîner dans le cabinet de son mari et le regardait travailler ou lire. Paule enlevait ses chaussures quand elle venait regarder la télévision. Josée fumait davantage. Quelquefois on faisait un repas froid : le comble du laisser-aller!

Elle était revenue, et Josée s'était mise à trembler.

Sauveur allait mieux. Indubitablement mieux. Il se passait souvent de béquille, maintenant. De jour en jour la jambe semblait s'assouplir, se fortifier. Il grossissait même un peu. Si ce résultat allait être compromis? Il suffisait d'un mot. Grand-mère Allegra n'était pas femme à supporter dans sa famille un double sacrilège, envers Dieu (qu'elle considérait comme un double masculin d'elle-même, positif, de bon sens, avec de petites fantaisies parfois qu'il ne fallait pas contrarier) et envers la médecine. Que Mme Boussu parlât, et tout était à l'eau.

Josée tremblait devant Mme Boussu comme Mme Bovary devant son créancier; Mme Boussu la tenait, comme une femme adultère, et Josée sentait sa culpabilité s'aggraver devant les mines complices de Mme Boussu, qui, la pauvre femme, enchantée d'avoir rendu service, l'entraînait dans la lingerie pour chuchoter (sans se rendre compte du supplice qu'endurait Josée) : « N'est-ce pas qu'il est formidable? Et vous verrez, ce n'est pas fini! Il a guéri le neveu de l'épicerie, il guérira votre petit totalement! C'est un saint, cet homme-là, c'est un saint! » Josée lui échappait avec peine, et tremblante. Mais comment se débarrasser de Mme Boussu?

On mesurera le provincialisme persistant, tenace, de La Famille, à ce détail que Vanina avait réussi à se procurer, au cœur des Batignolles, une « couturière à la journée », personnage qui n'existe plus que dans les romans du début du siècle. Consciente de la rareté de sa trouvaille, à aucun prix elle n'eût lâché Mme Boussu, qui rendait mille petits services. Mme Boussu était une institution. Un neveu Boussu un peu simple d'esprit tenait la loge quand sa tante était requise chez les

Svenson, et en échange se voyait gratifié de tous les échantillons médicaux de sirop, pastilles et comprimés sans danger qui s'accumulaient. On ne sait l'usage qu'il en faisait, mais il ne manquait jamais de venir se réapprovisionner en fin de mois, et Vanina lui faisait un colis. Impossible donc de se débarrasser des Boussu. Et la grand-mère était accoutumée à réclamer la tante et le neveu dès son arrivée. Elle n'aimait que les feux de bois et le « petit Coco » (Nicolas Boussu, âgé de trente-sept ans) lui montait son bois. Il lui fallait une robe de printemps, noire et blanche, couleurs de son veuvage sans faiblesse, et la tante Boussu seule connaissait le magasin où se débitait la seule étoffe solide de Paris. Bref, une rencontre entre grand-mère Allegra et les Boussu était inévitable.

Elle était donc revenue, avec sa cargaison de bouteilles de myrte, de fromages de Venaco, de saucisses sèches, nourritures sacrées que l'on mangeait avec respect, en souvenir du sol natal. De son grand pas masculin, qui faisait de ses robes trop longues comme autant d'amazones, elle avait réintégré sa chambre, tout au bout de l'appartement, la plus belle chambre, la seule vraiment meublée, tombeau d'acajou et d'aigles napoléoniennes, embaumée de camphre et d'aloès, salle du trône où elle recevait dans un vaste fauteuil dit « de Laetitia » parce que l'auguste dame était censée s'y être un jour assise. (Ce fauteuil était bien entendu l'objet de plaisanteries sacrilèges qui indiquaient mieux que tout son caractère sacré.) Et depuis qu'elle s'y était réinstallée, que la maison avait retrouvé son axe, son pivot, Josée tremblait.

Grand-mère Allegra avait bien entendu remarqué l'amélioration de la santé de Sauveur. Elle s'en était réjouie, avec un peu d'agacement. Les bonnes nouvelles l'agaçaient toujours. Elle avait un besoin d'action que seuls satisfaisaient les catastrophes et les orages.

— Il a suivi un nouveau traitement? avait-elle demandé en fixant ses gros yeux noirs sur Josée.

Comme une sotte, Josée avait rougi.

— Non, absolument pas... La croissance, sans doute.

La grande femme noire avait haussé les épaules.

— On ne me dit pas tout! On ne me dit pas tout!

C'était son refrain habituel, mais Josée avait l'impression que, cette fois, le refrain était dirigé contre elle. « Maman a beaucoup d'intuition » disait toujours Vanina qui n'en avait aucune. C'était plus que de l'intuition, c'était... mon Dieu comme je deviens superstitieuse! c'était presque de la seconde vue. Mme Boussu aurait dit « des pouvoirs » mais si pouvoir il y avait, c'était un pouvoir contraignant, qui exigeait que chaque chose demeurât à sa place, qui mettait une sorte d'élégance à choisir la macération, le sacrifice, l'héroïsme, et à les choisir sans plaisir. Ainsi des fameux cousins auxquels elle louait la fameuse fermette de Porto-Vecchio, et qui n'en payaient le loyer que deux ou trois fois l'an, en général à Pâques et à Noël, elle disait ironiquement : « Octave et Amélie me payent pour les fêtes et pour mon anniversaire; ainsi ils ont l'impression de me faire deux fois un cadeau... » et les détestait cordialement. Ce qui les dispensait de toute reconnaissance : car ses visites annuelles étaient un festival de remarques caustiques, de désapprobation apitoyée, de petits cadeaux qu'elle leur jetait à la tête comme des insultes (« Je ne suis pas bien riche moi non plus, mais vous aviez tant besoin d'une théière, pèlerine, lampe de chevet, etc., ma pauvre Amélie »). Vanina et Josée acceptaient leur mère et grand-mère comme on accepte l'orage. Mais Paule, plus analytique, avait remarqué un jour que sa conduite était peut-être l'extrême de la délicatesse (d'une voix dubitative il est vrai). Josée avait alors rétorqué, frondeuse, qu'elle eût préféré moins de délicatesse et plus de loyers et, qui sait, qu'Octave et Amélie eux-mêmes...

« Mon sang s'affadit! » disait grand-mère Allegra. « Mon sang s'affadit! » chaque fois qu'une des fillettes se plaignait d'un bobo, manifestait quelque coquetterie, voire une simple gourmandise. Et encore « le sucre, c'est pour les nonnes! » au moindre bonbon demandé, ce qui était un dicton bien curieux pour une personne pieuse. Sans pitié, sans faiblesse, pessimiste et gaie : héroïque, en somme. Josée avait bien hérité une petite part de cet héroïsme; mais elle ne pouvait pas être héroïque pour les autres — pour Sauveur. C'était, se disait-elle avec une sorte de colère, par héroïsme que

Grand-mère avait laissé mourir sa sœur Simonetta qui n'aurait pas dû avoir d'enfants, et était morte en donnant le jour à un robuste petit Frédéric qu'elle, Josée, n'approchait pas sans horreur. (Il était devenu l'oncle Frédé, cet assassin à grande barbe.) Si elle agissait à la façon de grand-mère Allegra, Sauveur resterait infirme, on dirait dans la famille « le pauvre Sauveur » comme on dit « le grand Jacques » et « le petit Octave ». Elles en prenaient si facilement leur parti, du malheur. On est laide, belle, riche, pauvre, pourvue d'un mari ivrogne, coureur ou idiot : c'est une particularité qui aide à vous distinguer des autres femmes de la famille « c'est sa croix ». Comme si les femmes étaient faites pour porter des croix, comme le pommier des pommes... L'amour était suspect, le bonheur plus encore. En l'absence de la grand-mère on l'oubliait parfois. La température s'adoucissait, atteignant parfois (d'un mot tendre, d'un sourire, d'un regard de Vanina à son époux, le soir) à ce point du baromètre indiqué par Beau temps variable, presque à la limite du Beau stable, où fleurissent les orangers et prospèrent les mûriers et les vers à soie... Mais on aurait dit qu'elle le sentait, la vieille voyageuse : elle revenait toujours à temps. Et sa présence seule semblait les ramener tous à des temps très anciens de foi et de barbarie, à des notions de hiérarchie et de devoir qu'aucune suspecte tendresse n'entachait. Josée tremblait.

— Mais qu'est-ce que tu as donc à n'être plus jamais là ? disait Vanina en toute innocence. Je suis passée hier pour te demander si tu n'avais pas une heure ou deux à donner à ma petite hémiplégique, tu sais, la petite vieille si gentille de la rue Brochant, et tu étais encore par monts et par vaux.

Josée sentait ses jambes trembler, son sourire se crisper, tandis qu'elle répondait avec une fausse insouciance :

— J'étais au cinéma avec Sauveur.

Vanina ne l'inquiétait pas. Son inquisition était de pure forme, une tradition. L'idée qu'une femme de la famille pût avoir une vie personnelle — et sa fille ! — ne lui venait pas. Mais elle n'était ni curieuse ni perspicace. Tandis que la vieille dame, ses gros yeux ronds, noirs, brillants comme ceux d'un oiseau, roulant dans ses orbites d'une façon comique et féroce, ne perdait pas un mot du dialogue, enveloppait Josée de cercles concentriques qui se rétrécissaient (l'oiseau, oui, l'oiseau autour de sa proie) et Josée s'affolait, donnait des détails inutiles, avec une volubilité fébrile.

— Oui, nous avons été voir *l'Enfant sauvage,* j'ai pensé que ça l'intéresserait, ce cas médical, et puis à l'école on lui lit *le Livre de la jungle,* alors...

— Mais on ne t'en demande pas tant, ma fille... disait la grand-mère ironiquement, tandis que Vanina protestait, innocente :

— Mais si, mais si, ça m'intéresse, moi. Ces histoires d'handicapés me passionnent, tu sais. Mais est-ce qu'il était vraiment muet, ou... Il s'agit d'une expérience qui a duré combien de temps au juste ? Comment s'appelait donc ce médecin — c'était bien un médecin ? Sur quelle méthode se basait-il ? Et ça se passait quand exactement ?

Josée brodait, s'embrouillait, se perdait. Il fallait trouver quelque chose.

. .

En fin d'après-midi — les jours étaient si courts encore — il arrivait à Allegra d'être mélancolique, sans raison précise. Elle n'en restait pas moins efficace, aimable. Avec des précautions infinies, elle retirait les masques de beauté qui se détachaient par fragments, comme une seconde peau déchiquetée. Comme la petite de chez Camille, qui remplaçait Gabrielle, ne se débrouillait pas trop bien, elle appliquait un henné, faisait une mise en plis, avec cette précision que les clientes appréciaient tant. Sa complaisance, sa compréhension étaient inépuisables.

— Et si nous essayions une mini-vague, madame Lagrange ?

— Oui, peut-être... Je voudrais un changement complet, radical, vous voyez ?

Elle voyait. Mme Lagrange n'était pas plus mal qu'une autre. Une brune, jeune encore semblait-il (Allegra n'avait pas la notion des âges), la femme d'un homme d'affaires. Elle allait à beaucoup de dîners, elle voyageait dans d'étranges contrées, qu'elle ne semblait guère apprécier : Strasbourg, Francfort, Montréal, Edimbourg, pour des congrès, des symposiums, pour lesquels il lui fallait des robes neuves, un nouveau visage.

— Mais qu'est-ce que c'est au juste, ce symposium ?

— Oh ! Est-ce que je sais ? Des histoires de laine — mon mari est dans la laine — de vente par correspondance, il essaie de lancer quelque chose dans le Bénélux. Tout ça, vous savez c'est ennuyeux à périr... Des histoires d'hommes... Je ne m'en occupe pas. D'ailleurs ça ne plairait pas à Léo. Il lui faut une compagnie...

Peut-être les « histoires de laine » étaient-elle, en effet, bien ennuyeuses. Mais Mme Lagrange n'avait pas tellement l'air de s'amuser en dehors. Elle gémissait toujours.

— Encore des dîners ! Encore une première ! Je suis exténuée. Et nous partons demain pour Roubaix...

Et avec la banale inconscience de toutes les clientes riches de l'Institut, elle soupirait :

— Vous ne savez pas la chance que vous avez, d'avoir une petite vie tranquille !

Ce qui n'était pas banal, c'est qu'Allegra le pensait aussi. Elle n'avait, aurait dit Paule, « aucune conscience sociale ».

Seulement cette mélancolie, parfois, depuis son mariage, en fin d'après-midi. Et elle avait beau se secouer, une image absurde lui revenait toujours : l'ampoule blême, trop faible, s'allumant au fond du puits, et l'enfant qui s'asseyait en dessous, sur un vieux baril de lessive, résigné comme un petit prisonnier.

Un petit choc à peine douloureux, à peine formulé. La lueur triste de l'ampoule, comme un réverbère, le petit corps tassé, le regard attentif de l'enfant sur elle... Elle réagissait. « Après tout, il n'est pas malheureux... » Ce n'était pas un regard malheureux qu'il posait sur elle. Il la regardait, voilà tout. Il avait l'air de réfléchir, de supputer quelque chose. Il ne bougeait pas. Parfois ses petites mains grasses et pâles manipulaient un bout de ficelle, une boîte en carton. Elle passait tout près de lui. Il eût été naturel, sans doute, qu'elle lui parlât. Un mot pour lui demander son nom, son âge, je ne sais pas. Elle ne lui parlait pas.

Elle retrouvait Jean-Philippe avec plaisir. S'il pouvait être rentré avant elle, se disait-elle en montant l'escalier B. Elle entendait en ouvrant la porte la *Suite en si,* celui de leur dizaine de microsillons qu'il préférait. Elle ne sentait plus le poids de son cabas, et moins encore, cette faille minuscule dans sa sérénité, le passage dans la cour triste, devant ce regard opaque. Elle se jetait à son cou, elle lui montrait ses achats, elle lui parlait de Paule, de Mme Lagrange, son regard s'animait sous la cloche de cheveux cendrés qui faisait comme une petite fenêtre autour de son visage banal et gai : elle était heureuse.

« Elle est heureuse », pensait-il. Il n'allait tout de même pas le lui reprocher ! Elle s'affairait. Il la regardait faire avec plaisir. Avec la satisfaction de qui a fait une bonne affaire en même temps qu'une bonne action. Une jolie jeune femme, d'un caractère agréable, bonne femme d'intérieur, travaillant au dehors, en plus, ce qui « lui ouvrirait les idées » et fournissait un salaire d'appoint... « Tu ne pouvais pas mieux trouver », aurait dit sa grand-mère, et il en était bien persuadé, mis à part cette toute légère inquiétude, cet agacement à la voir s'absorber ainsi dans ce qu'elle faisait, comme si rien d'autre au monde n'existait plus. Mais les femmes sont ainsi. Les épouses.

Jean-Philippe était un garçon d'avenir. Il en était peut-être un peu moins sûr que ses proches, mais enfin, on disait cela. Orphelin, élevé par une grand-mère retraitée des Postes, on l'avait accablé dès l'âge de huit ans sous ses propres mérites. Avec ses deux meilleures amies (une veuve de guerre et une ouvreuse du Louxor, le cinéma du coin), la vieille dame s'extasiait déjà devant le garçonnet trop beau, trop sage : « Un vrai petit homme : il ira loin, vous verrez ! » Et déjà il ressentait ce mélange de tendresse et de rancœur qui l'avait suivi tout au long de son enfance, de son adolescence studieuse. Ces efforts épuisants, ces rages rentrées sous la lampe, alors que les autres sortaient, s'amusaient, « perdaient leur temps », comme eût dit sa grand-mère, comme disait Vanina. Sans la vieille dame, que serait-il? Un manœuvre, un hippie? Lui seul connaissait sa propre nonchalance, une propension à rêver, à créer peut-être, qu'il étouffait chaque jour, avec une révolte dont il avait honte. Il savait ce qu'il lui devait, à sa grand-mère, bien qu'elle ne se fût jamais plainte. Il payait. Depuis l'âge de huit ans, il payait. Elle ne s'était jamais plainte, bien entendu. Elle trouvait naturel de se priver de tout pour qu'il pût faire partie d'une troupe de scouts (il n'avait jamais osé lui dire, alors qu'elle lui avait annoncé son inscription comme un merveilleux cadeau, qu'il détestait les scouts), pour qu'il pût partir en colonie de vacances, s'offrir un costume convenable, et même un électrophone, summum du luxe, enfin poursuivre ses études. Mais l'effort avait été dur pour lui, plus dur peut-être qu'il ne le savait lui-même, et quand il l'entendait dire à ses amies (expertes aussi dans l'art de se priver, de survivre d'un rien, d'acheter un journal pour elles trois, de considérer une petite tasse de café l'après-midi comme un luxe), « Jean-Philippe ne m'a jamais donné que des satisfactions », il éprouvait cet agacement sous les ongles, ce sentiment d'être pris au piège que donne le devoir accompli.

Sa grand-mère était morte l'année du concours de l'Internat. Et comme si cette maigre petite vieille avait été toute son énergie, sa vitalité, il s'était aussitôt senti fatigué, incapable de résister à des tentations mineures, sans gravité, mais qui s'accumulaient. Un verre de bière, en sortant de l'hôpital, et il restait des heures à la terrasse d'un café, relisant vaguement le journal, sachant qu'il aurait dû aller travailler et incapable de le faire. Des camarades qui dans la louable intention de le « secouer un peu » l'emmenaient dans une soirée où il ne buvait pas ou peu, où il s'ennuyait, mais dont il n'arrivait pas à partir... Il échouait constamment dans des endroits où il n'avait pas eu la moindre intention d'aller, un cinéma de troisième ordre, un grand magasin où il lui fallait acheter une chemise et qu'oisivement il parcourait de haut en bas. C'était comme une convalescence, son corps avait besoin de repos, de détente, et le lui manifestait impérieusement. Et il suivait les avis de son corps, bien qu'il n'y prît pas grand plaisir.

74

Son effort se relâchait de jour en jour. Il ne sentait pas (comme le croyaient ses camarades) de chagrin, mais une sorte d'animosité chagrine contre la petite vieille qu'il revoyait dans son lit, ses maigres cheveux toujours bien coiffés (le seul jour où il l'avait vue décoiffée, la sueur au front et deux tresses minces comme des queues de rat, pendant de chaque côté du petit visage sévère comme celui d'un enfant, ce jour-là il avait su qu'elle allait mourir). Pourquoi l'avait-elle lâché avant le concours? C'était bien elle pourtant qui l'avait voulu, qu'il devînt médecin, qu'il préparât ce concours, qu'il fît ces efforts, qu'il menât cette vie trop dure, trop sévère pour lui.

Dans ce brusque relâchement de son énergie, il se trouva deux chances sur sa route. Son patron, le docteur Liancourt, qui l'aimait bien, se trouva dans le jury, et put intervenir en sa faveur. Comme les autres il se figurait que l'apathie soudaine de Jean-Philippe provenait en partie du chagrin d'avoir perdu le seul membre de sa famille qui lui restât, en partie de ses graves difficultés matérielles. Ce n'était qu'à demi vrai. La vieille dame, qui n'avait que deux robes, qui reprisait ses draps, qui se privait de beurre, de vin, de tout, avait trouvé moyen malgré tout de faire quelques économies. Comment? Sur quoi? Jean-Philippe ne se posa pas la question. Il avait de quoi vivre six mois, huit peut-être. Il passa son concours. De justesse, mais il le passa. Entre-temps, il avait rencontré Allegra, la famille d'Allegra; il s'y était intégré avec le soulagement du nageur à la dérive qui rencontre un point d'appui. Ç'avait été sa seconde chance.

Et comme par miracle il était redevenu lui-même. Souriant, un peu sarcastique, un peu timide, il donnait sans le vouloir l'impression d'une intelligence vive, encore repliée sur elle-même, mais qui ne tarderait pas à s'épanouir, d'une réelle force de caractère entravée seulement par une gaucherie assez séduisante, un manque d'usages, que sa jeunesse et ses difficultés excusaient. Il se croyait rationnel, posé, un peu sec de cœur peut-être, et même intéressé. Un garçon pratique, appelé à réussir, ne rêvant guère : et cette image de lui-même, il ne s'apercevait pas que c'était une sorte de rêve déjà.

Les Svenson favorisaient ce rêve. Tout naturellement ils avaient pris la relève de la vieille dame. « Jean-Philippe est si sérieux pour son âge! Il travaille si bien à l'école! On dirait qu'il sait qu'il devra veiller sur moi... » S'il le savait! Ce refrain familier avait été remplacé par les « Jean-Philippe, qui succédera à mon mari » de Vanina, les « Jean-Philippe, regardez-moi cette radio, qu'est-ce que vous en dites? » du beau-père, les « Quand les parents seront retirés en Corse, je vous conseillerai, moi, pour les travaux à faire aux Batignolles, cet appartement est distribué en dépit du bon sens », des belles-sœurs et des cousines.

Allegra ne disait rien. Allegra ne participait pas entièrement à cet univers rassurant. Oh! la bonne volonté ne lui manquait pas. Elle acquiesçait, elle souriait. Elle avait laissé sa mère décider de son voyage de noces (l'Italie et la Corse), sa sœur choisir leur studio, son mari trancher qu'en fin de compte, il valait mieux qu'elle continuât à travailler à l'Institut. Elle se pliait avec aisance à tout ce qu'on attendait d'elle.

Mais de temps en temps, près d'elle, ses projets paraissaient à Jean-Philippe inutiles, irréels, et il se sentait tout près de retomber dans cette étrange disponibilité qu'il avait connue après la mort de sa grand-mère. « J'ai réagi », se disait-il quand il pensait à cette période. « J'ai réagi juste à temps. » Il avait le sentiment d'avoir échappé à un grand péril. Un peu plus, et il allait prendre goût à la vie.

Parfois en rentrant le cœur lui battait un peu. Il avait l'impression qu'Allegra allait lui dire quelque chose d'inattendu, lui faire une sorte de révélation, il ne savait pas, qu'il allait trouver chez lui une femme différente, une femme inconnue. Il ne trouvait qu'Allegra, le studio aux couleurs claires, des fleurs sur la table, l'odeur rassurante du potage aux tomates ou du petit salé aux lentilles, le menu sur lequel il avait été scrupuleusement consulté avant son départ pour l'hôpital. « Qu'est-ce que tu aimerais manger ce soir, Phil? Du veau? Du mouton? » Allegra obéissait aux consignes de sa mère qui classait au premier rang des devoirs conjugaux une bonne entente gastronomique, et s'honorait d'avoir appris la confection de la tarte aux myr-

76

tilles et de la crêpe aux harengs en moins de quinze jours, au beau temps où Hjalmar Svenson était svelte et très blond.

Il ne trouvait qu'Allegra... Il s'agaçait de sentir qu'en son absence il brodait, entourait d'un léger mystère cette jeune femme un peu pâle qui avait acheté le matin des chrysanthèmes Tokio pour éclairer la pièce. Pour un peu il serait resté fasciné par ces gestes si quotidiens, comme il l'était, au moment de ce qu'il appelait « sa dépression », par le mouvement des feuilles, à la terrasse d'un café, par le regard d'un chat, le rideau d'une fenêtre, agité par le vent, par des riens soudain devenus significatifs.

Sans s'en apercevoir, il pensait presque tout le temps à Allegra. Sans s'en apercevoir; il croyait fermement avoir fait un *mariage de raison*.

*
* *

Renée s'est demandé, beaucoup plus tard, pourquoi elle les avait perdues de vue. Des mots avec Paule, qui s'était désintéressée de l'Institut... Et finalement, Renée s'est vu offrir une très bonne place ailleurs... Mais ça ne suffit pas à expliquer...

Quand elle y repense, elle revoit sa dernière visite chez les Svenson. Au portrait d'Allegra, la photo sépia d'une communiante, posée sur le piano dont personne ne se sert. C'est tout ce qu'on a gardé d'elle. Une photographie qu'on dirait faite exprès pour la situer hors du temps, dans un costume sans âge (l'aube, le voile) dans un lieu indéfinissable (le square des Batignolles dont on aperçoit un arbre flou, une sorte de colonne brisée ou un fragment de statue, on ne sait pas trop). Allegra elle-même y est photographiée à une époque incertaine de sa vie, presque enfant, pas encore jeune fille, pas laide, pas tout à fait jolie non plus, de façon à ce que Paule, que Josée puissent dire à l'étranger qui pose une question maladroite : « C'est une petite sœur que j'ai, que nous avons perdue. » Terme vague aussi et qui laisse entendre qu'il s'agit d'une enfant morte dans un lointain passé, disparue avant que ses traits soient devenus définitifs, avant qu'on ait pu *se faire une idée d'elle.*

« Quelle hypocrisie ! » a pensé Renée. Elles ont donc déchiré toutes les autres photos, tous les autres souvenirs d'Allegra, à cause du « déshonneur » ? Allegra en voyage de noces à Venise, à l'époque où l'on se moquait d'elle parce qu'elle était heureuse avec trop d'évidence, Allegra arrivant à l'Institut avec son ciré noir, bon marché, la photo bougée d'Allegra au jardin des Plantes, tenant un petit garçon par la main, toutes les photos d'Allegra, toutes, sauf celle-là, la seule sans doute où elle ne souriait pas...

C'est pour ne pas être complice de leur silence, de leurs paroles, de tout ce qui transforme et efface Allegra que Renée a cessé de voir les femmes de cette famille. Mais elle revoit quelquefois Jean-Philippe. Finalement, il l'a aimée.

★
★ ★

— Tu sais, je me demande s'il faut vraiment faire enlever ce frigidaire, dit Allegra, de la cuisine.

— Quel fri... Ah ! oui. Mais c'est convenu, ils viendront cette semaine.

— Et si ça le rend malheureux ?

— Qui ? Le frigidaire ? dit Jean-Philippe de mauvaise foi.

— Mais non. (Allegra était patiente.) Tu sais bien. Le petit enfant... Celui du rez-de-chaussée...

— Ah ! Oui. Mais je t'ai dit de lui acheter quelque chose, un ballon, un yo-yo, je ne sais pas, moi.

— J'ai acheté un ballon ! Mais il le met dans le frigidaire...

— On dit un réfrigérateur, dit Jean-Philippe, se réfugiant dans la syntaxe.

— Et si on l'enlève, il s'ennuiera.

— Ses parents n'ont qu'à le mettre à la maternelle.

— Mais je ne les connais pas, ses parents...

— Quand on s'intéresse à un enfant...

— Mais je ne m'intéresse pas à cet enfant... je veux dire, pas spécialement...

78

— Alors?

Est-ce qu'on a besoin, pour refuser que quelqu'un soit malheureux, de s'y « intéresser »? Elle se tut, et en apportant les fruits, elle vint l'embrasser pour qu'il ne crût pas qu'elle boudait.

Tout de même, ça la tracassait, cette histoire. Elle avait acheté un ballon. Le même jour, comme promis par le gérant, on était venu enlever la table de nuit défoncée, mais pas encore le frigidaire. Allegra s'était sentie un peu bête d'avoir à remplacer une table de nuit par un ballon. Ce n'est pas du tout la même chose. L'enfant regardait l'emplacement resté vide, avec perplexité. Elle lui avait tendu le ballon. Il l'avait pris, l'avait laissé tomber (mais mollement, ce qui fait que le ballon n'avait pas rebondi) et puis l'avait dévisagée, d'un air interrogateur, avec ses grands yeux si noirs qu'ils paraissaient violets. Elle s'était dit que Jean-Philippe lui conseillerait de parler — on parle aux enfants, même ceux qu'on ne connaît pas.

— C'est un ballon... Un ballon, pour jouer...

Il ne paraissait pas comprendre. Elle avait ramassé le ballon, l'avait jeté contre le mur, rattrapé, rejeté encore. L'enfant avait éclaté de rire, un gros rire rauque, qu'il s'efforçait de réprimer sans y parvenir. Elle avait ri aussi. Quand elle s'était arrêtée, sans parler, mais d'un geste impatient, il avait désigné le mur; il voulait qu'elle continuât. Il trouvait ça drôle, cette grande personne qui jouait au ballon avec le mur. Mais dès qu'elle avait cessé, il s'était désintéressé complètement du jouet, et était retourné à ses boîtes de conserve et à son vieux frigo.

— Mais c'est pour toi... C'est *ton* ballon...

Il avait un petit visage rond, blême et basané à la fois, des cernes sous les yeux, un air morose et résigné. Il avait fait un effort, et esquissé encore un sourire. Sensible à ses efforts, mais quoi, il n'aimait pas les ballons, sans doute. En remontant chez elle, Allegra était un peu ennuyée. Après sa conversation avec Jean-Philippe elle l'était encore. Tout le monde n'aime pas jouer au ballon. C'était curieux qu'il ne voulût pas comprendre ça...

Le samedi, l'Institut fermait à midi. Allegra était

donc chez elle quand elle entendit du bruit dans la cour, des chocs, des interjections confuses, et un étrange cri étranglé, comme d'une bouilloire qui sifflerait. Elle ouvrit la fenêtre, se pencha par-dessus les bégonias, et vit deux hommes en canadienne qui tentaient de faire passer dans l'escalier le frigidaire qui perdait ses entrailles (ressorts, tablettes, ferraille). L'enfant était cramponné à la jambe de l'un d'entre eux, qui essayait vainement de s'en dépêtrer, et c'était lui, sa petite figure vieillotte, convulsée de rage, qui produisait cet étrange sifflement.

— Mais il est enragé, ce gosse! dit une voix bourrue.

Allegra s'élança, avant même d'avoir pu réfléchir. L'escalier dévalé :

— Monsieur! Monsieur!

— Quoi?

— Il y a contrordre, dit-elle essoufflée. M. Vernier ne vous a pas téléphoné? On ne l'enlève plus.

— On n'enlève plus le frigo? Qu'est-ce que c'est que cette histoire?

— Non, le docteur a changé d'avis... Il a un ami qui voudrait récupérer les pièces.

Elle se tenait très droite devant l'homme à la canadienne qui la toisait, énorme.

— Il faudrait tout de même savoir ce qu'on veut, ma petite dame! Vous êtes sûre de ce que vous avancez? Parce qu'on ne se dérangera pas deux fois, vous savez.

— Pour sûr que non, repartit le second. Monsieur René ne se dérangera pas deux fois.

Allegra remarqua que ce dernier interlocuteur avait la figure sale. Elle se sentit confirmée dans son assurance de somnambule.

— C'est sûrement moi qui devais téléphoner, dit-elle, la mine contrite. J'ai dû mal comprendre. Mais je vous assure que vous n'aurez pas à revenir. L'ami du docteur viendra prendre les pièces lui-même. Est-ce que vous voulez... pour votre dérangement...

Elle avait dix francs sur elle, et pour tout bien.

L'homme à la canadienne eut un geste noble.

— Mais non, mais non... dit-il, radouci.

Les cheveux blonds d'Allegra, ses joues roses, son air de jeune fille, si mince et bien élevée, dans son jean propre, son pull jacquard, l'avaient touché. L'homme chétif, à la figure sale, paraissait moins arrangeant.

— Tout de même on est venu... dit-il d'un ton geignard. On l'a trimballé dans la cour, vot' frigo. Et avec ce môme dans les jambes, encore...

L'enfant avait cessé de crier, mais restait fermement campé devant l'issue de la cour.

— C'est à vous? demanda la canadienne en se dandinant comme un ours.

— C'est-à-dire...

Allegra hésitait, craignant d'attirer quelque représaille sur l'enfant, si elle le reniait. Elle trouva une formule, inspirée.

— C'est-à-dire que je m'en occupe.

— Ça ne doit pas être amusant tous les jours, observa la canadienne. Jeune et jolie comme vous êtes...

Un gémissement de son acolyte le rappela à la réalité.

— Bon, bon... Si vous voulez lui donner quelque chose, madame Vernier, moi je veux bien mais ne croyez pas... Merci. En tout cas, toujours à votre service. Tenez, je vais vous donner ma carte. Monsieur René, place Maubert, serrurerie, ferronnerie d'art. Je vous déménageais votre truc, c'était pour vous rendre service. Mais si vous avez de petits travaux d'intérieur... C'est vous qui avez la loggia là-haut, pas vrai? Eh bien, c'est moi qui ai réalisé la balustrade. La balustrade amovible, vous savez? Bien pratique, pas vrai? Mais oui, Jeannot, je viens. Le gérant voulait une balustrade fixe, moi je lui ai dit : ils ne pourront même pas faire monter leur lit, vos clients! Mais oui, Jeannot, on y va, je te dis... Tout ça pour dire... Tenez, un de ces jours, passez au magasin, je vous ferai voir nos pare-feux, nos patères... On fait de tout maintenant, dans le fer forgé. Très décoratif. J'ai fait des grilles pour le restaurant en bas, il faudra aller voir ça. Ça va, Jeannot, y a pas le feu!

Allegra souriait, acquiesçait, la carte au bout des doigts. « Et si Jean-Philippe arrivait maintenant? » Mais elle savait qu'il faut être aimable « avec les fournisseurs » (dogme de Vanina). Elle l'était. Elle avait été parfaitement bien élevée.

Enfin ils furent partis. Le frigo était plus encombrant qu'avant; abandonné en plein milieu de la cour, ayant perdu ses clayettes rouillées, le tiroir du congélateur, des baguettes d'aluminium. Mais déjà, sans un regard vers elle, l'enfant avait repris son jeu, comblé par ce désordre. Elle se demanda s'il avait compté sur son intervention. Dès qu'elle était arrivée il avait cessé de crier. Mais il ne lui avait toujours pas adressé la parole. Elle n'insista pas et remonta l'escalier. Elle aurait pourtant bien voulu savoir son nom.

*
* *

La longue pièce blanche, bien que toujours plongée dans la pénombre, était assez agréable. Diane passait son temps à mettre de l'ordre, à frotter, à plier, à ramasser. Pat était si systématiquement malpropre! On aurait dit qu'elle y prenait plaisir. Toutes ces miettes dans le lit, et ces sous-vêtements qu'en se couchant elle fourrait carrément sous le sommier! Elle rentrait du restaurant : elle arrachait son boléro, sa chemisette, ses pantalons bouffants, et elle laissait tout par terre, où ça tombait. Et ses romans-photos chiffonnés, et ses mégots par terre qu'elle écrasait à même le carrelage! Diane pensait à Creil, chassait les souvenirs de Creil... Elle nettoyait :

— Tu vis comme une bête! Comme une bête!

— Qui est-ce qui a fait de moi une bête? répondait sombrement Pat.

Là, Diane ne trouvait rien à répondre. Elle sentait son estomac se crisper, et ce drôle d'écœurement s'emparer d'elle, cet écœurement qui la prenait, un goût fade, entre tendresse et dégoût, quand elle regardait le petit, et qu'elle n'arrivait à vaincre que quand elle nettoyait, frottait, rangeait. L'enfant aussi, elle le lavait, lui brossait les cheveux, le changeait de vêtements, mais c'était tout de même un désordre. La pièce occupait tout le rez-de-chaussée, parallèle à l'entrée, mais le mur était épais, on entendait peu de bruit. Au fond il y avait le grand lit, là elles dormaient toutes les deux, la table de nuit, où s'entassaient les magazines de Pat, la lampe ronde, violacée. Et le petit lit de l'enfant, dans l'angle opposé. Puis un gros tapis marocain, qu'il fallait brosser à la main, faute d'aspirateur, des poufs en cuir blanc et noir, un plateau en cuivre, étincelant, sur un pied, une grande commode, près de la porte, et la télévision, un meuble en acajou, flambant neuf. Une fenêtre donnait sur la cour inférieure, mais on ne l'ouvrait guère, à cause de l'odeur des poubelles et des shampooings du coiffeur d'à côté. Les volets étaient à clairevoie, heureusement. Pat aurait bien vécu toute sa vie dans l'obscurité. Au restaurant, quand elle servait, dans la lumière bariolée des lanternes découpées — si jolies! — elle clignait des yeux, sans cesse comme un hibou. « Comme un hibou », se répétait Diane, en astiquant le carrelage, à quatre pattes, avec rage, tandis que Pat lisait, toujours au lit, mangeant des bonbons poisseux. Elle détestait sa sœur. Elle adorait sa sœur.

A côté du studio, il y avait encore une petite pièce carrelée, ancienne salle de bains, dont il ne demeurait qu'un lavabo. La baignoire avait été enlevée pour faire place au lit du père. Le carrelage blanc et bleu montait à hauteur d'homme. C'était d'un entretien facile. M. Bellem faisait son lit. Pat n'eût pas supporté qu'il en fût autrement. Mais elle n'exigeait pas de Diane ce servage permanent. Ainsi elle trouvait suffisant que le carrelage du studio fût lavé — si Diane voulait l'encaustiquer, libre à elle. Mais qu'est-ce qu'elle aurait fait, Diane, si elle n'avait pas encaustiqué? Rester assise là, à penser? Sombrer dans l'écœurement toujours menaçant? Lire *Détective*, avec tous ces crimes, ces horreurs, dont Pat se repaissait? Alors elle frottait, elle lavait. Dans le lavabo, pièce par pièce, ses vêtements, ceux du père, ceux de l'enfant, ceux de Pat, essorant, entassant tout dans la bassine en plastique, c'était long à sécher, repassant sur la planche qui encombrait, repliant la planche, s'affairant toujours en évitant de regarder vers le lit, sachant que Pat la regardait. Le soir, ça allait, parce qu'il y avait la télé, le restaurant, et en revenant, elle était si fatiguée qu'elle oubliait, parfois; qu'elle était presque heureuse. Mais le matin, quand elle avait lavé, habillé le petit (elle le changeait complètement tous les trois, quatre jours : on ne pouvait pas dire qu'il n'était pas proprement tenu!), quand elle l'avait monté dans la cour, alors, malgré elle, malgré tout, en cherchant sous les meubles, dans le placard, dans la kitchenette, s'il n'y avait rien à laver, à rapetasser, à éplucher, malgré elle, elle pensait à Creil.

Creil n'est pas très joli, c'est le moins qu'on puisse dire. Leur rue, près de la fabrique de pantalons, était l'une des plus laides de Creil. Leur pavillon de briques, sans même un jardin, seulement ces quelques mètres carrés devant, où se rouillaient d'innommables ferrailles, n'était pas le moins laid de la rue. Elle pensait à Creil, pourtant. L'usine de plastique; le bruit doux des bicyclettes, le matin, qui s'élançaient; la sirène de midi, le tabac du coin, la Coop. Sa mère, à l'hôpital, souriant d'un air gourmand. « Ce sont de vraies vacances. » S'arrêter là. Mettre une barrière à ses pensées, comme on pose un muret dans un jardin, un rideau dans une pièce pour séparer deux lits. Deux lits... Le rideau bougeait, il allait s'écarter, inexorablement; en vain elle se crispait, tentait de le retenir, s'accrochait au bord de l'évier, de la commode, du lavabo, il n'y avait rien à faire, il s'écartait, se déchirait, les yeux de Patricia étaient sur elle, triomphants, inexorables... Elle se précipitait vers le seau pour vomir.

Et quand elle relevait la tête, toute pâle, épuisée, vide d'elle-même, Patricia n'avait plus besoin de la regarder pour savoir qu'elle avait encore gagné.

*
* *

Jacqueline, dite Jicky, professeur d'éducation physique à l'Institut (I.B.R., Institut de beauté rationnelle) agaçait particulièrement Paule en ce moment, où elle souffrait. La façon dont elle parlait aux clientes, comme à des enfants — comme il ne faudrait pas parler aux enfants. Se mettant à leur portée. « Alors, ces petits abdominaux ? » C'est évident, elles ne préparaient pas les jeux Olympiques. Mais de là à leur parler petit-nègre ou bébé, comme si l'idée toute simple de faire de la gymnastique pour se dérouiller un peu était trop aride pour leurs pauvres cerveaux féminins, il y avait une marge. « Pour finir, une tou-ou-te petite barre », susurrait Jicky, comme l'infirmière à l'hôpital dit au malade « Une toute petite piqûre, qui ne fera pas bobo ». C'était bien cela qui exaspérait Paule jusqu'aux larmes. Jicky considérait les clientes, considérait le fait d'être femme, comme une espèce de maladie qui demande des égards spéciaux.

Femme, et délaissée. La douceur appliquée de la voix de Jicky, lui demandant s'il y avait eu un arrivage de sandalettes ! Elle savait. Elles savaient toutes. Mme Lagrange, Mme Vega-Ramirez, Mme Peterson, Noëlle et Nelly, toutes, elles savaient ou pressentaient quelque chose. Bien que Paule n'eût fait de confidences à personne, qu'elle eût trouvé une explication plausible pour le départ de Gabrielle, elles savaient. Tout l'Institut était rempli d'une sorte de rumeur, de cette agitation douloureuse mais pourtant pas désagréable qui entoure les catastrophes, les ruptures, les deuils, qui change un peu le cours monotone de la vie. « Ah ! les hommes ! » soupirait Renée en se massant le biceps. Lucette passait son temps à faire du café et à entrer dans le bureau de Paule sur la pointe des pieds, comme dans une chambre mortuaire, pour y déposer la tasse fumante avec une discrétion ostentatoire.

— Tu as vu Paule ? lui demandait Odette.

— Comment est-elle ce matin ? s'inquiétait Renée.

— Ça ne va pas fort.

Elles étaient toutes désolées, bien sûr. Tout le monde aimait, tout le monde aime Paule. Mais enfin, « ça devait arriver », la maladie suivait son cours, la maladie d'être femme qui comporte forcément, à un moment ou à un autre, l'épisode de l'abandon subi dignement, des larmes ravalées, de la résignation enfin, mais aucun des remèdes masculins, pas d'ivresse spectaculaire, pas de virée dans des bouges, pas de coups de gueule. Paule était parfois un peu sèche, ces jours-ci (surtout avec Allegra, qui avait l'air de ne s'apercevoir de rien — d'accord, ne pas insister, mais il y a une mesure, une façon de faire sentir que tout de même on est solidaire...). Même les clientes, mystérieusement averties, faisaient preuve de tact. Mme Peterson, mine de rien, avait proposé à Paule de venir voir les fossiles, au Muséum où elle travaillait. Vous me direz que ce n'est pas très consolant, les fossiles... Mais c'est l'intention... Mme Lagrange (qui partait pour Tourcoing) avait proposé, dès son retour, un week-end dans sa propriété de Marnes-la-Coquette. Noëlle et Nelly avaient payé leur note, qui traînait depuis des mois — geste très apprécié. Mme Lévy avait apporté quelques livres, des nouveautés. — Il y a longtemps que vous m'aviez demandé un peu de lecture...

Paule acceptant ces attentions avec un signe de tête sobre, un geste sec, son beau visage soudain durci, la chair moins crémeuse, l'ossature plus apparente, faisait veuve corse, soudain. Et elle avait beau se donner l'air de les considérer, toutes ces femmes, comme importunes, de les écarter d'un geste, elles savaient, elles connaissaient, elles avaient divorcé, été plaquées par un homme marié, elles avaient souffert pour une brute qui ne s'en apercevait même pas, ou bafouées par cet homme-enfant qui venait pleurer d'autres femmes sur leur épaule. Une expérience millénaire les unissait — ah! les hommes, les maris, les amants, les fils... Elles n'étaient pas des commères, elles étaient des femmes modernes, avec feuille de paie et feuille de poids, le lamento restait intérieur, courageusement elles reprenaient leurs travaux au Muséum, chez Dior, chez Texcour, chez Grasset, mais en hochant la tête, en prenant leur part du fardeau. Derrière la petite fenêtre de ses cheveux argentés, Allegra les regardait avec une sorte d'étonnement infini.

Allegra trouvait naturel de se lever tôt, d'avoir mal au dos, de déjeuner en vitesse, parfois à trois heures de l'après-midi, au snack crasseux ou chez l'Italien, où on obtient des spaghettis recuits en dix minutes, elle trouvait naturel de rentrer tard, sous la pluie avec son imper trop léger, de passer chez l'épicier qui la retenait encore, avec ses histoires du quartier, pendant des heures. Naturel de monter quatre étages avec sa trousse et son cabas pesant, naturel de se précipiter dans la cuisine pour faire sauter des champignons. Elle trouvait l'inconfort naturel, naturelle la dépendance, naturel le malheur de Paule. Pas étonnant que celle-ci s'exaspérât.

86

Au second feu rouge, avenue de l'Opéra, Maria Vega-Ramirez s'écria avec feu :

— Je veux l'aider, et je l'aiderai!

— Qui ça, Madame? demanda Romuald patiemment. Il débraya, mit au point mort (il y avait un embouteillage devant le Prisunic) et coupa la radio.

— Paule, voyons, Roro! Paule Svenson, mon amie, la pauvre chérie! Il faut que je trouve quelque chose, Romuald, il faut que je trouve.

Cela signifiait que c'était à lui, Romuald, de trouver. Il s'informa.

— Madame avait pensé à quelque chose?

— A des dizaines de choses! Un pianiste chilien, un petit architecte tout à fait adorable, ou alors Léo...

Léo, son agent de change, était célibataire.

— Je ne vous conseillerais pas Monsieur Léo, Madame.

— Ah, non? Pourquoi?

Ils repartirent.

— Je n'ai pas le sentiment, dit Romuald avec quelque pédanterie, que Monsieur Léo soit orienté dans ce sens.

— Qu'est-ce que vous voulez dire, coco? demandat-elle ingénument. Oh! Oui... Mon Dieu, j'oublie toujours que nous sommes à Paris. Léo, vous croyez, vraiment? Enfin! Chacun ses goûts! Mais à Caracas...

— Oh! même à Caracas, Madame...

— Vraiment? Vous me raconterez ça. Le mari de Ninetta, peut-être? Ça expliquerait bien des choses... Du reste ça n'a aucune importance. Paula n'en a pas voulu, de Léo. Alors j'avais pensé que je pourrais peut-être...

— Oui?

Ils étaient arrêtés de nouveau au coin de la rue du Quatre-Septembre.

— La financer, pour qu'elle lance ses propres produits de beauté. Ça l'occuperait énormément, elle rencontrerait des gens convenables, enfin, et moi je ferais un placement intéressant.

— Intéressant... dit Romuald en hochant la tête. Il

n'essayait pas de se donner de l'importance. Ni lui ni Maria ne trouvaient leurs rapports, et son influence sur elle, saugrenus. C'étaient des esprits libres.

— Je ne crois pas tellement aux commerces de luxe...

— Ah? dit-elle avec anxiété. J'aurais pourtant voulu... Mais si vous croyez... Evidemment je peux perdre une certaine somme, je peux me permettre... Mais...

— Perdre de l'argent, c'est immoral, dit Romuald en embrayant. Il doit y avoir une autre solution.

Ils repartirent doucement, tournèrent, passèrent devant les Galeries Lafayette. Maria leur jeta un regard amical. Elle aimait l'abondance des grands magasins. Les couleurs, les formes, les odeurs. Et tout était si bon marché! Elle ne tenait pas à la qualité. Elle riait de ses amies qui ne se fournissaient que chez Fauchon, que chez Hermès. On remplace les choses quand on en a assez, quand elles ont l'air usées, voilà tout. Maria ne se lassait pas des grands magasins. Dans une sorte de suite logique à sa pensée, qui était en même temps une réponse à Romuald, elle dit :

— Mais puisque je vous dis que je lui ai présenté des dizaines d'hommes! Elle a complètement perdu le... perdu l'appétit.

Romuald se mit à rire. Ils rirent ensemble. Ils ne perdraient jamais, elle l'appétit, lui l'amusement qu'il éprouvait à voir vivre les autres.

— Et cela pour un minable! Un individu sans argent, sans chic, sans famille!

Ils prirent la rue de Rome. Romuald cherchait une place.

— J'avais cru comprendre que ce Monsieur était marié, Madame?

— Ce n'est pas ce que j'appelle une famille! Je veux dire des relations, des gens en place... Bref elle est dégoûtée des hommes, elle broie du noir, et j'avais eu cette idée de laboratoire...

Romuald tenta de se glisser entre deux Renault, devant une pharmacie, n'y parvint pas, continua doucement.

— Il va y avoir une crise, Madame, c'est presque certain. Alors, comme je disais à Madame, les industries de luxe...

— Oh! coco, arrêtez cette troisième personne! Ça m'énerve! J'ai l'impression qu'elle est assise là, dans la voiture.

— La troisième personne, c'est la Société, Madame, dit Romuald avec une emphase ironique.

Depuis qu'il était en France, il écrivait un roman, comme tout le monde. Il jouait aussi à la Bourse, avec un certain bonheur.

— Arrêtez ces finesses, gardez-les pour vos lecteurs! dit Maria sans acrimonie. Je pense à mon amie dans la détresse, moi! C'est ça ma troisième personne à moi! Et vous feriez mieux de me donner un bon conseil que de faire de la littérature. Je ne peux tout de même pas lui dire de se reconvertir dans l'épicerie!

Un déclic se produisit dans l'esprit de Romuald. Il revit la croix verte de la pharmacie devant laquelle il avait manqué se garer. Ils faisaient à présent le tour de la gare Saint-Lazare, et à cause des sens interdits, cela allait prendre un temps fou.

— Et dans la pharmacie, Madame?

Maria ne suivait pas.

— Mais par où vous m'emmenez, coco? Vous allez voir les petites femmes de Pigalle? Comment ça la pharmacie?

— Oui, la diététique, les ceintures de flanelle, les produits pour maigrir, je ne sais pas, il y a quelque chose à trouver qui ne fasse pas luxe, justement...

— C'est que ce n'est pas bête du tout, ce que vous dites... murmura-t-elle.

— Il y a de l'argent à faire là-dedans, même s'il y a des crises... Et pour Mademoiselle Paule qui a des docteurs dans sa famille...

— Roro, vous êtes un génie! s'écria la veuve. D'ailleurs, je l'ai toujours su.

Ils repartirent.

*
* *

Il y avait des femmes du monde pour prétendre que Maria couchait avec son chauffeur. Il fallait vraiment avoir l'esprit mal tourné pour interpréter de cette façon les soirs où, l'imposante citadelle de son corps criant famine, Maria passait quelques heures dans la chambre de Romuald (pourvue d'une très belle salle de bains). Ce n'était qu'en cas d'extrême urgence. Et elle ne lui témoignait par la suite aucune rancune — cas exceptionnel. Du reste Romuald n'était nullement un fringant gigolo à gourmette, comme on pourrait l'imaginer. C'était un noir d'une cinquantaine d'années, grand et mince, les tempes grisonnantes, le teint cuivré plutôt que noir, et qui s'habillait de flanelle grise et de blazers — un ambassadeur en vacances. Il n'était nullement amoureux de sa maîtresse, ne la volait pas, ne la méprisait pas, admirait son ignorance au même titre que sa vitalité — et au fond partageait sa conception de la vie, tragique et drôle. C'étaient des amis : voilà une chose intéressante et rare qu'aucune femme du monde n'était capable d'inventer. Maria s'était bien gardée de confier ce détail de son existence à Paule : la pauvre chérie n'y aurait rien compris. Comme quoi, malgré son modernisme affiché, Paule avait l'esprit moins ouvert qu'on ne pourrait le croire. Et Maria davantage, malgré son énorme fortune. Paule ressentait devant Maria, qu'elle aimait bien, un sentiment très « Vanina » qui pourrait se traduire ainsi : « Si les riches ne sont même plus bêtes maintenant, où va-t-on ? »

*
* *

Elle avait hâte de rentrer, et pourtant elle ne lui parlait pas, à l'enfant. Elle passait devant ce regard attentif, patient. Si on est patient, c'est qu'on attend quelque chose ? Au fond du puits, il attendait quelque chose, cet enfant. Personne ne s'occupait de lui. Parfois un de ces jeunes gens basanés qui semblaient passer sans raison dans l'escalier jetait un regard dans la cour — même, il avait semblé à Allegra qu'ils ricanaient — mais ils ne parlaient pas au petit prisonnier. Il avait inventé un nouveau jeu maintenant : il sortait tout ce qu'il y avait à l'intérieur du frigidaire, les tablettes en aluminium, les plaques de plastique fêlées, les clayettes, et disposait le tout par terre, dans un ordre mystérieux, parmi lequel il circulait. Elle était obligée de regarder à ses pieds pour ne pas trébucher, surtout quand elle était lourdement chargée. Voulait-il ainsi attirer son attention? Lui montrer de la malveillance ou, au contraire, l'obliger à ·prendre garde à lui, à tenir compte de lui? Elle ne voyait plus trace du ballon. Le lui avait-on enlevé? Et ces espèces de sentiers qu'il traçait dans la cour, en la semant d'obstacles, à quoi correspondaient-ils? Aux rues, aux carrefours qu'il ne voyait jamais?

C'était un jeu, mais était-ce un jeu qu'il jouait avec elle?

Fallait-il prendre les sentiers qu'il traçait ainsi? Enjamber les clayettes n'était pas difficile. Mais qu'il les disposât à l'entrée de l'escalier B signifiait-il qu'il souhaitait la voir s'approcher de lui? Petit problème qui l'amusait, l'intriguait — l'intimidait. Le chemin ainsi tracé, bordé de boîtes de conserve retournées, conduisait jusqu'au baril de Bonux sur lequel il était assis, puis repartait vers l'escalier. Au bout de quelques jours, elle le prit, passa devant le baril, fit le détour et monta l'escalier, s'attendant à je ne sais quoi — à ce qu'il l'appelât, peut-être. Mais il n'appela pas. Elle en conçut une espèce d'irritation superficielle, enfantine. « Ce n'est pas moi qui suis allée le chercher, avec son sentier! » Et puis elle rit d'elle-même. Se fâcher pour un enfant qui joue! Elle faillit en parler à Jean-Philippe, et puis ce soir-là ils étaient pressés, ils allaient à la cinémathèque avec Lucette et son fiancé, elle n'y pensa plus.

Le lendemain, ce fut lui qui rentra le premier. La petite coiffeuse prêtée par le salon Camille avait fait faux bond, Paule était enfermée dans son bureau avec Mme Vega-Ramirez, perdue dans un interminable conciliabule, et Allegra avait dû se débrouiller tant bien que mal avec deux mises en plis indispensables : l'enfant n'avait pas encore retiré son dispositif bizarre, et Jean-Philippe se prit le pied dans un morceau de tiroir et faillit, ce fut du moins ce qu'il prétendit, se casser la figure.

— Tu exagères! dit Allegra en riant. Elle n'arrivait pas à le prendre au sérieux quand il se fâchait, il ressemblait à un petit garçon très susceptible avec lequel elle était allée à la maternelle, dans le Midi, et qui s'appelait Maurice.

— Mais non! C'est intolérable tous ces détritus dans la cour! Ce gérant se moque de moi, j'ai réclamé dix fois, il m'a dit que Monsieur René s'en chargeait, tu sais, le type du fer forgé, et il y a au moins trois semaines de ça, et...

— Oh! Mais il est venu! dit Allegra sans trop de contrition. Il est venu, mais j'ai vu que ça faisait tant de peine au petit, je l'ai renvoyé.

Jean-Philippe n'en croyait pas ses oreilles.

— Comment? Il est venu, Monsieur René?

— Mais oui. Avec un autre. Figure-toi qu'il avait la figure toute noire. On aurait dit un charbonnier. Et ils ont commencé à enlever le frigo, mais le petit hurlait tellement, que j'ai pensé qu'il valait mieux le laisser, au fond.

— Mais je leur avais *dit* de l'enlever!

Il n'en revenait pas.

— Oui, mais j'ai dit que tu avais changé d'idée. Ils n'ont pas été mécontents du tout, tu sais, j'ai inventé un truc tout à fait plausible, un ami à toi qui devait récupérer les pièces, et je leur ai donné dix francs.

— Mais enfin, Allegra...

Les bras lui en tombaient. Il supposait qu'il aurait dû protester, lui faire des reproches, car enfin, il avait été catégorique. Mais le visage un peu pâle sous la cloche de cheveux d'argent lui souriait avec innocence, les yeux bleu foncé le regardaient avec franchise, une insondable franchise... Allait-il jouer au mari, à la scène de ménage? Il s'en sentait incapable. Après tout, elle avait obéi à un bon mouvement, naturel, il le supposait, chez une femme...

— Tu aurais pu me le dire tout de suite, au moins. Tu n'as pas osé?

Elle éclata de rire, gentiment.

— Oh! je n'ai pas peur de toi à ce point-là! J'ai oublié, c'est tout.

Ils s'embrassèrent.

— Tu t'es fait mal? demanda-t-elle ensuite, se souvenant qu'il était tombé.

— Non. Pas vraiment. Mais qu'est-ce qu'il est encore allé chercher, ce gosse, avec ses bouts de ferraille étalés partout?

— Il y a bien une semaine qu'il fait ça.

— Ah! je te demande pardon. C'est la première fois. Sans ça j'aurais fait attention.

— Mais non, je t'assure, il y a au moins cinq ou six jours...

— Alors il doit les retirer avant que je ne passe. Eh bien conseille-lui de continuer, parce que si je tombe encore une fois dans ses pièges, je l'enferme dans son frigo jusqu'à ce qu'il y étouffe!

Finalement c'était gagné. Le frigo ne bougerait plus. Elle en ressentit un soulagement qui la surprit. Elle s'imaginait la solitude de l'enfant entre ces hauts murs blancs, sans même un jouet, une cabane... Elle était contente d'être intervenue, d'avoir eu de la présence d'esprit. Et que Phil ne lui en voulût pas, bien sûr. Tout de même, une question lui trottait en tête. Si l'enfant retirait les éléments de son jeu dès qu'elle était passée, peut-être le jeu était-il vraiment destiné à lui faire comprendre quelque chose?

★
★ ★

L'appartement de Josée, au premier abord, est assez cossu. Salon en satin jaune paille et acajou, doubles rideaux tabac, moquette beige; salle à manger avec appliques dorées, vitrines, et le bandeau au-dessus de la fenêtre forme une espèce de grecque, je ne sais pas bien, un dessin qu'on voit dans beaucoup d'appartements bourgeois, et qui aurait des prétentions vaguement médiévales. Il y a un chariot pour les apéritifs, des cendriers en cristal, des vases froids où les fleurs ont l'air artificielles, et on mange mal, chez les Sant'Orso mais avec distinction : saumon froid mayonnaise ou quenelles, cailles très sèches sur canapés tièdes, sauces sans goût, sorbets sans parfum. Du moins c'est le menu des jours où Josée reçoit; car elle est bien obligée de recevoir, à cause de la situation d'Antoine. Elle le fait sans plaisir, tout comme elle s'est installée sans plaisir. On le sent malgré les tableaux aux murs, les livres dans la bibliothèque, les petites tables dispersées qui tentent de donner une impression de confort : la vraie vie n'est pas là. La chambre à coucher des époux n'est guère plus chaleureuse; grand lit blanc à médaillons « Napoléon III », chevets assortis, coiffeuse (dont Josée ne fait guère usage) : tout cela a l'air de sortir d'un catalogue. Tout au moins tant qu'Antoine n'est pas là, jetant son imper n'importe où, oubliant son journal dans le salon, sa pipe encore chaude sur la table de nuit ou le guéridon de l'entrée, remplissant les pièces abandonnées de sa voix chaleureuse, de son grand pas, de ses récits cordiaux et excessifs, de ses colères brèves. Jo soupire, ramasse l'imper, le journal, passe un chiffon sur la trace laissée par le verre de whisky, la pipe chaude, et dès qu'Antoine a le dos tourné, restitue à l'appartement son aspect tombal. Au fond, malgré le petit luxe médiocre dont il se pare, l'appartement de Jo ressemble à celui de ses parents. Comme Vanina, elle est restée une fille du Midi pour laquelle la vraie vie est dehors, là où il y a du soleil, des marchés, de la foule. Le mas près de Nice, ouvert à tout vent, sans vrai mobilier, sonore et gai comme une coquille, leur convenait bien, et l'installation-campement des Batignolles a gardé ce caractère de vide, de provisoire, auquel manque, hélas, le soleil. Le jansénisme de sa grand-mère a marqué Jo, aussi; on sent que ces tentures, ces canapés, sont là parce qu'il le faut, et qu'elle ne se dérobe pas à ses obligations de femme de jeune cadre. Mais choisies sans plaisir sinon sans goût, les étoffes sont sèches, les couleurs froides. Les bois sont luisants, mais est-ce un effet de l'imagination, il semble qu'ils soient entretenus avec un de ces nouveaux produits aux silicones, qui ne tachent pas, mais qui n'ont ni le parfum, ni le brillant moelleux de l'encaustique. La cuisine est installée depuis l'an dernier, au moment de la dernière promotion d'Antoine; elle est moderne et chirurgicale à souhait. Mais Josée, qui se contente d'une femme de ménage (et d'un extra pour ses réceptions) se sert uniquement de la cuisinière et de deux ou trois casseroles, toujours les mêmes, pour sa cuisine courante. Elle manifeste ainsi, sans le vouloir, que le confort qui l'entoure (et qui paraît prodigieux au reste de la famille) n'est en quelque sorte qu'un luxe « de fonction » et qu'elle s'en désolidarise dans sa vie privée. Ayant dit tout cela, il semble inutile de dire quelque chose de la vie sexuelle de Josée. Antoine est parfaitement content de sa femme, du reste. Il est content de tout : du vin qu'il boit à table, de son appartement, de sa situation, de lui-même. C'est un grand beau garçon frisé, aux yeux chauds, avec beaucoup d'accent, des cheveux noirs bouclés, un petit ventre naissant qui inspire confiance. Il consent bien volontiers à se laisser diriger, bousculer, aimer, par Jo, à condition de rester le mâle éclatant et rieur qui n'a qu'à se montrer pour plaire. Et il plaît : son égocentrisme innocent, son inaltérable bonne humeur (puisqu'il laisse à sa femme tous les sujets de préoccupation) ont joué un rôle dans le succès de Soleil-Loisirs.

Josée lui rendait justice : il avait obtenu des emprunts, négocié des achats de terrain, formé des animateurs, sur ses conseils à elle, sans doute, mais aidé puissamment par cette confiance en lui, cette cordialité sans profondeur d'égoïste. Ils formaient, pensait Jo avec satisfaction, un couple parfait, qui reproduisait assez fidèlement le schéma parental : Vanina jouant le rôle de chien de berger, rôle obscur et indispensable, aboyant et harcelant, autour du majestueux Viking, consciencieux et doux, un peu endormi comme une belle bête d'exposition.

Mais Vanina aimait son mari. C'était le secret de Polichinelle. On se taisait là-dessus par pudeur. Jo aimait Antoine comme Marie et Renata. Quand elle s'achetait un pull-over modeste, elle lui achetait un cachemire. Quand elle se contentait pour dîner d'une tranche de pain trempée dans de l'huile d'olive, elle leur préparait un gratin, un ragoût. Sauveur mangeait du pain frotté d'ail et d'huile, comme sa mère. Josée aimait Sauveur. Antoine en avait vaguement conscience et n'en souffrait pas. Etre aimé follement l'eût dérangé : il eût fallu s'en préoccuper, rendre quelque chose. Etre aimé impose des devoirs, comporte des exigences. Etre aimé est fatigant : il était soigné, cajolé, il régnait : c'était bien préférable. Lui aussi trouvait leur couple parfait.

Alors, pourquoi lui cachait-elle ses visites à Saverny? Il eût ironisé, sans doute, mais après tout, « affaire de femme ». Et il n'avait pas l'habitude d'aller à l'encontre des décisions de Jo. « Si ça ne fait pas de bien, ça ne peut pas faire de mal. » Elle l'entendait déjà. Alors, ce secret, pourquoi? Pour enfin, dans cet appartement où rien ne lui était personnel, posséder quelque chose?

*
* *

Allegra rentrait gaie, amusée par des plaisanteries niaises de Lucette, d'un verre pris avec Jicky, qui allait faire partie du jury d'un concours de patinage. Il faisait moins froid, moins sombre aussi, et elle s'était acheté un pull-over vert jade, une folie! pour aller dimanche à la campagne. On voulait montrer la briqueterie à Jean-Philippe et au fiancé de Lucette, qui ne connaissaient pas l'Oise. Elle avait la tête pleine d'une petite agitation gaie, en montant les escaliers, et elle avait traversé la moitié de la cour avant de s'apercevoir qu'il n'y avait plus de chemin bordé d'obstacles, plus de frigidaire, plus rien que l'enfant assis sur le baril, silencieux, morose. Elle courut à lui, impulsivement, avec un peu de remords d'avoir oublié son existence.

— Mon pauvre chéri! Qu'est-ce qui s'est passé?

Il se contenta de lever les yeux vers elle, avec désespoir, avec une sorte de reproche lui sembla-t-il.

— Tu sais, ce n'est pas ma faute... Ce doit être le gérant...

Elle ne savait que lui dire. Un bébé de cet âge — trois ans? quatre ans? — est-ce qu'il sait ce que c'est qu'un gérant? Elle s'agenouilla près de lui. Il regardait derrière son épaule, la place vide où il y avait eu le frigidaire.

— Quand est-ce qu'ils sont venus? Qui est venu? Les mêmes que la fois dernière?

Il s'obstinait à ne pas répondre. Mais il reporta les yeux sur elle, et soudain, avec une sorte de défi, il se mit à pleurer silencieusement, avec application, comme s'il se vengeait d'elle.

La cour autour d'eux s'assombrissait. Il faisait froid. Les hauts murs blancs les entouraient comme une menace. Elle ressentit pour la première fois ce que ce petit enfant pouvait ressentir, au pied de ces falaises. A cet instant, au-dessus d'eux, l'ampoule s'alluma, blême, sinistre. Non, elle ne pouvait pas le laisser là.

— Viens avec moi, dit-elle.

Elle le prit par la main, et ils montèrent l'escalier étroit. Il montait en soulevant très haut ses petites jambes, avec effort, mais en y mettant toutes ses forces. Il reniflait un peu. Et la porte du studio ouverte, il resta un moment sur le seuil, apeuré. Puis il se précipita vers la fenêtre, s'écrasant le nez contre la vitre, haletant bizarrement, essayant de tirer le panneau vers lui. Allegra avait refermé la porte; cette présence muette, mais si nouvelle, dans l'appartement, la remplissait d'une sorte d'appréhension. Peut-être n'aurait-elle pas dû... Mais elle comprit que l'enfant désirait, exigeait qu'elle ouvrît la fenêtre, et elle s'empressa. Alors il se pencha, regarda vers le puits, releva la tête, regarda vers le ciel, et se mit à rire, à pousser des cris rauques qui ressemblaient à des sanglots mais qui étaient, elle le comprit instantanément, des cris de triomphe. Enfin il dominait le puits, il narguait l'obscurité qui remplissait maintenant la cour à plein bord. Il trépignait presque, il saisit d'une main fébrile un bouchon qui traînait sur le rebord de la fenêtre, le jeta au fond, plein d'une sorte de fureur. Il se vengeait du puits; il était hors d'atteinte, maintenant. Enfin il se calma, releva la tête encore pour regarder le ciel, s'assurer qu'il était bien là, tout près, et eut un grand soupir de satisfaction, un grand soupir rassasié.

Allegra se rassurait. Elle avait eu un peu peur, quand il avait crié. Peur que quelqu'un arrivât, peur d'avoir, en amenant chez elle cet enfant inconnu, agi d'une façon inconsidérée. Si Phil arrivait... Mais maintenant qu'il était calme, elle s'apaisait aussi. Elle eut une idée. Elle le prit par la main, le fit monter jusqu'à la loggia, sous le toit. Là, il verrait vraiment le ciel. Elle avait envie, soudain, de lui faire ce cadeau : elle aimait tant l'idée, elle-même, de coucher si près du ciel! Elle ouvrit la lucarne, approcha un tabouret. L'enfant comprit tout de suite, grimpa. Non, ce n'était pas assez haut. De nouveau, dans le petit visage mou, ce regard de reproche...

— Attends, je vais te porter.

Il lui paraît lourd, ce bébé, elle n'est pas très forte. Mais en s'y mettant... Elle le hisse, plus haut encore, l'assied tant bien que mal sur son épaule. Il s'appuie des deux mains au rebord de la lucarne, s'agrippe, se dresse; il pousse de petits cris aigus d'oiseau. « Le ciel est clair, il doit voir les étoiles », pense-t-elle avec une drôle d'émotion.

Plus tard elle le raccompagnera jusqu'au rez-de-chaussée. Qui sait si sa famille ne s'est pas inquiétée. Ils redescendent, ils s'enfoncent dans l'escalier, et pour la première fois elle sent une espèce d'étouffement dans cette descente, ces escaliers obscurs, étroits. Au rez-de-chaussée, elle sonne. Une fille rousse lui ouvre la porte. Allegra s'explique. Elle a voulu consoler le petit, l'a emmené chez elle. Elle est désolée pour le frigidaire, ce doit être le gérant... Maintenant elle ramène l'enfant.

— J'espère que vous ne vous êtes pas inquiétée...

— Non, non, merci... dit la fille, pas désagréable, mais absente, se tenant sur le pas de la porte comme pour l'empêcher d'entrer.

— Je crains, dit Allegra qui dans ses moments d'embarras s'exprime comme sa mère, je crains qu'il n'ait éprouvé une sorte de traumatisme... Il n'a pas parlé du tout, là-haut...

— Il ne parle jamais, dit la fille avec lassitude, comme si elle avait déjà expliqué cent fois la même chose. Il ne parle pas. Il est un peu...

Elle a un geste vague.

— Oh! dit Allegra, qui se voudrait compatissante, mais ne trouve pas de formule. Et comme la fille a fait

rentrer le petit, derrière elle, en bouchant toujours
l'entrée, et va refermer la porte, elle demande machinalement :

— Comment est-ce qu'il s'appelle?

— Il a quatre ans, il s'appelle Rachid.

★
★ ★

II

Plus tard, beaucoup plus tard, Vanina devait dire avec un émerveillement catastrophé : « Et dire que pendant tout ce temps-là on ne se doutait de rien ! » Elle avait le sentiment, non seulement qu'elle aurait pu empêcher peut-être la suite regrettable des événements, mais encore qu'elle avait laissé passer, pendant qu'elle faisait des tartes aux myrtilles, visitait des vieillards et faisait sa lessive, un phénomène étrange, unique, qu'il eût été intéressant d'observer, quelque chose comme une éclipse. Mais si « on » ne se doutait de rien, c'était peut-être qu'il ne se passait rien.

Un peu de pitié, un peu de gentillesse... Rien de cela ne pèse bien lourd à l'âme d'une jeune femme occupée, d'une jeune mariée, futile et vaillante, et qui sourit toujours. Rien ne se passait. Rien d'autre que l'attente de cet enfant aux yeux de mûre, cette attente, le midi et le soir, dans la petite cour, doré-navant propre et vide. Et un léger sentiment de gêne, d'obligation, chez la jeune femme. En prenant sa défense une première fois, devant les voleurs de fri-gidaire, elle lui avait donné le sentiment qu'elle le protégeait. Et maintenant, devant l'enfant dépouillé, elle se sentait légèrement coupable, comme si elle lui avait fait une promesse sans la tenir. Pourtant, Phil lui avait expliqué : le gérant avait cru leur faire plaisir. Après tout ils étaient parmi les locataires les plus respec-tables de cette baraque ; Phil n'avait plus insisté après l'affaire de Monsieur René, mais s'il réclamait qu'on rapportât le frigidaire, après ses multiples réclamations, il aurait l'air d'un fou.

Elle avait très bien compris. Seulement, devant le petit visage mou et morose, elle se sentait impuissante. Elle aurait bien voulu lui expliquer... Alors elle lui rapportait de l'Institut des échantillons de parfums, de crèmes, des petits flacons, des boîtes. Il les prenait, avec une espèce de lassitude. Il avait déniché (sans doute près des poubelles, en bas) une grande caisse en carton, à demi éventrée, dans laquelle il rangeait, sans enthousiasme, les épaves du désastre, et les menus cadeaux d'Allegra. Mais le cœur n'y était pas. Avec le frigidaire en son centre, la cour avait été un lieu assez sinistre, mais propice à certaines cérémonies — parce que sinistre, sans doute. Débarrassée de ses épaves, la cour n'était plus ce fond de mer, les restes d'un naufrage ou d'une maison incendiée, un pitoyable magasin, un cimetière : elle n'était plus qu'une cour, où cet enfant était seul. Il ne lui restait qu'Allegra à attendre. Son passage constituait la seule distraction possible, ses cadeaux, le seul événement de la journée. Il attendait donc. Cela, c'était perceptible dès qu'elle arrivait, et pourtant il ne bougeait pas, son petit corps déjà robuste, mais tassé, restant immobile, ses yeux se fixant sur elle avec une sorte de défi sans espoir. Du moins les premiers jours. Parce que prise de pitié, de gêne, et devant le peu de succès de ses tentatives de corruption, un jour comme les autres elle voulut le distraire, lui prit la main et l'emmena de nouveau chez elle. Le lendemain il en fut de même, et après, au bout de huit jours, comment lui refuser l'accès du studio, alors qu'il avait attendu toute la journée (supposait-elle) ce moment? En l'entendant arriver il se dressait. Sans sourire, sans manifester d'enthousiasme. Mais ses petites mains époussetaient le pantalon de ski qu'il portait toujours; il tirait sur son blouson, frottait ses mains l'une contre l'autre dans un dérisoire effort de propreté. De toute évidence il se préparait à la montée comme à un rituel nouveau. Elle n'avait plus qu'à le suivre.

Il escaladait le petit escalier, aux marches étroites et hautes, avec une volonté évidente de ne pas demander son aide, de s'aider le moins possible de la main à laquelle, tout de même, il était obligé de s'agripper de temps en temps. Il levait le plus haut possible ses petites jambes, se hissait avec un effort de tout le corps, et elle sentait qu'elle ne devait pas le soulever, surtout. Cette épreuve faisait dorénavant partie du rite. Il attendait, immobile et tendu, qu'elle eût ouvert la porte. Il allait à la fenêtre comme on va vers un adversaire. Il attendait qu'elle l'eût ouverte, se penchait vers le puits, et rassuré puisque encore une fois il le dominait, il se retournait vers elle avec un bref et lumineux sourire.

Déconcertée, amusée aussi par ce petit personnage silencieux (et elle pensait à ce moment-là à son silence comme à une sorte de particularité plutôt que d'infirmité) elle souriait aussi, incertaine. Et l'enfant, grave et affairé, prenait l'initiative. Après l'inspection de la fenêtre, et ce sourire qui s'éteignait brusquement, comme une flamme, il revenait vers elle, lui prenait des mains son panier à provisions; il le posait par terre, et avec beaucoup de soin, en retirait un à un ses achats : le beurre, les endives, le paquet de biscottes, les œufs. Il portait les paquets l'un après l'autre dans la cuisine : il avait tout de suite compris que c'était là qu'il fallait les ranger. Les deux premiers jours, il les avait posés sur la plaque chauffante qui, refermée, formait tablette. Le troisième elle avait, non sans appréhension, ouvert le frigidaire. Il ne s'était livré à aucune démonstration bruyante, comme elle l'avait craint. Il avait seulement levé les yeux vers elle, avec un sourire encore, de reconnaissance et de triomphe. Et il s'était remis à ses rangements. Il avait des gestes minutieux, délicats. Il était évident qu'il faisait un effort immense pour se contrôler, ne rien heurter, ne rien casser. Attentif comme si sa vie en dépendait. Le quatrième jour il alla ouvrir seul la porte du frigidaire, revint jusqu'au panier, et commença ses rangements avec plus de fièvre, allant et venant sans bruit et sans s'occuper d'elle. Elle se sentait un peu bête, les bras ballants, à le regarder faire. Alors elle se blottit dans le grand canapé informe, offert par Paule, et prit un petit ouvrage au crochet (un coussin) qu'elle avait commencé. Si tout ce qu'il demandait, c'était de vider son panier à provisions... Elle levait les yeux sur lui, de temps en temps, avec une sorte de plaisir tranquille. Il était amusant à voir, parcourant l'intérieur du frigidaire d'un regard scrutateur, cherchant les espaces qui convenaient, découvrant le casier spécial pour le beurre, logeant chaque œuf, avec des précautions infinies, dans son alvéole.

Les rangements finis, il refermait la porte du frigidaire soigneusement, sans la claquer, et revenait près d'elle. Le premier jour, pour le « récompenser » (bien qu'elle ne fût pas sûre du tout qu'en procédant ainsi, il désirât lui rendre service) elle l'avait embrassé. On embrasse les enfants. Elle avait posé ses lèvres, non sans une très légère répulsion, sur la petite joue froide et molle. L'enfant avait paru surpris, mais sans doute s'était-il dit que cela faisait partie des coutumes du studio, car dès le lendemain, il s'était avancé vers elle, le jeu du rangement terminé, et l'avait prise par le cou, d'un bras étonnamment robuste pour son âge, pour qu'elle l'embrassât. Après la chaleur et la lumière du studio, il lui paraissait impossible de le remettre dans la cour, dans cette lumière blême d'impasse du crime. Elle avait revu Diane. Elle avait commencé sa phrase, la même : « J'ai fait monter le petit, j'espère que vous... »

Mais Diane l'avait interrompue.

— C'est très gentil à vous, avait-elle murmuré hâtivement, comme essoufflée. Très gentil.

Et elle avait attiré l'enfant à l'intérieur, et refermé la porte en hâte, comme si elle avait craint qu'Allegra ne pénétrât de force chez elle.

Il ne s'était rien passé; une habitude qu'elle avait prise, une obligation légère, qui s'ajoutait aux menues besognes qu'elle exécutait avec plaisir, en dehors de l'Institut. Avec plaisir, oui; comme le coussin qu'elle exécutait au crochet, sur un modèle de sa grand-mère, en camaïeu de bleu; comme la tarte aux myrtilles qu'elle faisait dans le four défaillant, sur une recette de Vanina. C'était tellement peu important qu'elle n'avait même pas pensé à en parler à Phil.

Phil disait toujours qu'il ne voulait pas d'enfant tout de suite. Elle disait toujours qu'elle était d'accord. Mais ce n'était pas la même chose n'est-ce pas? Jo avait toujours dit qu'elle ne savait pas parler aux enfants, et c'était sans doute vrai. Mais Rachid — puisque c'était son nom — ne semblait pas désirer qu'on lui parlât. Parfois elle soupirait à haute voix, devant lui. « Ce que je suis fatiguée! » ou « Oh! j'ai envie d'une bonne tasse de thé! » Des choses qu'on se dit quand on est seul, parfois même à voix haute. Il s'arrêtait alors dans ses occupations, la regardait, et un de ses brusques sourires, comme rassurants, éclairait son visage. Puis il repartait, rangeant, dérangeant, déplaçant de menus bibelots, les examinant, toujours avec un soin extrême. Il avait l'air d'étudier le studio, de l'apprendre par cœur, dans un but que lui seul connaissait. Cette activité incessante et silencieuse intriguait Allegra. Il lui apportait un objet, dont elle ne savait que faire : un cendrier en opaline, une pelote à épingles. Elle pensa d'abord qu'il voulait savoir le nom de ces objets, et elle les lui nomma : « C'est un cendrier. Cen - dri - er. Ça, c'est pour mettre des épingles. Pelote. Pe - lo - te. » Non, ce n'était pas ce qu'il voulait. Il s'impatientait visiblement, lui tournait le dos en haussant les épaules, lui apportait encore un dossier de Phil qui était sur la table. Il voulait débarrasser la table.

— Oh! pardon, mon chéri, je n'avais pas compris, dit-elle machinalement.

Là vraiment, elle se sentait coupable. « Cen - dri - er » comme à un bébé! Avait-elle supposé, parce qu'il ne parlait pas, qu'il était idiot? Non, pas vraiment, mais... Elle n'avait pas réfléchi. Elle avait accepté son silence comme celui d'un animal, et elle l'avait traité en petit animal ignorant et stupide. Comme si toute sa conduite, le soin qu'il mettait dans ses moindres gestes, n'indiquait pas la réflexion, l'intelligence! Elle avait agi comme Vanina, et elle avait d'autant moins d'excuses, que toute sa vie elle avait été un peu surprise au fond, qu'on lui parlât comme à un enfant : « Tu dois savoir que... Tu ne dois pas dire... » Elle obéissait, bien sûr, elle obéissait même gentiment. A quoi bon contrarier des êtres aimants et puérils? Mais ne savait-elle pas qu'elle jouait, au fond, pour leur faire plaisir? Rachid n'avait pas voulu jouer, ni lui faire plaisir.

Mais qu'avait-il voulu? Il avait ouvert le buffet de bois clair, en avait tiré des assiettes. Il mettait le couvert. Un enfant de quatre ans pouvait donc mettre le couvert. C'était vrai qu'elle ne connaissait pas les enfants. Mais que connaissait-elle? Il posait maintenant les couverts, soigneusement, à même le marbre. Elle mettait une nappe, d'habitude. Mais elle ne voulut pas l'interrompre. « Je vais encore gaffer » pensait-elle, dans son petit argot modeste de jeune fille inculte et bien élevée. Quand il eut fini, il recula de quelques pas, pour contempler son œuvre. Puis il la regarda, triomphant. Il avait montré ce qu'il savait faire. Elle était son témoin, son public. Il attendait d'elle qu'elle applaudît à son exploit.

— Ce que c'est bien! Magnifique! murmura-t-elle, pas très sûre de ce qu'elle devait dire. Mais il était satisfait, sans doute, car rituellement, comme après le rangement des provisions, il vint l'embrasser, resta même un moment appuyé contre elle, sa tête brune, qui sentait la brillantine, sur son épaule, étrangement lourde. « Quel drôle d'enfant! pensait-elle avec un étonnement assez doux. Quel drôle d'enfant! » Et elle souriait, sans le savoir, dans le vide.

Elle avait failli en parler à l'Institut. « Oh! vous savez, chez moi il y a un drôle de petit garçon muet qui comprend tout et qui me range mes affaires. » C'était une histoire amusante parce que si elle la racontait comme ça, elles ne le croiraient pas, elles penseraient que c'était un enfantillage, une histoire de lutin, ou qu'elle cherchait à se rendre intéressante, péché capital contre lequel sa mère l'avait prémunie dès l'enfance. Fallait-il donc se rendre inintéressant exprès? avait-elle répondu plus d'une fois, irrévérencieusement. Mais Jo, qui était prompte à lui rabattre son caquet quand par hasard elle arrivait à s'exprimer un peu : « Il y en a qui n'ont pas besoin de se forcer. » Jo avait toujours été assez dure avec elle. Paule, non. Paule avait été bonne (jusqu'à cette malheureuse histoire de rupture, mais cela passerait) essayant toujours de lui donner des livres à lire (passablement ennuyeux), de l'emmener à des réunions, de lui présenter ses amis — qui ne s'intéressaient pas à elle et auxquels elle ne s'intéressait pas. Mais l'histoire du petit garçon n'était pas pour Paule. Elle voudrait tout de suite s'en occuper elle-même; ce serait comme pour le studio. Elle considérait toujours qu'elle savait mieux qu'Allegra ce qui lui convenait — petit travers de l'amour fraternel — et elle voudrait immédiatement aller voir les parents de Rachid, s'informer de sa scolarité, de sa dentition, et d'un tas de choses de ce genre. Plus tard, peut-être... En parler à Lucette, c'était comme en parler à Paule, et bien pire. Car Lucette ne pouvait rien garder pour elle, rapportait tout, avec des commentaires de son cru qui, tout à fait involontairement, semaient la zizanie. Renée aimait les animaux, mais pas les enfants. Odette n'aimait pas les étrangers. Jicky, oui... Peut-être. Mais Jicky parlait si fort, riait si fort, s'attendrissait si bruyamment... Elle dirait « Le pauvre chou », elle dirait « Amenez-le, cet amour! Ce qu'il doit être mignon » et Allegra perdrait toute envie de parler, regretterait aussitôt sa confidence. Finalement, elle ne pouvait en parler à personne, découvrit-elle avec étonnement.

Elle se taisait donc avec un plaisir secret à fredonner, à l'intérieur d'elle-même « Quel drôle de petit garçon! » et à s'imaginer ce qu'il ferait si elle l'amenait à l'Institut, comme tout l'intéresserait, le trapèze dans le gymnase, le casque à permanente à l'esthétique, le masque à oxygène dans la cabine de massage. Mais elle ne l'amènerait pas. Du moins, pas encore. Elle partirait seulement un peu plus tôt, ce soir, pour ne pas le faire attendre. La veille aussi elle était partie un peu plus tôt. Odette lui en avait fait la remarque, d'une façon assez acerbe. Heureusement, Paule était encore enfermée avec Mme Vega-Ramirez. Elle pouvait filer doucement. Elle s'amusait de déployer des ruses de fillette faisant l'école buissonnière pour filer sans bruit. Elle ne se sentait pas coupable... Elle arrivait tôt à l'Institut, elle travaillait beaucoup. On ne pouvait pas laisser cet enfant attendre indéfiniment dans cette cour, c'était bien simple. Et puis elle était curieuse, avec un petit battement de cœur bizarre, de voir s'il ferait les mêmes gestes qu'hier, s'il aurait la même expression, si sa présence lui apporterait cette inquiétude légère, presque agréable, qu'elle ne savait à quoi attribuer... Elle n'attendait que le moment propice pour partir sans être remarquée. Elle attendait, elle aussi.

★
★ ★

En guérissant du goitre et des verrues (sa grande spécialité), en soulageant les rhumatismes et en faisant disparaître l'eczéma, le Bon Docteur avait acquis non loin de la Malmaison une petite villa assez agréable, comportant un jardinet soigné, un garage en béton à porte vernissée, et, à l'intérieur du bâtiment principal (rez-de-chaussée et un étage, surmonté d'une marquise en verre bleuté) un salon et une salle à manger, une chambre à coucher et un bureau; le tout contenait une abondance de coussins brodés ou coulissés, en satin, de guéridons dits Louis XV, de tapisseries représentant des chamois s'abreuvant à des cascades improbables, ou encore bramant au clair de lune.

Le Bon Docteur avait aussi la télévision en couleurs, un bar roulant en cuivre et acajou, et une cuisine ultramoderne avec four à infrarouges qui faisait son orgueil. Une bibliothèque encore, chef-d'œuvre d'ébénisterie moderne, des traités d'herboristerie, de botanique, de médecine populaire, des almanachs, des ouvrages de petite histoire dont il était friand. Tout cela étincelait de propreté, d'honnête mauvais goût. On devinait chez le propriétaire de la Villa du Tournant un sens évident du confort, le goût de la bonne cuisine et de l'anecdote; tout plaidait en faveur de son bon sens, de sa pondération. Rien n'y sentait le mage ni le sorcier. Preuve supplémentaire de cet équilibre enviable, la plaque de cuivre apposée sur l'un des piliers du garage et qui, dédaignant les « Mon Désir » et les « Castelmachin », portait cette inscription réaliste « Villa du Tournant ».

Fils de paysans devenus bougnats, puis retournés au

pays fortune faite, le Bon Docteur encore que né dans le quartier des Batignolles, a conservé un dédain héréditaire pour le citadin surmené, fiévreux, ingrat et crédule. Adolescent robuste, il a vu autour de lui l'entourage de ses parents, concierges obèses, dactylos pâlottes, ouvriers rachitiques, consacrer des sommes déraisonnables à l'achat de « fortifiants ». Plus tard ç'a été les vitamines, les tranquillisants, sans compter ces absurdes vacances pour lesquelles on se prive toute l'année, alors que si on a un intérieur tranquille, un fonds de santé, quel besoin de vacances? Il a vu là un troupeau docile, prêt à accepter n'importe quoi, de la piqûre intraveineuse à la médaille bénite, pour se sentir un peu moins mal. Pauvres brebis affolées, privées d'air, de liberté, de bon sens, que le Bon Docteur a tondues, sans excès comme sans remords; pourquoi pas lui? Il a vendu des pommades, imposé les mains, mélangé le jargon de *la Santé par les plantes* à celui du Grand Albert. Et il a guéri. Des verrues, des rhumatismes, des « douleurs » vagues, des asthmes, des eczémas; il a fait des mariages, conseillé des placements, souvent avec sagesse, et fini par concevoir pour sa modeste clientèle un certain attachement fait de pitié, de mépris, et de la conscience surtout de sa supériorité physique et morale. Le Bon Docteur, en effet, n'a de sa vie été malade. Il n'y croit pas.

Il n'a pas non plus été en prison, ce qui arrive à certains de ses confrères plus avides ou plus doués. Là encore, avec la sagesse paysanne qui laisse dormir son capital, inerte, mais stable, au lieu de le faire fructifier au risque de le perdre, il a préféré s'en tenir à sa clientèle de petites gens, aux petits malaises, aux névroses sans grandeur, refusant le risque des publicités dangereuses, des clients huppés mais difficiles à satisfaire. S'il refuse, avec un grand étalage de vertu offensée, les cas catalogués, les leucémies, les tuberculoses, les tumeurs, il refuse aussi, sans donner d'autres raisons que « des influx contraires », les manteaux de fourrure au-dessus du mouton ou du lapin, les diamants aux doigts, les voitures au-dessus de la 4 CV. Et, bien entendu, les hommes. La clientèle du Bon Docteur est presque tout entière constituée de femmes, et de femmes pauvres.

Aussi ne s'explique-t-il pas comment il s'est laissé aller à s'occuper du petit Sauveur. Sauveur paraissait être un cas complexe, de ceux qu'il n'aime pas. Quand il l'a vu arriver, soutenu, presque porté par sa mère, les reins et la jambe gauche visiblement bloqués, et cette mère elle-même avec son tailleur triste et bien coupé, son collier de perles et son allure, son langage indiquant bien qu'elle a conscience d'appartenir à une classe privilégiée, non peut-être par l'argent, mais par une sorte d'hérédité bourgeoise, d'assurance innée, il s'est dit tout de suite avec une volontaire et saine vulgarité : « Je m'en vais te les expédier, ces deux-là. » Avec un certain plaisir, même. Il aime de temps en temps faire sentir que son caprice, son inspiration seuls commandent. Et il serait malveillant d'y voir seulement une sorte de sadisme larvé, une revanche : il lui arrive, devant telle ou telle créature déshéritée, abandonnée dans ses mains comme ces bêtes douces qu'en vacances, à la ferme, il accouchait, de sentir monter en lui une source de pitié, de bonté, qui vient d'on ne sait où et qui le surprend lui-même. C'est ce qu'il appelle « un influx » et il est de fait qu'il est arrivé parfois, dans ces cas-là, à des résultats surprenants. Il n'en croit pas davantage à ses pouvoirs, mais à la folie des femmes. Tant de faiblesse parfois le touche, d'une impure et trouble façon. Parfois aussi, quel mépris goguenard il sent monter en lui devant tant de crédulité, de complaisance à soi-même, de veulerie!

Cette femme devant lui, même pas belle, idiote ou hystérique sans doute, puisqu'elle est là, avec son enfant mal fichu dont on aurait dû se débarrasser à la naissance, et qui de surcroît se croit supérieure parce qu'un peu frottée d'instruction, de culture, parce que « bien élevée » avec plus de prétentions que de moyens (son sac, ses chaussures, de bonne fabrication, mais usés) il l'a dès le premier instant détestée. Il a ouvert la bouche pour lui dire tout de suite que « les influx ne sont pas bons », qu'il ne peut rien faire, pour lui donner avec une fausse bienveillance (bonbon acidulé qu'il suçote, dans sa grosse bouche) l'adresse d'un hôpital, d'un *vrai* médecin... Mais elle l'a précédé, et de sa voix nette, brusque, la petite femme posée, Mme Sant'Orso, la petite bourgeoise pas belle qui surveille de près les comptes de sa femme de ménage, les poches de son mari, les notes de ses enfants, elle a dit : « *N'ayez pas peur,* Docteur. Parlez-moi nettement. Je ferai ce qu'il faudra. » Ce à quoi le gros homme, suffoqué, n'a su que répondre : « Mais... je n'ai pas peur, madame! »

Cette entrée en matière lui a coupé ses effets, son petit discours sur le Cosmos, les influx, tout un charabia dont il s'amuse lui-même, tout en savourant sa propre éloquence. Souvent flatté par la crédulité de ses « clientes », celle-ci, qui avait l'air plus crédule encore que les autres, ne l'avait pas amusé cependant. D'habitude, il y a tout de même quelques doutes à vaincre, un accablement à secouer, un espoir à susciter. Cette petite femme en face de lui ne doute pas un instant. Elle n'est pas non plus accablée. Elle lui parle de la guérison de son fils comme d'une chose évidente, dont il ne s'agit que de payer le prix. « *N'ayez pas peur,* Docteur. » Ridicule. Plus tard elle dira encore : « N'ayez aucun scrupule. Je sais ce que je risque. » Il ne sait même pas de quoi elle parle, ce qu'elle s'imagine. Il voudrait s'esclaffer, s'indigner. Mais quelque chose, dans le regard noir, perçant, dans la tension perceptible de ce corps insignifiant, l'en empêche. Il émane de Josée quelque chose de dangereux et de froid qui un moment a frappé le Docteur. Cette masse de chair si difficile à ébranler a été frappée d'une émotion si brève qu'il n'a pas su la reconnaître. La peur? Le pressentiment de la peur, plutôt. Elle croit risquer quelque chose, tout risquer en lui mettant cet enfant entre les mains. Mais quoi, tout? Folle comme toutes les autres, naturellement; mais plus dangereusement folle. L'espace d'un éclair blanc, il a entrevu un monde auquel habituellement il n'a pas accès.

Il s'est défendu comme il a pu.

— Mais vous ne risquez rien du tout, ma petite dame! J'impose les mains, je magnétise, je soigne par les herbes, et parfois le bon Dieu veut bien...

— Le bon Dieu? dit Josée avec une espèce de sourire.

C'est la première femme qu'il voit sourire avec un enfant à demi paralysé sur les genoux. Sourire triomphalement.

— Laissons le bon Dieu de côté, voulez-vous?

Maladroitement, et furieux de s'être laissé déconte-
nancer :
— Vous n'êtes pas croyante?
— Si, a-t-elle répondu. Justement.
Il a imposé les mains à l'enfant étendu. Il a imposé
les mains. Il y a deux mois de cela, et Sauveur marche.
Il boitille encore, mais il marche. « Encore un mois ou
deux et ce sera parfait » disait cette femme, et elle
souriait. Les jours où elle venait, le Bon Docteur rentrait chez lui un peu moins jovial que d'habitude. Il
arrosait ses fleurs, disposait tout ce qu'il fallait pour le
rite de l'apéritif, s'enfonçait comme les autres jours
dans son excellente bergère, devant la télévision... Eh
bien, contrairement à ce qu'on pourrait croire, la télévision, même en couleurs, ne distrait pas de tout.

★
★ ★

Sauveur a douze ans, une petite figure pointue d'écureuil, vive, éveillée, gentille. Il n'a pas du tout l'air d'un
enfant malade. Du reste il est toujours en train d'entreprendre quelque chose : maquette d'automobile,
abat-jour en papier huilé, installation d'un nouveau
haut-parleur pour son électrophone; il démonte,
remonte, bricole. Il a réussi à réparer une vieille horloge à balancier et elle encombre sa chambre (petite)
comme un trophée. Quand il a été contraint de rester
tout à fait au lit, il s'est attelé à la rédaction d'un
roman, et Jo s'est bercée de l'espoir d'avoir enfanté un
génie, jusqu'au moment où elle s'est aperçue qu'il
confectionnait son œuvre comme une maquette, avec des
matériaux déjà existant, recopiant là un passage des
Misérables particulièrement bien venu, ici une scène
d'*Autant en emporte le vent,* et parsemant l'ensemble
de dialogues empruntés aux bandes dessinées dont il fait
ample consommation. Déception de Jo, qui s'était déjà
épanchée dans le sein d'Alex, ami d'enfance d'Antoine
et lecteur au Seuil. Il est permis de croire qu'Alex qui se
voyait déjà prématurément chargé de la carrière littéraire de Sauveur, a éprouvé au contraire un certain

soulagement devant cette révélation. A la grande indignation de Jo il a même déclaré le procédé intéressant.

— Songez donc, ma chère, que si l'on répertoriait ainsi les meilleures scènes d'amour, de rupture, d'atterrissage dans la lune, de combat avec une hyène, le roman d'aujourd'hui ne serait plus qu'une équation, chaque citation ayant son numéro d'ordre, et en lisant C4 + A 37 = BL 903, on saurait que le roman commence comme *la Princesse de Clèves* et finit comme *Anna Karénine*.

— Quel enfant vous faites! avait soupiré Jo. Chez cette femme qui adorait les enfants, cela signifiait qu'elle considérait son propos comme dénué du moindre intérêt.

Mais Sauveur avait trouvé l'idée intéressante et s'était mis au travail, assisté par sa sœur Marie, qui lui apportait tous les volumes de la bibliothèque, d'ailleurs restreinte, de leurs parents. Il avait déjà rempli de références deux cahiers d'écolier lorsque, grâce à l'intervention du Bon Docteur, son état s'étant amélioré, il avait pu circuler en boitillant dans l'appartement et s'était mis à la menuiserie. En ce moment il exécutait un classeur pour ses disques dont la conception l'absorbait totalement. C'était même ce qui l'ennuyait le plus lors de ses randonnées épuisantes à Saverny : sa mère ne voulait pas qu'il fermât sa porte à clé, et Marie qui avait huit ans venait sans cesse déranger son matériel, emprunter sa colle, et fouiller ses tiroirs. Cependant, il se pliait avec bonne grâce à ces déplacements difficiles, et béquillait avec entrain le long de la rue triste de Saverny. Tout le monde s'accordait à dire que Sauveur avait un caractère charmant « et un courage! » Et sans doute était-il courageux, en effet — mais surtout si plein de projets, si absorbé par des plans minutieux et précis que sa maladie se présentait à lui, non comme un malheur, une épreuve à supporter, mais comme un problème à résoudre. S'il était forcé de rester au lit, quelle activité pouvait-il exercer, ce fait étant donné? La confection du roman avait coïncidé avec la phase aiguë de la maladie, la marge de liberté la plus mince qu'il eût possédée, et qui ne lui laissait guère de possibilité que dans le domaine intellectuel. Mais même alors qu'il désirait guérir, sans doute, pour pouvoir se passer

113

de Marie qui lui apportait les livres, le papier, son stylo qui roulait à terre, il était passablement agacé par les médecins, les radiographies, tous ces dérangements qui entravaient son activité, si restreinte fût-elle. Et maintenant qu'il allait mieux, qu'il étudiait le problème d'un meuble entièrement fait avec des chevilles et sans collage, il fallait qu'on le dérangeât encore pour aller en banlieue, et en autobus! S'il ne regimbait pas, c'était uniquement pour sa mère; Marie et lui étaient bien d'accord sur le fait qu'elle se « faisait un sang d'encre pour des riens ». Mais s'il fallait guérir pour qu'enfin elle déplissât le front (elle avait une vilaine petite ride douloureuse entre les sourcils) pour qu'elle cessât de rougir quand il entrait en béquillant au salon, pour qu'elle cessât de « pleurer à l'intérieur » — il s'en apercevait très bien à cette crispation de la mâchoire, et il s'imaginait avec vivacité ces larmes qui ne coulaient pas au-dehors, mais qui rongeaient en dedans le visage, soudain amaigri, comme aspiré vers l'intérieur — s'il le fallait pour qu'elle cessât de le présenter aux visiteurs avec cette arrogance crispée (qu'il comprenait si bien, l'arrogance de qui a raté un tour de cartes, ou s'est aperçu devant témoins que sa maquette est défectueuse) eh bien, il guérirait, naturellement. Il trouverait bien quelque chose. Il était aussi sûr de guérir qu'il était sûr d'arriver à le faire tenir, son classeur, rien qu'avec des chevilles. C'était une question de patience. Il s'était peut-être un peu laissé aller, au temps où il était le plus malade, parce qu'il avait autre chose en tête. Et il ne s'était pas rendu compte tout de suite de ce que ça représentait pour elle. Une fois — mais il était petit alors, il n'avait pas même dix ans — il se rappelait lui avoir demandé : « Ça t'embête vraiment beaucoup que je ne puisse pas marcher? C'est à cause de ma vie sexuelle, plus tard? » Elle était sortie en claquant la porte, et plus tard, il avait vu qu'elle avait les yeux rouges. Et puis, elle l'avait grondé pour avoir dit des « grossièretés ». Il avait pensé, à ce moment-là (c'était avant le roman, il étudiait un modèle de roue hydraulique, pour les vacances à Porto-Vecchio, et ce nétait pas une petite affaire que de la faire monter par Marie, qui était de bonne volonté, mais d'une maladresse!) que sa mère n'était pas raisonnable. Il n'avait pas à vrai dire appliqué toute son attention au problème. Et puis il s'était aperçu — il avait mûri — de la façon dont sa grand-mère, son arrière-grand-mère, lui parlait, à sa mère. Comme on parle à quelqu'un qui a renversé sa soupe sans faire exprès, ou qui a un zéro en maths parce qu'il est trop bête, le pauvre, et on ne veut pas le gronder, on s'efforce de le lui faire oublier, et on s'efforce tellement qu'il ne pense plus qu'à ça. La soupe renversée, le zéro, c'était lui, à force d'être toujours malade. C'était lui. Alors, il avait abandonné pour quelque temps ses projets les plus absorbants (le casier à disques, c'était de la petite bière à côté d'une étagère escamotable dont il avait fait le plan, enfin bref) il s'était mis à guérir. Ça progressait. On lui pompait sa force, au gros bonhomme, pour rendre sa peau douce, son front serein, à elle. Quand il avait marché tout le long de la rue sans trébucher, sans accrocher sa béquille, il voyait bien qu'elle respirait mieux.

— Ça progresse, hein, Joséphine? disait-il malicieusement.

— Tu n'as pas honte! J'ai horreur de ces familiarités! Sa voix était vraiment sèche, à s'y méprendre. Mais il la connaissait trop bien. Il voyait bien qu'elle avait envie de rire, Joséphine.

*
* *

Paule levait sur Maria ses larges yeux troublés. « On lui parle d'argent, et on dirait encore qu'on lui parle d'amour », pensait celle-ci avec une indulgence amusée. Ces doutes, ces scrupules, ces tourments de Paule lui paraissaient très exotiques et un peu comiques. Elle restait patiente, cependant. Une personne extrêmement riche doit se surveiller plus qu'une autre — c'était une des choses que Romuald lui avait fait comprendre — elle a si facilement l'air d'avoir des caprices, des lubies, si elle insiste le moins du monde pour obtenir qu'on suive son conseil, même raisonnable.

— Tout est au point, sur le papier. Léo nous servira de conseil, ma chérie, ainsi nous ne ferons pas d'imprudences.

Cela était une concession aux craintes de Paule, qui refusait tacitement d'admettre qu'une femme pût avoir la moindre compétence en matière de finance, et pourtant!

— Il y a ce local de Maisons-Alfort, tout à fait convenable pour la fabrication, et ce charmant garçon, le chimiste, et la question des représentants ne se pose pas puisque Carmen Corail veut participer à l'affaire... Alors je ne vois pas ce qui vous fait peur. Imaginez tous ces camions sillonnant le pays, avec votre nom sur des pots en cristal!

Pour Maria, cette perspective était évidemment exaltante; il y avait dans le commerce même (l'idée de ce réseau de routes à parcourir, de ces bastions à conquérir, revendeurs et clients, de ces publicités ingénieuses à inventer et à placarder au front des villes) quelque chose de conquérant que complétait l'idée du secret des laboratoires, des recettes de jeunesse, des odeurs de plantes. En fait le besoin de conquérir, d'étendre ses activités, de faire tourner un peu plus vite cette roue de l'argent, de l'activité, du monde, était aussi profondément inscrit dans sa nature que le besoin de mystère, que l'attirance pour les lentes décoctions de la pensée. Et elle avait au plus haut point cette faculté de ne pas se dégoûter de la cuisine peu ragoûtante que demande l'action quelle qu'elle soit : les banlieues à visiter, les contrats à établir, les bureaux tristes, les irruptions de Léo qui avait découvert au contrat d'association une impossibilité radicale... Elle trouvait une poésie à tout cela, elle cajolait les représentants de chez Carmen Corail, leur demandait des nouvelles de leurs enfants, leur offrait de l'eau-de-vie de framboise, elle courait à Vincennes, à Maisons-Alfort, où elle avait finalement repéré une entreprise de menuiserie en faillite, dont les locaux conviendraient très bien, elle secouait Paule, pour qu'elle se décidât enfin.

— Mais enfin, Paula, il n'y a pratiquement aucun risque! Si vous n'étiez pas si abattue, vous verriez que c'est une affaire formidable. Carmen Corail — vous savez, c'est une puissance — est *très* intéressée, Privat a déjà le nez dans ses éprouvettes; il faudrait en parler à votre père, à votre beau-frère, pour la garantie médicale, et puis il faut décider de la gamme des produits, du flaconnage, engager quelques ouvrières, quelques emballeurs...

— On dirait que vous n'avez fait que cela toute votre vie, disait Paule en souriant mais toujours indécise. Vous allez si vite!

— Mais pourquoi traîner, coco? C'était votre rêve, de vous lancer enfin un peu en grand. Ce que vous faites ici, c'est du bricolage, de l'artisanat, comme les épiceries de campagne, vous savez, où on vend des lacets, du beurre et le journal du pays. Un peu de gymnastique, un peu de massage, un peu de coiffure...

C'était vrai, et en même temps, c'était cela qui lui plaisait, elle était obligée de se l'avouer tout à coup, devant la générosité menaçante de Maria.

Elle avait rêvé souvent, avec Privat qui était un vieil ami, de se lancer dans la fabrication des produits de beauté, beaucoup plus rentable que l'Institut. Mais c'était un rêve, et elle découvrait soudain combien elle était attachée à l'Institut, comme elle s'y sentait protégée, avec ses clientes qui payaient mal, sa cousine, sa sœur, Renée qui était « la servante au grand cœur », Odette qui jouait le rôle de la parente un peu supérieure, légèrement agressive, mais qu'on est bien obligée de supporter, et même Gabrielle avait été pour elle comme un succédané de fille. Il lui fallait bien reconnaître tout à coup qu'elle s'était créé là une espèce de famille, et qu'elle était prise de panique à l'idée d'en sortir.

— C'est étriqué, tout ça, disait Maria, sans soupçonner le moins du monde qu'elle pouvait blesser. Ce n'est pas vraiment la vie, tu comprends. Tu équilibres ton budget, tu fais vivre ta cousine et ta petite sœur, tu vois petit, tu as peur de sortir de ton ornière, et dans dix ans, tu en seras encore au même point si tu n'as pas fait faillite. Autant faire de la broderie! Tu ne travailles pas : tu t'occupes!

Son enthousiasme l'emportait, et une colère qui se faisait jour contre la famille de Paule, qui la retenait dans ce monde petit-bourgeois où l'on a peur du risque, des passions, de la passion et du grand air. Et comme si elle avait perçu sa pensée, Paule leva les yeux vers elle et soupira :

— *Elles* ne vont pas aimer ça...

— Elles aimeront ça quand vous aurez gagné des millions, dit Maria abandonnant le tutoiement lyrique.

Mais Maria connaissait peu et comprenait mal les femmes de la famille, pensait Paule.

— Elles ne s'intéressent pas à l'argent, pas vraiment, essaya-t-elle d'expliquer. Ni Bonne-Maman, ni ma mère, ni Allegra... Jo, peut-être un peu... Mais ça ne va pas plus loin qu'une petite augmentation, l'occasion de changer ses papiers peints...

Elle avait tenté de mettre un peu d'humour dans son besoin de les défendre, mais Maria n'était absolument pas sensible à l'humour.

— C'est bien ça. Elles voient petit. Elles en sont encore au bas de laine, au livret de caisse d'épargne, à la femme qui doit rester chez elle. Elles ne savent même pas en quelle année elles vivent! C'est morbide. Et vous, vous n'arriverez pas à oublier ce minable individu si vous restez à pleurer derrière vos rideaux!

— Je ne...

Paule protestait sans conviction. Elle aurait bien voulu se laisser persuader par Maria, mais elle n'arrivait pas à prendre une décision, elle était en pleine crise; parfois elle pensait même à fermer l'Institut, mais que deviendrait-elle? Maria ne se décourageait pas.

— Tous les hommes courront derrière vous quand vous serez riche, élégante, sûre de vous. Moi, si je voulais...

Paule n'en doutait pas. Malgré ses trente-huit ans et six kilos de trop, Maria devait pouvoir plaire. Mais elle avait une telle vitalité, une telle joie de vivre! Elle plairait jusqu'à quatre-vingts ans. A côté d'elle, Paule se sentait comme exsangue.

— Mais vous, vous êtes une ogresse, une force de la nature, dit-elle affectueusement.

— Nous le sommes toutes, mon coco! Il faut le découvrir, c'est tout. Sortez un peu de votre patronage! Ça va marcher. Je le sens. J'ai un flair pour ces choses-là. Nous serons Rubinstein — pas le pianiste, bien sûr! Allons secouez-vous! Je vais faire un peu de gymnastique — les sens! Ça m'apaise. On s'embrasse?

Elle enveloppait Paule de ses bras, de sa fourrure, de son parfum.

— A tout à l'heure, ma Paula. Et secouez-vous! Croyez-moi : il *faut* être riche.

La phrase lui resta dans l'esprit, à Paule. « Il faut être riche.» Elle en riait, bien entendu. Mais tout de même... Si c'était la solution? Une solution, tout au moins. Elle aimait bien Maria, mais Maria, si c'était l'argent qui lui donnait son assurance, sa fière allure, la tranquillité avec laquelle elle acceptait d'être femme? Maria appartenait à un autre monde que les femmes de la famille, maigres, fières, dures à la peine, « portant leur croix», mortifiant leur chair. Elles ne se comprenaient pas. Jo et Vanina, Maria jugeait qu'elles « voyaient petit» ce qui était faux et vrai. Maria passait, aux yeux de Vanina qui l'avait entrevue, pour « une belle poissonnière» et c'était faux et vrai. C'était une déesse déguisée en poissonnière, une déesse femelle remontant à des temps si anciens que la notion de distinction n'existait pas; c'était une force puissante et sombre sous ses bariolages. Là où Jo et Vanina voyaient, dans ses gros bijoux ostentatoires, dans ses hermines, ses chinchillas, un « luxe de parvenue», Paule distinguait bien la force d'un rituel barbare, la beauté cruelle du mauvais goût. Là par contre où Maria voyait la courte vue et la mesquinerie bourgeoise, Paule sentait une véritable grandeur, un parti pris de nonne, une mystique de la pauvreté : pauvreté de vie, pauvreté d'intérêts — étroitesse de vues, oui, mais voulue, charmante comme un tableau hollandais où un pan de mur, une fleur dans un vase, la frange d'une serviette dans ce panneau de l'Agneau mystique, suffit à exprimer la poésie, un chant discret et délicieux. Prise entre les deux mondes, entre la conscience de ces deux états, un triomphalisme de la femme, beau comme les autels mexicains torturés d'or, et une orgueilleuse abdication sans tendresse, la blancheur de cire d'Angélique Arnaud derrière son guichet de Port-Royal, en refusant l'entrée à son père éploré, et qui sait s'il n'y a pas une revanche dans tant de rigueur. Ainsi Vanina et Jo, refusant toute opinion politique, toute initiative qui débordât « la règle » aussi stricte que celle d'un couvent, qu'elles s'étaient fixée. « C'est aux hommes à s'occuper de cela... Les femmes ne comprennent rien à ces problèmes... » Il n'eût pas fallu dire à Maria, qui gérait sa fortune et jouait en Bourse, qu'elle n'était pas femme! Trois fils odieusement mal élevés, qui étaient de première force au polo et presque analphabètes, éclatants de santé, d'une bêtise et d'une beauté quasi divines, témoignaient du contraire. Vanina eût pu leur opposer deux guerres subies avec le sourire, des épidémies enrayées, des cours de catéchisme, des confitures, une vie de servante offerte à un Dieu auquel elle ne demandait et ne donnait rien, cassant du bois avec des gants, taillant des robes dans de vieux rideaux, et restant d'une inflexible élégance. Qui l'eût emporté? Quel tribunal serait qualifié, du reste, pour décider de ce qu'est vraiment « une femme »? Paule doutait, oscillait, admirait l'une et l'autre de bonne foi, se sentait inférieure à l'une et à l'autre. Bien entendu, c'était cette bonne foi même, cette réflexion, cette horrible « lucidité » qui la desservaient. Car admirables en bien des points, ni Vanina ni Maria n'étaient intelligentes. Elles vivaient trop intensément pour cela, chacune à sa façon. Est-ce qu'on peut être femme et intelligente? Elle en était venue à se demander ça, elle, Paule, la « révoltée » de la famille! « Je frôle la dépression nerveuse », pensa-t-elle ces jours-là.

Sans conviction, par acquit de conscience, elle parla tout de même du projet de fabrication à Jean-Philippe. A son père, non. Vanina avait déjà été si opposée à la fondation de l'Institut! Elle était sûre du moins que les arguments de Jean-Philippe seraient plus pondérés. Mais elle fut vraiment stupéfaite de le voir s'emballer sur le projet.

— Mais bien sûr! C'est une idée formidable! Moi, ça m'intéresse ces choses-là. L'ennui, c'est que ça ne sera pas rentable tout de suite, alors je garderai ma place à l'hôpital encore quelque temps, mais après...

— Maria nous laisserait deux ans de lancement avant de prendre son bénéfice... dit-elle malgré elle.

Jean-Phil trouvait que c'était amplement suffisant. Il disait « nous » lui aussi. Il avait l'air d'avoir réfléchi au problème des produits de beauté toute sa vie, comme Maria. Il n'y avait qu'elle qui hésitât.

— Je ne ferais pas de fards au départ, disait Jean-Philippe. Si tu veux mon avis, je crois qu'il faut baser tout le lancement sur une espèce d'austérité, un côté médical, hygiénique. Ton amie a raison. Ton nom t'aidera beaucoup. Le côté nordique, ça fait sérieux. Tu ne proposes pas des attrape-nigauds ou des crèmes qu'on suit trois mois et qu'on ne trouve plus après. Tu offres un produit sérieux, qui suivra la cliente tout le long de sa vie. Tu t'épargnes ainsi un tas d'ennuis d'emballage et de conditionnement à refaire. A mon avis, il faudrait peut-être même tout axer, ou presque tout, sur une gamme de produits anti-allergiques.

— Tu crois?

— Mais oui. C'est l'avenir. Il n'y a pas que les allergiques qui les achètent. Les autres se disent : du moment que ces produits existent, c'est que les autres sont plus ou moins néfastes. Bien entendu, tu les fais nettement plus chers, ça frappe les esprits. Tout le monde se sent plus ou moins malade aujourd'hui. Vois le succès des aliments diététiques, ou soi-disant tels.

— Je ne dis pas non... Mais je ne veux pas me lancer dans l'alimentation !

— Bien sûr que non! Ou du moins, plus tard, peut-être... Mais rien que le traitement de beauté, pour commencer; une gamme anti-allergique et une autre. Tu sais, l'idée : les produits Svenson ne masquent pas, ils guérissent.

Elle sourit de son enthousiasme.

— Mais vraiment, ça t'intéresserait de travailler là-dessus, avec Privat?

— Enormément. Bien sûr, je ne pourrais pas lâcher l'hôpital tout de suite, mais si ça marche...

— La famille ne sera pas tellement enthousiaste, tu sais...

— Antoine s'intéressera au projet, dit Jean-Philippe avec assurance.

Elle se mit à rire malgré cette boule douloureuse dans la gorge qui ne la quittait pas.

— Tu connais la famille presque mieux que moi... Mais Antoine fait ce que lui dit Jo.

— Nous aurons Jo avec nous. L'avenir des enfants, un bon placement... Je saurai lui parler.

— Tu es cynique!

Il riait. Il était tellement flatté de passer pour cynique!

Et cette agitation, ces projets, le distrayaient d'une découverte qu'il venait de faire, assez ennuyeuse pour un médecin : c'est qu'il détestait les malades, au fond.

Aussi huit jours après était-il de nouveau dans le petit bureau de Paule, et lui montrait-il, en essayant de lui communiquer sa fièvre joyeuse, une masse de croquis, de dépliants colorés, de réclames pharmaceutiques. Maria n'attendait qu'un signal pour aller voir le local de Maisons-Alfort, pour prendre rendez-vous avec la grande Carmen Corail, et Jean-Philippe avait pris contact avec Privat, le chimiste, le charmant Privat que son élégance semblait prédisposer à s'occuper du commerce de luxe. Tous deux s'étaient très bien entendus.

— Il est enchanté, il a beaucoup d'idées lui aussi, la seule chose qui l'ennuie un peu, c'est que le labo soit à Maisons-Alfort, dit Paule. Ce n'est pas l'homme des banlieues.

— Mais tu iras le voir, ça le consolera, dit Jean-Philippe, en riant.

— Je ne suis pas son type...

— Tu le regrettes? Il serait un peu trop play-boy pour mon goût. Une femme comme toi...

— Quoi, une femme comme moi? dit-elle, brusquement assombrie. Un moment, grisée par leurs projets, par l'enthousiasme de Jean-Philippe, elle avait oublié, elle s'était laissée aller à rire, elle s'était presque sentie heureuse.

— Je voulais simplement dire qu'il me paraissait un peu superficiel pour toi, c'est tout, murmurait Jean-Philippe gêné.

— Mais pourquoi pour moi ? Tu as pris ce tic de la famille, d'examiner tous les célibataires des environs, pour essayer de me trouver une béquille ?

Malgré elle, sa voix s'élevait, devenait agressive, criarde. Pauvre Jean-Philippe, tout de suite décontenancé, ne sachant plus que faire de ses grands bras, de son grand corps, se tortillant sur sa chaise, baissant les yeux pudiquement pour ne pas voir le désordre qui s'installait sur ses traits, la rendait laide, la vieillissait, elle en était sûre.

— Mais qui songe à ça, voyons, Paule ? Je plaisantais, dit-il gauchement.

Garder son calme ! Surtout garder son calme ! Mais elle sentait des larmes lui monter aux yeux. Ridicule ! « Passé trente ans, une femme ne peut plus se permettre de pleurer », disait la vieille Mme Santoni. Paule qui a eu trente ans cette année lutte de son mieux. Mais la douceur même, l'embarras de Jean-Philippe (le voilà qui, ayant posé ses lunettes par pure gêne, tâtonne de la main droite pour essayer de les retrouver, tout en se levant, en contournant le bureau auquel il se cogne, pour venir poser une main réconfortante sur l'épaule de sa belle-sœur). Pas commode : le bureau de Paule est petit, son fauteuil touche le mur, elle est coincée à gauche par la plante verte, énorme dans son récipient de verre qui pèse une tonne (cadeau de Maria) et si elle tente de s'échapper à droite, elle tombera dans les bras de Jean-Philippe qui a remis ses lunettes et pris un air de condoléance tout à fait ridicule.

— Laisse-moi... dit-elle faiblement, hésitant entre le fou rire et les sanglots, laisse-moi.

Tandis que Jean-Philippe répète stupidement, la dominant de sa silhouette dégingandée :

— Mais Paule, voyons... Mais Paule, voyons...

Il essaye de lui entourer les épaules d'un bras, geste difficile puisqu'il est pris entre le bureau en verre et nickel, l'angle du mur et le fauteuil blanc de Paule. Alors, dans un souci purement esthétique, parce qu'ils sont vraiment trop ridicules, Paule se lève, et, bien entendu, se trouve dans ses bras. Quel soupir de soulagement, quel choc de tiédeur, quel repos soudain. Elle pleure, mais de détente, dans un abandon qui la gagne tout entière. Elle pose sa tête sur la veste rugueuse de Jean-Philippe (un tissu bon marché, elle ne l'avait pas remarqué) et elle renifle, sanglote à petits coups, secouée de saccades douloureuses et agréables, pendant que sans rien dire, il resserre son étreinte.

C'est un inconvénient de ce bureau, sa petitesse, et l'étroitesse du passage par lequel Paule doit se faufiler pour sortir de derrière l'encombrant et trop somptueux meuble de verre dont un coin lui rentre dans la hanche à présent. Un peu réconfortée, confuse, elle veut se dégager, n'arrive (en s'engageant entre le côté droit du bureau et le mur) qu'à se trouver plus étroitement pressée contre Jean-Philippe dont elle sent le corps maigre et osseux, mais robuste, trembler légèrement. L'esprit de Paule s'affole, mais sans que cet affolement gagne son corps qui repose, lové entre les bras de Jean-Philippe, détendu malgré sa position inconfortable, et qui resterait bien ainsi des siècles... Que dire? Ne pas avoir l'air, surtout, de supposer que la moindre équivoque ait pu se glisser... A ce moment la porte s'ouvre, sans qu'on ait frappé. Allegra entre, une facture à la main, et s'exclame :

— Oh! ma pauvre Paula! avec une telle candeur, une si évidente absence de soupçon, que tout se dénoue comme par magie. Jean-Philippe pivote légèrement, Paule est dégagée et se retrouve à côté de son fauteuil, fouillant dans son sac pour y chercher un mouchoir.

— Ma pauvre chérie! répète Allegra, navrée.

Et si contradictoires sont les sentiments de Paule à cet instant, qu'elle ressent presque de la haine à l'égard de sa sœur, de celle qui la considère comme insoupçonnable.

— Allez-vous-en! Allez-vous-en! supplie-t-elle.

Et tandis qu'Allegra et Jean-Philippe font une retraite précipitée, elle pense avec rage : « Insoupçonnable! Déjà!»

*
* *

Jean-Philippe avait trop de sensibilité pour être bon. Il ressentait vivement le besoin de sympathie des malades qui venaient à la consultation. Mais il le ressentait avec une sorte de répulsion, parce qu'il ne pouvait pas y répondre.

Il s'était figuré, au début de ses études, que les gens voulaient guérir. Il s'imaginait leur apportant non seulement des pilules et des sirops, mais une délivrance, une libération définitive. Guéris, ils deviendraient capables de se réaliser, de réaliser un tas de choses... C'était des rêveries. Il n'était pas encore un homme, et il n'était pas encore un médecin. Maintenant il regrettait d'avoir choisi cette voie de la médecine générale, qui demande plus d'humanité peut-être que les autres. Il s'était rendu compte tout à coup que ce qu'ils voulaient, les malades, ce n'était pas être guéris, c'était être reconnus malades, reconnus dignes de pitié, plaints et cajolés comme d'énormes bébés ridés, ventrus, ou alors exsangues, cireux; c'était qu'on reconnût l'injustice qui leur était faite d'être mortels. Il fallait voir la mine déçue de la vieille concierge arménienne venue à la consultation et à laquelle l'interne révélait, naïf, que non, elle n'était pas cardiaque, un peu d'emphysème, peut-être, mais avec des soins... Le dépit de l'épicier venu avec son ratier blanc, hargneux, qui n'avait *que* des rhumatismes... Ils ne voulaient pas mourir, non, ils voulaient être malades, posséder une maladie comme un petit capital à faire fructifier, et le nom de leur maladie était comme un diplôme qui leur donnait droit à de la considération, à des égards. Il n'y avait qu'à les voir l'emporter, ce nom, serré contre eux, jalousement, comme un cadeau. « Mon » asthme, « ma » sciatique... Il s'était dit que c'était de pauvres, de très pauvres gens qui n'avaient que ce moyen de chantage, que cette échappatoire... Mais à la clinique où il faisait des remplacements, les dames riches à chambre particulière, entourées de fleurs, de visites, de corbeilles de fruits, elles s'y cramponnaient aussi, à « leur » calcul, à « leur » hépatite. Et les hommes d'affaires, si soulagés de n'avoir plus à s'imposer leur discipline chaque jour, de pouvoir dire qu'ils étaient « encore trop faibles pour répondre au téléphone », de ne plus avoir à prouver tout le temps, à toute heure, que pour l'amour, les affaires, la paternité, le tir aux pigeons ils étaient à la hauteur.

Il se voyait en eux comme dans un miroir. Sans pitié.
Il se demandait parfois s'il n'allait pas, lui aussi, *tomber
malade*. Se laisser tomber, quel repos. On dit aussi
tomber amoureux. Tomber, tomber, cesser de se raidir
pour prouver quoi et à qui? Mais il ne tomberait pas.
Il se raidissait. Il s'était mis à détester les malades.

Il devenait nerveux. Il disait à Mallory : « J'aimerais
mieux tenir un bistro. » Mallory riait. C'était un brave
type, du genre de ceux dont les malades ont besoin, un
père, un frère, avec cette insensibilité dont l'amour se
nourrit. Jean-Philippe l'admirait, avec un peu d'ironie.
Mallory était bête. Mallory serait un bon médecin. S'il
avait révélé sa pensée, on se serait indigné, on lui aurait
cité des cas admirables... Oh! les cas admirables, provi-
dences des médecins qui sont alors vraiment des « soi-
gneurs » comme on le dit de ceux qui épongent les
boxeurs, tout le service mobilisé, exalté par « le petit
17 qui tient toujours après trois opérations », et qui
meurt guéri, ou alors, qui finit par entendre la phrase
si profonde de l'infirmière de garde, moins jolie depuis
qu'il va mieux : « Vous n'êtes plus intéressant, maintenant... » Etre intéressant, être aimé...

Peut-être était-ce à cause de tout cela qu'il s'était
mis à penser à l'argent. Pas à l'argent besogneux et
triste qui sert à payer des traites, qui se calcule en
termes d'augmentations, de promotions, d'économies,
qui ne bouge pas, les billets pesants et gras dans le
tiroir comme des crêpes froides, mais à une sorte
d'argent infiniment plus vivant, plus léger, qui pousse
comme un arbre, se développe dans des directions
inconnues, se ramifie, porte des fruits inconnus et parfois empoisonnés, meurt en une nuit, repousse parfois.
Une sorte d'argent sans humanité, avec lequel on n'a
pas plus de rapport qu'avec un avion qui vous transporte
d'une capitale dans une autre, sans que l'on ait à songer
au salaire de l'hôtesse de l'air, à la migraine du pilote,
à la complexité même de l'appareil.

Penser à l'argent était une façon de penser à Allegra.
Plusieurs fois, au cours de ces dernières semaines, fatigué, quand elle l'agaçait, l'attendrissait, l'agaçait de
nouveau (sans qu'elle parût s'apercevoir le moins du
monde de ces fluctuations d'humeur), il avait eu envie

de lui dire « Toi qui ne sais pas ce que c'est que l'argent... toi qui n'as pas eu à gagner ta vie... » comme si elle ne travaillait pas, comme si elle avait été élevée dans le luxe, comme s'il avait épousé une princesse, un mannequin, une élève de Sainte-Marie, une fille Schneider. Et puis il se raisonnait. Les Svenson avaient peu d'argent, une clientèle de généraliste dans un quartier modeste, ça ne va pas bien loin. Allegra avait été au lycée, avait échoué à son bac (d'une certaine façon cela faisait plaisir à Jean-Philippe, qu'elle eût échoué à son bac) et puis elle avait fait un C.A.P. d'esthéticienne. C'est gentil, c'est sans prétention, ça. Donc il était injuste. Elle se levait tôt; elle avait savonné, la veille, son collant dans le lavabo. Elle partait pour l'Institut, sa trousse en skaï gris à la main, son manteau écossais, qui datait d'avant leur mariage, n'était ni très neuf, ni très bien coupé; son imperméable noir était bien mince. Elle faisait son marché en rentrant le soir, elle faisait la cuisine, et la vaisselle encore, l'œil sur la télévision. Elle parlait de l'Institut, du fiancé de Lucette, d'un nouveau masque à la gelée royale. Elle riait joliment. Elle savonnait à nouveau son collant, suspendait sa jupe d'écolière, son chemisier ou son pull sage. Elle faisait l'amour. Avec innocence. Avec enthousiasme. « Je ne vais tout de même pas lui reprocher d'être heureuse! »

Une toute petite vie; une vie de toute petite bourgeoise. Pourquoi avait-il l'impression qu'à ses côtés, elle vivait autre chose que lui, une sorte de vie secrètement plus luxueuse, plus détendue, qu'elle respirait un air moins raréfié? Alors il pensait à l'argent. L'éblouir. L'emmener au Mexique, à Grenade, dans des voitures prestigieuses. Lui offrir des robes, aller à l'Opéra, à Monaco. Les idées que Jean-Philippe avait sur le luxe dataient de son adolescence, elles étaient provinciales et cinématographiques : les récits de sa grand-mère, les fastes de sous-préfecture auxquels elle avait pu participer étant jeune, les films qu'il avait vus et ceux que lui avait racontés la fameuse amie de sa grand-mère, l'ouvreuse du Louxor. Finalement, à force de retarder, il suivait la mode, et ne s'étonnait nullement des silhouettes à la Jean Harlow qu'on commençait à croiser dans les rues. « Je lui achèterai un manteau cent fois mieux que ça », se disait-il avec une sorte de rancune. Allegra portait son vieux manteau écossais avec un parfait naturel. Elle faisait très jeune fille. Il ne voulait pas qu'elle fît jeune fille. Il était malade, comme les autres, du besoin d'être aimé, et de la honte de ce besoin. Mais elle l'aimait. Donc il était injuste.

Il croyait penser à l'argent, il se croyait dévoré d'ambition, à ces moments-là. Il était très jeune.

★
★ ★

Il y eut une réunion chez Maria. Jean-Philippe poussait à la roue. L'idée d'abandonner la clinique, l'hôpital, le hantait. L'appartement invraisemblable de Maria l'enchanta, justement parce que ces splendeurs vénézuéliennes, que nulle pudeur moderne n'avait polluées, l'emmenaient très loin de la nudité de la salle de consultation, de la nudité de ces besoins de sympathie, d'amour, et même de la nudité d'un certain bon goût.

Paule blâmait en silence, parce que la richesse lui paraissait toujours un peu coupable; Privat souriait avec une ironie attendrie : les peaux d'ours, les anges baroques, les torchères en verre de Venise appelant Ava Gardner, l'émouvaient sensuellement. Il trouvait à la veuve un parfum d'avant-guerre qui l'inspirait. Il eût voulu créer des essences que l'on nommerait « Mon Péché » ou « l'Heure Mauve » et ces histoires d'allergie l'intéressaient très médiocrement. Mais enfin il y avait là un débouché. Jean-Philippe n'avait pas d'ironie du tout. Il trouvait Maria, avec ses drapés et sa grosse émeraude, beaucoup plus élégante que Vanina, erreur que n'eussent commise ni un peintre ni un moraliste. Enfin ils burent du champagne rosé, firent la connaissance d'un Léo Marchal, agent de change, tout à fait assorti à l'appartement (il portait une perle sur sa cravate) et l'affaire fut mise sur pied, c'est-à-dire qu'elle prit l'aspect abstrait et irréel de toutes les affaires. On rêva chiffres, on délira import-export, et il devint évident que les rêveries d'un interne, les ambitions velléitaires d'une jeune femme délaissée, et les paradoxes d'un chimiste raffiné, allaient les transporter tous dans un univers de peaux d'ours et de piscines translucides. A moins que tout cela ne s'évaporât en fumée, comme « l'affaire du guano » que Léo rappelait de temps en temps d'un air grave quand il lui semblait qu'on quittait un tant soit peu le domaine du rêve (quand Paule s'inquiétait, par exemple, du sort des employées si, comme le désirait Maria, on en venait à fermer l'Institut pour se consacrer à la vente des produits). Tout cela était si loin des consultations de Cochin, de la clientèle des Batignolles, du manteau écossais d'Allegra, que Jean-Philippe s'en trouva puissamment réconforté. La pauvreté, même relative, a cet inconvénient, ou cet avantage, de faire toucher du doigt la texture des choses (et je ne pense pas seulement au manteau, cent fois brossé et suspendu avec soin). La richesse, même illusoire, efface le rugueux de la réalité et le manifeste dans tous les objets qu'elle procure : la voiture ou l'avion qui gomment les distances, l'ascenseur qui efface la montée (décomposée en tant de marches gravies jusqu'à un quatrième sur cour) et tous les personnages qui entourent le dépositaire de l'argent : secrétaire, chauffeur, femme de chambre, agent de change, banquier, intendant, tous rodés, huilés, conditionnés à effacer les plis dans le tapis, à assourdir les sonneries intempestives, à remplacer les fleurs avant qu'elles ne soient fanées par d'autres fleurs semblables.

Finalement, avec son intelligence, Jean-Philippe se trompait sur tout. Maria n'était pas élégante, et la richesse l'avait laissée magnifiquement indemne. Elle était en admiration devant ses propres bijoux, et le soir, elle faisait venir Romuald dans le boudoir Louis XV pour qu'il lui lût son roman; elle se prenait, avec son mètre soixante-quinze et ses soixante-dix kilos, pour Mme de Pompadour. Elle adorait l'argent et n'en rougissait pas, justement parce qu'il lui était totalement extérieur. Ainsi fut Allegra pendant un certain temps, je crois, devant l'amour.

— Mon Dieu! dit Josée. Il m'a fait peur! Mais qu'est-
ce que c'est que cet enfant-là?

— C'est un petit garçon qui... C'est le petit garçon
du rez-de-chaussée.

— Et qu'est-ce qu'il fait là?

— Je m'en occupe un peu, dit Allegra, en rougissant
légèrement.

— Ah! ça, c'est bien. C'est très bien, fit Josée de son
air le plus « Vanina », comme si elle décernait un prix.
Enfant sans père?

— Mais... je ne sais pas...

L'enfant, en entendant sonner, s'était réfugié dans
la cuisine et assis sur la poubelle. « J'aurais dû fermer
la porte de la cuisine », pensait Allegra.

Jo examinait l'enfant comme un meuble, sans méchanceté.

— Pas bien loquace, ton petit protégé.

— Il ne parle pas...

— Il ne parle pas français, ou il ne parle pas du tout?

— Pas du tout, je crois.

D'un hochement de tête, Josée lui décerna un autre
bon point.

— Je n'aurais pas cru que tu aimais t'occuper d'enfants... Toi qui n'as jamais voulu m'accompagner à mon
œuvre des petits handicapés...

— Mais je ne m'occupe pas d'enfants, dit Allegra
étonnée. Je m'occupe de celui-là, c'est tout.

— Ttt... ttt... ttt... avait fait Josée, indulgente devant
cette modestie. Tu n'as pas à t'en cacher. Il est bien tenu,
ce petit. Ces gens-là, en général...

Et son attitude en disait long sur ces gens-là, ces
gens qui ont la peau de ce brun pâle, même pas des
noirs, les yeux sombres et les cheveux collés à la brillantine.

— Méfie-toi tout de même. Il a l'air un peu en dessous,
ajouta-t-elle avec bienveillance.

Elle sentait qu'il était de son devoir de patronner les

premiers pas de sa sœur dans la carrière de la bienfaisance, dont elle connaissait les déboires. Allegra leva les yeux vers elle, ses yeux d'un bleu si franc qu'ils faisaient toujours l'effet d'une incongruité, dans le visage pâle, un peu long.

— De quoi veux-tu que je me méfie?

Elle ajouta :

— Il comprend tout ce que tu dis.

— Comment peux-tu le savoir, s'il ne dit rien?

Allegra ne répondit pas. Elle ne répondait jamais quand on lui faisait toucher du doigt son absence de logique. Et elle croyait tout savoir mieux que personne; pourtant la bienfaisance, ça ne s'improvise pas.

— Est-ce que Phil l'a emmené au service de Reynier? demanda Jo, se forçant à montrer de l'intérêt.

— Non. Pourquoi?

— Pourquoi! (Malgré ses préoccupations, Josée ne put se tenir de rire. Cette Allegra! Cette petite!) Tu me rappelles, tu sais, quand Maman a voulu te faire prendre des leçons de piano, et qu'au lieu de travailler, tu écoutais pendant des heures une note, une seule, l'air enchantée comme le Ravi de la crèche. On a dû renoncer à te faire donner des leçons, finalement.

— Je ne vois pas le rapport, dit Allegra de bonne foi.

— Le rapport, c'est que tu t'imagines que tu vas guérir cet enfant en lui donnant un bonbon et en restant là à le regarder, comme tu te figurais que tu saurais jouer du piano sans lever le petit doigt.

Josée décidément était de belle humeur; ce qu'elle venait demander à sa sœur lui parut tout à coup moins difficile.

— Ecoute, soyons sérieuses. Je voulais te demander un service. Est-ce que tu pourrais, si Maman ou Bonne-Maman te le demandent, leur dire que tu sors avec moi le lundi après-midi? Puisque tu ne travailles pas.

Allegra ouvrit de grands yeux.

— Bien sûr, Jo! Mais...

Elle s'arrêta, n'osant pas poser de questions.

— On se mettra d'accord sur ce qu'on aura fait, soi-disant. Ça ne t'ennuie pas?

— Mais non. Seulement...

131

— Maman n'a pas l'habitude d'arriver sans te prévenir?

— Oh! non. C'est trop loin. Elle ne peut pas faire tout ce trajet en risquant de ne pas me trouver, à cause des consultations. Toi, tu habites tellement plus près.

C'était vrai, et c'était la première fois que Jo le regrettait. Chaque fois qu'elle allait à Saverny, elle tremblait que sa mère ne fît irruption chez elle, et ne s'étonnât de ne pas la trouver. Elle avait toujours fait part aux autres de son emploi du temps (le catéchisme de la paroisse, les petits handicapés, les cours de comptabilité) : il lui était difficile de trouver des prétextes. Elle sentait cependant qu'elle devait fournir à sa sœur une explication de ce fait inouï : elle cachait quelque chose à la famille.

— C'est un nouveau traitement que je fais suivre à Sauveur, dit-elle assez gauchement. Je ne veux pas qu'elles aient de faux espoirs...

— Ah!... (Allegra paraissait incertaine.) Je croyais qu'il n'y avait plus aucune chance...

— Aucune chance de quoi? dit Josée brutalement. Son visage s'était durci tout à coup, ses yeux brillaient d'une sorte de défi.

— Je ne sais pas, moi. De...

— Il marche, dit Jo farouchement. Il boite encore un peu, mais il marche.

— C'est magnifique!

— Non. Ce n'est pas magnifique puisqu'il boite. Mais il guérira complètement, tu verras. Ce n'est qu'une question de temps. Et de volonté.

— Sûrement... dit Allegra. Si Jo le disait... Sa pensée s'envola loin de Sauveur. Il vaudrait mieux, si Josée prétendait sortir avec elle, qu'elle ne fût pas à la maison, malgré tout. On ne sait jamais. Paule, Phil, pouvaient arriver à l'improviste. Elle pourrait peut-être emmener le petit au Luxembourg, ou au Jardin des Plantes? Elle n'y avait jamais pensé, mais c'étaient des choses qui se faisaient. On promenait les enfants. Et puisque personne ne semblait y penser pour celui-là... Elle se sentit joyeuse, tout à coup. Elle s'était beaucoup promenée, seule, avant son mariage.

132

— ... et je l'emmènerai au Jardin des Plantes. Je crois qu'on ne le sort jamais. Ça l'amusera de voir les animaux, tu ne crois pas?

— Tu ferais mieux de l'emmener voir un pédiatre. Un enfant, ce n'est pas un jouet, dit Jo, avec une sévérité tempérée par la reconnaissance. Enfin, je ne veux pas te décourager. Promène-le, si ça t'amuse. C'est un début...

Allegra était restée assez décontenancée par la visite de sa sœur. Elles ne s'étaient jamais tellement bien entendues, au fond. Dans la famille, on avait toujours dit qu'Allegra était « du côté » de Paule, comme s'il fallait absolument qu'elle fût d'un « côté ». Et Jo n'était jamais venue la voir seule, depuis l'inspection du studio que toute la famille avait faite en groupe. Certainement, en lui demandant ce service, Josée lui témoignait beaucoup de confiance. Ça l'ennuyait seulement qu'elle eût dit toutes ces choses devant l'enfant. Elle était sûre qu'il comprenait; il n'y avait qu'à le regarder. Il méditait maintenant sur ce qu'il avait entendu. Dieu sait s'il n'était pas blessé par l'incompréhension de Jo, par les mots « maladie », « guérir », « consultation »; est-ce qu'elle n'avait pas été jusqu'à dire « infirmité » en parlant de lui? Comme si c'était une infirmité de ne pas parler! Il n'était pas muet; il se faisait très bien comprendre. Il avait de petits cris de joie quand elle lui montrait une nouvelle cachette, dans l'appartement, qu'il ne connaissait pas encore; il avait une sorte d'appel, rauque, interrogatif, quand il désirait quelque chose, ou qu'il ne comprenait pas; il approuvait de la tête, gravement, quand elle lui montrait à se servir d'un objet nouveau, il avait crié quand on lui avait enlevé le frigidaire. Et en quelques semaines, il avait appris à se servir d'un ouvre-boîtes, et à allumer la télévision. Il avait alors, devant ces découvertes, un rire silencieux, un air si content de lui, faraud même, qui la faisait éclater de rire à son tour. Etait-il imaginable que cet enfant-là, s'il voulait parler, n'y arrive pas? Et s'il choisissait de se taire, pourquoi le brusquer, le traquer? Elle imaginait Josée « s'occupant » de Rachid, le traînant chez des médecins, lui posant des questions, lui achetant des jeux éducatifs qu'elle disposerait partout comme des pièges... C'était comme cette vieille histoire de piano resurgie du passé : comme on l'avait persécutée, assommée de conseils, traînée chez Mme Fergus, qui la terrorisait, avec sa haute taille et son toupet de faux cheveux; comme on l'avait privée de dessert, comme on avait discouru sur les sacrifices qu'on s'imposait, sur la chance qu'elle avait de pouvoir apprendre... Et puis finalement, de guerre lasse, on avait décidé qu'elle n'avait « pas d'oreille » et on l'avait laissée tranquille. De temps en temps, quand elle était seule, elle allait alors se réfugier près du vieux piano droit de la chambre d'enfants sur lequel Paule et Josée s'étaient escrimées pendant des années. Elle caressait le clavier, elle faisait timidement vibrer un accord... Ils n'avaient pas besoin de se parler, le piano et elle. En jouer eût été, lui semblait-il, une sorte d'indiscrétion, de brutalité. Il n'y avait qu'à entendre Josée, qui ne faisait jamais de fausses notes, ou presque, et qui malmenait l'instrument comme si elle avait fait de la gymnastique, au lieu de musique. Paule qui se trompait constamment jouait mieux. Mais à quinze ans elle avait décidé que jouer du piano était vieux jeu. Son amie Evelyne, celle qui avait eu sur elle une si mauvaise influence (disait Bonne-Maman) l'avait persuadée que c'était bourgeois, et au lieu de la leçon de piano, elle avait obtenu de faire du patin à glace. Allegra passait pour ne pas aimer la musique.

On l'avait même dit à Phil, quand ils étaient fiancés. « Ça, c'est un goût que vous n'aurez pas en commun ! Allegra n'a pas même été capable de jouer *le Gai Laboureur,* en deux ans de leçons. » C'était vrai. Elle ne pouvait prétendre que c'était un mensonge. Et pourtant, d'une certaine façon, il lui semblait qu'elle aurait su jouer *le Gai Laboureur* et même cette sonatine que Paule avait répétée pendant des mois pour la fête de l'école. Elle n'aurait eu qu'à poser les doigts sur le clavier... Plus d'une fois, guettant les moindres bruits de la maison pour s'assurer qu'elle était seule, elle avait, d'une main, très doucement, joué les toutes premières notes : do ré do fa sol sol sol... Mais il aurait fallu être sûre que personne ne l'entendrait, jamais. Phil, peut-être?

L'enfant s'était levé et était sorti de la cuisine. Il avait son visage des mauvais jours, qu'elle connaissait déjà. Ses traits s'affaissaient, s'amollissaient; il paraissait soudain plus vieux, comme découragé. Il devait réfléchir à la visite de Josée, la soupeser, l'examiner comme il examinait les emplacements dans le frigidaire, dans les placards. Se demander qui elle était, ce qu'elle voulait, cette femme qui l'avait ainsi examiné. « Il n'est pas loquace, ton petit protégé. » Pourquoi loquace? S'il ne voulait pas parler! Pourquoi « protégé »? C'était lui qui avait désiré, décidé de venir chez elle. Comme c'était lui qui avait décidé d'explorer l'appartement, de ranger les provisions, de mettre le couvert. Elle le laissait faire, voilà tout. Et si ça « l'amusait » comme disait Jo, où était le mal?

— Tu aimerais venir te promener avec moi? dit-elle doucement. Sortir, dehors? Dans la rue? Tu aimerais qu'on sorte ensemble, dans un jardin?

C'était la première question qu'elle lui posait. Par la faute de Jo. Ils étaient bien dans l'appartement, tous les deux. Elle aimait l'entendre aller et venir, le regarder faire des découvertes. Elle n'en demandait pas plus et lui non plus certainement. Jo était venue s'immiscer dans ce rapport silencieux, sans problème, dont elle avait l'impression qu'il aurait pu durer toujours. Une fois de plus, parce que Jo, Vanina, Paule, Bonne-Maman, étaient toujours intervenues pour rompre une certaine atmosphère où elle se trouvait à l'aise, pour la presser d'agir, de parler, de faire quelque chose... D'épouser Phil par exemple. Elles s'étaient immiscées, c'était certain, dans un certain silence qu'elle avait avec Phil, où elle était parfaitement à l'aise, parfaitement heureuse; peut-être était-ce mieux ainsi? Puisque Phil avait paru se trouver tout à fait content de cette intrusion, de cet envahissement. Et il avait sûrement raison, c'était sûrement normal, naturel, le mariage, le voyage, le studio, elle y avait même pris plaisir, mais c'était tout de même depuis ce changement qu'il s'agitait, qu'il voulait toujours avoir avec elle des conversations (« il faut que nous ayons une conversation au sujet de... » et elle avait envie de rire, elle ne pouvait pas se persuader qu'il était tout à fait sérieux quand il lui parlait, avec animation, d'acheter une voiture à crédit ou de travailler avec Paule dans un laboratoire de beauté. Qu'est-ce que cela changeait entre eux? Rien, n'est-ce pas?). Alors, le petit, ça la reposait. Il était comme elle, au fond, occupé à de petites tâches simples, qui le satisfaisaient.

Il était venu près d'elle, et la tirait par la manche. Elle se rendit compte qu'elle l'avait quitté un instant, en pensée. Il la regardait, avec cette intensité presque farouche, qu'elle connaissait déjà; il voulait quelque chose, et la force de sa volonté l'empêchait de paraître aimable. Alors elle se souvint qu'elle lui avait parlé. Il n'avait pas bien compris peut-être, il voulait qu'elle répétât sa question.

— Tu voudrais qu'on sorte ensemble? Qu'on sorte de la maison, qu'on aille se promener ensemble dans la rue? Dehors?

Il acquiesça de la tête, plusieurs fois. Il souriait. Il lui prit la main, il la tirait vers la porte, il insistait pour qu'elle se levât.

— Mais non, pas tout de suite! Un après-midi, quand je ne travaillerai pas. Il fait noir, maintenant.

Il cessa de sourire. Dès qu'il s'assombrissait, il redevenait le petit prisonnier de la cour, son visage régulier, mais un peu mou, ses lèvres un peu épaisses, les cernes de ses yeux, le rendant à la fois pitoyable et laid, presque antipathique. Quand il était ainsi, elle se demandait soudain, avec un petit frisson, ce que cet enfant faisait chez elle.

— Phil va arriver, dit-elle tout haut. Je vais te raccompagner. Phil va arriver.

Il lui tendit la main de nouveau, mais sans enthousiasme cette fois, avec une résignation hautaine. Il devait sentir que pour un instant, elle avait presque un peu peur de ce qu'elle avait fait. Elle eut un remords, voulut l'embrasser. Il se dérobait. Il allait vers la porte. Il lui en voulait, c'était si clair. Pourtant, tout ce qu'elle avait voulu, c'était rester seule avec lui, dans le studio. Qu'il rêvât si évidemment de sortir l'avait déçue.

— Je te le promets, dit-elle en ouvrant la porte pour le précéder dans l'escalier. Je te promets qu'on sortira.

136

Lundi. Dans trois jours. Tu sais compter jusqu'à trois?
Un... deux... trois?

Elle se retourna vers lui. Il élevait trois doigts de sa
main gauche, et souriait de nouveau. Elle en fut soulagée.

— Mon chéri! dit-elle avec un élan. Elle lui tendit
les bras pour l'aider dans les premières marches. Pour
la première fois il s'y laissa aller avec abandon, et elle
le porta, en chancelant, descendit une marche ou deux
avant d'apercevoir, tant l'équilibre de son fardeau la
préoccupait, Jean-Philippe qui montait et restait tout
surpris de les apercevoir.

Il fut dit plus tard que c'est à « cette période » que
Jean-Philippe avait commencé à être jaloux de l'enfant,
et que c'était à cause de cela que « tout était arrivé ».
Naturellement, comme tout ce qui fut dit « après »,
c'était absurde et complètement faux. Jean-Philippe
vivait son rêve de couple parfait, de situation enviable,
de relations utiles, tous ces mots de magazines dont on
se sert pour masquer les rapports qu'on a avec la vie
et les êtres, qui sont plus simples et plus cruels. Rassuré
par Paule, ébloui par Maria, il en oubliait cette légère
inquiétude qu'il avait parfois devant Allegra, il la ramenait sans peine, ces jours-là, à la « brave petite femme »
que sa grand-mère lui avait souhaitée, et qu'Allegra
était peut-être, après tout. La « brave petite femme »
s'était prise de pitié pour un enfant délaissé, quoi de
plus naturel? Il en était à peine touché, à peine agacé.
Il avait bien d'autres chats à fouetter.

— Qu'est-ce que tu faisais avec ce gosse?

Elle remontait en courant, les joues roses, essoufflée,
charmante.

— Oh! rien... Je le fais monter quelquefois, quand il
fait trop froid. Ses parents s'en occupent si peu... Ça
ne t'ennuie pas?

— Pourquoi veux-tu que ça m'ennuie? Du moment
que je ne l'ai pas dans les jambes... Et si ça t'amuse...

Comme Jo. Si ça t'amuse, avec un ton un peu dédaigneux. Oui, on pouvait dire, dans une certaine mesure,
que ça l'amusait, pourquoi pas?

— Il est intéressant à observer, risqua-t-elle.

— On ne dirait pas. Il a l'air idiot ce petit. Un peu demeuré, non?

— Il s'ennuie. Tu sais ce que c'est, je l'ai laissé monter une fois, et puis...

Il se mit à rire.

— Oui, tu t'es laissé avoir... Méfie-toi, dans huit jours tu auras toute la tribu sur le dos, si tu n'y prends pas garde. C'est prêt, le dîner? Je voudrais manger vite, parce que Paule a demandé qu'on aille prendre le café chez elle, il y aura son amie, tu sais, celle qui finance, et...

Déjà elle s'empressait dans la cuisine, en riant aussi parce qu'il parlait comme Jo, Jo qui lui avait toujours paru si sérieuse, si vieille dame. Phil, non, il n'était pas vraiment sérieux. Alors pourquoi disait-il « Tu t'es laissé avoir... Méfie-toi... » comme Josée? Elle avait envie de le taquiner à ce sujet, mais il faudrait dire alors que Jo était venue, et puisque c'était secret... oh! quelle complication! Elle n'était pas bavarde mais elle n'aimait pas à faire des mystères. « Pourquoi faut-il se taire si Sauveur va mieux? » Enfin, elle ne discuterait pas. Après tout, elle n'avait jamais parlé de l'enfant à Phil, non plus, jusqu'à ce qu'il l'eût surprise. Ni à Paule, ni à la famille. Elle avait son secret elle aussi. La chose l'amusait, parce que c'était si peu important. Mais on avait tellement l'habitude de tout se dire, aux Batignolles! Sûrement Vanina serait stupéfaite qu'elle eût montré tant d'initiative. Ou alors jugerait comme Jo qu'il fallait « se méfier ». C'était plus simple de se taire finalement.

Elle sortit de la cuisine avec les œufs brouillés, la salade.

— Pourquoi tu ris?

Elle haussa les épaules.

— Oh! des bêtises! Je ne sais pas.

— Tu ris toute seule maintenant? Et tu n'écoutes rien de ce que je te dis! Tu ne t'intéresses pas.

— Mais si! Je me passionne! dit-elle en riant encore, parce qu'il avait l'air si bouderur, et que c'était vrai, qu'elle n'avait rien écouté.

— Qu'est-ce que j'ai dit?

138

— Que tu vas devenir millionnaire et que ça ne fera aucune différence.

— Comment, que ça...

— Que ça ne fera aucune différence, puisqu'on s'aime. Viens manger, va.

Elle l'embrassa sur le nez. Niaiserie de femme, ou admirable sérénité? Les deux peut-être, les deux sans doute. Pas étonnant qu'elle ait fait monter ce petit malheureux. Elle était si enfant, elle-même.

— Tu n'es qu'une enfant, dit-il avec tendresse, et un air de supériorité qu'il ne ressentait qu'à demi. Qu'une enfant.

*
* *

Phil s'aperçut que le petit Rachid ne l'aimait pas, et maintenant qu'il le rencontrait souvent dans la cour, dans l'escalier (ou plutôt maintenant qu'il s'apercevait de sa présence) ça l'agaçait. S'il le croisait dans l'escalier, ça l'agaçait de voir l'enfant s'aplatir contre la muraille, l'air épouvanté, comme s'il avait rencontré un ogre. Si le petit était dans la cour, dès qu'il entendait arriver Philippe qui montait à grandes enjambées, il lâchait ses boîtes, ses flacons, et allait se réfugier dans un coin, comme un chien à qui on a donné des coups de pied. Jean-Philippe avait l'impression qu'il le faisait exprès, qu'il accentuait son air effaré, rien que pour lui être désagréable. Ce n'était qu'une impression fugitive. Il achevait de monter l'escalier, en courant, il ouvrait la porte, et Allegra était là, absolument pareille à elle-même. Il en était rassuré et déçu, comme toujours.

Allegra eut une belle peur la première fois qu'elle sortit l'enfant. Elle avait projeté de l'emmener à pied par le boulevard Sant-Germain jusqu'au Jardin des Plantes. Il lui avait semblé faire preuve de beaucoup de prévoyance — elle était même assez fière de son bon sens : elle n'avait pas besoin de Jo ou de sa mère pour lui apprendre qu'on n'emmène pas un si jeune enfant,

139

et un enfant qui selon toute vraisemblance n'est jamais ou rarement sorti de chez lui, dans le métro. Ils iraient en se promenant, le temps était doux, gris avec des éclaircies, et si le petit était fatigué, ils se reposeraient sur un banc du jardin. Cela lui paraissait bien organisé. Elle avait oublié la petite déception qu'elle avait eue, en le voyant si pressé de sortir; elle était joyeuse à l'idée de son plaisir. Mais à peine furent-ils dans la rue qu'elle commença à s'inquiéter. L'enfant manifestait une agitation extraordinaire. Il tournait la tête dans tous les sens, s'arrêtait brusquement comme frappé de terreur et refusait d'avancer, puis, se décidant tout à coup, s'élançait, lui échappant, et elle devait bondir pour rattraper la petite main qu'il voulait lui retirer, avec impatience. Puis il s'arrêtait de nouveau, fasciné par une vitrine, voulait saisir les objets à travers la vitre, trépignait de colère de ne pas y parvenir, tandis qu'elle s'efforçait de le décider à repartir, gênée par les passants qui les regardaient avec curiosité.

Il était fort et grand pour son âge. Que ferait-elle s'il se couchait par terre? Elle ne serait jamais de taille à le forcer à revenir, encore moins à le porter. « Je ne pourrai jamais, il est trop lourd » se disait-elle avec une sorte de désespoir; qu'est-ce qui l'avait entraînée dans une aventure pareille? Jo, la joie de l'enfant, sa propre inexpérience... « Il a peut-être une voiture, une poussette? Mais je l'aurais vue dans l'entrée. Et si elles ne le sortent jamais? Et puis, est-ce qu'on promène en poussette un enfant aussi grand? J'aurais dû demander à Maman, à Jo... » Il la suivait néanmoins. Mais parfois, quand une voiture passait trop près du trottoir, il poussait un petit cri de terreur, étranglé. S'il allait se mettre à hurler comme le jour de l'enlèvement du frigidaire, que ferait-elle? On ne pouvait pourtant pas appeler Police-secours pour un enfant qui crie! Mais elle s'aperçut, comme il poussait encore un de ces petits cris étranglés de terreur, qu'il se contenait autant qu'il le pouvait. Sans doute il n'avait jamais vu de voiture, et ces masses qui le frôlaient l'épouvantaient. Sa main crispée dans celle d'Allegra, le cri lui échappait vraiment malgré lui, avec un sursaut de tout le corps. Elle eut honte de se montrer si pusillanime. C'était un si petit enfant, malgré ses airs réfléchis, et pour lui, ce devait être une telle nouveauté! Elle eut l'idée de le faire passer du côté du mur, et de le protéger d'un pan de son manteau écossais, entrouvert pour la circonstance. Dès lors il fut tout à fait sage. Protégé par cette espèce de chape, il marcha bien droit, s'efforçant même de régler son pas sur le sien, et tenant sa main sans plus de nervosité. Elle respira. Elle n'avait pas chaud, évidemment, son manteau ainsi déboutonné, et il soufflait un petit vent assez aigre, mais elle était si soulagée. Un moment elle avait eu peur que Jo ou Phil n'eussent raison, et que l'enfant ne fût idiot, ou un peu fou, ou sujet à une maladie qu'elle n'aurait pu maîtriser. Mais peut-on se représenter ce que signifie la rue, pour quelqu'un qui ne l'aurait jamais vue?

Et dans les allées du jardin, loin des automobiles, l'enfant consentit tout de suite à sortir de dessous son manteau, qu'elle reboutonna en frissonnant. Il resta un instant interdit devant le grand espace des pelouses, des allées. Puis, comprenant que tout danger était écarté, il lui lâcha la main, et s'élança.

Il y avait encore peu de fleurs; les plates-bandes étaient noires, avec çà et là quelques tulipes précoces, des crocus, des narcisses encore en bouton. Il y avait des tiges flétries qui avaient survécu à l'hiver, de jeunes pousses encore inidentifiables, et du gazon jauni. Le soleil était pâle, et le sol des allées humide encore de l'averse du matin. Peu de promeneurs; un silence habité par le bruit des gouttes d'eau tombant des marronniers, des maçons qui travaillaient au loin, de rares oiseaux au cri triste. Elle avait pris l'allée de gauche, la plus éloignée de la ménagerie. Elle n'avait pas raisonné, en se proposant de montrer à Rachid les animaux qui avaient enchanté son enfance. Mais après la commotion que lui avait fait éprouver la vue des voitures, elle se rendait compte qu'il ne fallait pas lui en montrer davantage, ce jour-là, *le premier jour*. Il paraissait du reste si parfaitement heureux, si émerveillé par l'espace de l'allée! Il courait, comme ivre de liberté, à une dizaine de pas devant elle; puis, épouvanté par sa propre hardiesse, il revenait se jeter contre elle, l'obligeant à s'arrêter, cramponné à son manteau. Elle attendait, patiente. Au bout de quelques secondes, il avait repris courage; ses mains s'ouvraient lentement, il lâchait le manteau, regardait autour de lui... La tentation était trop forte, il s'élançait à nouveau vers ce monde inconnu. « Comme il est courageux! » pensait-elle.

Il n'allait pas vers le centre du jardin, plus découvert cependant, et où se trouvaient les rares fleurs. Il suivait l'allée, rassuré peut-être par les troncs d'arbres qui, tout espacés qu'ils fussent, formaient une sorte de limite. Elle marchait lentement derrière lui, derrière ce petit enfant inconnu. Sur la longue perspective de l'allée, il paraissait si petit, malgré ses pantalons de ski et son blouson, si petit et si seul.

Maintenant elle était rassurée, et contente de son idée. Elle le sortirait ainsi de temps en temps, le lundi. Le printemps allait venir, elle lui ferait connaître les plantes, les fleurs, les animaux, ses coins de rue préférés; elle recommencerait à se promener, comme avant son mariage. Ils atteignaient le bout de l'allée. Elle lui reprit la main, pour le faire revenir par les pelouses. Tout le jardin ressemblait à une salle vide, que l'on prépare pour une fête à venir : la terre remuée, les bourgeons, cette brouette au coin d'une plate-bande, une sorte de désordre propre qui donnait à Allegra l'envie de revenir, de découvrir ce que les jardiniers allaient faire de ces pots groupés, soigneusement enveloppés dans un plastique opaque, quelle sorte de plante allait entourer le magnolia défleuri. Oui, elle reviendrait, ils reviendraient tous les deux, tôt le matin ou tard le soir, pour éviter la foule, pour retrouver cette paix bruissante, la marée silencieuse de la germination, la vie souterraine des racines. Elle rêvait à ce projet sans s'être aperçue que l'enfant s'était éloigné. Tout à coup revenue à la réalité, elle le chercha des yeux, le cœur bondissant d'une émotion soudaine. Si elle l'avait perdu! et elle le vit, au bord d'une plate-bande, accroupi, qui caressait l'herbe. Oui, d'une main timide, comme on caresse le pelage d'un animal, dans un sens puis dans l'autre, il caressait le gazon, pensif, ramassé sur lui-même, fermant les yeux à demi. Elle s'arrêta. Il avait mis ses genoux dans la boue du sentier, mais elle n'eut pas le réflexe, si maternel, de se précipiter pour le relever. Elle ne se dit même pas qu'il pourrait prendre froid, sur cette terre humide. Elle regardait, immobile aussi, avec une sorte de respect.

*
* *

— Mais enfin, *pourquoi*? disait Vanina, complètement dépassée.

Pour l'occasion, le docteur Svenson était sorti de son cabinet et marquait par toute son attitude une stupéfaction peinée.

— Mais pourquoi? On se demande pourquoi? répétait-il de sa voix sourde, en promenant lentement autour de lui ses yeux de faïence.

Bonne-Maman se réservait, mais la vitesse avec laquelle ses doigts maniaient les aiguilles indiquait la fébrilité, si ce n'était l'indignation. Jo restait discrète : en d'autres circonstances, elle n'eût pas demandé mieux que de tomber sur Paule à bras raccourcis. Mais elle ne voulait pas se faire remarquer, heureuse d'un incident qui la faisait oublier.

— Enfin, ma chérie, te rends-tu compte des ennuis dans lesquels tu vas te fourrer? Des complications, des risques...

— Faire des affaires avec l'argent des autres! dit Bonne-Maman sans lever les yeux de son tricot.

Antoine s'en mêla, au déplaisir de Josée.

— Et quelle garantie as-tu? Tu n'es même pas salariée, dans une affaire qui ne t'appartient pas.

Paule se voyait contrainte de se défendre, de défendre avec feu un projet qui ne l'enthousiasmait pas.

— Salariée! Vous n'avez que ce mot à la bouche. Je toucherai une part des bénéfices, et c'est bien beau puisque je n'apporte aucun capital.

— C'est trop beau, justement, dit Vanina. Si elle n'a pas de mauvaises intentions, ton amie te fait l'aumône. L'aumône! Tu te rends compte?

— Alors que tu as ton indépendance! dit Josée, malgré elle.

— Très juste, dit Bonne-Maman en posant son tricot. Tu as réussi au-delà de toute espérance, il ne faut pas tenter le diable. Ton espèce d'Institut marche bien, tu t'es fait une clientèle convenable d'amies, tu as casé ta sœur et ta cousine, tu as un petit revenu régulier, mais qu'est-ce que tu veux de plus?

Paule était obligée de s'avouer que quand on entendait Bonne-Maman, les paroles ironiques de Maria vous revenaient aux oreilles « un monde de patronage... un petit univers étriqué... » Comme toujours, on voulait lui couper les ailes, on lui faisait entendre que sa réussite était le fruit d'un miracle, et d'un miracle un peu suspect (il fallait entendre Bonne-Maman prononcer « ton espèce d'Institut » en détachant les syllabes). On voulait bien passer là-dessus par indulgence mais une récidive, c'en était trop!

— Je veux lancer ma marque à moi, ma gamme de produits, dit-elle, s'efforçant au calme. Je commencerai petitement, j'ai un chimiste, un labo, un peu de personnel... Je me suis mise d'accord avec la maison Corail pour qu'ils acceptent mes produits dans leurs magasins — trente magasins en France! Et on verra bien si ça prend.

— Mais, ma pauvre fille, dit Antoine avec une odieuse cordialité, pourquoi veux-tu que cette maison pousse tes produits alors qu'elle a les siens? Tu n'as aucun sens pratique, comme toutes les femmes! Quel que soit le bénéfice que tu leur consens, ils touchent davantage sur leur propre fabrication. Tu devrais apprendre à compter!

— Comme Josée, dit Paule, qui n'ignorait pas que Josée avait appris la comptabilité pour suppléer aux insuffisances d'Antoine dans la gestion de Soleil-Loisirs.

Antoine ne rougit même pas.

— Josée et moi nous travaillons ensemble, dit-il avec une tendre suffisance. Mais deux femmes...

— Et à supposer même que tu fasses fortune, dit Bonne-Maman d'un air dégoûté, tous ces emprunts, ces tripotages...

Attaquée sur tous les fronts à la fois, Paule commençait à perdre son sang-froid.

— Toutes les affaires se font comme ça maintenant. Et quand j'ai ouvert l'Institut, c'était bien avec votre argent, non? Et j'étais bien une femme?

144

Ce fut un tollé.

— Notre argent! L'argent de la famille! Tu ne vas pas comparer!

— C'était ta dot! Libre à toi...

— Dès que tu as pu, tu nous l'as jeté à la figure...

— Qu'une femme monte un petit atelier, une petite affaire de famille, je ne dis pas, mais...

La famille! La famille! Elle en avait soupé, de la famille! Et la famille, ça voulait dire les femmes. Couture, mode, beauté, œuvres sociales, tout cela pouvait passer à la rigueur parce que c'était hors du monde, quelque chose comme un ouvroir, comme un club. Mais dès que l'amusement inoffensif passait au rang de véritable affaire, d'industrie, qu'il s'agissait de manier de l'argent, de prendre des responsabilités, de rencontrer la vraie vie, de se battre, elles s'affolaient, prenaient peur de tout, de l'échec comme de la réussite. Ah! comme Maria avait raison! Elle les haïssait presque, d'avoir un instant pu penser comme elles.

— De toute façon, je suis décidée, dit-elle.

— Tu vas perdre le peu que tu as, dit Antoine.

— Le mieux est l'ennemi du bien.

— Je ne comprends pas comment tu peux accepter l'argent d'une personne qui ne t'est rien.

— Il y a tant de bien à faire autour de soi au lieu d'aller se lancer...

— Ce n'est pas une vie, pour une femme!

Dire qu'elle voulait leur demander conseil! Dire qu'elle n'était pas décidée! Ils étaient si profondément choqués par sa manière de vivre qu'ils n'étaient même pas capables d'imaginer qu'elle hésitât de bonne foi. Eh bien elle n'hésitait plus.

Jean-Philippe contemplait la mêlée avec amusement. Quelle indignation, parce qu'un membre de la famille parlait de gagner de l'argent! Car les raisons de l'affolement général n'étaient nullement la peur que Paule échouât — Antoine même était simplement choqué que Paule entreprît ce qu'il avait lui-même refusé. Non, les raisons de cette levée de boucliers étaient plus profondes, étaient les racines mêmes de cette famille si totalement archaïque, mesquine et désintéressée, acerbe et dévouée, bornée, butée, hors du temps, dans le granit

145

de laquelle Paule donnait en vain des coups de pic. La question des bénéfices, du danger de l'entreprise, n'était qu'un alibi. La vraie pensée de Bonne-Maman était dans cette horreur de « l'argent d'autrui » et presque de l'argent tout court. La vraie pensée de Vanina, de Josée, dans ces cris, jaillis spontanément : « Ce sera une aumône! Et ton indépendance!» Et ces femmes si fières acceptaient cependant qu'on les traitât d'incapables, qu'Antoine (Antoine! qui ne serait arrivé à rien sans Josée) traitât de haut Paule, qui avait fait ses preuves... Il s'amusait prodigieusement, mais avec sympathie. Il croyait dominer cette famille dont il était sans conteste le membre le plus intelligent, et il ne se rendait pas compte que pour eux l'intelligence nétait rien, et qu'il était bien plus leur proie qu'il ne le pensait.

— Ce n'est pas parce que tu as manqué l'occasion que tout le monde doit en faire autant, dit Paule à Antoine.

Il se versait une Suze, considérant la discussion comme close.

— Quelle occasion?

Cette fois il rougit un peu.

— Quand Marquet t'a offert des parts dans Soleil-Loisirs... Tu serais millionnaire à l'heure qu'il est!

— Si tout ton but est de gagner de l'argent! dit Jo avec dégoût.

Il y eut une pose. Le pire, c'est qu'elles étaient sincères, pensait Jean-Philippe. L'argent ne représentait rien pour elles.

— Voyons, il ne s'agit pas de ça... dit-il doucement.

Son intervention surprit. On avait déjà pris le pli de considérer que, comme le docteur Svenson, il n'intervenait pas dans les querelles entre femmes — c'était bon pour Antoine, disait Bonne-Maman, avec un peu de mépris.

— Qu'est-ce que vous voulez dire, Jean-Phil?

— Moi je trouve l'affaire tout à fait viable, dit-il avec aisance. Il ne s'agit pas d'inonder les supermarchés, n'est-ce pas, mais de fabriquer, avant tout pour les clientes de l'Institut, des produits de qualité, des produits presque médicaux, qui ne soient pas des attrape-nigauds comme la plupart des crèmes ou des lotions

146

qu'on vend... Avant que ça atteigne un stade vraiment commercial... Moi je crois à toutes ces vieilles recettes, les herbes, cueillies à minuit, les vins de framboise qu'on faisait à la maison... Ma grand-mère m'en parlait toujours, et j'ai dit à Paule que je lui donnerais volontiers quelques conseils...

— Ah! vous allez vous en mêler aussi, Jean-Philippe? demanda Vanina, encore sur ses gardes.

— Mais pourquoi pas, Maman? Une petite affaire comme celle-là demandera peu de temps. J'aimerais essayer quelques traitements anti-allergiques — vous savez que le sujet m'a toujours intéressé — et Privat est un garçon charmant, que j'aime beaucoup. Nous nous amuserons le week-end, avec des recettes de sorcières... Et, mon Dieu, si c'est un échec, la petite somme que nous prête Mme Vega-Ramirez sera vite remboursée. C'est peu de chose, en réalité.

— Et on dira la crème du docteur Vernier, comme la ceinture du docteur Gibeaud... murmura la grand-mère, sarcastique.

Mais l'atmosphère s'était considérablement allégée. Paule regardait Jean-Philippe avec reconnaissance. D'une affaire louche, comportant des risques énormes, et de toute façon une publicité regrettable, des compromissions scandaleuses, Phil avait su faire une affaire de famille, qui ne rapporterait pas grand-chose, et qui se mijotait entre amis le samedi pour le profit d'une douzaine de clientes, comme on fait des confitures pour ses proches. L'affaire Stavisky était ramenée au niveau d'une partie de billard.

— Alors vous n'allez pas quitter l'hôpital? murmura le docteur Svenson. Il eut un regard vers Antoine, qui comprit instantanément et lui versa son genièvre, de la bouteille qui lui était réservée.

— Mais il faudrait un miracle! s'écria Jean-Philippe en riant. Et je ne crois pas aux miracles.

Du coup ils se mirent tous à rire. Personne ne croyait aux miracles, dans la famille Svenson. On prit l'apéritif.

— Tu as été formidable, dit Paule plus tard, en les reconduisant. Tu as tout arrangé. Comme tu sais les prendre! Moi j'ai beau faire, je les bute toujours. Je me fâche, pour un mot, un rien, et après j'ai des remords. Ils sont adorables, au fond, mais quels fossiles!

— Ça! Ils n'ont aucune notion de ce que le monde est devenu, ils vivent sur les concepts du XIXe siècle, et encore!

— Oui, et encore! Au XIXe siècle on faisait des affaires, l'argent était roi, l'honneur était l'honneur commercial, tu sais, Birotteau?

— Oui, ce n'est pas exactement ça; ils sont plutôt dix-septième, seizième, on ne peut pas remonter assez loin, l'aristocratie ruinée de province, qui mange des châtaignes en rêvant des Croisades. Au fond, ils sont très poétiques, sans s'en douter.

— Si on leur disait ça!

Ils éclatèrent de rire, se sentant complices. Allegra s'ennuyait un peu, au fond de la voiture.

— Qui c'est, Birotteau? demanda-t-elle.

— Un ami à moi, dit Paule un peu cruellement, et elle rit encore.

Mais Jean-Philippe qui avait à cœur d'instruire sa femme :

— C'est un commerçant, dans Balzac, qui se tue parce qu'il a fait faillite.

— Ah! pardon, il ne se tue pas, il meurt de joie parce que...

— Oui, parce qu'il est réhabilité après une faillite. Enfin, c'est le symbole de l'honneur bourgeois, quoi.

— Je comprends, dit Allegra gravement.

— Oh! Allegra a le sens de l'honneur! Elle est très corse, malgré son prénom italien. Elle devrait s'appeler Lætitia, en fait. Mais comme Bonne-Maman a eu une marraine italienne...

— C'est vrai, rêva Jean-Philippe, que ça veut dire la même chose. Joie, n'est-ce pas?

— A peu près. Drôle de prénom pour une petite fille modèle...

Paule n'avait pas l'intention d'attaquer sa sœur. Mais elle ne pouvait pas s'empêcher de le faire chaque fois qu'elle constatait la patience, la tendresse avec laquelle Jean-Philippe supportait son ignorance, son désintérêt

148

total pour tout ce qui se passait (elle avait gardé, au cours de cette altercation familiale, un silence complet), son insignifiance, en fait. Bien entendu elle n'en voulait pas à Allegra! C'était une question théorique : pourquoi les hommes les plus ouverts, les plus libres d'esprit en apparence, qui savent vous donner une impression d'égalité, de sympathie complète, quand il s'agit d'amour s'éprennent-ils fatalement de charmantes petites sottes? Et ses sarcasmes et son aigreur ne s'adressaient pas à Allegra, mais à Gabrielle... Elle s'était assombrie. Elle entendit à peine Allegra lui répondre avec indignation :

— Je suis une petite fille modèle parce que je ne m'intéresse pas à tes pots de crème?

— Ce sont aussi tes pots de crème, non?

— Moi, je ne veux pas devenir une industrielle, dit Allegra dignement.

— Et qu'est-ce que tu veux devenir, s'il est permis de te le demander?

— Je ne vois pas pourquoi je deviendrais quelque chose. Je suis très bien comme je suis.

— Quelle modestie! dit Paule plus sèchement qu'elle n'aurait voulu, en arrêtant la voiture devant Le Croissant d'Or encore étincelant de petites lampes rouges et vertes.

Ils se quittèrent.

— Tu n'aurais pas dû lui dire cela, dit Jean-Philippe avec un doux reproche.

Il avait mis son disque préféré, il se sentait très bien. Il avait le sentiment d'avoir été remarquable de diplomatie, de finesse, et était reconnaissant à Paule de lui en avoir fourni l'occasion.

— Pourquoi est-ce qu'elle me parle comme ça? Je sais bien qu'elle est malheureuse, mais...

— C'est justement parce qu'elle est malheureuse qu'elle veut devenir autre chose. Quand tu lui dis que tu te trouves très bien comme tu es, elle prend ça pour elle. Elle a les nerfs à vif... c'est pour ça qu'elle s'y est si mal prise avec tes parents. Au lieu de minimiser la chose, elle les a terrifiés, les malheureux.

Il aurait bien voulu, tout de même, qu'elle eût un mot

pour approuver son intervention, lui rendre hommage.

— Mais tu sais, dit Allegra pensive, je ne crois pas que c'est parce qu'elle est malheureuse. Je crois qu'elle pense réellement que je devrais être différente.

Parce qu'elle s'était lovée contre lui sur le divan trop mou, il renonça, non sans un petit regret, à voir reconnaître ses mérites.

— Parce que tu ne lui ressembles pas.

— Tu voudrais que je lui ressemble ?

— Si tu lui ressemblais, je ne t'aimerais pas, dit-il tendrement.

Ce n'était pas une réponse, mais ni l'un ni l'autre, ils ne s'en avisèrent.

★
★ ★

Pat était étendue sur le lit, dans la lueur violacée de la lampe. Diane, sur le pouf marocain, cousait. Le transistor marchait, emplissant son cerveau d'ondes musicales. Elle n'écoutait pas mais se laissait engluer par le flot sonore avec un soulagement de tout le corps. Seule lueur de pensée, le minuscule effort de transpercer la toile rude, point après point. Elle ourlait un jean, et la résistance de l'étoffe, la régularité qu'elle s'efforçait de donner à ses points, achevaient de l'endormir doucement, d'apaiser cette agitation qui la quittait si rarement. Elle n'était même plus consciente du regard de Pat, qui se posait sur son visage un peu pâle, un peu gras, mais d'une certaine beauté bovine et résignée. La paix régnait dans la longue pièce impeccablement propre, une paix un peu triste qui sentait l'Ajax et l'eau de Javel, une paix sans ornements et sans charme, comme Diane elle-même, le dos rond, penchée sur son travail.

— Alors, ça va durer longtemps, cette histoire ? dit Patricia.

Sa voix avait une sorte de douceur. Elle jouissait d'avance d'un triomphe facile. En effet Diane sursauta, lâcha son ouvrage avec effarement, et son visage s'embellit d'une soudaine angoisse :

— Qu'est-ce que tu cherches à obtenir de cette fille ?

— Quelle fille ? articula Diane, sans conviction.

150

Patricia se mit à rire :

— Où crois-tu que ça va te mener, toi et le petit? A ce que tout le quartier soit au courant? A ce qu'une assistante sociale vienne nous enlever le petit? Il est vrai que tu ne demanderas qu'à t'en faire faire un autre; c'est tellement simple! C'est ça que tu cherches?

Diane se taisait, le visage crispé, mais ramassée sur elle-même, résistant à l'assaut. De sentir cette résistance, la colère de Patricia gonflait lentement; elle la sentait en elle, cette poussée violente qui lui avait donné la force de dominer son père et sa sœur, la force de les obliger à quitter Creil, à s'établir ici, la force de retenir Diane prisonnière dans cette pièce, de s'y cloîtrer elle-même.

— Tu lui as parlé hier, reprit-elle, d'une voix basse encore, mais sifflante. Tu lui fais des confidences, peut-être? Elle doit te plaindre beaucoup. Une pauvre fille abandonnée, n'est-ce pas. Parce que tu lui as dit que tu étais abandonnée, sûrement; sinon est-ce qu'elle se donnerait la peine de sortir le pauvre enfant sans père? Est-ce que...

Sa colère montait, bienfaisante, splendide comme une flamme, la réchauffant, l'éclairant toute. Mais Diane l'interrompit, la voix plate.

— Il faut bien que le petit prenne l'air.

Pat, coupée dans son élan, grimaça avec fureur. Il s'agissait bien de ça!

— Il prend l'air du matin au soir, le petit! Il n'a aucun besoin. Après c'est toi qui auras besoin d'air, sans doute! Et Papa, pourquoi pas? Sans moi, vous auriez pu prendre l'air à Fresnes, tous les deux! Et le petit, il l'aurait pris l'air, à l'Assistance! Tu m'entends, Diane?

Diane avait toujours la tête baissée, elle fixait le sol avec obstination, elle recevait les coups, elle tressaillait, mais quelque chose en elle de passivement durci faisait sentir à Pat qu'elle ne cédait pas.

— Tu vas dire à cette fille qu'elle laisse le petit tranquille, tu m'entends! Qu'elle le laisse! Ou qu'on ne lui permettra même plus de sortir dans la cour!

— Elle demandera pourquoi, dit Diane de la même voix neutre, molle.

151

— Eh bien tu lui diras merde! Merde! Que cela ne la regarde pas! Qu'on ne s'occupe pas de force des enfants des autres! Qu'on l'en empêchera! Il y a des lois pour ça.

— Oui, dit Diane. Il y a des lois, c'est ce que tu me disais à Creil.

Pat en eut le souffle coupé. Que ses propres menaces se retournent contre elle la dépassait.

— Tu en seras la première victime, dit-elle.

Ses mains se crispaient sur le bord de l'édredon de satin mauve :

— Tu ne veux pas faire ce que je te dis?

— Rachid a pris l'habitude de se promener, dit Diane.

— Et qu'est-ce qui suivra? Veux-tu me le dire? Qu'est-ce qu'elle va lui donner d'autre, comme *habitude?*

Diane releva la tête, son visage mou tout à coup durci.

— Peut-être qu'il parlera, dit-elle.

Patricia éclata de rire, comme soulagée.

— Ah! c'est donc ça! dit-elle, triomphante. Elle peut bien continuer à le promener, va! Elle peut même le faire soigner par son docteur de mari, et par tous les docteurs de France! Il ne parlera jamais, ton idiot, ton dégénéré de fils. Et tu sais bien pourquoi!

Diane voulut répondre, éclata en sanglots.

— Tais-toi! gémit-elle. Tais-toi!

Patricia se leva, s'approcha d'elle, la prit dans ses bras :

— Ma pauvre chérie, dit-elle sincèrement, ce n'est pas ta faute, va; ce n'est pas ta faute...

Apaisée, elle pleurait, elle aussi, avec une sorte de joie de toucher le fond du malheur, de s'être convaincue, et d'avoir convaincu Diane, qu'il était irrémédiable.

Elle, Pat, ne regrettait pas Creil. Pat avait haï Creil dès sa petite enfance, la foule de Creil, l'école pourtant moderne et blanche, avec un bac à sable et un petit manège pour les enfants de la maternelle; les rites de Creil : pour les jeunes, le solex ou la moto pétaradante tout le week-end, pour les moins jeunes, l'expédition familiale et joviale, deux fois par semaine, vers le supermarché, les chariots grinçants, l'illusion d'abondance que donnaient les emballages bariolés, les sacs pleins à craquer de café, de confiture trop sucrée et sans goût, les conserves, les épices, le pain prisonnier de la cellophane « pour ne plus avoir à se déranger » pendant trois jours. Les pique-niques. Les voisins. Il n'y avait pas, autour des Bellem, de racisme trop évident. On les avait « intégrés », comme disait l'assistante sociale, et la mère, grosse femme brave comme un hussard, sous les armes dès l'aube avec son balai, son torchon, avait eu à cœur de prouver, à grand renfort de salle à manger achetée à crédit, d'abat-jour de chez Conforama, d'appareils ménagers et de rideaux à fleurettes, qu'elle valait bien les Françaises du coin, celles qui n'avaient pas épousé un Arabe. Elle les valait, elle les surpassait même : les petites allaient à l'école les cheveux proprement nattés, les tabliers toujours frais, les cartables, les plumiers, renouvelés à chaque rentrée. Le père gagnait honnêtement sa vie, chez Stenco, l'usine de pantalons, une petite boîte assez sympathique, où on ne pointait pas — avantage dont on se targuait auprès des autres, ceux de Poivrossage, ceux de Solimeuble, soumis, eux à l'horloge redoutable — leur intérieur était laid, chaleureux, on bricolait le dimanche, le père à fabriquer un appentis pour y ranger du bois, un vague cousin tripotait un moteur, la mère avait une machine à coudre, qui ronronnait en même temps que la télé, s'arrêtant seulement pour laisser une chance aux dialogues, dans les moments intéressants. Ce n'était pas le malheur, Creil. Patricia aurait préféré le malheur.

On la disait intelligente, à l'école. Intelligente, mais irrégulière. Diane avait plus de persévérance, elle soignait ses cahiers, son écriture, ses tabliers. Patricia avait « des crises », au cours desquelles elle déchirait son tablier et faisait, exprès, des fautes d'orthographe. « Elle veut se rendre intéressante », disait paisiblement son institutrice, excellente femme douée de nerfs à toute épreuve, qui avait, comme les Bellem, une 2 chevaux payable par traites, une télévision, des appareils Moulinex, et qui les saluait cordialement le vendredi en fin d'après-midi, quand leurs chariots se croisaient, chargés de soupes en sachets, de purée en poudre, avec une bonne bouteille et des biscuit apéritifs. Biscuits semblables, petites filles semblables; Patricia se voulait intéressante, elle n'y arrivait pas. Elle avait l'impression d'être bue par les façades grises, absorbée, mangée, par les horaires, la vie monotone et paisible. On lui disait qu'elle pourrait s'élever (langage de l'assistante) en faisant des études : être institutrice, coiffeuse, secrétaire de direction. Elle haussait les épaules, furieuse. Institutrice! Pour croiser le chariot de Mme Fanette, le vendredi? Du reste on se trompait. Elle n'était pas intelligente. Elle brûlait, depuis qu'à dix ans elle s'était aperçue de ce dont personne autour d'elle ne semblait s'apercevoir : que Creil était laid; elle brûlait de colère de voir ce que les autres ne voyaient pas. Il lui semblait vivre au milieu de fous, d'imbéciles. Et qu'on lui parlât — si vaguement, avec si peu d'espoir — de mériter autre chose, la plongeait dans ses « crises ». Elle ne voulait rien mériter. Elle voulait qu'on lui donnât, elle voulait un miracle. Et si le bonheur se méritait, alors elle voulait le malheur, une chose énorme qui l'emportât, qui fît exploser la laideur moite et tiède de la maison, la laideur grise et calme de la rue, qui fît exploser l'usine, le pont de chemin de fer, l'école, et Creil tout entier avec ses fourmis, rassasiées de peu. Le malheur vint, moins grand et plus terrible qu'elle ne l'imaginait : sa mère mourut, d'un cancer passé presque inaperçu, pas trop douloureux; sa mère mourut contente, à l'hôpital Curie, dans une chambre individuelle où il y avait même la radio, trouvant les infirmières gentilles, la purée excellente, et sûre de rentrer chez elle dix-huit jours après, car elle avait une confiance aveugle dans le progrès et la civilisation occidentale. Diane pleura beaucoup, le père Bellem pleura et but beaucoup, des parents connus et inconnus vinrent de Nanterre, de Montreuil, de Senlis, dans des voitures payables par traites, pleurer et boire devant la télévision, dont on coupait le son, en signe de deuil. Pat se réfugiait sous l'appentis (maintenant terminé, grâce à la perceuse électrique achetée récemment) et elle seule savait qu'elle avait tué sa mère. Elle avait treize ans alors, et Diane quatorze. Un an plus tard (pas tout à fait un an) Diane était enceinte, et Patricia régnait. Terrifiant sa sœur, son père, elle sut que la chose qu'elle attendait était arrivée. Les bagages faits en une journée, comme pour un exode, la maison abandonnée, Creil disparu à jamais, l'arrivée chez des cousins, la recherche d'une pièce vivable, d'un travail qui leur permît, à elle et à Diane, de vivre cloîtrées dans « la honte », tout cela se fit, réellement, par miracle. Un cousin âgé leur céda la gérance du Croissant d'Or, et l'obscure prison attenante. Diane accoucha d'un garçon, et l'on s'établit rue d'Ecosse.

Si on les avait laissés faire, Diane et le père, ils se seraient rendormis. Mais Pat ne le leur permit pas. Elle porta le deuil, la honte, la misère pour eux. Elle réinventa un folklore primitif qui ne leur permettrait pas d'oublier, de se réinsérer. Elle élabora avec les moyens qui lui étaient accessibles, photo-romans, feuilletons de télévision, honneur arabe et ironie française, une espèce d'œuvre, de malheur parfait, où le manque d'argent, la claustration, la nécessité, qu'elle savait rendre humiliante, de se travestir pour les minables clients du Croissant d'Or, jouaient leur rôle. Diane, en pantalons bouffants descendant sous le nombril, trois pauvres sequins au cou, agitant ses hanches lourdes devant un auditoire aviné, concupiscent et moqueur à la fois; son père, perdu devant les crédits qu'il accordait follement et n'osait plus réclamer ensuite, la réprobation du quartier, la gêne physique même du manque d'espace et de lumière, étaient les composantes de ce tableau naïf et cruel, conçu par une petite fille de Creil. Il n'y manquait qu'une touche, et l'enfant la lui fournit, lorsque vers trois ans, on s'aperçut qu'il ne parlait pas, qu'il ne parlerait sans doute jamais. Alors elle crut qu'ils étaient enfin définitivement maudits, et se reposa.

*
* *

— Je ne peux plus vous prendre, voyez-vous... dit le Bon Docteur lentement, en frottant l'une contre l'autre ses mains grassouillettes. Trop de demandes, trop de clients... Je n'ai plus le temps matériel...

— Il n'y a pas tant de monde dans l'antichambre, dit Josée, froidement.

Depuis quelque temps, elle s'attendait à quelque chose de ce genre, et se préparait au combat.

— Mais je reçois aussi chez moi, et je me fatigue...

— Vous n'habitez donc pas ici? dit-elle, marquant un point.

Il eut un bref mouvement de colère, car il croyait l'emporter sans peine, l'affoler, la décourager — s'en débarrasser enfin. Il était tellement habitué à sa modeste toute-puissance!

— L'endroit où j'habite ne concerne que moi!...

— Mais bien sûr, Docteur, bien sûr... Ne craignez rien! Je sais être discrète, dit-elle, rassurante, avec une pointe de mépris. Je vous suis trop reconnaissante pour vous compromettre, voyons!

Il faillit éclater. Ce qu'il avait voulu, c'était la voir suppliante, prête à tout pour qu'il condescende à poursuivre le « traitement » — et lui refuser. Mais la conversation prenait un tour imprévu : c'était elle qui le rassurait! Il étouffait de stupeur rageuse, et n'osait pas élever la voix.

— Mais enfin, madame, c'est inouï! Vous ne pouvez pas me forcer...

Il voulait menacer, et déjà se repliait sur une position défensive. On ne pouvait rêver phrase plus maladroite, et bien entendu, Josée la saisit au vol.

— Mais bien sûr que si, disait-elle, de sa voix sèche et courtoise de dame patronnesse. Elle découvrait sa force, avec une joie coupable. Pour la première fois, elle se mesurait avec quelqu'un, avec ce gros homme étalé dans son fauteuil, son ventre devant lui comme une protection dérisoire, barré d'une chaîne de montre, ses grosses mains maniant nerveusement un coupe-papier en corne, sa grosse voix qui s'efforçait de lui faire peur, pareil en tout à l'Ogre de la fable, et il ne lui faisait pas peur, et elle était sûre, tout à coup, de vaincre.

— Comment? Vous me menacez?

La grosse voix, le regard furieux. Ne pas se laisser impressionner. Elle se sentait petite, maigre, laide, en face de lui, et c'était là-dessus qu'il comptait. Sur ce qu'elle était une femme, vulnérable, sensible aux cris, à l'ombre énorme qui allait s'étendre sur elle quand il se lèverait — et il allait se lever, il se levait pour l'écraser. Mais elle résistait, elle ne quitterait même pas la petite chaise sur laquelle elle se tenait bien droite, les deux mains sur son sac ridicule : il ne s'agissait pas d'un concours de catch.

— Si je n'avais pas pitié de vous, ma petite dame, je vous jetterais dehors, tout bonnement!

— Vraiment? dit-elle.

Il ne le faisait pas, alors qu'il aurait pu l'écraser d'une seule main. Il ne le faisait pas, donc elle était la plus forte.

— Je crois que ça ne ferait pas bon effet sur votre clientèle. La mère d'un enfant infirme, jetée dehors brutalement... Après tout, vous vivez de votre réputation, tout comme un vrai médecin...

Il marchait de long en large dans la misérable petite pièce, qui sentait le moisi.

— Vous oubliez le bien que j'ai fait à votre enfant, dit-il, en s'efforçant de maîtriser sa colère.

— Pas du tout. Au contraire. Je tiens à ce que vous acheviez ce que vous avez si bien commencé. Sauveur boite encore. Il marche, mais il boite. Quand il ne boitera plus, vous en aurez terminé avec nous.

— Mais comment voulez-vous que je fasse? hurla-t-il, tout à coup, ayant perdu son sang-froid.

— Comment avez-vous fait jusqu'ici?

Il reçut le choc en pleine poitrine. Il alla se rasseoir derrière le bureau massif, en silence. Il était en plein désarroi. Ce n'était pas les paroles de Josée, c'était ses propres paroles qu'il avait soudain entendues, l'aveu, sorti de lui irrésistiblement après tant d'années, l'aveu de la savoureuse duperie, du mensonge lucratif dont il tirait sa supériorité et qu'il n'avait soudain pu retenir, devant l'assurance de cette petite femme méprisante et sûre d'elle. Mais il s'était livré pour rien. Josée Sant'Orso souriait.

Il avait attendu avec appréhension et délice un effondrement, qu'elle éclatât en sanglots, qu'elle lui crachât au visage, qu'elle menaçât d'appeler la police, mais il ne s'était pas attendu à ce sourire. Ce fut en lui qu'il sentit une sorte d'effondrement.

— Voyons, Docteur, ne vous calomniez pas, dit Josée posément. Les résultats sont là pour vous démentir.

Tant de femmes et d'enfants sortent d'ici réconfortés, guéris, oui, guéris...

Elle avait l'air de se moquer de lui. Elle le poussait dans ses derniers retranchements. Il s'était si souvent targué des innombrables guérisons qu'il avait opérées! Il avait rencontré la crédulité, l'obtuse admiration, parfois la frayeur, le doute; jamais ce défi moqueur. Elle avait l'air de dire qu'il guérissait malgré lui, quasiment sans le vouloir. Elle le disait, bel et bien!

— Vous avez ce don, Docteur, que vous le vouliez ou non. Vous n'avez pas le droit d'en avoir peur. Si, si, je le vois bien! Vous avez peur de votre influx, et je le comprends — un homme pieux comme vous, intervenir dans le cours de la nature, on peut hésiter, avoir des doutes, des remords peut-être, on peut...

Il frappa du poing sur la table, violemment, et Josée ne put retenir un sursaut.

— Mais qu'est-ce que vous me racontez là? Qu'est-ce que c'est que ce charabia? Je n'ai pas de remords! Je n'ai pas d'influx! Je vous dis que je ne veux plus... Que je ne veux pas...

Il avait tout à fait perdu la tête, écarlate de colère contenue, de stupéfaction. Josée étendit la main. Avec un sentiment d'exaltation qui la soulevait au-dessus d'elle-même, elle posa ses doigts longs et froids sur le poing crispé.

— Allons... allons... Vous êtes découragé, déprimé, vous ne savez plus où vous en êtes... Tout le monde a de ces moments-là. Ça ira mieux la prochaine fois, rassurez-vous. Je comprends très bien que vous ayez besoin de vous reprendre, quelquefois. Je remmène le petit. Je vous le ramènerai jeudi.

— Ce sera plus cher! dit-il d'une voix rauque, espérant contre toute espérance. Je suis obligé d'augmenter mes tarifs! De les augmenter sérieusement!

— Bien entendu, dit Josée. Bien entendu.

Elle referma la porte avec précautions, comme on fait dans une chambre de malade. Il resta là, comme un taureau aveuglé de fureur, les tempes battantes, avec un désir de casser, de briser, une incompréhension qui l'affolait comme un chiffon rouge. Elle s'était moquée de lui — mais était-il possible qu'une mère, aussi ardemment désireuse de voir guérir son enfant, se moquât de lui? Mais si elle ne se moquait pas, pourquoi l'avait-elle sciemment mis hors de lui, poussé à ces cris ridicules, à ces aveux dangereux? Une misérable femelle, aussi bête que les autres, puisqu'elle croyait à des « pouvoirs » qui auraient guéri son enfant. Aussi bête que les autres. Alors pourquoi s'en débarrasser? Ne pas presser le citron jusqu'au bout? Oh! il le presserait, elle allait payer, au sens propre du mot, le crime d'avoir cru à ses pouvoirs. Non : le crime de ne pas s'être soumise, comme les autres, à sa personne. Car si elle croyait dans « l'influx » c'était en quelque sorte indépendamment de lui, comme si sa bonne volonté à lui n'y pouvait rien changer, comme si elle lui arrachait insolemment pour un peu d'argent (trop peu, mais cela, il allait y veiller) la guérison de son fils. « Pas de reconnaissance », marmonnait-il machinalement, en feuilletant ses fiches pour se calmer. « Pas la moindre reconnaissance! Et pourtant, il va mieux le petit! Il va mieux!» Il n'en était pas encore au point où il pouvait reconnaître que c'était justement là ce qui le troublait.

Jo était sortie triomphante; fait exceptionnel, elle avait même pris un taxi pour ramener Sauveur qui l'avait attendue patiemment en compagnie de la goitreuse. « Il n'a pas osé!» se disait-elle avec une fièvre joyeuse. « Il n'a pas osé!» Elle sentait, depuis les deux ou trois dernières séances, que le Docteur était réticent, qu'il se dérobait, qu'il devenait bien différent du charlatan bonasse, prodigue de belles paroles et de promesses vagues, qu'elle avait vu au début. C'est qu'elle l'avait percé à jour. Sa fatuité, son mépris pour le pauvre troupeau grelottant dans la salle d'attente pas chauffée, ses trucs puérils comme ceux d'un illusionniste : la brusque chaleur quand on entrait dans le bureau pour donner une impression de bien-être; la lampe trop forte, pour éblouir, la chaise trop basse, pour intimider. Elle n'était pas de celles qui se laissent prendre à ces procédés — cet homme avait un don, il le vendait : un point c'est tout. Le reste prouvait simplement qu'il s'agissait d'un être médiocre, sans envergure, et qui s'était complu, bassement, à l'inquiéter pour lui soutirer de l'argent. Tous ces irréguliers sont les mêmes. Elle s'était compromise dans un monde louche, asocial : elle n'avait qu'à s'en prendre à elle-même. Du reste, après le premier choc, elle avait été à peine surprise. Ne savait-elle pas dès l'enfance que dès qu'on sortait des règles admises, il fallait s'attendre à tout? Les demandes d'argent de l'Ogre l'inquiétaient à peine. Elle se priverait, elle emprunterait, elle se débrouillerait. Les difficultés ne l'effrayaient pas, lui donnaient au contraire le sentiment de se racheter un peu. S'il avait cru la décourager!...

Mais pourquoi aurait-il voulu la décourager? En apparence, il y avait là une contradiction. Si elle était sa dupe, n'aurait-il pas dû au contraire la ménager, la flatter? Quand elle avait acquiescé sans discuter à l'annonce d'une augmentation, il avait paru presque déçu, dégonflé. Il aurait voulu sans doute qu'elle le suppliât, qu'elle s'imaginât qu'il agissait par philanthropie — une sorte de saint, en somme! Elle préférait payer. Bon pour les Mme Boussu, pour les goitreuses, les épaves qu'elle voyait, frémissantes d'émotion niaise dans l'antichambre, de s'imaginer que ce gros bonhomme puant de supériorité facile et de mépris, était une sorte d'envoyé du ciel. Un envoyé du ciel ne les eût pas guéries. Il leur eût donné la résignation, la mollesse; elle n'était que révolte, combativité. Contre le mal de Sauveur, mais aussi, en secret, contre sa mère, sa grand-mère, contre ces femmes qui l'admiraient, qui l'enfonçaient dans ce personnage de mère crucifiée, de mère *de* crucifié, qu'elle refusait sauvagement. Non, elle n'était plus douceur et sacrifice, quand il s'agissait de Sauveur. Elle n'était plus l'effacement, la discrétion, le bon ton. Et toute l'hypocrisie doucereuse du gros homme n'y changerait rien : elle se savait en faute, en infraction; le savoir la libérait presque. Ce n'était pas une petite neuvaine à saint Antoine de Padoue qui y changerait quelque chose. Et lui, l'homme qui prostituait son don, qui le troquait contre de l'argent et les génuflexions d'une douzaine d'idiotes, ne valait pas mieux qu'elle. Il le savait. Il rageait de voir qu'il ne l'abusait pas, qu'elle se servait de lui sans être dupe. C'est pourquoi il avait voulu se débarrasser d'elle. Les hommes sont plus hypocrites que les femmes : il ne supportait pas d'être démasqué. D'être traité d'égal à égal. « Il peut m'extorquer de l'argent, pensait-elle, le feu aux joues, tout au plaisir amer du combat, mais je ne m'abaisserai pas devant lui. »

— Pourquoi tu souris, Joséphine? demanda Sauveur, qui commençait à se lasser du plaisir d'être en taxi.

Elle sursauta. Un moment, dans sa fièvre, elle avait même oublié Sauveur.

*
* *

Elle se demandait s'il rusait. Elle se demandait si elle souhaitait qu'il rusât. Elle l'observait, elle s'observait. Nouveau, tout cela.

D'abord, quand il était seul au fond du puits blanc, et elle en haut, à travers la vitre elle l'observait, et ses lèvres remuaient, elle en était sûre. Mais elle n'était jamais parvenue à entrouvrir la fenêtre sans qu'il l'entendît, même en s'y prenant doucement. Et puis, quand elle lui parlait longuement, il lui arrivait, à Allegra, sans le faire exprès, de laisser se glisser une question dans son bavardage. Et parfois elle avait le sentiment très net que la réponse venait aux lèvres de l'enfant, et qu'il la retenait de justesse. Alors, comme pris en faute, il souriait à moitié, baissait les yeux, puis manifestait par gestes le désir de l'embrasser. Elle l'embrassait.

Elle se demandait s'il rusait. Elle se demandait si *elle* rusait.

— Pourquoi tu ne me parles pas? chuchotait-elle, sa joue pressée contre le petit visage mou et frais. Je ne le dirais à personne, tu sais.

Il baissait les yeux. Il raclait le sol avec son pied gauche. Il avait de longs cils, et ce que la famille eût appelé « l'air sournois ». Mais elle-même, quand elle était enfant... Seule dans la chambre trop grande, trop vide, d'un jaune triste qui rappelait les mas de Provence vides sous le soleil, ces maisons aérées, sonores, dont l'habitant est toujours sorti; elle-même qui allait à la fenêtre, épiait dans la grande cour sablée, les automobiles, les livreurs, les clients. « Qu'est-ce que tu fais là, l'air sournois ? » disait sa mère. Un jour elle s'était hasardée à livrer sa pensée : « Tu ne trouves pas que c'est drôle, que tous les gens qui viennent chez nous, ils aient une maladie ? » Vanina l'avait regardée avec étonnement. « Puisqu'on est chez un médecin ! » (Un étonnement patient.) Elle ne comprenait pas. Allegra avait insisté, parce que ça lui paraissait important : « Non, mais... je veux dire, nous on le sait, tu comprends, enfin papa le sait, mais les gens du dehors, dans la rue, ne voient pas la différence, ne voient pas qu'ils ont la maladie... » « On ne dit pas : *la* maladie. Parce qu'ils n'ont pas la même maladie. On dit : *la* maladie, pour les animaux seulement. » Et elle s'était embarquée sur les chiens, les chats... Elle rusait, peut-être ?

Ce qu'Allegra trouvait intéressant, c'était ce secret que les gens portaient en eux : comme une fève dans le gâteau des rois, les œufs plus petits dans le gros œuf de Pâques, la relique dans la poitrine en bois de sainte Réparate, et de l'extérieur, rien, pas même un bruit de grelot, ne les trahissant... Elle avait essayé d'expliquer cela — elle ne savait pas encore qu'il ne sert à rien d'essayer d'expliquer les choses simples. Et Vanina l'avait regardée d'un air préoccupé, avec un petit « Tttt... Tttt... » comme si elle avait un bouton de fièvre, ou la gorge rouge, et avait dit finalement, avec la même patience, désespérant elle aussi de se faire comprendre : « On ne doit pas parler des clients. Ça ne se fait pas. C'est le *secret professionnel.* » Il y avait donc bien un secret. Ils rusaient tous.

Maintenant, à cause de l'enfant, elle se souvenait. Le silence était comme une petite chambre où elle se trouvait bien. Les autres s'agitaient dehors : ça ne la gênait pas. Il y avait des gestes à faire, des mots à dire, pour leur faire plaisir, mais c'était tout de même le silence. Il y avait eu des déménagements, la guerre, la mort d'oncle Pascal et celle de grand-père, le mariage de Jo... Elle vivait toujours dans cette petite chambre. « Elle ne parle pas beaucoup mais elle est charmante », disaient les vieux amis de la famille. Elle était contente qu'on la trouvât charmante. « C'est la plus serviable de mes filles », disait Vanina avec une satisfaction sans arrière-pensée. Et plus tard, quand elle était allée travailler avec Paule à l'Institut, celle-ci déclarait : « Renée, Odette, les clientes, tout le monde l'adore. » Et le silence était comme une petite chambre, et le studio, qu'elle n'avait pas choisi, ressemblait à la petite chambre du silence. Mais elle n'y était plus seule. L'enfant était là. Il ne pouvait la mettre en danger, puisqu'il ne parlait pas. Elle se laissait aller à une tendresse toute nouvelle, soulagée de pouvoir se taire comme d'autres le seraient d'enfin parler. La petite chambre s'était ouverte, mais les bruits du dehors n'y avaient pas pénétré. C'était plutôt comme si le silence était sorti de la chambre, sans violence, et s'était répandu sur le monde, une nappe d'eau calme, sur laquelle elle flottait. Longtemps timide et contenu en elle, incompris et incongru, le silence sortait d'elle maintenant, comme un chant, comme un rayonnement, et elle, encore incertaine, sur le pas de la porte, attendait que l'on comprît, en souriant.

Elle devenait franchement jolie — on s'apercevait que tout ce qui lui avait manqué pour l'être, jusque-là, c'était une sorte d'éclat, de lumière qui maintenant se levait sur elle; un peu plus tous les jours, elle sortait de l'ombre, avec une sorte de confusion gracieuse de son propre épanouissement. Et jusque dans les yeux de l'enfant, quand elle rentrait, quand, reconnaissant le bruit de ses pas, il s'avançait, pour voir monter vers lui la chevelure claire, dans la pénombre de l'escalier, comme une lampe encore voilée, elle lisait une surprise pensive, cet émerveillement presque triste qu'inspire la beauté. Elle lui tendait les bras : il ne se précipitait pas, il venait, grave, sans hâte, sans élan, avec une sorte de détermination. Seule la crispation si puissante des petits bras autour d'elle lui faisait sentir combien il l'avait attendue. Puis il la lâchait. Cet instant presque douloureux d'angoisse, s'évaporait. Ils redevenaient légers, ils gravissaient l'escalier B ensemble, et tous les jours il le montait plus facilement, et tous les jours il la regardait avec orgueil, la prenant à témoin de ses progrès. Et elle riait, avec une naïve fierté, en pensant que c'était pour elle qu'il accomplissait ces exploits.

Quand Phil ne rentrait pas déjeuner, elle l'installait à table. Elle lui pressait des oranges, elle coupait sa viande. Un jour, il lui prit le couteau des mains et en se donnant beaucoup de peine, il parvint à couper un morceau d'escalope. Ensuite, il s'exerça. Chaque fois qu'il déjeunait avec elle, il s'efforçait de couper au moins deux ou trois morceaux de la tranche qu'elle lui servait. Puis il lui rendait le couteau, pour qu'elle achevât. Un jour, il couperait toute sa viande. Sa petite main ne tremblerait plus, le couteau ne déraperait plus, il n'enverrait plus de sauce sur la nappe, comme cela était arrivé une fois ou deux. Il avait eu des larmes aux yeux, alors, mais n'avait pas crié. Il avait essuyé la tache avec sa serviette en papier, patiemment, et elle avait pensé encore « Comme il est courageux! » avec cette tendresse grandissante, inexplicable, presque respectueuse qu'elle avait éprouvée quand il avait caressé l'herbe, *le premier jour*. Elle se souvenait toujours de cette promenade comme du « premier jour » parce que c'était le premier jour où elle avait senti qu'elle l'aimait.

*
* *

Quand il pleuvait, ils regardaient ensemble la télévision. Il y a presque toujours un film, le lundi. Elle ne se préoccupait pas de savoir s'il comprenait. Ils regardaient ensemble, voilà tout. Il posait sa petite tête luisante de brillantine sur les genoux d'Allegra. Un jour elle se dit que c'était sale, cette gomina qui tachait ses pantalons, ses tabliers. Elle acheta un shampooing et lui lava la tête. Il riait follement pendant qu'elle lui séchait les cheveux au séchoir et découvrait, comme un cadeau, que les cheveux sombres bouclaient naturellement. Le lendemain, la fille rousse, Diane, lui dit en la croisant dans la cour, où elle venait conduire l'enfant, qu'il avait hurlé « comme fou » quand on avait voulu lui remettre de la brillantine, le matin même.

— Ce n'est plus la mode, la brillantine, dit Allegra, avec la fermeté de sa mère. D'ailleurs, c'est sale et c'est mauvais pour les cheveux...

— Ah! bon, dit la grosse fille.

Il n'y eut plus de brillantine. Il ne vint pas à l'esprit d'Allegra de s'étonner de ce dialogue, ni de cette abdication.

★
★ ★

— Josée a quelque chose, dit Bonne-Maman avec fermeté.

Elle brodait pour montrer qu'elle pouvait encore, à quatre-vingts ans, le faire sans lunettes.

— Les bronches, vous croyez?

— On peut dire que tu es marquée, toi! avait soupiré Mme Santoni, avec agacement. Parce que tu as épousé un médecin, tu ne vois plus que des organes. Si tu avais épousé un charcutier, le monde entier serait saucisse.

— Je disais ça parce qu'elle a toujours été un peu sensible...

— Des bronches, je sais. Mais si c'était les bronches, je dirais : les bronches. Je ne dirais pas « quelque chose » !

— Ne vous fâchez pas! Qu'est-ce que vous voulez qu'elle ait d'autre?

— Je ne *veux* pas. Je sais.

— Qu'est-ce que vous savez? dit Vanina avec intérêt.

Elle fumait, appuyée du coude à la table de la salle à manger. Elle n'avait jamais pu se mettre aux ouvrages de main.

— Je sais qu'elle a emprunté de l'argent à Octave.

— Oh! fit Vanina, avec une indignation qui n'excluait pas un certain plaisir. Peu habile à sonder les consciences, à détecter les secrets, elle n'en admirait que davantage sa mère, qui apprenait toujours tout.

— Mais pourquoi? Je sais qu'ils ont des frais de représentation, mais...

— Ttt! Ttt! Ça ne doit pas être ça. Sans cela pourquoi aurait-elle emprunté de l'argent à Octave, et pas à *moi*? Elle me cache quelque chose!

— Josée?

Vanina ne cachait pas son incrédulité. Pour elle, Josée était la femme forte de l'Evangile, elle ne pouvait pas se tromper. Elle avait une fois pour toutes défini les rôles et n'admettait pas que ses filles en sortissent. Josée, c'était Rébecca, Sarah; Paule, c'était l'Amazone, défiant Dieu et les hommes, « un cerveau » qui avait péché contre la condition féminine et en serait punie par une sévère solitude, mais qu'elle admirait un peu tout de même. Allegra, c'était la jolie fille un peu sotte qui devait faire le bonheur d'un homme. Ces définitions simplifiaient ses rapports avec le monde, lui restituaient une ordonnance sévère qui la dispensait d'égarer son intérêt sur ce qui n'était pas son mari.

— Josée. Tu ne vois que ce qui te crève les yeux.

— Si Jo avait des ennuis, elle m'en parlerait, j'en suis sûre.

— Elle t'a parlé?

— Non, mais...

— Eh bien, je suis sûre qu'elle a des ennuis. Tu as remarqué comme elle s'est tue quand on a discuté les projets de Paule?

— Elle n'a pas voulu faire tort à sa sœur, dit Vanina, et elle rougit immédiatement, car elle sentait qu'elle défendait Jo contre toute vraisemblance : Jo n'avait jamais hésité à attaquer Paule, avec une cordiale agressivité. Bonne-Maman ne manqua pas l'occasion de ricaner, sans méchanceté.

— Ma pauvre Nine! Il se passe des tas de choses autour de toi, et toi tu es trop absorbée pour rien remarquer.

— Comment ça absorbée? Absorbée par quoi? demanda Vanina indignée. Insinuait-elle qu'elle ne s'intéressait pas à ses enfants?

— Mais par ton mari, dit la vieille dame avec un mépris bienveillant. Heureusement que ta mère y voit plus clair que toi.

Et elle n'avait pas tort. Vanina, cette grande femme sèche, cette madone desséchée, cette infirmière, cette femme de devoir, aimait. Elle aimait son mari : aux yeux de sa mère, ce n'était pas une circonstance atténuante. Bien entendu une femme aime son mari, mais

166

comme un peuple aime son roi, de loin, par principe, et sans élément personnel. Vanina aimait. Aux yeux de ses filles, de ses frères et sœurs, aux yeux de son mari lui-même, elle pouvait le dissimuler. Aux yeux de sa mère, elle ne le pouvait pas. Elle aimait, voilà tout; elle aimait ce colosse mélancolique, habité de rêves vagues, elle l'aimait cordial, expansif, bruyant; elle l'aimait brusquement abattu par la misère du monde, et se consolant seul devant la bouteille de genièvre ou d'aquavit qu'elle allait lui acheter place de la Madeleine; elle ne se permettait, sans doute, nulle démonstration : mais quand il rentrait, le soir, de ses visites (et parfois d'un café où il allait deux fois par semaine jouer au billard) elle rayonnait. Elle l'aimait. Ses remarques acerbes l'étaient trop, ses silences n'étaient pas calmes, une tendresse inquiète suintait d'elle quand elle s'informait de ses désirs, de sa fatigue... Pouah! Mme Santoni soupçonnait presque une sorte de connivence sexuelle entre ces époux. Elle allait jusque-là, parfaitement. Dieu merci, ni le docteur, ni Vanina n'étaient démonstratifs. Mais ce sont des choses qu'on perçoit. Et mariés depuis tant d'années! Comment voulez-vous, avec de telles préoccupations, qu'une femme reste lucide?

Heureusement, Vanina avait sa mère. Et cette mère n'attendait que l'occasion de prendre les choses en main.

★
★ ★

« Tout cela ne serait pas arrivé sans la briqueterie », devait dire Vanina plus tard, car Paule voulait maintenant installer Privat, Jean-Phil et le labo dans la briqueterie désaffectée que Bonne-Maman n'avait jamais voulu vendre. C'était à soixante kilomètres de Paris, dans l'Oise; on y trouverait, semblait-il, la main-d'œuvre qui se révélait rare à Maisons-Alfort.

Mais Renée, quand elle eut récolté quelques bribes de renseignements, qu'elle les eut réajustées et recollées avec la patience des solitaires, pensa que « tout était arrivé » parce qu'il avait tant plu ce printemps-là. Parce qu'il avait plu, Allegra n'avait pas pu promener l'enfant, plusieurs lundis de suite. Parce que l'enfant avait marqué une vive déception, Allegra avait songé à se libérer d'un travail devenu soudain contrainte. Parce qu'Allegra la trahissait (au sens famille du terme) Paule avait perdu la tête. Telle devait être la succession des faits matériels. Et Renée pensait parfois (penserait, quand elle aurait perdu la famille de vue) qu'Allegra était peut-être, non pas un être psychologique, soumis comme Paule et elle à des réactions, des colères, mais plutôt influencée par l'orientation du vent, les phases de la lune, les grands mouvements lents de la nature. De toute façon, l'opinion de Renée sur Allegra ne fut jamais bien claire. Elle la blâma, la défendit, fut perplexe enfin, et peut-être parce qu'elle était plus solitaire que les autres femmes, et par là plus proche d'Allegra, elle la comprit jusqu'à un certain point. Mais au-delà, il aurait fallu la suivre, Allegra, jusqu'au bout...

Renée devait renoncer un jour à se faire une opinion sur Allegra. Après, elle eut de la peine même à s'en souvenir. En vain parfois la rappelle-t-elle. Elle s'éloigne...

*
* *

Donc il pleuvait depuis plusieurs semaines, en particulier le lundi, et Allegra entra dans le bureau de Paule, refermant avec soin la porte derrière elle, ce qui n'empêcha pas Odette d'entendre des éclats de voix bien intéressants...

— Mais enfin, tu es folle! dit Paule, avec une colère qu'elle sentait excessive, mais qu'elle n'arrivait pas à maîtriser. Tu as complètement perdu la tête!

— Des tas de femmes travaillent à mi-temps, tu sais, dit Allegra calmement.

— En profitant du travail de leur mari! En vivant comme des parasites!

— Je suis sûre que Jean-Philippe sera d'accord...

— Parce que tu ne lui en as même pas parlé? De mieux en mieux!

168

— Qu'est-ce que tu veux que ça lui fasse? dit Allegra, les yeux ailleurs.

— Ça lui fera que tu n'auras qu'un demi-salaire...

— Je dépense si peu...

Paule était arrivée aux limites de l'exaspération. L'affaire des produits de beauté traînait en longueur, elle n'avait pas cessé, absurdement, d'attendre un mot d'Etienne, qui, naturellement, n'arrivait pas, elle avait grossi de trois kilos, et à l'Institut, tout le monde l'entourait du silence respectueux dont on entoure les veuves de fraîche date.

— Je n'ai jamais voulu de mi-temps chez moi, tu le sais très bien. On travaille ou on ne travaille pas. Tu n'as jamais vu un homme demander un mi-temps, sans raison, pour aller se promener?

— Je ne suis pas un homme, dit Allegra sans violence. Et puis s'ils le pouvaient, ils le demanderaient sans doute. Il y a des tas d'hommes qui aimeraient avoir un peu de temps à eux...

Paule se rappela que sa mère disait : « On ne peut pas discuter avec Allegra. » Elle s'efforça de retrouver son calme, de parler posément. Mais ses tempes battaient et elle était pleine d'une incompréhensible colère.

— Enfin Allegra, réfléchis un instant. D'abord ça n'est pas d'un bon exemple. Les autres — je ne parle pas pour Renée et Jicky, naturellement — mais Lucette, Odette, la petite de chez Camille... Si elles se mettent toutes à vouloir travailler à mi-temps, est-ce que tu te rends compte...

— Tu n'auras qu'à en prendre d'autres, qui travailleront aussi à mi-temps. Ça ne te coûtera pas plus cher. Tout le monde devrait travailler à mi-temps... dit Allegra d'un air rêveur. Et tout à coup, intempestivement, elle sourit affectueusement à sa sœur.

Butée! Butée et sournoise. Je sais pourquoi je suis en colère : elle me rappelle Gabrielle. « Je suis sûre que Jean-Philippe sera d'accord! » Disposant des hommes, désinvolte, égoïste. « Je dépense si peu! » Le comble. Toutes, elles dépensaient peu et s'habillaient d'un rien : mais comme elles savaient s'arranger pour se faire inviter dans les meilleurs restaurants, pour n'aller au théâtre qu'aux meilleures places, avec leur sourire pour seule référence (et ça marchait) et toujours en retard, profitant du téléphone, profitant de tout... Elle essaya encore.

— Ma chérie, tu n'es qu'une enfant. C'est très difficile d'obtenir de la ponctualité, de la régularité, d'un personnel qui travaille à mi-temps. Et puis la Sécurité sociale...

Elle s'en moquait bien, de la Sécurité sociale ! « Maman a dû tremper là-dedans », pensait Paule, « lui dire de rester davantage chez elle, la catéchiser... » Et tout à coup, elle eut une illumination : grand-mère ! La décision d'Allegra coïncidait avec le retour de grand-mère ! C'était cela ! Et elle était en train de perdre la seconde manche de cet occulte combat qui s'était livré autour d'Allegra. Du coup elle reprit son sang-froid, elle oublia même un instant, en voyant renaître la vieille querelle, son humiliant chagrin. Elle s'assit.

Elles se trouvaient dans le petit bureau de l'Institut, où Paule faisait ses comptes et recevait les représentants. Trop petit et malcommode, ce bureau. Paule avait dû maîtriser ses éclats de voix, parce que dans le bureau d'à côté, Odette recevait ses clientes, les pesait, leur prescrivait des régimes.

Docile, Allegra s'assit aussi. Elle avait une patience exaspérante, il fallait bien le reconnaître. La prendre autrement. L'amour, pas la Sécurité sociale. Vanina et grand-mère avaient dû lui monter la tête, la persuader qu'elle allait perdre son mari si elle continuait à travailler. Qui sait si elles ne s'étaient pas servies du... du malheur de Paule (que par des voies secrètes elles avaient dû apprendre) comme argument suprême : « Tu vois, ta sœur ? A chaque fois qu'un homme se présente... » Une douleur aiguë lui traversa la poitrine, s'évanouit. La combativité de Paule était plus forte qu'elle ne le croyait elle-même.

— Ecoute, je m'énerve... Tu sais que je ne suis pas moi-même en ce moment... (si elles se servent de ça je puis bien m'en servir aussi). Je suis bouleversée, un rien me désole...

— Mais bien sûr ! Mais bien sûr, Paula ! Je comprends ! s'écriait Allegra, sincèrement émue. Mais je ne te lâche

170

pas, tu sais. Je suis ponctuelle, je le resterai, je t'assure. Tu n'as rien à craindre...

— Tout le monde est contre moi... soupira Paule, et vraiment elle avait cette impression. Si tu t'imagines que je ne sais pas ce qu'elles ont pu te dire... Tu perdras ton mari, regarde cette pauvre Paule, elle a beau avoir réussi...

— Mais je...

— Oh! ne te donne pas la peine de mentir! Je sais bien qu'elles sont au courant. Elles sont toujours au courant, quoi que tu fasses, tu as remarqué? Un sixième sens, je suppose. Tu n'es pas enceinte?

— Mais non!

— Si tu l'étais, elles le sauraient. Moi, non. Ce doit être une faculté qu'on perd en travaillant. On s'occupe moins des autres, on ne les épie pas, comme elles, on a autre chose à faire. Oh! je sais ce que tu vas dire, qu'elles n'ont pas mauvaise intention, au contraire, et c'est possible. Seulement, ce qu'elles veulent, c'est qu'on se conforme à leur modèle, qu'on vive, qu'on pense, qu'on agisse comme elles. En dehors de cela, il n'y a pas de salut.

Une amertume qui remontait loin sortait d'elle à flots, la soulageait; les moqueries innocentes, les taquineries sans portée, elle découvrait elle-même, en parlant, combien elles l'avaient blessée, comme elles avaient porté, les « ça devait arriver », les « Paule, notre vieille fille », les « une femme cesse d'être une femme quand elle travaille ». Comme si elles ne travaillaient pas, elles, Vanina dans l'ombre du paresseux géant qu'il fallait arracher sans cesse à son genièvre, Josée réparant sans cesse les inconséquences d'Antoine, coureur, beau parleur, promettant d'impossibles rabais à ses clientes... Et la grand-mère, restée veuve, avec cette pension dérisoire, ces « biens au soleil » qui n'étaient que du soleil, des noms dont on se gargarisait pour se persuader qu'on restait des bourgeois, des propriétaires, même si ces notables devaient porter cinq ans la même robe et choisir des bas morceaux chez le boucher!

— Elles essaient de t'attirer dans le piège, est-ce que tu ne comprends pas ça? Aujourd'hui tu veux travailler

171

à mi-temps, demain elles te persuaderont de ne plus travailler du tout. Et après, ce sera, comme tu as du temps, viens m'aider à la paroisse machin, à l'hôpital, au dispensaire, est-ce que je sais? Tu vas te laisser enliser dans les bonnes œuvres, les confitures, les ouvrages de dame, faire toi-même tes rideaux, tes pull-overs, ne plus rien lire, ne plus rien connaître, ne plus voir que par les yeux de ton mari dont tu dépendras entièrement...

Allegra restait apparemment stupéfaite devant cette explosion, et, comme tout le monde, elle subissait le charme de la voix chaude, passionnée de Paule. Mais elle était si loin de la question! Elle ne savait comment ramener sa sœur à ce qui lui avait semblé n'être qu'un tout petit problème à résoudre, un simple arrangement.

— Mais non, Paula, je ne vais pas cesser de travailler. Je voudrais simplement...

— C'est ce que tu crois! C'est ce qu'elles te font croire aujourd'hui! Mais dans quelques mois... Que tu aimes ton mari, je le comprends très bien, c'est un garçon remarquable, tu as fait un très bon choix. Mais crois-tu vraiment que c'est en rétrécissant ton horizon, en devenant cette espèce de gouvernante, pour ne pas dire de bonne à tout faire, sans plus de conversation, de lectures, de... d'indépendance, que tu le garderas?

Paule avait oublié Odette si proche, et les clientes. Par-dessus le bureau, elle avait saisi la main d'Allegra et la serrait. Il fallait qu'elle lui fît comprendre, qu'elle la convainquît, qu'elle se convainquît elle-même qu'elle n'était pas coupable de l'abandon d'Etienne.

— Tu le savais, n'est-ce pas, qu'il (elle ne pouvait se résoudre à prononcer son prénom) qu'il est parti?

Allegra acquiesça, un peu perdue.

— J'en étais sûre. J'étais sûre qu'elles avaient usé de cet argument... Ma pauvre chérie, tu t'es affolée, tu t'es dit... Mais ce n'est pas à cause de l'Institut, de mon travail, qu'il m'a quittée. La preuve, c'est qu'il m'a quittée pour Gabrielle, oui, c'est à cause de ça qu'elle n'est pas revenue. Elle travaillait aussi, Gabrielle, elle commençait à se débrouiller pas mal; c'est simplement parce qu'elle était plus jeune et plus jolie que moi, voilà tout. Il a perdu la tête comme beaucoup d'hommes de son âge, il a été flatté, bêtement... Mais si je n'avais pas eu mon travail, est-ce que tu crois qu'il m'aurait moins plaquée ? (Elle cracha le mot si brutalement qu'Allegra tressaillit). Vois le nombre de femmes mariées, et fidèles, et ménagères et fées du foyer, qui... Si je n'avais pas mon travail, j'aurais fait une dépression, et voilà tout.

Allegra avait les larmes aux yeux.

— Ma chérie... ma pauvre chérie... répétait-elle, impuissante, je ne savais pas que tu étais si malheureuse.

C'était tout ce qu'elle avait compris ! Alors que Paule étalait ce chagrin si soigneusement dissimulé pour l'aider, lui rendre service ! La petite idiote s'attendrissait au lieu de comprendre ! Elle retira sa main.

— Mais la question n'est pas que je sois ou non malheureuse ! C'est que tu fais une bêtise en ce moment, et que tu ne t'en rends pas compte !

Elle recommençait à perdre patience.

— Mais Paula, je reprendrai peut-être plus tard, ce n'est que provisoire, mais pour le moment j'ai besoin de mon temps.

Elle se rendait bien compte de la faiblesse de ses arguments, mais la colère mal contenue de Paule la paralysait, et si elle parlait de l'enfant, qu'elle n'avait pas pu promener à cause de la pluie, est-ce que cela ne paraîtrait pas plus puéril encore ?

— Je n'aurais pas dû te dire ça. J'aurais dû prendre un congé de maladie... soupira-t-elle, impuissante.

Paule éclata :

— Un congé de maladie ! Tu oses me dire ça ! A ta sœur ! L'excuse type de toutes les bonnes femmes qui ne sont pas assez courageuses pour s'avouer qu'elles sont flemmardes, c'est tout ! Ce sont ces filles-là qui discréditent les femmes qui travaillent, qui sèment la pagaille partout, qui sont responsables de la moitié des préjugés et des injustices, des inégalités de salaire, de... de...

Elle bégayait, dans sa fureur vengeresse. Il lui semblait qu'elle était trahie, qu'elle perdait Etienne une seconde fois. Allegra baissait le front, douce et butée,

173

patiente, pas même consciente qu'elle résistait à sa sœur, elle qui n'avait jamais résisté à personne. Et ce doux rayonnement qui émanait d'elle depuis quelque temps, cet épanouissement silencieux, insultait plus encore que des paroles à l'humiliation secrète de Paule.

— Alors, tu es comme les autres? Tu as mis la main sur un mari, et maintenant tu ne penses plus qu'à vivre en parasite? Plus besoin de vivre, de penser, n'est-ce pas? Le peu que tu fais ici, c'est encore trop. Tu veux t'abêtir complètement? Il est vrai qu'il n'y a pas grand-chose à faire!

Allegra ne se sentait pas insultée, seulement attristée par cette fureur qui la concernait si peu. Mais comment Paule aurait-elle pu deviner que c'était au hasard qu'elle répondait, parce qu'il fallait bien répondre quelque chose :

— Mais bien sûr, Paula, je suis comme les autres...

*
* *

— Vous avez l'air bien fatigué, Odette, dit Paule. Escortée de Renée qui la suit comme un chien, elle inspecte l'Institut avant de fermer, le samedi midi. Jicky termine une leçon, au fond du gymnase sonore.

— Un peu d'espalier maintenant... Vos serviettes, s'il vous plaît!

Mais déjà tout l'étage sent le vide, l'abandon.

— Je suis enceinte, dit Odette qui tape à la machine quelques régimes.

Paule et Renée s'exclament :

— Comment? Vous êtes sûre? Mon Dieu!

— Ne vous affolez pas, dit Odette sèchement, en retirant les feuilles de la machine.

Paule, avec précaution :

— Vous le gardez?

— Naturellement, dit Odette, avec cet air convenable qu'elle a toujours (on pourrait croire que c'est sa façon de s'habiller, ses jupes en flanelle, ses pantalons stricts, ses pulls ras du cou, et le collier de perles, qui lui donnent cet air-là, mais même en blue-jean Odette a l'air un peu trop bien habillée).

174

— Comme c'est bien!

— Comme c'est courageux!

Elles ont parlé en même temps, attendries.

— Mais ne négligez pas vos droits! fait Paule, mater-nelle. Ce n'est pas le moment de faire du sentiment, du désintéressement, pensez à l'enfant avant tout.

— Il y a de nouvelles lois, heureusement! dit Renée en chorus, et farouche comme si elle était elle-même enceinte.

— Oh! il n'y a pas de problème, dit Odette plus dou-cement.

Elle housse sa machine, ce qui lui donne un prétexte pour baisser les yeux.

— Pierre et moi, nous nous marions dans un mois. Il avait divorcé à l'étranger, ce qui compliquait un peu les choses, mais les papiers sont arrivés...

Cette révélation semble produire l'effet d'une douche sur les deux femmes; Paule dit d'une voix contrainte :

— Oh! Eh bien je vous félicite, ma petite Odette.

Tandis que Renée s'exclame :

— Comme tu es cachottière, Odette! Bravo tout de même!

— Pourquoi tout de même?

Odette a retrouvé son agressivité. Elle enfonce crâne-ment une petite cloche en laine sur ses cheveux, fait res-sortir une bouclette devant le miroir, referme la pen-derie.

— Vous autres, dit-elle avec un sourire ironique, du moment qu'on n'est pas un cas social on ne vous inté-resse plus, n'est-ce pas? Bonne soirée *tout de même!*

Et elle sort, légère, son manteau de gabardine bien serré à la taille, la tête haute, l'allure assurée.

— Je l'ai vexée? demande Renée, inquiète.

Paule hausse les épaules :

— Ma pauvre vieille, si tu savais ce que je m'en f... Les problèmes d'Odette, tu sais...

— D'autant plus qu'elle n'en a pas, dit Renée avec bon sens.

— Elle a l'air de nous le reprocher!

— Elle prépare le terrain. Si elle se marie, elle veut avoir de bonnes raisons de nous quitter. Je le connais son Pierre, un brave garçon, si on veut. Mais rétrograde, petit-bourgeois... Perdre son indépendance pour ce genre de type... très peu pour moi!

Très peu pour toi, Renée... Arriver avant l'heure pour finir le ménage, jamais fait à son goût, de l'Institut, mettre toutes ses forces à masser, avec le réconfort d'un petit café toutes les deux heures, d'un petit bavardage en passant, repartir vannée la dernière pour retrouver ta vieille mère devant la télévision que tu as pu, enfin, lui offrir l'année dernière... Quelques réunions politiques, quelques concerts donnés dans des églises, un meeting tenant lieu de messe, un blue-jean au lieu d'une robe noire, le chien à promener avant les dernières informations... Ton indépendance, Renée! « Je suis tout le temps au bord des larmes ces temps-ci », pense Paule, tandis que Renée poursuit, avec une sereine inconscience :

— Mais qu'est-ce qu'elles ont toutes à vouloir se marier, je te le demande?

Elle est sincère, apparemment. Elle doit être heureuse, avec sa vieille mère et son chien. Tout comme Odette sera heureuse avec son Pierre, leur D.S. de 65 et le bébé.

— Mais qu'est-ce que tu as?...

— Oh! rien... La fatigue... L'impression que tout le monde me lâche... Cette affaire de financement qui traîne... Les clientes qui continuent à laisser les serviettes mouillées dans les cabines... Tout et rien, je te dis.

Paule a continué son inspection et elles se trouvent maintenant dans la petite pièce dite « l'esthétique » où elle constate avec agacement le désordre des deux coiffeuses encombrées de tubes et de pots.

— Regarde-moi ça! dit-elle avec une brusque véhémence. Et une fois mariée, Odette se laissera aller comme Allegra! Elle se désintéresse de tout, elle laisse tout traîner... La cabine, quelle porcherie! Je ne sais pas ce qui me retient de lui dire d'aller le faire ailleurs, son mi-temps!

— Ça! fait Renée avec une moue réservée.

Elle se baisse pour ramasser un kleenex, deux épingles-neige. Elle n'exprimera pas ce qu'elle pense de la conduite d'Allegra, mais elle n'en pense pas moins. A mi-temps! C'est incompréhensible. Pas étonnant que

Paule ait le cafard. Après tout le mal qu'elles se sont donné pour monter l'Institut, lui trouver une clientèle, lui donner une certaine tenue... L'Institut, pour Renée, c'est vraiment une famille, avec tout ce que cela comporte de dévouement un peu aigre, de curiosité assez caustique, d'agacements, de rites, d'habitudes. Et c'est un sacerdoce, avec toutes ces femmes qu'elle s'efforce de convaincre que la ligne, la gymnastique, le jeûne, ne doivent leur servir qu'à fortifier leur personnalité, à vaincre la vieille infériorité ancestrale qui pèse sur elles, la culpabilité sans cause qui est le vrai péché originel. Engagée dans ce combat avec une conviction sans faille, Renée est persuadée que Paule l'est aussi — et qu'elle ait été abandonnée ne fait que la confirmer dans ce sentiment, car qui pourrait abandonner Paule si elle ne l'avait pas, d'une certaine façon, voulu? Aussi Renée a-t-elle, en ce moment, pour Allegra, l'éloignement du croyant pour le sacrilège, l'excommunié, du militaire de carrière pour le déserteur.

— C'est ta sœur, que veux-tu... murmure-t-elle, sous-entendant que n'était ce lien de parenté, elle aurait long à en dire... Elle n'a jamais eu beaucoup de sens des responsabilités... Tu l'as débrouillée, tu lui as mis un métier dans les mains, et puis... Pfft! Elle ne voit plus que par les yeux de son bonhomme. C'est la vie.

Elles entrèrent dans le gymnase. Jicky fermait les vestiaires, et les voyant engagées dans une conversation, s'en alla discrètement. Du reste elle était pressée, elle avait des places pour un concours de patinage.

— Voilà une fille qui se suffit à elle-même, dit Renée, qui aimait bien Jicky. Ce n'est pas une lâcheuse, celle-là! Même si elle se mariait.

Paule en convint. Jicky était le type de la femme libre, gaie, gagnant largement sa vie, de petites liaisons anodines dont elle ne faisait pas un monde, des vacances au Club Méditerranée, passionnée par son travail, compatissante pour les handicapés auxquels elle donnait des cours de rééducation... Mais pourquoi n'avait-elle jamais rien à lui dire?

Elles s'accoudèrent au petit bar.

— C'est vrai qu'on ne peut pas imaginer Jicky différente... Mais ce n'est pas la faute de Jean-Phil si Allegra a changé. C'est Maman, c'est la famille, plutôt. Elle est tellement influençable, et eux, ce sont tous d'affreux rétrogrades... Ils auront persuadé Allegra qu'une femme qui travaille n'est pas vraiment une femme, qu'elle doit rester chez elle à récurer ses casseroles, etc.

— Ce n'est pas pour récurer des casseroles qu'elle traîne au Jardin des Plantes des après-midi entiers.

— Elle traîne au Jardin des Plantes?...

— Il paraît...

Paule n'avait pas de goût pour les ragots. Une certaine acrimonie un peu populacière de Renée l'agaçait, mais la distrayait aussi. Elle avait pris l'habitude de s'attarder un peu, après la fermeture, dans le local désert, de s'y faire un café, de traînasser sur ses comptes, et Renée lui tenait volontiers compagnie jusqu'à l'heure d'aller retrouver sa mère infirme.

— Je te fais un café?

— Je veux bien. Maman a Irma jusqu'à huit heures; tu sais, Irma, qui travaillait avec moi chez Camille, elle est chez Corail maintenant, elle a monté en grade, mais dans quelle ambiance! Elle m'envie, positivement. Si jamais Allegra quittait tout à fait, je suis sûre qu'Irma...

— On verra, on verra... dit Paule en retirant l'eau vite bouillante du petit butane. Elle ne se souciait pas trop de s'encombrer d'une Irma quinquagénaire, hargneuse et dévouée, une autre Renée, qui donnerait à l'Institut l'allure d'une pension pour vieilles demoiselles. « Mais qu'est-ce que nous sommes d'autres, avec nos petits cafés, nos petits ragots, nos soins de beauté inutiles? Des vieilles filles...» Elle sortit les tasses jaune d'or. C'était Allegra qui les avait achetées, se souvint-elle.

— Mais Allegra n'est pas encore partie, tu sais...

— Oh! je sais, que tu la garderas autant que possible. C'est ta sœur, dit Renée d'un air réservé.

Elle buvait son café très sucré (trois sucres, du numéro 6. Elle préférait. C'était elle qui apportait le sucre, pour être tranquille, Odette ne savait même pas que les formats différents du sucre ont leur numéro. Quelle folle!) et à petites gorgées un peu sifflantes. Paule la regardait avec une horreur fascinée. Si bonne, si dévouée, Renée! Elle l'avait tant aidée dans ses débuts! Mais pleine de petites manies, si étroite d'esprit avec sa vertu ostentatoire, son énorme honnêteté (c'était la seule avec Allegra qui ne trichait pas sur les pourboires) son intransigeance laïque et républicaine... Devenir ça, c'était presque aussi effrayant que de devenir Vanina.

— Qu'est-ce que tu as voulu dire avec ton histoire de Jardin des Plantes?

— Ce n'est pas bien grave, concéda Renée avec regret. Odette l'a vue deux ou trois fois qui traînait par là. Mais elle promenait un gosse, donc...

— Comment, un gosse?

— Un petit garçon, à ce que dit Odette. Ce serait l'enfant des concierges...

— Elle n'a pas de concierge. Je me demande...

— Un petit dans les quatre, cinq ans... Un type un peu... nord-africain, dit Renée en pinçant les lèvres, de son air : « je n'en dirai pas plus ». Les cheveux huileux, de beaux yeux noirs comme ils ont tous, tu vois...

Paule éclata de rire.

— Comme tu dis ça! Raciste, va! On dirait que c'est une mauvaise note que d'avoir de beaux yeux!

— C'est tout de même un drôle de milieu pour ta sœur.

— Ce n'est pas parce qu'elle promène un pauvre gosse abandonné qu'elle va s'envoyer toute l'Afrique du Nord! dit Paule rondement.

Le café la remontait un peu, et de sentir qu'elle éprouvait encore pour sa sœur cette solidarité familiale, fondamentale, réparait un peu l'injustice qu'elle savait commettre en secret vis-à-vis d'Allegra.

— Je ne dis pas ça! Ne me fais pas dire ce que... Non, mais tout de même, il y a là quelque chose qui n'est pas clair! Qui pourrait mal tourner!

— Ma pauvre vieille, va! fit Paule avec tendresse. Ce que tu peux faire vieille fille!

— C'est ce que je suis, dit Renée avec raideur. Je n'en rougis pas, tu sais.

C'était Paule qui rougissait. Parce que Renée avait cent fois raison, et qu'elle, Paule, était si lasse d'avoir raison...

Mais non, il n'était pas jaloux de l'enfant. Simplement il ne comprenait pas quel besoin elle avait de se mêler... et maintenant d'arrêter de travailler l'après-midi, simplement parce qu'elle en avait envie, sous le prétexte qu'elle voulait promener cet enfant qui ne lui était rien. Et lui, est-ce qu'il avait envie d'aller à l'hôpital, à la clinique ? De moins en moins. Chaque matin il éprouvait une sorte d'angoisse à l'idée de retrouver ces visages qui attendaient quelque chose de lui, quelque chose qu'il ne pouvait pas donner, qu'il ne voulait pas voir. Chaque soir il éprouvait une sorte d'angoisse à retrouver Allegra semblable à elle-même, les couleurs, les objets de leur petit studio semblables à eux-mêmes, et une sérénité lumineuse qui semblait s'accroître en intensité, devenant chaque jour plus difficile à supporter. Mais non, il n'était pas jaloux. Allegra ne l'accueillait pas avec moins de joie, ne l'entourait pas de moins d'attentions : elle était là, toujours là quand il rentrait, et sa voix fraîche égrenait des nouvelles sans importance. Elle l'aimait, sans aucun doute. « Allegra m'adore. » Mais que cet amour même apparût sans problèmes, sans inquiétude, l'angoissait. Il était devant elle comme un de ses malades, plein de questions, d'interrogations, de désir d'être compris, perçu. Elle l'aimait avec des yeux d'aveugle, comme elle eût aimé, lui semblait-il, n'importe qui.

Oh ! elle ne lui cachait rien, ne lui dérobait rien. Si peu mystérieuse en apparence, avec ses qualités ménagères, son économie et sa propreté minutieuse, sa transparence. Petite princesse de verre, ou jolie niaise, limpide et sotte ? Mais pourquoi s'interroger ? Elle l'aimait. Il découvrait l'insuffisance de l'amour, son trop-plein, son trop-peu. Elle l'aimait dans un univers à elle, mais sous quelle forme ? Métamorphose de l'amour. Elle l'aimait. Les hommes, on les aime, on aime son mari, quand on a été élevée comme Allegra. Il évoquait la famille Svenson, pour se rassurer. Vanina dévouée corps et âme au taciturne Hjalmar, Josée palliant discrètement les défaillances d'Antoine, sacrifiant sa vie au petit Sauveur, et même Paule pleurant toujours son Etienne, en secret. Dans la vie de ces femmes, dans la vie des femmes, les noms d'hommes étaient comme des noms de rois. « Hjalmar le Fainéant, Antoine le Fanfaron, Etienne le Volage. » Noms peu flatteurs, sans doute, mais noms de monarques. Jean-Philippe s'interrogeait. Quel nom portait-il dans le cœur d'Allegra?

On ne pouvait pas dire qu'elle ne s'intéressât pas à ses projets. Simplement, elle lui en faisait sentir l'insignifiance.

— Nous n'avons pas signé encore pour Maisons-Alfort. L'endroit est idéal, mais pour le recrutement de la main-d'œuvre, ça ne s'annonce pas bien du tout. Alors la briqueterie vaudrait peut-être mieux. Mais soixante kilomètres...

— Oh! c'est ennuyeux!

Elle disait cela avec tendresse, en levant vers lui ses admirables yeux bleu sombre, ses yeux d'aveugle. Elle était désolée qu'il eût des contrariétés. Elle était sincèrement désolée, mais elle s'en foutait. Et il sentait une injuste irritabilité monter en lui.

— C'est-à-dire que c'est catastrophique! On aurait dû prévoir... L'homme d'affaires de Maria aurait dû s'informer...

— Il n'est peut-être pas très capable?

Elle faisait ce qu'elle pouvait. Et lui, avait l'impression de la voir évoluer derrière la vitre d'un aquarium.

— Il ne s'est jamais occupé de ce genre d'affaires, c'est tout. Il y a un nombre de choses... Tu ne peux pas te rendre compte!

Elle acquiesçait. Elle ne pouvait pas se rendre compte. On lui disait cela depuis qu'elle était enfant. « Pourquoi papa ne dit jamais rien, le soir? — Il est épuisé de travail, tu ne peux pas te rendre compte. » Elle se rendait bien compte, pourtant, que son père était triste, que Phil était anxieux. Mais que pouvait-elle offrir d'autre que son sourire, son silence, sa tendresse inutile?

— Non, finalement, si ta grand-mère nous cédait la

briqueterie... On discuterait d'un arrangement... Et là-bas, dans l'Oise, la main-d'œuvre...

— C'est joli, la briqueterie, disait Allegra, je me souviens... Nous y allions autrefois en pique-nique. Il y a les étangs, pas loin, les joncs, des canards...

— Mais la question n'est pas là ! On n'en a rien à f... des joncs et des canards ! La question est d'implanter dans la région...

Il lui jetait des chiffres à la tête, comme des injures. Les femmes ne comprennent rien à ces choses-là, toutes '·ε mêmes, «parfois on se demande si tu n'es pas ιdiote ! » Ils se disputaient comme des collégiens, car elle se fâchait, sans venin, ou alors se moquait de lui. Il ne pouvait tout de même pas lui dire que ce qui l'exaspérait, ce n'était pas son incompétence, à elle, Allegra, mais qu'elle avait failli l'entraîner le long d'une rivière paresseuse, qu'elle lui avait fait voir les joncs et les canards, qu'il n'aurait pas fallu déranger. Il fallait bien qu'il se secouât, qu'il se fâchât pour se réveiller !

— Tu devrais être bien heureuse que je m'occupe de ces choses-là ! Sans moi...

— Mais je suis heureuse, disait-elle.

— Tu es heureuse parce que tu ne fais rien pendant que moi, je me mets en quatre ! Tu te promènes avec ton petit demeuré, tu...

— Il n'est pas demeuré ! protestait-elle vivement. Parce que tu es médecin tu vois des malades partout. Il n'a pas été très heureux jusqu'ici, on ne s'est pas occupé de lui, mais c'est un enfant très intelligent ! Même, exceptionnel. Si tu savais les progrès qu'il fait tous les jours !

Elle l'admirait. Elle admirait ce gosse idiot, alors que lui — sans lequel le projet de Paule eût échoué depuis longtemps, lui qui avait trouvé l'idée de la briqueterie, qui avait procuré à Paule l'appui de la famille d'abord hostile — elle le regardait avec une sorte d'indulgence, comme si ç'avait été lui l'enfant ! Après tout, il était peut-être un tout petit peu jaloux, tout de même.

— Si au moins il était beau ! disait Jean-Philippe, dédaigneusement.

Il n'était donc pas beau ? se demandait-elle. Elle le

voyait plus démuni qu'elle n'avait cru, elle l'en aimait davantage. Elle voyait Jean-Philippe ne pas la comprendre, elle l'en aimait davantage. Elle l'avait cru plus intelligent. Il aurait été fou de rage s'il avait pu lire dans sa pensée cette innocente pitié. Mais qu'est-ce qu'Allegra avait à faire de l'intelligence ou de la beauté? Du reste, elle trouvait que l'enfant embellissait beaucoup. Mais elle ne le disait pas. On lui avait appris toute petite à ne pas « répondre ». C'était Phil qui la provoquait en la taquinant sur les progrès de l'enfant « exceptionnel », parce qu'elle avait eu le malheur de dire ce mot.

— Il a réussi à couper sa viande? Il a ouvert tout seul la porte de la salle de bains?

Elle détestait cette ironie d'adolescent.

— Je t'assure qu'il comprend tout.

— En somme, il ne lui manque que la parole?

Elle oubliait de se fâcher, et s'interrogeait tout haut. « Est-ce qu'elle lui manque vraiment? » Phil alors haussait les épaules.

— Ce n'est pas la peine de discuter avec toi. Cet enfant est irrécupérable, crois-moi. Enfin, si ça t'amuse...

— Mais oui, disait-elle avec son petit sourire fier et borné, ça m'amuse.

*
* *

— Enfin! J'ai découvert le pot aux roses! dit Mme Santoni avec une sombre satisfaction. Et grâce à qui? Au petit Boussu! J'en ai été réduite à questionner le petit Boussu, tu te rends compte? Tout cela à cause de ton manque de confiance!

Elle trônait au fond du fauteuil « de Lætitia » tout de noir vêtue avec son châle pourpre, d'une laideur impériale, et sa lèvre dédaigneuse, autrichienne plus que napoléonienne, exprimait un dégoût qui allait aux moyens dont elle avait dû user autant qu'à la découverte qu'elle avait faite. Autour d'elle, les aigles du bureau, les sphynx de la table de nuit, l'acajou sombre des meubles luisants, semblaient condamner Josée.

— Chez un guérisseur! Tu es allée chez un guérisseur, toi! Et dont l'adresse t'a été donnée par Mme Boussu! Heureusement que le petit Coco m'est reconnaissant de ce que j'ai fait pour lui, sinon Dieu sait combien de temps aurait duré ce manège! Si ton pauvre père savait ça! (Malgré l'indignation de Mme Santoni, il semblait bien entendu que le « pauvre père » ne saurait rien — il ne savait jamais rien.) Et ton mari! Et ton pauvre grand-père, si consciencieux! De la superstition! Et de la superstition pour boniches! Autant envoyer trois francs en timbres à *Samedi-Soir* pour obtenir une pierre qui porte bonheur!

Josée ne répondait pas. Ecrasée en apparence, elle cherchait une parade, un repli stratégique. Il fallait vaincre, il fallait gagner du temps. Un mois, deux mois, et Sauveur marcherait... Un grand froid l'avait gagnée devant la brusque intervention de sa grand-mère, le froid des caractères forts devant la catastrophe qui dérange tous les plans, qui force à tout remettre en question, mais qu'on se refuse à considérer comme définitive. Serrant les dents, Josée attendait de voir l'étendue du désastre pour prendre un parti.

— Et bien entendu, tu as payé la Boussu pour qu'elle se taise! Pas moyen de lui tirer un mot! Corrompre cette pauvre femme, qui est presque de la famille! J'exige l'adresse, tu m'entends, Jo? Et si tu y retournes, je dénoncerai ce charlatan — ou plutôt je lui enverrai ton oncle Camille. Il saura le mettre à la raison. L'adresse tout de suite!

Josée, par un suprême effort de volonté, parut se défendre.

— Mais, Bonne-Maman, comment veux-tu que je le sache? Je n'y suis allée qu'une fois... Oh! je sais bien que j'ai eu tort, mais enfin, pourquoi en faire un drame? Une curiosité idiote, comme de faire tourner les tables...

. — Une fois! Mais en quinze jours, ça fait trois fois que tu me dis que tu sors avec Allegra, et vous n'avez jamais pu vous mettre d'accord pour me débiter vos mensonges! Elle me dit que vous êtes allées choisir des papiers peints, et toi... Non! Il faut être plus maligne que ça pour me tromper, ma petite. Avant-hier encore... Oseras-tu me soutenir, les yeux dans les yeux, que tu étais avec Allegra avant-hier?

— Bien sûr que non, dit Josée froidement.

— Et peux-tu me dire pourquoi?

— Parce qu'elle était chez le guérisseur.

Elle avait retourné la situation. Austerlitz. Bonne-Maman était désarçonnée. Toute sa machinerie, ses arguments s'effondraient. Elle avait été si sûre de la culpabilité de Jo, elle avait réfléchi à la façon de l'intimider, sans mêler les hommes à cette regrettable histoire, elle s'était déjà fait les griffes sur Vanina le matin même — qui tentait d'excuser l'égarement d'une mère... La froideur et l'assurance de Jo l'avaient arrêtée dans son élan vengeur. Elle si sûre d'elle balbutia presque.

— Mais comment... Allegra... elle est malade?

Josée serra les dents. Il ne s'agissait pas de lâcher l'avantage acquis; une fois le premier choc passé, le doute pourrait naître. Elle ne pensait pas à sa sœur, mise en avant comme un bouclier, pour détourner le coup. Elle voulait vaincre.

— Mais non, elle n'est pas malade, dit-elle avec aisance. Allegra s'est prise de passion pour un petit Arabe, qui habite son immeuble, et qui est muet. Elle a voulu voir si le choc psychologique du guérisseur... Oh! une curiosité simplement. Mme Boussu nous avait bourré le crâne avec les merveilles de son guérisseur. Une sorte de pari, en somme. Ça ne pouvait pas faire de mal, n'est-ce pas?

— Evidemment, si c'est un petit Arabe... murmura Vanina, heureuse de voir s'apaiser la tempête, et qui eût sacrifié tous les petits Arabes du monde à la paix familiale.

— Un petit Arabe! répétait Bonne-Maman, mal remise de sa stupéfaction. Mais qu'est-ce que c'est que cette histoire?

Josée raconta, broda. L'idée de se servir de l'enfant lui était venue comme une illumination. Elle se révélait miraculeuse. L'atmosphère s'était aussitôt détendue. Vanina et sa mère s'exclamaient, avec plus d'ironie que de colère. On avait bu un petit verre de liqueur, pour se remettre de tant d'émotions. Puis les questions avaient repris, mais Josée ne s'y était pas trompée : le registre avait changé. Il ne s'agissait plus d'un drame, mais d'une anecdote curieuse, d'une action blâmable peut-être, mais nullement vitale, puisque la famille n'y était pas engagée.

— Qui aurait cru cela d'Allegra? s'écriait Vanina. Emmener ce petit chez un guérisseur! Alors que son mari est si qualifié!

— Peut-être ce sont ces femmes qui le lui ont demandé, plaidait Josée, attentive à ne laisser paraître aucun soulagement suspect.

— Evidemment, dit Mme Santoni, rassérénée... Des *Libanaises!* Mais enfin elles n'avaient qu'à y aller elles-mêmes. La curiosité n'excuse pas tout. Un de ces jours, sous prétexte qu'elle habite un quartier où il y a des noirs, Allegra se rendra à une séance de vaudou!

Ainsi vint à la connaissance de la famille ce fait extraordinaire : qu'Allegra s'occupait d'un enfant qui n'était pas le sien. Que pour ce faire, elle avait à moitié abandonné son travail à l'Institut. Que l'enfant était muet, ou tout comme. Il y avait matière à discussion : on ne s'en priva pas. De personnage secondaire, d'un rôle de figuration discret et charmant, Allegra se trouvait tout à coup portée au premier plan, en pleine lumière.

La famille s'ébranlait lentement comme une machine poussive mais forte de son inertie; Jean-Philippe était entraîné par le courant.

— Tu aurais tout de même pu me consulter avant de prendre cette décision!

— Tu voulais que je continue à travailler?

— Ce n'est pas ce que je veux dire! Je t'ai dit cent fois que si tu voulais t'arrêter... Mais tu devais m'en parler.

— Puisque tu m'avais dit cent fois...

— Oui, mais tu devais m'en parler.

— Pourquoi? Puisque tu...

— Mais parce que ça se fait! On est mariés, on se parle, on discute les choses ensemble...

Elle baissait les yeux, l'air buté. Non, il faut être juste, pas buté, mais appliqué, les sourcils froncés comme si elle essayait de comprendre quelque chose d'ardu — elle avait souvent cet air-là, et quand elle baissait ainsi les paupières, l'étonnant bleu marine de ses yeux disparaissant, avec son teint pâle, son visage un peu long, ses sourcils, ses cils pâles, comme saupoudrés de sable, elle avait l'air d'une enfant malheureuse, presque laide : il l'aimait, avec une sorte de colère. Mais elle releva les yeux, et il reçut de nouveau en plein visage le choc de ce bleu innocent et dur.

— Ecoute, essaie de comprendre. Tu me rends ridicule aux yeux de ta famille, tu me fais perdre la face, quand tu décides toute seule de ce que tu as à faire.

— Tu as bien décidé tout seul, pour le frigo, dit-elle sur le ton de l'évidence.

Il tomba des nues.

— Comment pour le frigo? De quoi est-ce que tu parles?

— Tu sais bien, le frigo qui était dans la cour. Le petit jouait avec.

— Mais c'est de l'histoire ancienne! Ça n'a aucun rapport! s'écria-t-il, indigné. Qu'est-ce que tu vas me ressortir là! Alors, tu te venges parce que j'ai fait enlever des ordures dans la cour sans te demander la permission! C'est... c'est inimaginable, ça!

Elle eut un rire inattendu, limpide.

— Voyons, Phil, je ne me *venge* pas! Toi, tu as lu des histoires corses! Je veux seulement dire que tu ne me consultes pas toujours, non plus.

— Mais ça, ça n'avait pas d'importance! Ce n'est pas la même chose!

— Ça n'a pas d'importance pour toi! dit-elle patiemment. Pour le petit, ce n'était pas la même chose...

— Enfin, Allegra! Je veux dire que ce n'est pas une histoire entre toi et moi! Je veux bien que tu t'intéresses à ce gosse, mais je ne pouvais pas deviner...

Elle ne répondit rien, non qu'elle abdiquât, mais parce qu'elle réfléchissait. Pour elle, c'était évident, cette ridicule histoire de frigo avait eu de l'importance. Pourtant, jamais il n'avait pensé agir à son insu. Il n'avait pas supposé un instant qu'elle pût lui en vouloir, ou même se souvenir de l'incident. Et il lui suffisait de la regarder, patiente, souriant presque, cherchant ses mots avec bonne volonté, mais si loin de lui, si distante dans sa gentillesse même, pour comprendre qu'il ne s'agissait pas d'une dispute anodine, d'une amusante scène de ménage dans un jeune couple, comme on en voit dans les comédies américaines. Elle ne lui en voulait pas, elle n'avait pas voulu lui jouer un tour. C'était pire.

— Ecoute, si j'avais pu penser, je te jure...

Elle l'interrompit avec vivacité.

— Mais Phil! Tu parles comme si j'étais fâchée, comme si je t'en voulais! Je ne t'en aurais même pas parlé, c'est toi qui... Je voulais simplement dire que puisque tu étais d'accord...

— C'est entendu, j'étais d'accord. Mais tu aurais pu me prévenir!

— Je n'y ai pas pensé tout de suite. Je te demande pardon, dit-elle sincèrement.

Il cédait du terrain.

— J'ai eu l'air d'un idiot devant ta famille, tu comprends. Ça m'a mis en boule.

— Mais pourquoi est-ce que tu leur en as parlé? Pourquoi discuter avec eux?

Parce qu'il avait été décontenancé d'apprendre qu'elle s'était décidée si vite. Qu'elle avait eu le courage d'affronter Paule qui lui faisait, à lui, un peu peur. Parce qu'il avait été furieux, inquiet, de la sentir si peu dépendante de lui, toute douce, toute aimante qu'elle fût. Parce qu'il avait cherché du secours auprès de sa belle-mère, de sa belle-sœur, contre cette petite fille désarmée.

— Je ne sais pas, dit-il, soudain accablé. Et il a l'air si décontenancé, si perdu, qu'elle vient s'asseoir près de lui, l'enlace avec un élan plus vif que d'habitude, avec une chaleur plus grande, le serre dans ses bras, contre elle.

— Mon Phil, mon chéri, ne te tourmente pas, voyons, on n'est pas fâchés, il n'y a rien de grave...

Elle murmurait des mots tendres, des phrases entrecoupées, il appuyait sa tête sur ses seins menus, il respirait son parfum d'œillet, si rassurant, il était heureux, malheureux, exaspéré, alangui, il ne savait pas. Et elle lui embrassait les cheveux, et elle murmurait encore, si bas qu'il l'entendit à peine.

— Tu sais, mon amour, il ne faut jamais rien leur dire...

Est-ce qu'un secret instinct ne l'a pas averti à ce moment-là, Jean-Philippe, que c'était un des moments charnières de leur amour, cette faille qui s'ouvre un instant dans l'imperméabilité des êtres? Qu'elle venait

188

de lui confier un grand secret, le seul qu'elle eût peut-être, de lui ouvrir son silence? Qu'il lui faudrait, avec infiniment de précautions, accueillir ce secret, le sentiment qu'elle a depuis l'enfance d'être en danger, de porter en elle quelque chose à préserver, quelque chose de très précieux et de très simple, qu'il n'ose regarder en face? Mais il ressent à nouveau cette angoisse, ce malaise, devant une aveuglante évidence, devant la réalisation même de ce qu'il désire et appréhende. Il se tait, se laisse glisser en bas du canapé, en l'attirant, leurs bouches se rejoignent, et ils font l'amour sur le tapis bleu. Le secret s'estompe, l'angoisse disparaît. Jean-Philippe est heureux pour au moins huit jours, parce que c'est la première fois qu'il fait l'amour sur un tapis et qu'il a l'impression que c'est romanesque et passionné.

Il l'a aimée. On peut même dire qu'ils se sont aimés. Mille fois il a fait resurgir des instants comme celui-là, des bonheurs, des phrases qu'il avait à peine entendues et qui lui reviennent soudain en mémoire. Mille fois il s'est demandé, comme chacun de nous quand il a perdu un être cher, s'il aurait pu agir autrement, s'il n'aurait pas dû, à tel tournant de la conversation ou du silence, dire un mot, faire un geste qui aurait tout changé. Cent fois il a dû revoir ce visage, chargé du mystère vide des êtres aimés. Et puis, pour l'exorciser (pas pour l'oublier, non, mais pour rendre le souvenir tolérable, tutélaire même, pour transformer ce chagrin crispé en mélancolie presque agréable) il a trouvé, car il a des lettres, il a finalement trouvé Dora.

Dora, c'est la femme de David Copperfield, celle qui est si jolie, qui a un petit chien, Jip, et qui joue des chansons françaises sur sa guitare. Dora, ç'a été pour Jean-Philippe la révélation, la place exacte où il pouvait caser ses souvenirs d'Allegra sans les perdre, mais sans qu'ils débordent, sans qu'ils traînent partout. Dora l'a sauvé. Dora, la femme-enfant. C'était une femme-enfant, Allegra. Il l'a découvert après l'avoir perdue. Il l'a dit, il a développé ce thème, et personne ne l'a contredit : il était si évidemment malheureux. Qui s'est préoccupé de savoir s'il avait raison?

La femme-enfant. Celle qui ne savait pas choisir les côtelettes, se faisait voler par sa cuisinière, se trompait dans ses comptes, mais a su mourir si à propos pour céder la place à la raisonnable Agnès. Quand on ne sait pas choisir les côtelettes (ni ouvrir les huîtres, j'oubliais) c'est bien le moins qu'on sache mourir. Allegra choisissait très bien la viande, et elle n'avait pas de cuisinière — on ne l'a jamais vue jouer de la guitare, non plus (mais sans doute la Famille a-t-elle considéré que cet enfant — comment s'appelait-il, déjà? — c'était comme une espèce de jeu, l'équivalent de la guitare, ou du chien Jip) mais elle a su disparaître, elle aussi. Un peu gauchement, comme tout ce qu'elle faisait. Un peu maladroitement. Mais la famille a arrangé tout ça, et la femme-enfant, la petite sœur, la fugitive, est devenue, à peu de frais, une élégie, souvenir d'enfance.

Mais ce n'est pas — peut-être Jean-Philippe l'a-t-il pensé quelque temps, jusqu'à ce que cette pensée soit devenue vraiment intolérable — ce n'est pas Allegra qui était enfant, c'est leur amour qui l'était encore, dont on ne saura jamais ce qu'il aurait pu devenir, un grand roman passionné, une vie paisible et harmonieuse comme un fleuve, ou rien de plus qu'une rencontre d'étudiants au Luxembourg. Il ne saura pas. Un petit doute, un petit regret qu'on a oublié avec Allegra. Il dit déjà « Elle était si jeune »; trop jeune pour qu'on s'en souvienne, sans doute. Bientôt il dira « J'étais si jeune » et ce sera fini.

*
* *

Josée est rentrée chez elle, triomphante encore une fois. Combat contre le guérisseur, combat contre sa grand-mère; elle se sent revigorée, comme par une cure. Impression tonique et amère à la fois de sa propre valeur. Car enfin ses victoires sont secrètes, celle qu'elle vient de remporter comme celle de la veille, comme ses victoires du passé : la conquête d'Antoine, tenté par sa cousine Liliane, épanouie comme un beau fruit, l'étude de la comptabilité, qui lui permet de suppléer à l'igno-

190

rance de son mari, et toutes les petites victoires quotidiennes de la femme, qui le soir, penchée sur des chiffres, trouve le moyen, avec une simple femme de ménage, de donner l'illusion de l'aisance et presque du luxe.

Jo surmonte tous ces obstacles avec l'élégante sécheresse de sa mère, mais davantage de raideur. Elle voudrait bien que quelqu'un, dans son entourage, s'avisât de son mérite, lui rendît un peu justice; égale à sa mère et à sa grand-mère sur le plan technique en privations, abnégations et capacités diverses et secrètes, elle connaît de temps en temps le désir de raconter à quelqu'un ses triomphes occultes. Mais en les racontant, elle en perdra tout le mérite, et même tout le profit. Il n'y a, finalement, que le guérisseur qui *sait*. Parce qu'elle s'est refusée à donner dans le piège, à s'humilier devant cet homme dont elle a très bien perçu le mépris, la supériorité qu'il se croit sur ses clientes. Parce que la guérison de Sauveur, elle la lui arrache, contre sa volonté, parce qu'elle guérit Sauveur à *travers lui,* et qu'il n'est rien de plus à ses yeux que le billet de banque — si péniblement obtenu du cousin Octave — avec lequel elle le paie. Elle a affronté, elle affronte encore chaque semaine l'Ogre, le cauchemar, celui qui s'est mis à personnifier son infériorité secrète, qu'elle doit chaque fois battre en brèche. Mais de ne pouvoir publier ses victoires l'aigrit, et Antoine sans s'en douter en porte la peine, écouté avec moins de complaisance, admiré avec moins d'assiduité.

— Paule n'est pas si bête qu'elle en a l'air, dit Jo, comme il daube à nouveau sur les ambitions de sa belle-sœur. Si tu veux mon avis, toute cette histoire de Maisons-Alfort n'a jamais été qu'une façade, un prétexte pour mettre la main sur la briqueterie, et obtenir une donation de Bonne-Maman.

— Oh! tu crois? C'est ce salaud de Phil qui a dû lui mettre ça dans la tête! dit Antoine sans méchanceté. Il faudra que je lui en touche un mot. Il n'est pas depuis six mois dans la famille, et il lui faut sa part de gâteau!

— Paule est assez grande pour y penser toute seule.

— Allons donc! Antoine a desserré sa cravate, s'est assis pesamment sur sa chaise (quand il s'assied on dirait qu'il pèse cent kilos! remarque Josée avec impatience — alors qu'il est à peine un peu empâté). Paule n'a aucun sens pratique, voyons.

D'habitude, et en faveur de sa constante bonne humeur, Jo passe à son mari cette autosatisfaction béate, qui ne s'appuie sur rien. Mais le sentiment de sa force l'enivre à la fois, et l'aigrit.

— Elle n'a aucun sens pratique, mais son affaire est en pleine expansion. Et elle s'est débrouillée pour trouver de l'argent, pour trouver un local...

— Tu vois bien que non, dit Antoine, la bouche pleine, avec une sereine mauvaise foi. Puisqu'elle veut, d'après toi, la briqueterie — ce dont je ne suis nullement convaincu d'ailleurs.

— Elle veut la briqueterie, et elle l'aura. Et les enfants seront spoliés! dit Jo avec emportement. Tout cela se trame sous tes yeux, et toi tu laisses faire. Le jour où Paule et Allegra se partageront le gâteau, tu verras si elles n'ont aucun sens pratique!

Antoine éclate de rire et repousse son assiette.

— Ma pauvre chérie, mais ton amour maternel t'aveugle! C'est très touchant d'ailleurs, mais d'abord Bonne-Maman ne voudrait spolier personne, et surtout pas Sauveur, tu penses! et puis rends-toi compte de ce que tu dis. Paule, à mon avis, n'est pas une lumière, en ce qui concerne les affaires, mais Allegra! C'est de la folie toute pure!

— Allegra, je ne dis pas. Là, il est possible que ce soit Phil... Mais c'est Paule qui a mis cette idée dans la tête de Phil, et pas le contraire, crois-moi. Une fois qu'elle se sera servie elle dira : nous avons la briqueterie, vous, vous aurez le mas. Et tu sais ce que c'est que le mas : ne rapportant rien, trop loin pour qu'on puisse le surveiller, sans compter qu'on n'en délogera Octave et Amélie que le jour de leur mort!

— Tu crois vraiment? (Le doute commençait à percer son épaisse carapace. Elle en éprouva une joie maligne.) Mais ça ne se passera pas comme ça! Je ne me laisse pas faire, moi! Je ne me laisse pas manger la laine sur le dos! Il ne faut pas que toutes ces bonnes femmes s'imaginent...

Elle le faisait monter à son gré, comme une mayonnaise. Mais en général elle avait la sagesse de s'arrêter à temps. Tout à coup, elle n'a plus de sagesse. (Est-ce le mot « bonne femme » habituel pourtant dans le vocabulaire d'Antoine).

— Elles ne s'imaginent rien. Elles agissent. Paule et Jean-Phil, et leur ami, celui qui est toujours si bien habillé, tu sais? vont visiter la briqueterie dimanche, mine de rien, sous couleur de pique-nique. Et ils emmènent Bonne-Maman, dans une voiture empruntée exprès, pour qu'elle ait toutes ses aises. Qu'est-ce que tu dis de ça?

Il tombait des nues.

— Mais moi aussi j'agirai! Ça c'est un peu fort de café! Comment, sans même m'en parler?

Il avait posé sa serviette, l'appétit coupé, décidément. Et il en fallait beaucoup pour lui couper l'appétit. Josée mangeait ses raviolis, un à un, du bout de sa fourchette. Renata, qui traversait l'âge ingrat sans aisance, ricana. Sauveur écoutait avec attention. La petite Marie regardait Sauveur écouter, comme chaque fois qu'elle ne comprenait pas. Il lui expliquerait.

— Pourquoi t'en auraient-ils parlé? Tu as démoli leur projet quand ils en ont parlé.

— Parce qu'il était idiot — ou en tout cas très risqué.

— Comme les projets de Marquet pour Soleil-Loisirs... murmura Jo, et elle alla chercher le fromage. Antoine suffoquait d'indignation. Marquet, son ancien associé, maintenant son patron, en somme, lui avait proposé une participation à l'affaire, ou une augmentation de salaire. Il avait préféré l'augmentation. Pouvait-il prévoir l'extension que prendrait Soleil-Loisirs? D'ailleurs Jo était d'accord, et maintenant...

— C'est un comble! dit-il tout haut, et il rencontra le regard stupéfait de la petite Marie, qui n'avait pas l'habitude de voir son père se fâcher et restait la fourchette en l'air, la bouche ouverte.

— Oh! le joli poisson! dit-il, brusquement réconforté. Il adorait Marie, qui lui vouait une admiration sans bornes. L'enfant ferma la bouche, et ils se mirent à rire. Jo rentrait avec le plateau de fromages. Il y avait du port-salut et du fromage en portions.

— Jamais, jamais de fromage en portions! dit
Antoine doctoralement. Il avait repris sa bonne humeur
instantanément, mais sentait le besoin d'affirmer son
autorité.

— Surtout le camembert! C'est une hé-ré-sie!

Il avait dit cela sans une ombre de méchanceté, mais
Jo, irritée sans savoir pourquoi depuis le début de leur
discussion, répondit aussitôt : « Tu as raison. Tu devrais
te recycler dans les fromages » avec une telle âpreté
qu'il demeura interdit.

— Tu as mal au ventre Jo? demanda-t-il gauchement.

C'était le meilleur garçon du monde, il fallait bien le
reconnaître. Pourquoi, depuis quelque temps, quand il
lui parlait, voyait-elle se superposer sur ses traits le
masque de l'Ogre? « Tu as mal au ventre! » Comme si
une femme n'avait que cette raison-là à invoquer quand
elle avait quelque chose en tête, quelque chose sur le
cœur! Non, je n'ai droit qu'à un ventre, c'est tout! Elle
se sentait tellement ulcérée — et injustement ulcérée,
qu'elle alluma la télévision, ce qu'elle ne faisait jamais
avant la fin des repas. Cela valait mieux que de lâcher
la bride à sa colère, de laisser s'épancher des rancœurs,
des aigreurs dont il n'avait même pas idée. Est-ce qu'il
imaginait parfois qu'elle avait une pensée, une existence
autonome? Et pourtant, elle le valait bien, elle valait
mieux que lui — pensée qui l'attendrissait en général,
mais pas aujourd'hui, non, pas aujourd'hui. Fromage
en portions, vraiment! S'il n'avait que cette supériorité-
là!

★
★ ★

Elle ne sait pas très bien, au fond, si c'est à cause
de l'enfant qu'elle a pris la décision de ne plus travailler
que le matin. Tout cela s'est enchaîné si naturellement
depuis le premier jour où elle l'a pris par la main, qu'on
ne peut même pas appeler ça une décision. C'était à
cause de Jo qu'elle s'était mise à le promener. Pour
ne pas être chez elle le lundi. Et pouvait-elle lui refuser
maintenant, quand il lui montrait la porte, les yeux

brillants, le visage animé, si différent du petit prisonnier morose qu'elle croisait dans la cour? Elle se défendait, vis-à-vis d'elle-même, comme si elle avait été coupable. Et elle se sentait un peu coupable, devant cette mère, ces sœurs si actives, devant Phil préoccupé de locaux, de publicité, d'achat de voiture, de futurs déménagements... Que faisait-elle en regard de toute cette activité? Elle se promenait avec un enfant.

Ils n'allaient plus chaque fois au Jardin des Plantes. Rachid avait vaincu sa terreur des automobiles, et c'était lui qui décidait maintenant de leurs promenades. Il procédait prudemment, mais avec détermination. Quand il avait décidé d'explorer une rue qu'il ne connaissait pas encore, et qui croisait leur chemin familier, il marquait d'abord devant ce chemin inconnu une halte. Il examinait les premières maisons, les passants, le trafic, puis s'éloignait, en tirant Allegra par la main si c'était nécessaire, arc-bouté sur ses robustes petites jambes. Au retour, il marquait un arrêt plus long, puis, avec un effort sensible, prenant son courage à deux mains, il faisait dans cette voie nouvelle quelques pas très prudents. Puis rebroussait chemin, beaucoup plus vite. Au bout de quelques jours de ce manège, qu'Allegra respectait scrupuleusement, un après-midi il se décidait. Et d'un pas déterminé, il allait jusqu'au bout de la rue inconnue. Après cet effort c'étaient les joies de la découverte. Si la rue était peu fréquentée, il lâchait même la main d'Allegra. Chaque vitrine, chaque maison était l'objet d'un examen attentif; puis il décidait visiblement de l'intérêt plus ou moins grand de ce nouveau territoire. Ainsi avait-il une préférence pour la rue Servandoni, à cause d'une boutique de maquettes, qui offrait en devanture plusieurs reconstitutions de voiliers. Rue Dante, une boutique d'images d'Epinal ou d'affiches anciennes le retenait longtemps. Et tout en haut du boulevard Saint-Germain, un marchand de tapis. Il effleurait du bout des doigts les descentes de lit exposées au-dehors; puis il se consacrait à l'examen minutieux des tapis suspendus dans la vitrine. Il pouvait alors rester près de dix minutes, complètement immobile, ses larges yeux noirs allant lentement d'un tapis à l'autre, comme s'il prenait note de leur dessin, de leurs couleurs. Allegra attendait, patiente, un peu engourdie, un peu surprise de l'impression de concentration qu'il donnait. Et quand il s'arrachait à sa contemplation et lui reprenait la main, avec un sourire soudain, comme s'il s'excusait de l'avoir un instant quittée, elle avait l'impression fugitive que c'était elle qui, des deux, était l'enfant.

Elle ne regardait pas les rues, les vitrines. Elle le regardait.

Elle le regardait agir, dans l'appartement comme dans les rues, élargissant prudemment le cercle de ses investigations comme celui de ses promenades, qui dessinaient une étoile autour de la place Maubert. En deux mois à peine il avait appris à manger seul, à fermer une porte à clé, à faire des colliers de perles de bois, à boutonner son manteau... la somme de ses acquisitions était considérable. Elle le voyait progresser avec admiration, avec tendresse. Elle ne comprenait pas. Il ne lui semblait pas qu'elle, depuis l'enfance, eût jamais progressé, ni désiré progresser. Ce n'était pas un progrès, que cet effort de parler le langage des autres, que le médiocre petit bagage avec lequel Vanina l'avait intrépidement lancée dans la vie. Tours de chien savant qui rattrape une balle. L'exploration de Rachid, évidemment, avait un autre sens. L'initiative venait de lui, chaque fois. Elle ne désirait rien lui apprendre. Comment l'eût-elle désiré, heureuse de le voir, heureuse qu'il désirât sa présence; heureuse, tout court. Un hasard lui avait apporté cet enfant. Elle se fût contentée de cette présence silencieuse et tendre. De ce petit corps qui se pressait contre elle, de l'odeur de ses cheveux, de son regard grave. Mais s'il voulait... Elle en venait à se demander s'il n'avait pas, ce petit être impuissant et morose, tapi dans la cour sur sa caisse à savon, projeté tout de suite de s'implanter chez elle, de se l'approprier, de jouer de sa faiblesse, la seule arme dont il disposât. Elle se rappelait son cri, le jour de l'enlèvement du frigidaire, son cri si déterminé; un désespoir, sans doute, mais un désespoir qui ne désarmait pas, qui lutterait jusqu'au bout... Petit enfant rusé, courageux, patient, comme un héros d'Homère. C'était cela, pensait-elle avec émerveillement (et elle se référait au petit volume des Contes et Légendes tirés de l'Antiquité grecque) Rachid, c'était Ulysse. Elle avait toujours aimé ce héros qui ne faisait pas de bruit, n'était pas sanguinaire et parcourait l'Océan sur son bateau à voiles. Ulysse s'était bouché les oreilles pour résister aux Sirènes. Rachid se condamnait au silence pourquoi? Devait-elle essayer de comprendre? Désirait-il qu'elle comprît quelque chose? Elle n'avait de ce qui se passait autour d'elle aucune curiosité. Elle désirait que Phil réussît, parce qu'elle l'aimait. Elle désirait que Paule se consolât, parce qu'elle l'aimait. Et puisque Rachid désirait apprendre les rues, connaître les usages, elle désirait qu'il apprît. Mais le pourquoi de tout cela lui demeurait fermé. Elle était toujours la petite fille qui jouait une note, une seule, sur le piano, et qui s'émerveillait que la musique existât. A cause de Rachid, elle regardait cette petite fille, et se demandait si elle devait changer.

Jamais elle ne s'était posé autant de questions. Elle vivait dans une sphère sereine, lumineuse, elle ne désirait pas en sortir. Elle n'imaginait pas qu'elle pût en sortir. Sans doute, les fenêtres aveugles de Diane et Patricia, l'abandon de l'enfant et son silence, ces jeunes gens différents et semblables qui la croisaient, et parfois faisaient du tapage dans la cour, lui semblaient mystérieux — mais pas plus que le reste du monde. Les clientes de l'Institut, Paule, Jean-Philippe, Jo, ses parents, lui rappelaient le défilé des clients de son père qu'elle observait, enfant, par des portes entrebâillées. Chacune de ces personnes, apparemment normales, intactes, correctement habillées, la parole facile, assises sagement dans la salle d'attente, portait en elle un secret, invisible à l'œil nu. Elle se disait alors qu'elle saurait plus tard.

Elle n'avait jamais su. Peut-être n'avait-elle jamais grandi? Peut-être était-ce qu'elle ne désirait pas vraiment savoir, comme Rachid ne désirait pas vraiment parler? Peut-être allaient-ils grandir ensemble?

197

La briqueterie était située à la sortie du village, après le pont, en face de l'élevage de truites. C'était une grande construction en quadrilatère, poétique et vétuste. A partir de là, la route s'élevait, redescendait, au milieu de collines relativement hautes, plantées de maïs, qui s'écartaient comme les pages d'un livre, pour laisser passer de rares usagers. C'était une départementale peu fréquentée, qui menait au petit village du Mesnil. Allegra était allée visiter la briqueterie quelquefois, bien avant son mariage. Elle avait gardé le souvenir d'un mois de mars ou d'avril assez froid, encore hivernal. Pendant que les autres visitaient, se chauffaient dans la seule pièce entretenue par le gardien, elle était sortie pour voir les truites. Puis elle avait fait quelques pas sur la route. On dit que l'hiver est triste et sans couleur, aussi fut-elle frappée par la diversité des coloris, sur les collines. Les arbres étaient nus, sans doute, mais les champs offraient toute une gamme de verts, de jaunes éteints et délicats, et à droite, au sommet d'une des éminences qui bordaient la route, les tiges coupées des maïs, éclairées par un soleil pâle, avaient des reflets gris et mauves, étrangement morts. Cette couleur rare l'attira. Quittant la route goudronnée, elle monta par un petit chemin de terre vers le sommet. Ses souliers s'alourdissaient de boue, de betteraves écrasées. Elle montait, dépassant un bouquet d'arbres d'où s'envolèrent une nuée de corbeaux; une mare; un troupeau meuglant tristement. Elle marchait avec précaution, mais résolument, évitant les flaques, choisissant les touffes d'herbe, là où le sentier s'avérait trop boueux. Elle arriva en haut de la colline. Le bouquet d'arbres cachait la briqueterie, et le village était loin. A gauche, le village du Mesnil était dissimulé par un repli de terrain. Tout autour d'elle, il n'y avait aucune ferme en vue, rien que des collines et les quadrilatères inégaux des champs, de couleurs douces, qui semblaient s'étendre sur des kilomètres, comme les dunes du désert. Et comme le point où elle se trouvait était sans doute le plus élevé des alentours, elle eut un moment le sentiment de se trouver au centre de quelque chose d'infini, au centre géométrique de quelque chose. « Au centre géométrique », fredonnat-elle pour elle seule comme elle fredonnait enfant. Elle s'était arrêtée, elle était arrivée. Il semblait, devant toutes ces collines semblables, ces petits chemins semblables, qu'il n'y eût aucune raison de poursuivre ou de retourner. Le village du Mesnil, devant elle, était semblable à celui de Sacy, d'où elle venait. Brusquement, elle connut un instant de joie presque douloureuse, le sentiment fugitif et tout-puissant d'un accord parfait. Accord entre elle et ce paysage banal, qui tout à coup se révélait, accord avec ce lieu précis qui soudain se transformait en nulle part. Elle n'était nulle part, elle était bien. Elle respirait largement, enfin. A ses pieds les tiges cassées du maïs, les feuilles mortes et craquantes de cet étrange gris fer gris-mauve, gris mort, que le soleil éclaire en contre-jour de cette lueur de fin du monde, ou d'aube. Elle respirait. Si elle avait réfléchi, elle aurait réalisé peut-être que ce sentiment de délivrance était étrange, était contraire à ce qu'elle croyait aimer et sentir; mais elle ne réfléchissait pas. Elle respirait comme une prisonnière délivrée, comme une étrangère qui retrouve soudain son vrai langage; la désolation de ce paysage d'hiver lui était douce, la solitude où elle se trouvait lui était un élément naturel, elle cessait d'être gauche, d'exécuter ces patients petits tours d'équilibre quotidiens, de jongler studieusement. Elle était libre de n'aller nulle part, de n'être nulle part, d'être.

Le clocher de Sacy avait sonné, Allegra avait senti se briser quelque chose qui allait naître, qu'elle allait enfin toucher du doigt — elle avait instantanément oublié quoi, oublié même son regret. Elle était redescendue en courant, vers la briqueterie, la famille, vers la jeune fille Allegra qui attendait, patiente, elle avait oublié même cette visite à la briqueterie. Quand on avait reparlé de cette « propriété » délabrée, à cause des projets de Paule, Allegra avait dit, avec bonne volonté — car ces projets ne la passionnaient pas : « Ah! oui! la briqueterie! c'est une bonne idée! » sans y attacher autrement d'importance. Et la nuit suivante, elle avait fait un rêve curieux : elle s'était crue reportée au moment où elle avait gravi la colline, elle avait revu cette couleur étrange des maïs morts, comme le pelage d'une bête écrasée, et elle s'était tenue un moment à ce point exact de la colline d'où l'on ne voyait plus les maisons des deux villages semblables, à ce point où il fallait demeurer éternellement, car un pas à gauche, à droite, ramenait au Mesnil ou à Sacy, à ce point où elle s'était un instant, sentie à sa place. Mais dans son rêve, elle tenait un enfant par la main.

★
★ ★

— Est-ce que tu crois, demanda Lucette, que c'est impoli d'offrir quelque chose pour le bébé?

— Quel bébé? demanda Allegra, qui nettoyait la table de massage.

— Voyons! le bébé d'Odette. Elle se marie le 15, ça ne se verra pas trop, elle a une tunique bleu acier, une merveille! C'est moi qui rassemble l'argent pour le cadeau, alors j'avais pensé...

— Oui, c'est une bonne idée... murmura Allegra distraitement.

Elle cherchait un drap propre pour l'étendre et n'en trouvait pas.

— Mais est-ce qu'elle ne va pas trouver ça déplacé? Elle a pas mal de choses pour son ménage, tu vois, et Pierre aussi, alors j'avais pensé à un stérilisateur pour les biberons, ou une petite baignoire, ou même une poussette si on a assez d'argent, mais est-ce que ça ne va pas la vexer?

— Pourquoi?

— Oui, évidemment, Odette est moderne, mais sa famille... Naturellement sa mère est au courant, elle est même ravie, elle avait tellement peur qu'Odette n'ait pas d'enfants, ne se marie jamais, mais elle fait comme si de rien n'était. Alors si nous on s'amène avec une poussette!

— On ne va pas lui donner une poussette à la mairie!

On l'apportera à leur appartement. Ce n'est pas à la mère d'Odette qu'on fait un cadeau.

— Tu as raison, dit Lucette rassérénée. On m'a tellement bassinée avec ces histoires de famille! Au fond, tu es moins vieux jeu que tu n'en as l'air.

Allegra éclata de rire. Elle avait préparé la table pour Mme Strauss, et maintenant elle faisait chauffer la paraffine pour le bain amaigrissant.

— J'ai l'air vieux jeu?

Lucette rougit. Gaffeuse, mais la meilleure fille du monde.

— Je ne voulais pas dire ça, mon chou. Juste que tu es si... enfin, bien élevée, je ne sais pas comment dire...

Allegra rit encore. Cette pauvre Lucette qui pataugeait! Lucette finit par rire elle-même et vint lui coller un gros baiser sur la joue.

— Tu sais, je trouve que c'est drôlement chic, ce que tu fais! dit-elle dans un élan. Oui, pour le gosse.

— Ah! fit Allegra, embarrassée.

— Ça fait un moment que je voulais te le dire, mais tu es si...

— Vieux jeu?

— Méchante! Non, tu es si réservée que... Mais c'est vraiment bien. Surtout que tu dois avoir tout le monde contre toi.

Allegra s'était remise à ranger, avec une maladresse gracieuse.

— Si, si, je sais ce que c'est, insistait Lucette avec une lourdeur cordiale. Deux trois fois j'ai voulu m'occuper d'un gosse malheureux, là-bas, si tu avais entendu maman! Pourtant, maman, hein! Alors je m'imagine... Mais tu sais, ici, on est de ton côté. Si jamais tu as besoin d'un coup de main... On pourrait s'en charger à tour de rôle. Ou si les parents te font des difficultés, tu me connais, je ne suis pas raciste, et j'y ai du mérite, parce que j'ai vécu là-bas, et que je pourrais te raconter des histoires! bref ce sont des primitifs, ils n'ont pas notre mentalité tout de même. Je connais une assistante sociale au poil qui pourrait t'aider... Tu n'aurais qu'à me dire...

— Merci, dit Allegra. Tu es tellement gentille.

Elle tournait le dos à sa cousine, heureusement, et

faisait mine de remuer la paraffine. De toute façon, même de face, un cœur qui se met brusquement à battre d'effroi, ça ne se voit pas.

C'était pourtant vrai qu'elle n'était pas seule au monde avec lui. Elle avait tendance à l'oublier. Il y avait les deux filles enfermées. Il y avait Phil. Il y avait la possibilité d'un déménagement, et l'approche menaçante des vacances. Il y avait Phil. Il y avait Jo qui avait vu l'enfant, qui savait. Et Bonne-Maman qui prétendait tout régenter. Il y avait Phil.

— Seule? (quand il rentrait, ce ton malgré lui agressif).

— Mais oui, mon chéri.

Elle venait l'embrasser, et il se sentait pris d'une sorte de nausée tendre, d'envie de pleurer, de se cacher dans ses bras, contre laquelle il luttait.

— Ah! quelle journée! Mallory est impossible, impossible tu sais! Vivement que je quitte cette boîte! Que je débouche sur quelque chose...

Elle hochait la tête, compréhensive. Trop compréhensive. Elle trottait, saluait, s'inclinait comme un cheval de cirque, persuadée d'agir au mieux, d'agir comme il fallait qu'une femme agisse, pleine de bonne volonté, d'application, pas malheureuse, l'animal non plus ne l'est pas, qui sent qu'il a réussi son tour, que le public l'applaudit, que son maître est content de lui.

Lui en souffrait d'une souffrance, petite, mais présente, agaçante comme un faux pli sur sa chemise, une miette dans le lit. Il ne lui venait que des métaphores horriblement quotidiennes, on était loin de Tristan, ou peut-être pas. Il la voyait aimante, certes, bien coiffée, douce, prévenante à l'extrême, sachant admirablement, sachant héréditairement (et n'était-ce pas ce qu'il avait voulu) se conduire avec l'homme, silencieuse quand il est ivre ou de mauvaise humeur, prête à servir des repas chauds, des sourires compréhensifs, des yeux écarquillés d'admiration, des soupirs même, à l'heure des repas, à l'heure des sourires, horaire établi de toute éternité. C'était non avec lui, mais avec l'enfant, qu'elle ne savait pas, qu'elle doutait (Tu veux te promener? Tu veux les perles en bois? Tu veux...) qu'elle se troublait, s'interrogeait. C'était avec l'enfant qu'elle inventait ses conduites. Il était allé jusqu'à cette conclusion-là. Il était allé jusque-là, il n'était pas allé plus loin. Il avait reconnu soudain que ses relations avec Allegra étaient régies par un code, étaient prisonnières d'une loi. Il n'avait pas reconnu sa complicité avec ce code, avec cette loi. Il avait accepté les tabous avec soulagement, mais c'était parce qu'il se croyait différent. Supérieur et par là même, vulnérable. Mais capable de tourner la loi à son profit, de s'en servir. Il avait cru garder ses distances, à l'abri d'un bastion modeste, mais protégé, entouré d'affection, d'attention, de femmes penchées sur le berceau de son ambition vagissante. Il le pensait avec un sourire. Il avait organisé sa vie comme on décore un appartement dans un style désuet; l'humour et la tendresse n'en étaient pas exclus. Mais il se disait, dans un jargon très actuel, qu'il les aimait — Vanina, Jo, Paule, et bien entendu Allegra-la-vieille — *au second degré*. L'ennui, c'est qu'il n'aimait pas l'autre Allegra au second degré. L'ennui, c'est qu'elle semblait se mouvoir à l'aise dans ces conventions si commodes, qu'elle les lui appliquait impitoyablement. Il l'y avait encouragée. Il n'avait rien fait pour établir entre eux un autre langage. Il n'avait pas saisi au vol les occasions bien rares qu'elle lui avait offertes d'un rapport différent. Il en avait eu peur. Il se voulait égoïste, prudent, raisonnable; le voyait-elle sous ce jour? Il le craignait, le désirait. Si elle perçait à jour ce qu'il appelait sa faiblesse, il serait désarmé, vaincu avant même d'avoir lutté vraiment. Il avait failli l'être à la mort de sa grand-mère : il ne l'oublierait jamais, cet enchantement, cette panique. Enchantement au sens médiéval du terme; la malignité des choses qui soudain s'empressaient à le combler d'une couleur, d'une mélodie, le laissant horriblement vacant, disponible devant la beauté du monde : un envahissement. Ainsi Allegra l'envahirait-elle, s'il la laissait faire, inoffensive en apparence avec son rire clair, ses amusements puérils, et pourquoi pas son amour, car elle l'aimait. C'était lui qui s'excluait volontairement d'un univers médiocre et limpide, insondable. Il n'y avait qu'un pas à faire. Ah! non, il n'était pas si loin de Tristan, en dépit de l'apparence des

choses. « Qu'est-ce que tu voudras manger ce soir ? »
« Mme Strauss va se faire faire un lifting. » « Maman
pense que nous pourrions acheter un four électrique. »
C'était des cryptogrammes, facétieux et grotesques
comme des masques de carnaval, effrayants aussi
comme eux. Le chant des sirènes peut se cacher derrière
le vocabulaire d'un livre de cuisine. Mais il ne voulait
pas contourner les apparences : il croyait y perdre le
pouvoir de les asservir — et c'était probablement vrai.
Il voulait qu'elle vînt à lui, qu'elle fût une complice
consciente de sa fraude... Il voulait qu'elle l'aimât plus
et moins, autrement, qu'elle fût comme lui vulnérable,
comme lui convaincue de l'urgence de se défendre...
« Fais quelque chose, demande-moi, reproche-moi
quelque chose... » Elle ne lui demandait rien, pas même
s'il l'aimait, elle était là, à deux pas, derrière la vitre,
qui jouait avec un enfant. « Moi aussi, elle me traite
comme si j'étais muet », pensait-il avec rancune. Il
l'était.

*
* *

— Je t'ai trahie, dit Josée. Je me suis conduite comme
une salope. Je me méprise.

Allegra regardait sa sœur qui prononçait ces mots
excessifs. Deux petites larmes maigres coulaient sur
son visage enflammé. Elle avait le désespoir sec, brûlant
sans chaleur, un feu blanc qui la dévastait et l'embellissait.

— Jo ! ne pleure pas, Jo... Voyons, ma chérie !

Jo se calma, les yeux fixes.

— J'ai été prise au dépourvu. Je sais qu'elles s'en
seraient mêlées, qu'elles auraient tout gâché. J'ai voulu
gagner du temps. Je me suis servie de toi, c'est tout.

Elle parlait sèchement, par phrases brèves, comme
on se flagelle, et avec une sorte de défi dans la voix.

— Mais de quoi parles-tu, enfin ?

Allegra s'était agenouillée près de sa sœur, assise sur
ces coussins mous si malcommodes dont Paule avait
meublé le studio. Elle lui entourait les épaules de son

bras, posait ses lèvres sur la joue brûlante, lui prenait les mains entre ses mains douces. Mais Jo, les muscles tendus, le corps raidi, refusait passivement tout contact, toute consolation.

— Le guérisseur. J'emmène Sauveur là-bas, quand je dis que nous sommes ensemble. Il va mieux déjà. C'est une question de mois. Il ne faut pas qu'on m'en empêche.

— Bien sûr que non, Jo! Bien sûr qu'on ne va pas t'en empêcher! Si tu crois que ça peut faire quelque chose... Pourquoi veux-tu qu'on t'en empêche?

Josée regarda sa sœur avec quelque chose comme du mépris.

— Tu ne les connais pas? En fait tu ne connais rien. Tu ne regardes pas autour de toi. Elles ne veulent pas que Sauveur guérisse. C'est comme ça. Alors j'ai dit que c'était toi.

— Moi... quoi, moi?

— Toi qui allais chez le guérisseur, continuait Jo avec cette espèce d'égarement calme. J'ai dit que je ne t'avais accompagnée qu'une fois. Tu entends? Qu'une fois. Par curiosité. (Elle parlait d'une voix hachée, comme si Vanina, la grand-mère, la famille tout entière, avait été dans l'escalier, derrière la porte, prête à les surprendre, à les faire passer en jugement.) Tu as eu l'adresse par Mme Boussu. Elle est prévenue. Tu y vas sans y croire, pour voir, pour te distraire. Tu es prête à y renoncer, si elles y tiennent. N'aie pas l'air de t'entêter, d'y attacher de l'importance. Tu as voulu voir, c'est tout.

— Mais Jo, pourquoi est-ce que je serais allée chez un guérisseur, voyons?

— Enfin, Allegra, est-ce que tu le fais exprès? Pour le petit, naturellement.

— Ah! oui... dit-elle.

Jo reprenait, avec cette animation fébrile de qui a une idée fixe :

— Elles ne pourront pas t'en empêcher. Oh! elles te feront des difficultés, grand-mère surtout, mais je te défendrai. Je te le jure. Je te comprends. Un enfant est un enfant, même si ce n'est pas le tien. D'ailleurs tu devrais essayer. Il le guérirait peut-être. C'est le docteur Théo, on l'appelle comme ça, et il habite Saverny, enfin, il reçoit là-bas. Il a des pouvoirs extraordinaires. C'est un peu cher, mais... Je te trouverai même de l'argent. Tu comprends, n'est-ce pas? Tu ne m'en veux pas?

— Mais non, répétait Allegra avec une douce incertitude... Mais non...

Elle se demandait pourquoi Jo parlait de sa mère et de sa grand-mère en disant « Elles » comme si elles étaient dix, comme si elles étaient cent. Paule aussi disait « Elles », mais alors, Jo était comprise dans le groupe. Et Jo comprenait certainement Paule dans le groupe hostile qui l'empêchait d'agir comme elle l'entendait. Il n'y avait qu'elle, Allegra, qui semblait ne faire partie d'aucun groupe.

Elle lui servit du thé, avec des biscuits au gingembre. Elle fit remonter l'enfant, qu'elle avait fait sortir quand elle avait vu l'état dans lequel était Jo. Il alla immédiatement se réfugier dans la cuisine, sur le tabouret marocain. C'était son endroit.

Jo semblait un peu plus détendue. Elle but son thé, mangea quelques biscuits.

— Quelle saleté de biscuits! dit-elle gentiment. C'est parce que tu habites le quartier Latin que tu te crois obligée de faire de l'exotisme? Tu vas devenir une vraie hippie... puis elle ajouta : tu tiendras le coup, hein?

Allegra acquiesça de la tête, incertaine.

— Il me faut deux mois, trois, peut-être. Pas plus. Mais pendant ce temps tu vas les avoir sur le dos.

— Paule aussi? demanda Allegra, un peu à l'aveuglette.

— Pire que les autres, fit Josée, sombrement, en avalant encore un biscuit, par distraction sans doute. Fanatisme, tu sais. Que tu aies lâché le travail pour t'occuper d'un enfant, ça la scandalise plus que si tu avais un amant.

— Figure-toi que je croyais que tu en avais un, dit Allegra un peu hors de propos.

— Moi?

Du coup Jo en oublia ses soucis, ses remords, oublia tout dans un fou rire qui amena dans ses yeux des larmes sans contrainte.

— Oh! Allegra! Tu es impayable! On n'en fait plus comme toi. Un amant!

Elle riait, elle riait, et l'enfant, dans la cuisine, se mit à rire aussi, rassuré. Il avait eu peur de cette dame étrange à cause de laquelle on l'avait mis à la porte.

— Si elles t'entendaient! disait Josée, en essuyant ses larmes, en riant encore. Si elles t'entendaient!

Et Allegra se mit à rire aussi, avec l'enfant qui s'était approché, comme un animal qui s'enhardit, et saisissait un biscuit, et ils riaient tous les trois. Mais elle, Allegra, riait parce qu'elle ne faisait partie de rien, pour personne, et qu'elle venait de penser que l'enfant non plus ne faisait « partie » de rien. C'était pour cela qu'il ne supportait plus d'être enfermé dans le puits, qu'il était monté jusqu'à elle, qu'il aimait tant regarder le ciel, de la loggia. Elle le prit dans ses bras tandis que Jo se resservait du thé. Ce jour-là, elle avait l'impression que personne ne pourrait leur faire du mal : ils allaient s'envoler tous les deux, comme des oiseaux.

*
* *

— Tu n'y crois pas? demanda Jo un peu plus tard.

— A quoi?

— Au guérisseur.

— Mais... je ne sais pas.

— Enfin, il y a sûrement *un* moyen.

— Un moyen de quoi?

Jo avait repris en se calmant son agressivité coutumière.

— Ecoute, ne joue pas ce jeu avec moi. Je ne t'ai jamais prise pour une idiote, comme Maman ou Paule. Et tu n'as pas à te méfier de moi. Je t'ai bien fait confiance, moi. Il y a sûrement un moyen d'obtenir une amélioration dans son état. Je suppose que tu n'as pas envie d'en parler à Phil, mais tu pourrais demander une adresse à papa? Ah! non! Ne me dis pas : une adresse de quoi? parce que je sais que tu me comprends très bien.

— Ça ferait peut-être plus de mal que de bien, dit

Allegra avec une sorte de répugnance. Son cœur s'était mis à battre trop vite. Elle n'avait aucune envie de discuter le cas de Rachid (et d'abord, Rachid n'était pas un cas) avec Jo.

— Peut-être, concéda Jo. L'enfant a subi un traumatisme psychologique, c'est hors de doute. La psychanalyse, évidemment... Mais, crois-moi, tu pourrais essayer le guérisseur. Ça créerait une espèce de choc...

— Mais pourquoi est-ce que je lui ferais subir un choc? dit Allegra avec une soudaine vivacité. Il se porte très bien, je le promène tous les jours, il me comprend, et moi aussi je le comprends.

— Oh! Attention! dit Jo avec une expression doctorale. Là n'est pas l'essentiel!

— Non?

Si elle n'avait si bien connu sa sœur, Jo aurait pu croire à de l'ironie.

— Non. Tu es en train de devenir une espèce de mère abusive, ce qui est d'autant plus grave qu'il ne s'agit pas même de ton propre enfant. Tu refuses inconsciemment qu'il guérisse, pour le conserver tout à toi. Mauvais cela, très mauvais. Tu l'aimes, sans doute, mais ton amour risque de le paralyser, de l'empêcher de progresser... Est-ce que tu penses parfois à son avenir, à sa place dans la société, à ce que cet enfant que tu seras forcée d'abandonner un jour, deviendra si tu l'abandonnes? Ah! Tu vois! Tu ne penses qu'à toi! Je n'irai pas jusqu'à dire comme maman que ce petit te sert de jouet, mais enfin, tout cela n'est pas sérieux. S'il est intelligent comme tu le prétends, il faut que cet enfant parle.

— Peut-être.

— Sûrement! Tu as recueilli ce petit, tu lui as donné un peu de chaleur humaine, c'est bien, c'est même très bien. Mais ça ne suffit pas. Il faut l'aider à s'en sortir, à devenir un enfant normal, un homme. Tu as essayé des choses, pour le faire parler? Lui poser une question très simple, à l'improviste? Lui refuser un bonbon, un jouet que tu lui montres, s'il ne le demande pas?

— Tu parles comme l'Inquisition.

— Et toi comme une arriérée! s'écria Josée, à bout de patience. Quand je pense que je viens ici pour t'aider... Mais si tu ne te bats pas, on t'enlèvera le petit avant que tu aies pu rien faire. Vois ce que je suis obligée de faire pour Sauveur : me cacher, mentir, emprunter de l'argent... Mais Sauveur progresse, il marche, et si tu voulais vraiment, ce petit parlerait!

— Mais tu ne crois pas, demanda Allegra, qu'il parlerait s'il le voulait, lui?

Le visage animé, enthousiaste de Jo se rembrunit.

— Tu es folle, dit-elle avec découragement. Tu es complètement folle. Ce sont ces idées modernes qu'il faut laisser faire n'importe quoi aux enfants, qu'ils savent aussi bien qu'un adulte ce qui leur convient, qui t'ont pourrie.

— Oh!

— Si, si. Mais n'oublie pas que tu as pris une responsabilité! Que cet enfant pourra te reprocher plus tard...

— S'il ne parle pas, il ne pourra rien me reprocher du tout, fit observer Allegra avec un humour inattendu...

— Tu me déçois, dit Jo avec froideur.

Elle se leva.

— Dans ces conditions...

— Nous n'avons plus rien à nous dire?

— Comment peux-tu plaisanter ainsi quand la santé d'un enfant est en jeu? Tu réfléchiras à ce que je t'ai dit. C'est très important, c'est plus important que tout, de sauver un enfant. Je croyais que tu l'avais compris. J'étais venue...

— Je sais. C'était très gentil d'être venue, dit Allegra en l'accompagnant jusqu'à la porte.

Elles s'embrassèrent, échangèrent des mots confus et tendres, et Jo s'en fut. On entendit claquer ses talons sur les tommettes quand elle parvint à l'escalier A. Puis la porte de la rue se refermer. Sans savoir pourquoi, Allegra dut s'asseoir, comme prise d'un étourdissement. Ses tempes battaient, elle haletait légèrement. C'était désagréable, ces scènes, ces éclats. Et en somme, qu'est-ce que Jo avait à lui dire? Qu'elle avait trop bavardé, c'est tout. Sûrement, la famille se moquait bien du sort de Rachid. Qu'elle le fît, ou ne le fît pas soigner, qu'elle l'emmenât chez un guérisseur ou dans un hôpital, quelle différence pour eux? Il était retourné se tapir dans la cuisine, comme un petit animal effrayé.

Sans crier toutefois : prudent, attentif comme toujours. Elle l'entendait respirer dans la cuisine, ou était-ce son propre souffle qu'elle entendait? Ils étaient seuls, et pourtant ils ne l'étaient plus. L'intrusion de Josée, avec sa passion, l'intrusion de Lucette, avec ses bonnes intentions niaises, elle n'osait pas encore se dire l'intrusion de Phil, entre elle et l'enfant, dans *leur* petite chambre de silence, dans leurs jardins, leurs promenades, leur tendresse bizarre, sans gestes, que de menaces! Elle vacillait légèrement, comme un somnambule réveillé, un danseur de corde soudain saisi d'un vertige. Tout était si simple, soudain...

Guérir. Avec quelle passion farouche Jo avait articulé ce mot. Guérir. Sauveur guérirait, qu'il le voulût ou non. Jo avait peut-être raison. Tout le monde considérait Jo comme une mère exemplaire. Il est vrai qu'on ne savait pas l'histoire du guérisseur. Mais avant le guérisseur elle avait vu des médecins en masse, fait faire des analyses, des radios, avec l'approbation de la famille. Il fallait « tout tenter ». Et moi, qu'est-ce que j'ai tenté pour Rachid? Je n'aurais même pas pensé à tenter quelque chose si Jo... L'enfant s'était laissé glisser à bas du tabouret de la cuisine, rassuré par le calme qui montait du puits, atteignait le studio comme une marée. Il allait jusqu'à la table, se juchait sur une chaise, gribouillait avec un bout de crayon sur un vieil agenda. Tranquille, appliqué. Il faisait cela, depuis quelque temps. Et quand il se lassait d'esquisser des traits sans signification, il relevait la tête et lui souriait.

Elle pensa qu'elle avait oublié de dire à Jo que le mardi précédent, au Jardin des Plantes, il l'avait amenée à quelques pas d'un petit éventaire et, en portant la main à sa bouche, lui avait indiqué qu'il avait faim. Tout cela était clair, y compris la délicatesse de l'enfant : il ne la forçait pas, puisqu'il était resté à quelques pas de l'éventaire. Alors elle lui avait pris la main, elle l'avait amené devant la table chargée de ces médiocres friandises, et elle avait dit : « Qu'est-ce que tu veux? » sûre de lui, sûre qu'il ne lui ferait pas honte devant le marchand, malgré la petite main crispée dans la sienne, et elle n'avait pas eu à rougir, il ne s'était livré à aucune manifestation déplacée, comme les enfants anormaux

210

qu'on voit parfois dans les jardins publics, il avait simplement désigné de la main une sorte de gros beignet
enrobé de sucre, elle avait demandé, combien? et ils
étaient partis fièrement, tous les deux, s'asseoir sur
un banc, un peu plus loin.

Il n'avait pas pu manger le beignet tout de suite.
L'émotion avait dû être vive, l'effort très grand. Elle
savait qu'il l'avait fait pour elle. Jamais plus, depuis
l'enlèvement du frigidaire, elle ne l'avait entendu
pousser ces cris rauques, inquiétants, qui l'avaient troublée. Quand elle voulait poursuivre une promenade
commencée, et qu'il s'obstinait à rester immobile devant
une vitrine, celle des tapis par exemple, qui lui plaisait
tant, il restait crispé, tirant sur sa main tant qu'il pouvait résister, mais sans un cri, sans se faire remarquer.
Et quand il voyait un spectacle qui l'enchantait, l'envol
d'un oiseau, le départ d'une bicyclette, des couleurs
vives — la veste d'une jeune passante, des objets dans
une vitrine — il avait un petit cri d'étonnement ravi,
un cri très léger, et qui aurait même pu passer pour un
« Oh! » auprès d'une personne non avertie. Il faisait
cela pour elle, elle en était sûre, elle le savait. S'il avait
voulu parler pour elle, il l'aurait fait. Elle le regardait,
retrouvant un peu de calme dans le silence. Il dessinait.
Il ne dessinait jamais de bonshommes, de maisons, seulement des formes géométriques, droites et courbes,
qu'il traçait avec le plus grand soin. Et comme elle
l'avait prévu, au bout d'un temps, il leva les yeux vers
elle, et lui sourit d'un sourire si intelligent, si rassurant,
qu'elle se sentit délivrée. Il n'était que quatre heures :
deux heures encore à rester seuls, à sentir glisser le
temps avec une douceur tiède, comme du sable entre
les doigts. Non, elle n'avait rien à « tenter ». S'il voulait
lui parler, il lui parlerait. Elle ne l'empêchait pas de
guérir. Il progressait. Il ne progressait que trop. Jo
avait tort. Elle ne l'empêchait pas... Alors, tout à coup,
elle s'entendit penser, et elle eut un sursaut. « Il ne
progresse *que trop* »... Jo avait raison! S'il ne lui parlait
pas, c'était peut-être qu'il sentait qu'elle n'en avait
aucun besoin? Elle se sentit coupable, pour la première
fois.

Se sentir coupable, c'est devenir femme. Allegra avait jusque-là l'intrépidité et les audaces imprévues des enfants, leur ruse sans arrière-pensée. Elle s'était laissée vivre avec un courage irréfléchi. Un seul mot ternit l'innocence, parfois. En un instant on se découvre par les yeux d'autrui. Elle s'interrogeait, elle se mettait en cause pour la première fois. Elle se sentait coupable, non d'un acte, mais de ce qu'elle était. Elle devenait femme sous le regard de l'enfant, à cause de l'enfant, de lui seul. Ce fut le malheur de Phil.

Un seul mot suffit. Le mot lui resta dans l'esprit. *Guérir.* Bien évidemment, si Rachid ne parlait pas, c'était une protestation contre quelque chose. « Si j'étais toi, je ferais ma petite enquête », disait Jo. Car c'était trop simple de dire, comme les deux sœurs recluses : « il est infirme », comme Jo : « il est malade ». Rachid affirmait par son silence qu'aucun autre recours ne lui était laissé, qu'on le réduisait au silence, silence dont toute son attitude, sa mimique, ses volontés clairement affirmées, démontraient qu'il était un truc, un système de défense contre la maladie des autres. C'était du moins l'interprétation d'Allegra. Elle comprenait son silence; elle ne comprenait pas son combat. Elle comprenait l'enfant, elle ne se comprenait pas elle-même, et que la jolie jeune femme, correspondant en tout à l'image de la perfection sur papier glacé, n'était elle-même qu'un système de défense, le plus efficace puisque millénaire : elle s'abritait derrière l'image de la femme, comme derrière un bouclier peint en trompe l'œil. Dans ce sens-là aussi, sans y voir clair, elle sentait confusément le courage que comportait l'attitude de l'enfant. Il se taisait; ce n'était pas là passer inaperçu. Elle, pour l'instant, était toujours notre parfaite, notre insignifiante petite Allegra. Que cette fiction, cette ruse honnête, car elle en était à moitié dupe, fût mise en péril par l'existence même de Rachid, elle ne s'en doutait pas encore.

Elle accomplissait depuis des années la fraude la plus formidable du monde : elle faisait passer les frontières du quotidien à la poésie, à l'amour, au désintéressement, à la contemplation peut-être, sous le camouflage de la féminité la plus convenue. Futilité, dévouement, grâce, niaiserie, tout y était. Personne ne s'apercevait de rien, et elle pas plus que les autres, à part un très léger sentiment de décalage — mais quoi! cela passait comme une fausse note, en mettant la pédale, en estompant. Si Phil avait eu le cœur aussi grand qu'il avait l'oreille fine, bien sûr, c'était raté. Mais cet assemblage est si rare, que le danger avait été nul, jusqu'à Rachid.

Elle essaya de se poser honnêtement la question. Guérir, parler, c'était *normal*. Se taire, c'était le péché capital stigmatisé par Vanina, « se faire remarquer » c'était, d'une certaine façon, offensant. Elle n'aurait jamais osé. Lui, l'enfant, le petit Rachid, robuste et mal nourri, morose et tendre, il osait. En tirait-elle une secrète joie, une revanche sournoise? Elle pensait « sournoise ». Elle pensait : « coupable ». Elle découvrait sa révolte, elle s'en sentait coupable : elle était femme.

*
* *

René Soudreau, trente-cinq ans, cordonnier, rêve.
Diane et Patricia sont sœurs, partagent le même sort de recluses volontaires, bien que l'une d'elles, apparemment, ne le « mérite » pas. Mais laquelle? Si elles gardent sur ce point le secret, c'est qu'elles le veulent bien. Si elles ne sortent pas de la pièce surchauffée, de leurs musiques entêtantes comme des parfums, si elles se complaisent dans leur féerie sordide, dans leur exotisme de bazar, c'est qu'elles y trouvent un écran protecteur, un alibi. « La honte » fait partie de l'exotisme douteux du Croissant d'Or; comme les pantalons bouffants, les sequins ternis, et les cornes de gazelle. Nées d'une mère française et à Creil dans l'Oise, Diane et Patricia qui ne parlent que quelques mots d'arabe et ont été au Liban en vacances, avec un club quel-

213

conque, n'ont aucune raison de se considérer comme des victimes du racisme, des esclaves nées, soumises à la volonté d'un père tout-puissant. C'est du moins ce qu'il semble à René Soudreau, ancien camarade d'usine de M. Bellem, monté à Paris comme lui, et devenu cordonnier, devenu « son maître » tout récemment. Que les Bellem aient quitté Creil au moment de la grossesse d'une des filles (et le secret a été si bien gardé que René n'a rien su lui-même pendant deux ans, et que c'est en arrivant à Paris qu'il a découvert l'existence de Rachid alors tout bébé et compris le départ précipité) soit encore. René ne croit pas qu'à Creil, personne n'aurait attaché énormément d'importance à la naissance d'un bébé Bellem illégitime. Mais enfin, l'occasion était peut-être bonne pour M. Bellem le père de rejoindre à Paris une nombreuse parenté, qui l'a aidé à s'installer au Croissant d'Or; mais la chose étant, pourquoi dissimuler la vérité? Il avait été question d'abord d'un « bébé qui nous a été confié », mais le mode de vie même de Diane et Patricia aurait éclairé René Soudreau, si les incursions répétées de « parents » aux plaisanteries salaces ne l'avaient déjà fait. Toutefois ces hommes dont on ne savait s'ils voulaient ainsi flétrir la conduite des jeunes filles ou leur faire une manière de cour, ne paraissaient pas eux-mêmes très fixés. La mère de Rachid était-elle Diane ou Patricia? René s'était fait fort de le savoir rapidement. Il les avait connues toutes petites, les filles Bellem. Et elles pouvaient bien se mettre des voiles et des sequins partout, il les revoyait encore, écolières, avec leurs petites nattes, leurs cartables en plastique, et pas orientales ni mystérieuses pour deux sous. Seulement, quand il était venu au restaurant, il n'avait pas pu leur parler. Elles servaient, gracieusement mais en silence, sous la surveillance d'un père Bellem devenu étrangement renfrogné, d'un cousin Bellem inconnu, mais également farouche, et si père et cousin se montraient pour lui accueillants, le petit alcool gratuit, le crédit facile, l'un ou l'autre (ou un troisième qui faisait la cuisine et surveillait la salle à travers le passe-plat) accouraient à la moindre tentative de conversation avec l'une ou l'autre des filles.

— Qu'elles fassent leur travail.

René s'était enhardi finalement jusqu'à parler au vieux de sortir avec l'une ou l'autre. Le cinéma, le bal, quel mal à ça?

— Elles sortiront avec leur mari.

— Si elles ne sortent jamais, comment veux-tu qu'elles trouvent un mari? avait répondu René, avec une logique qui lui paraissait irréfutable.

— Moi, je leur trouverai un mari, avait répondu le vieux avec froideur.

René avait battu en retraite. Jeune encore, célibataire, il s'était senti visé, et n'avait pas l'intention de se laisser prendre au piège. A la réflexion, le mystère qui entourait la naissance du bébé lui paraissait ainsi explicable : le premier nigaud qui s'éprenait d'une des filles, on lui collait le bébé, attribué à la plus demandée. Merci bien! On ne l'aurait pas comme ça. Il continuait tout de même à aller au Croissant d'Or, de temps en temps, fasciné par la fausseté même de cette pauvre mise en scène, les demi-voiles transparents des deux filles, à travers lesquels on distinguait tout de même assez bien Patricia grave, Diane souriante. Il continuait à s'interroger, comme ça, par oiseuse curiosité croyait-il. L'une? L'autre? La gravité de Patricia pouvait être celle d'une jeune mère. Mais d'un autre côté elle pouvait être, tout simplement, révoltée d'être traitée de la même façon que sa sœur, elle innocente. Diane, plus rieuse, plus épanouie, cela pouvait vouloir dire plus femme, lui plaisait davantage, d'ailleurs. Il aurait peut-être épousé Diane, même avec le bébé, si on la lui avait laissé fréquenter. Mais acheter chat en poche... Il ne manque pas de jeunes filles charmantes aux Gobelins, qui ne portent pas de voiles et sont ravies d'être invitées salle Wagram ou au cinéma de la porte d'Italie. Quand même, il retournait au Croissant, commandait un couscous, n'en finissait pas de scruter ces jeunes filles de Creil transformées en saltimbanques, en sultanes, n'en finissait pas de s'interroger sur leur silence, leur soumission, de se sentir frustré lorsque, resté tard le soir pour assister à leur gauche exhibition de danse du ventre, au son du vieux disque éraillé, il les voyait regagner leur prison, escortées de l'un ou l'autre des cousins promus à la dignité de geôliers. Il n'en finissait pas de rêver sur cette métamorphose, en tapant sur ses souliers, il n'en finissait pas de découvrir le plaisir de rêver...

*
* *

Il en était venu à lui demander cent cinquante francs par séance. C'était trois fois son tarif habituel. « Autant en profiter », disait-il, parfois à haute voix, dans le petit cabinet minable, mal chauffé, de Saverny. « Autant en profiter, puisque les femmes sont folles. » Les femmes étaient folles, il l'avait toujours pensé, mais avec une sorte de bienveillance, de pitié. Le mépris est une passion douce. Il les faisait parler, il essuyait leurs larmes, il ne se rebutait de rien, la misère, ça le connaissait, misère des corps usés, souffrants, des dessous malpropres, des âmes geignardes, confites dans leur pitié d'elles-mêmes, suppurant des varices, des eczémas, des coliques, des ulcères, petits malheurs, petits profits qu'il cueillait comme des cerises aigres. Il ne faut rien laisser perdre. Ses larges mains calmaient les hystéries, il n'y avait pas de miracle; elles ne demandaient que cela, les mains de l'homme, les mains du père, elles baisaient ces mains qui guérissaient. Mal aimées, mal payées et toutes, même les plus humbles, les plus incultes, savantes à réclamer, à couver le malheur qui leur était dû. Maris ivrognes et fils voyous, c'était le cas le plus ordinaire. Elles greffaient là-dessus les salaires insuffisants, les logements étroits, l'ennui, la rancune de tout briquer sans cesse ou la culpabilité de tout laisser aller. Misère sur misère, c'est un greffon qui prend toujours. Et si sûres de l'avoir mérité! C'est sûr, mieux peignées, elles auraient retenu l'homme dans le deux-pièces cuisine. Ne travaillant pas, le fils eût mieux réussi, ou, ayant réussi, n'aurait pas épousé « cette fille » l'autre femme, ennemie toujours. Elles se déchiraient entre elles, en des combats épiques ou par traites mensuelles, — ou se renfermaient chez elles, pour cuver leurs rancunes comme on cuve un vin lourd, dans l'odeur de la pisse de chat, de la lessive ou de l'encaustique, ça se valait, c'était toujours du renfermé. Et lui, en deux temps trois mouvements, il aérait ça, il y avait un secret dans leur vie, un but, ne serait-ce que celui de trouver les cinquante ou soixante francs nécessaires, auxquels elles ajoutaient souvent une offrande plus personnelle, napperon, confiture, un sac de noix de la campagne, qu'il acceptait. *Il leur faisait du bien!* Il n'eût pas admis que l'on mît cela en doute! Il leur faisait du bien, leur rendait l'appétit, leur dénouait l'intestin; les démangeaisons s'apaisaient. Démangeaisons d'être aimées, reconnues, comptées pour quelque chose : elles pouvaient compter sur lui. « Je sais les prendre. » Et il les prenait pour pas cher. Un bienfaiteur. S'il ne leur vendait que du vent, c'est qu'elles s'en nourrissaient. Le foin aux vaches, le pain aux hommes. Ça n'empêche pas d'aimer les vaches. Il se justifiait. Il se justifiait à cause de Josée. Cent cinquante francs! Il irait peut-être jusqu'à deux cents. Pour voir si elle tiendrait le coup. Si elle resterait aussi fière, aussi méprisante.

— Cent cinquante francs!

— Ah! que voulez-vous, ma petite dame... Tout augmente.

Elle avait ouvert son sac, posé les billets devant lui sans autre récrimination. Pourtant, il était à peu près sûr que c'était tout ce qu'elle avait dans son sac.

— Et en automne, je serai peut-être obligé d'aller jusqu'à deux cents francs. Oh! j'essaierai de tenir comme ça, vous savez, ce n'est pas de gaieté de cœur...

— Mais en automne, Sauveur sera guéri, avait-elle dit, sereine.

Il était de fait qu'à chaque séance, l'enfant progressait. Incompréhensible, voyons. Il regardait ses mains. Il ne voulait pas que l'enfant guérît, à cause de cette femme qui le narguait, qui n'avait pas besoin de lui, mais de ses mains, de son pouvoir dont elle se servait contre lui, contre sa volonté. Et l'enfant guérissait. Il boitait toujours, mais n'avait plus de béquilles, seulement une canne. Il posait les mains sur ces petites jambes maigres, mais nerveuses, avec réticence, comme s'il retenait quelque chose de lui. On ne pouvait tout de même pas — cet enfant gringalet et sa mère — le forcer à guérir, s'il ne le voulait pas?

— Ah! disait Josée après chaque séance, ça va mieux, n'est-ce pas?

— Bien mieux, affirmait le petit garçon, les yeux fixés sur le visage de sa mère. C'était comme une affaire à eux dont il était exclu. Exclu, détrôné. Il en éprouvait, de rage, une sorte de crampe à l'estomac. Lui, le roc, l'homme sain par excellence. « Et si je la mettais tout de suite à deux cents francs? » Il *n'osait pas*.

*
* *

— C'est un nœud de vipères à la Mauriac, dit Maria avec une satisfaction gourmande. Je vous assure, Roro, que c'est tout à fait un sujet pour vous. Ces femmes dévorantes, tapies dans l'ombre, qui guettent ma pauvre Paule, et tendent leur tissu d'araignée chaque fois qu'elle veut faire un pas...

— On dit toile d'araignée, Madame, fit observer Romuald.

Ils se trouvaient dans le boudoir de la veuve, d'un Louis XV exaspéré, œuvre d'un couple de designer-ébénistes fous, qui avaient prodigué l'or, la nacre, la moulure et une sorte de patchwork ou mosaïque de brocart sur les murs, du plus curieux effet. Maria était assise dans une bergère de forme classique mais tendue de fils vert, saumon et or où s'accrochaient parfois ses cheveux défaits. Romuald était assis plus bas sur une sorte de prie-Dieu, ses longues jambes croisées, et portait un complet blanc fort bien coupé. L'attitude de Maria respirait une langueur digne, celle du Noir, une déférence teintée cependant de la désinvolture d'un poète de cour, qui connaît ses devoirs, prend même plaisir à les pratiquer, mais n'en a pas moins conscience de sa valeur.

— Toile, tissu, est-ce que cela importe? Je vous dis que c'est passionnant. Ce local de Maisons-Alfort convenait admirablement, mais il n'appartenait pas à la famille. C'était l'indépendance. Alors ç'a été trop pour elles : elles lui trouvent un local, un terrain, sans rien lui faire payer, pour le seul plaisir de la tenir dans leurs griffes...

— L'araignée n'a pas de griffes...

— Mais qui est-ce qui te parle d'araignée, malheureux ? Tu prends tout au pied de la lettre. Ce sont des tarentules, des mygales, qui vont dévorer ma pauvre Paula, qui l'empêchent de s'enrichir, de trouver un homme, de vivre, enfin !

— *Les Bostoniennes,* dit Romuald, rêveur.

— Quoi, les Bostoniennes ? une cigarette, s'il te plaît.

— Un très beau roman de James, dit le Noir, en se levant pour prendre le coffret sur la cheminée. La passion inconsciente d'une femme pour une toute jeune fille, qu'elle s'efforce d'asservir. L'araignée, comme vous dites.

Maria introduisit sa cigarette dans le long fume-cigarette qu'elle utilisait sans humour.

— Il y a peut-être un rapport, mais ici, les forces ne sont pas égales ! Elle a tout le monde contre elle, la malheureuse. La vieille dame, la maman, la sœur qui a peur d'être volée, l'autre qui abandonne son travail, sans compter les cousines, les tantes, les nièces, est-ce que je sais ? Heureusement que je suis là.

— Ce que vous voulez, Dieu le veut, dit Romuald en souriant. Mais Mlle Svenson sait-elle ce qu'elle veut ?

— Tu es mal assis. Mets-toi sur le sofa, dit Maria avec impatience. Pourquoi tu prends toujours cette petite chaise ? Et qu'est-ce que tu insinues ? Paula est une fille normale, elle ne peut pas souhaiter autre chose que...

— Que ce que souhaite Madame ? Sait-on jamais ?

Maria haussa les épaules, Romuald déplia ses longues jambes, fit craquer ses doigts secs, élégants, que déparait une chevalière d'argent.

— Mlle Svenson est plus inféodée à sa famille que vous ne le soupçonnez, je crois.

— Plus quoi ? N'emploie pas des mots que personne ne comprend ! Tu veux un cigare, un cognac ? Explique.

— Je veux dire — je prendrai plutôt un Cointreau, si Madame le permet — que Mlle Svenson subit encore très fortement l'influence de sa famille. Disons qu'elle est le théâtre d'un conflit plus complexe que vous ne le soupçonnez.

— Tu crois? Mais alors il faut la sauver malgré elle. J'irai à ce pique-niquè. Si le terrain convient, il n'y a évidemment pas de raison de le refuser. Mais alors, j'organise un dîner avec Carmen Corail et je les force à conclure.

— Madame en est bien capable. Si j'osais, je dirais que c'est Madame qui est l'araignée, dans cette histoire.

Maria éclata de rire.

— Si tu crois me vexer! sers-moi un peu de Cointreau, à moi aussi. Tu prends toujours des liqueurs de femme; ça doit tenir à ce que tu as été élevé chez les moines...

— Chez les jésuites, Madame!

— C'est pareil, c'est pareil. Tu me racontes *les Bostoniennes?*

— Je ne demande pas mieux, Madame, mais je crains de manquer du style de James...

— Oh! Tant mieux, tant mieux! Quand tu me racontes un livre, ça me passionne toujours. Et quand je veux le lire après, c'est d'un ennui!

Avec un remords intérieur à l'égard d'Henry James, Romuald se mit à raconter.

★
★ ★

— Est-ce que tu crois que ça ennuierait les parents, si j'amenais le petit au pique-nique? demanda-t-elle.

Elle se levait, enfilant une robe de chambre flottante, noire avec des chrysanthèmes saumon, qu'elle avait achetée aux Puces, et dont elle était fière.

— Les parents, non, répondit Jean-Philippe avec une mauvaise humeur de principe. Bien entendu, la présence de l'enfant au pique-nique lui était totalement indifférente : mais elle aurait pu lui demander son avis. Du reste il était souvent de mauvaise humeur en se réveillant, ces temps-ci. Le foie, peut-être. Ou alors, il couvait une grippe. Mais Allegra ne s'apercevait de rien.

— Alors je l'emmènerai peut-être, dit-elle de la salle de bains.

Elle vivait dans un rêve. Mais dans un rêve singulièrement banal, quotidien, où les apparences lui suffisaient, où elle n'approfondissait rien. Elle ne vivait pas dans un rêve : elle vivait à la surface des choses, elle flottait...

— Du thé ou du café? demanda-t-elle tendrement, en venant s'asseoir au pied du lit. Il était sept heures trente. Elle était bien coiffée, elle sentait le savon à l'œillet. Elle portait son jean bleu passé, propre, impeccablement comme elle, et son pull-over à carreaux rose et rouge.

— Embrasse-moi, dit-il plaintivement.

Elle l'embrassa sans impatience, sans hâte. Ils avaient le temps, Phil ne devait être à la clinique qu'à neuf heures et demie. S'il l'attirait à lui, elle se laisserait aller sans déplaisir. Elle trouverait tout de même le moyen d'être à l'heure, irréprochable; d'être souriante jusqu'au moment où, sur le seuil, elle enfilerait son imperméable noir, un imperméable en matière synthétique, sûrement très bon marché, mais dans lequel elle avait l'air d'une gravure de mode pour très jeunes filles. Etait-ce élégance naturelle, ou bien le soin avec lequel elle ménageait ses vêtements, les suspendait, les brossait, les repassait? Elle avait toujours l'air de sortir d'une boîte, alors que Josée faisait étriquée, guindée, dans ses faux tailleurs Chanel, et que Paule, qu'elle fût couverte d'une chemise d'homme ou d'une robe de soie, avait toujours l'air d'émerger d'une nuit de train. Même ses vêtements, elle me les préfère, pensa-t-il avec cette sorte de nausée qui venait autant du dégoût de soi-même que de son malaise. Cependant elle était dans ses bras, confiante, attendant qu'il prît une initiative, respirant régulièrement, comme un enfant qui dort. Il la repoussa doucement, le cœur serré.

— Allegra...

Elle s'était rassise sur le bord du lit, elle enfilait des chaussettes de laine bariolée.

— Oui?

Et comme il se taisait, elle se retourna vers lui, toujours souriante.

— Tu voulais me dire quelque chose?

Il n'avait rien à lui dire, il l'aimait.

— Je crois, dit-il, que j'ai la grippe.

*
* *

— Je crois, dit Jean-Philippe avec un peu d'emphase
que j'ai la grippe.

— Mon Dieu! s'écria Paule (pourquoi Allegra n'avait-
elle pas dit : mon Dieu!) Ces grippes de printemps, ce
sont les pires. On transpire, on prend froid, ça n'a plus
de fin. Je vais te donner quelque chose, de l'aspirine,
de la quinine. Tu as de la fièvre?

— Je ne sais pas, soupira-t-il, dolent.

— Tu n'as même pas pris ta température! Et Allegra,
à quoi est-ce qu'elle pense? Je parie que vous n'avez
pas même un thermomètre chez vous, ni un cachet!
On a bien raison de dire que ce sont les médecins les
plus mal soignés! Et Privat qui nous attend avec les
projets pour Bonne-Maman! Je vais l'appeler tout de
suite.

— Mais je peux très bien, dit Jean-Philippe mollement.

— Mais non, tu ne peux pas! Dans ce hangar humide...
Tu sais l'humidité c'est pire que le froid. Et le propriétaire a fait des travaux, dans l'espoir que je me déci-
derais, et les murs n'en finissent pas de sécher... Du
reste tu l'as assez vu ce local. Demain tu verras la
briqueterie, et lundi on prendra un verre avec Privat
et Maria, et on se décidera. D'ailleurs nous ne perdrons
pas de temps, j'ai déjà des projets d'emballage, de publicité, que je te montrerai... Attends.

Elle forma un numéro sur le cadran. Il était
deux heures. L'Institut achevait de se vider. Allegra
était partie, ça ne l'intéressait pas d'aller contempler
encore une fois les murs nus du local et d'entendre discuter flaconnage. Et puis il y avait le petit. Renée jetait
les papiers des tables de massage, Odette fermait sa
machine à écrire, Jicky claquait la porte d'entrée. On
l'entendit siffler dans la cour.

— Allô, Pierrot? Une catastrophe, Jean-Phil est grippé

222

à mort, cria Paule dans l'appareil, avec entrain — si, si, il pourra venir au pique-nique, seulement tu le prendras dans ta voiture, tu seras gentil, parce que finalement c'est Maria qui prend Bonne-Maman... Non, nous allons regarder les projets de ton copain pour la publicité... c'est ça, lundi... Tout sera réglé d'ici la fin de la semaine... Pas tout à fait contente, non. Le projet est trop sophistiqué pour un produit anti-allergique, je trouve... Non, pas précisément du grès, mais... C'est ça, lundi. Je t'embrasse, mon beau chéri. Et demain, neuf heures tapantes, hein? Ciao...

Elle raccrocha avec un soupir de soulagement.

— Tu vois? Tout est arrangé. Au fond c'était inutile de retourner encore là-bas. M. Thiriex attendra. Et pour la publicité, puisqu'on se voit lundi... Mais ne reste pas debout! Tu es tout pâle.

Elle le couvait de ses yeux magnifiques, humides d'une égoïste bonté. Il se laissa tomber dans le fauteuil blanc des clientes.

— Tu as une autorité! soupira-t-il. Moi, je ne sais pas me décommander. Au fond c'est tout simple, mais j'hésite, je tergiverse, et je finis par y aller tout de même en me maudissant.

— Tu trouves que j'ai été trop tranchante, demanda-t-elle, tout de suite inquiète. J'aurais dû m'excuser davantage peut-être. Tu crois que Pierre a pu être froissé?

— Mais pas du tout, voyons! D'abord c'est un très gentil garçon, et puis je te disais ça sincèrement. J'admire que tu prennes tout de suite une décision, que tu n'hésites jamais à tout remettre en cause quand les circonstances changent...

« Et pourtant, pensait Paule amèrement, ça me ressemble si peu... » — Mais tu sais, je ne suis pas vraiment comme ça... J'hésite si souvent au contraire... Là, j'ai pu décommander parce que c'est un rendez-vous d'affaires, mais chez Maman par exemple, même si j'ai autre chose qui me tente, je n'ai jamais pu éviter — ou si rarement — les sacro-saints dîners de famille...

— Mais c'est ta mère! dit Jean-Philippe du ton de l'évidence.

Elle ne put s'empêcher de rire.

— Mais pour ouvrir cet Institut, l'organiser, décider de passer à la fabrication, tu t'es lancée avec une énergie...

— Grâce à Privat, à Maria, à toi...

— Mais de quoi t'excuses-tu? C'est toi qui as coordonné tout ça, l'argent de ton amie, les dons de relations publiques de Privat, ses capacités de chimiste, mon envie de changer d'orientation... Moi je trouve ça épatant!

— Sincèrement?

On entendit Renée derrière la porte qui criait sans entrer, avec une discrétion ostentatoire :

— A demain, ma Paula!

— A demain, cria Paule avec une bonne humeur crispée.

Elle reposa sur Jean-Philippe ses larges yeux inquiets, des yeux de cavale, pensa-t-il, portant l'éternelle interrogation animale.

— Mais bien sûr! Je voudrais bien avoir tes capacités d'organisatrice. Pourquoi poser la question?

Elle baissa les yeux alors, parce qu'elle avait décidé depuis longtemps de lui poser cette question; il était le seul homme, lui semblait-il, auquel elle pouvait poser la question sans danger.

— Tu ne trouves pas que c'est... peu féminin?

En même temps elle ouvrait le tiroir de gauche de son bureau, n'y trouvait pas les projets de publicité, s'extrayait avec peine de derrière le meuble pesant, passait derrière Jean-Phil pour ouvrir le classeur, toute cette agitation devant démontrer le peu d'importance qu'elle attachait à sa réponse. Mais Jean-Philippe s'était déjà écrié chaleureusement :

— Mais non, voyons! Tu es folle! Toi, peu féminine! Mais tu es peut-être la femme la plus femme que je connaisse, voyons!

Elle restait le dos tourné, plongée dans le classeur, pour dissimuler la rougeur brûlante qui lui montait aux joues. Elle sentit qu'il s'approchait et la prenait par les épaules.

— Voyons, Paula! Ça dure toujours ce cafard?

224

Elle haussa les épaules, nerveusement.

— Cafard, chagrin... honnêtement (elle se retourna vers lui et le regarda en face) je ne sais pas. Je ne joue pas les grandes amoureuses, tu vois. Mais depuis ma... ma *déception* comme dirait Maman (elle essaya un petit rire, n'y parvint pas) je me pose un tas de questions, je doute de moi, de tout ce que j'ai fait jusqu'ici... Je me demande parfois si elles n'ont pas raison, Jo, Maman, Bonne-Maman, toute la clique, si ce n'est pas à cause de mon travail, de mes responsabilités, de tout ça, que...

— Allons donc! Quelle idée! Tu t'es trompée sur l'individu, voilà tout. Ça peut arriver à tout le monde. Quelqu'un qui peut te préférer une Gabrielle!... Mais tu as cent fois plus de féminité, de charme, que cette petite gourde, que Jo, que ta mère... même qu'Allegra, je parle objectivement, j'adore Allegra, mais...

Une lâche et honteuse joie l'envahit. Bien sûr qu'il n'était pas objectif, il voulait la réconforter, ou il s'était disputé avec sa femme, ou, comme il désirait travailler avec elle, il trouvait politique de la flatter... Mais elle s'en foutait, la joie était là, chaude, envahissante, la vie. Un homme en vaut un autre, et celui-là lui rendait ce qu'Etienne lui avait pris, elle habitait de nouveau son corps, le sang circulait; elle respira longuement, se dégagea sans brusquerie.

— Ce que tu es gentil! Tu as vraiment le don de me réconforter, tu sais, c'est vrai, je ne sais pas ce que j'ai en ce moment, un coup de pompe, la fatigue... Peut-être bien que je couve une grippe, moi aussi. Mon Dieu! Et je ne t'ai toujours pas donné de cachet! Je suis stupide. Viens, je vais te faire une tasse de thé bien chaude dans le bar, je prendrai un cachet moi-même, on ne sait jamais...

Elle était sortie dans le couloir, sa voix résonnait bizarrement dans l'Institut vide, dans la salle de gymnastique déserte et froide. Il la suivit en frissonnant un peu, se demandant vaguement pourquoi elle fuyait ainsi. Elle portait une jupe de flanelle grise, sévère, qui la serrait un peu.

Elle se réfugia derrière le bar, brancha la bouilloire électrique, sortit deux tasses et des sachets.

— Tu sais, je n'ai pas l'habitude d'embêter les autres avec mes problèmes. Mais en ce moment, je ne sais pas, ces décisions à prendre, je ne suis pas dans mon assiette.

Elle tremblait légèrement sous sa chemisette en soie verte. Il passa derrière le bar.

— Laisse-moi t'aider, voyons. Il y a du sucre?

— Il y a même du rhum. On va se faire un grog.

— Donne.

Il déboucha la bouteille, en versa une lampée dans chaque tasse, paisiblement. Elle tremblait toujours un peu; son esprit était vide, comme si elle avait été devant un examinateur. D'un geste pondéré, Jean-Philippe débranchait la bouilloire, versait l'eau bouillante dans les tasses; puis rangeait l'appareil sous l'évier minuscule. En se relevant, dans l'étroit espace, il lui frôla légèrement la poitrine.

— Pardon. C'est moi qui vais te soigner, plaisanta-t-il. Partageons les cachets. Tiens.

Ils burent. Paule se voyait agir avec horreur, les yeux levés sur lui avec une inquiétude prête à s'épanouir en bonheur, le visage courageux aux lèvres tremblantes qui n'attend qu'un encouragement, les mains fébriles sur la petite cuillère : une proie. Jean-Phil buvait, parlait, avec le vertige de voir naître et grandir sur ce visage un sourire, une beauté douce qu'il créait à mesure.

— Comment peux-tu avoir besoin d'être rassurée? Une femme qui ne fait rien, qui n'a pas de personnalité, je comprendrais. Mais toi qui as un métier passionnant, qui as créé tout ceci, toi qui as tant de projets... Tu vas voir, nous allons faire des choses formidables. Les produits naturels, c'est l'avenir. Si la région de Sacy est un peu déshéritée par rapport au reste de l'Oise, on va nous accueillir à bras ouverts. La promotion va être de tout premier ordre, et s'il y a la main-d'œuvre... Tu seras la plus jolie industrielle de France! Mais non, il ne faut pas pleurer. Pose cette tasse.

Il lui prit la tasse des mains. Le silence retomba sur eux, plein de tension. Le jour bleuté qui tombait de la verrière sur le gymnase désert la fit frissonner encore.

— Pourvu que je ne t'aie pas donné ma grippe! dit-il d'une voix qui s'enrouait.

— Il ne manquerait plus que ça! avec tout ce que j'ai à faire...

Elle se força à rire, d'un rire faux, maniéré. Comment le faire sortir de derrière ce bar? Le moindre geste était un danger, elle le sentait. Mais le silence, devant ces tasses vides, sous la lumière froide des néons, et le jour faux qui diminuait, était pire, ce silence entre homme et femme qui s'établit tout à coup en maître, et qu'une seule chose peut dissiper. « C'est un cauchemar », se murmurait-elle intérieurement. « C'est un cauchemar... » Avec Etienne aussi, ces silences, parce qu'elle avait trop de choses à dire, qu'elle n'osait pas, et que lui, se méprenant (se méprenait-il tout à fait?) se penchait vers elle, de la même façon. « C'est un cauchemar »... et son visage attendait. Est-ce qu'on peut souffrir ou être heureuse à tel point par un homme qu'on n'aime pas? Comme s'il avait perçu sa pensée, Jean-Philippe dit doucement, sans bouger :

— Dis-moi... est-ce que tu l'aimais?

— Je ne sais pas, dit Paule.

Il la saisit enfin dans ses bras.

C'était de toute façon la solution la plus simple. C'était idiot, c'était inévitable. Il y a parfois un certain réconfort à se conduire comme une héroïne de photo-roman. Mais dans les photos-romans, tout se termine ou commence sur l'image vaporeuse d'un couple enlacé. Il n'est nulle part question des difficultés que pose l'assaut d'un grand garçon maladroit, déchaîné soudain, et poussant une femme à demi consentante (à demi? Paule!) contre le bord d'un bar nickelé, dans un espace de cinquante centimètres à peine. Paule, le dos scié par le rebord de cuivre, calée sur les coudes, n'osait cependant, de crainte de paraître trop consentante (de crainte peut-être aussi d'interrompre cet élan fougueux), proposer un lieu plus propice. Du reste il n'était plus temps. Elle gémit, se cramponna, se souleva. Jean-Philippe murmura «Oh, ma chérie... » et ils se retrouvèrent face à face, haletants, surpris, avec une vague envie de rire et de pleurer, une légère déception à retrouver autour d'eux la même lumière, le même silence froid du gymnase.

— Je ne t'ai pas fait mal? demanda-t-il d'une voix presque enfantine.

Elle mentit.

— Non... non...

— Tu... tu m'en veux? demanda-t-il encore tandis qu'ils se rajustaient maladroitement dans l'étroit espace. Cette fois elle fut sincère, presque malgré elle.

— Pas du tout. (Demain, peut-être... Oh! on verrait bien!)

Il la raccompagna chez elle. Il n'était pas de ceux qui plantent là une malheureuse femme, après avoir profité de son désarroi. Elle lui demanda de monter prendre un verre. On est civilisé ou on ne l'est pas. Il ne fallait pas rester sur une impression de gêne, de remords. Cet accident ne devait pas se reproduire, évidemment. Il n'était pas imaginable qu'il se reproduisît. Mais justement Jean-Philippe devait sentir qu'elle restait son amie, qu'ils pourraient continuer à collaborer... Lui voulait s'excuser, un moment de vertige, de folie, l'autre jour, dans son bureau, il avait failli déjà... après tout, elle lui avait toujours plu.

— Vraiment? dit-elle rayonnante.

Deux minutes après ils étaient dans sa chambre.

Il rentra tard. Allegra l'attendait, paisible, sous la lampe, la télévision pas même allumée, elle cousait, entourée d'une intensité de paix difficilement soutenable. Le roman-photo, toujours? La femme au foyer, confiante, qui coud pendant que son mari indigne revient d'une orgie? Non. Quelque chose dans cette attente paisible, sans espoir, étonnait. Elle était assise là, comme l'enfant avait été si souvent assis dans la cour, n'attendant même pas. Pas de questions, de reproches, d'inquiétude. Il ne pouvait rien attendre d'elle, rien, que de l'amour. Cela n'avait rien de rassurant.

*
* *

Romuald engagea la Bentley sur l'autoroute du Nord, avec une lenteur voulue. Il boudait. Ce n'était pas ce qu'il appelait un pique-nique. Il adorait le décorum, la grande malle d'osier avec tout son attirail de couverts pliants, de flacons aux bouchons d'argent, de saladiers hermétiques, et les préparatifs, à l'office, toutes les boissons indispensables, punchs, jus de fruits frais, vin blanc macéré avec des clous de girofle, vin rouge additionné de cannelle, et toutes les sortes de petits pains fourrés qui s'imposaient — du côté des chambres de maîtres, les robes claires, les chapeaux fleuris, parfois l'emballage d'une tenue supplémentaire pour le canot ou le tennis... C'était ainsi qu'on procédait à Caracas. Il est vrai que le climat était plus chaud. Mais tout de même, un pique-nique, c'est une petite fête, une cérémonie printanière, et Romuald aimait les cérémonies, refuge de la civilisation agonisante. Non qu'il s'attendît à un grand déploiement de luxe : il savait que les Svenson avaient des moyens modestes. Il savait que les voitures seraient petites, les toilettes du prêt-à-porter. Mais enfin, il espérait *un effort*. Le raffinement n'est pas une affaire d'argent. Mme Santoni, la vieille dame, assise à l'arrière de la Bentley, avec son petit chapeau noir de paille tressée, sa voilette, sa robe noire et blanche à manches larges, était tout à fait dans la note. Mme Svenson, dans la vieille D.S. de son mari, portait un tailleur vert amande, en lin, impeccablement repassé, quoique usagé, qui pouvait encore passer. Mais la jeune génération! Quel laisser-aller! Mlle Paule avait l'air de sortir du lit, avec un pantalon marine qui la serrait trop, et une espèce de tunique rouge par-dessus qui venait des Puces, sans doute. Mme Sant'Orso avait des mèches ternes dans la figure et une espèce de tailleur en lainage trop chaud, trop épais, étriqué, ce qu'on met pour une nuit de train en seconde classe, et Mme Allegra un blue-jean (très propre, mais enfin...) et un pull marin, boutonné sur l'épaule, qui aurait convenu à un pêcheur breton. Aucune gaieté, aucune recherche dans tout cela. Et on parle des femmes françaises! Romuald aurait encore préféré des Américaines, celles des States avec leurs chapeaux ridicules et les fleurs artificielles qu'elles ont l'air d'avoir acheté au kilo : au moins, elles marquent le coup. Quant à la composition du pique-nique lui-même, il avait les plus sombres pressentiments. En vain avait-il suggéré à Maria qu'Anita la cuisinière aurait pu se charger en partie des préparatifs. Avec un tact qu'elle n'avait pas habituellement, Maria avait rétorqué que cela froisserait les Svenson, dont elle était l'invitée. Romuald n'avait rien pu objecter à cela. Maria avait seulement fait charger dans le coffre de la Bentley une caisse de champagne et plusieurs thermos de glace. On verrait si l'occasion se présentait de sortir ces munitions. Décidément on ne savait pas vivre en France, songeait Romuald, assez mélancoliquement. S'il n'avait pas eu l'espoir de rencontrer quelques personnalités du monde littéraire, et de faire publier son roman, il n'aurait pas engagé sa maîtresse dans cette entreprise de produits de beauté. Il est vrai qu'il y avait Paule et son chagrin. Mais ce matin-là, à cause de sa tunique à col Mao, toute froissée, Romuald était moins sensible au chagrin de Paule.

Seul Pierre Privat, avec sa petite voiture de sport métallisée et son blouson rouge (peut-être un peu jeune pour lui, mais tout à fait de circonstance) trouvait grâce aux yeux de Romuald. Et encore. L'entassement dans cette élégante voiture, de Jean-Philippe et d'Allegra, à l'arrière, d'un vague ami en complet gris, trop large et usagé, à l'avant, enlevait-elle beaucoup à cette élégance. On ne s'entasse pas dans une voiture pareille. D'autant que Paule était seule dans sa 4 L et les Sant'-Orso dans l'Autobianchi lavée de frais, n'avaient amené que deux de leurs enfants. On emmène les enfants dans les pique-niques. Cela met une note de fraîcheur. Tout cela était bien mal engagé.

— Autant dire qu'on va saucissonner, avait-il dit la veille à Maria qui, elle, essayait un nouveau chapeau.

Elle avait éclaté de rire :

— Comment vous dites, coco?

Maria parlait beaucoup moins bien le français que son chauffeur; manque de culture et manque d'application. Romuald avait été élevé chez des Pères, des Français, il était parfaitement bilingue. Son français était élégant, son espagnol précieux, son anglais même, appris plus tard, shakespearien. Il avait eu un peu de peine à trouver une situation à cause de cette distinc-

tion native. Il y a des gens assez mesquins pour s'offenser
de ce que leur chauffeur parle plus purement qu'eux.
Le défunt Ramirez ne s'en offusquait pas; il ne s'en
rendait pas compte. Maria s'en amusait sans complexe.
Mais il ne serait pas nécessaire de lui faire un cours sur
le mot saucissonner. Elle n'allait en découvrir le sens
que trop tôt. Et Romuald roulait à petite allure sur la
route ensoleillée qui menait à Sacy.

Dans la voiture de Pierre Privat, on était plus entassé
encore que ne le croyait Romuald, car entre Allegra
et Jean-Phil, le petit était étroitement serré, le visage
angoissé mais résolu. Il tenait la main d'Allegra.

— Pauvre enfant! dit Jean-Philippe avec une bienveillance un peu forcée. Il étouffe. J'aurais mieux fait
de monter dans la voiture d'Antoine.

— Ou de Paule qui est toute seule, dit-elle ingénument.

— On s'est mal casé au départ. Elle aurait pu prendre
Alex aussi.

Alex, l'ami de Josée, lecteur dans une maison d'édition, faisait partie de l'expédition. Il se retourna avec
un large sourire.

— Oh! moi, je suis très bien, cria-t-il par-dessus le
bruit du moteur. Elles sont épatantes ces petites voitures. Et il a la conduite sport, Pierre!

Pierre ne parlait pas en conduisant. Il aimait trop
sa voiture. Ils allaient arriver avant tous les autres.
L'itinéraire était fixé devant lui, sur le tableau de
bord, par un aimant, et il y jetait de temps en temps
un regard, avant de se faufiler à nouveau entre les
promeneurs du dimanche.

— Tu vois, on a bien fait d'amener les enfants, disait
Jo à Antoine, dans l'Autobianchi. Puisque Allegra a
amené ce petit.

— Mais qu'est-ce que c'est que ce gosse?

— Un petit handicapé dont elle s'occupe l'après-
midi.

— Ah! bon... C'est pour ça qu'elle a laissé tomber
Paule? Elle doit être ravie, la grande femme d'affaires!

Ça le faisait rire, Antoine, sans méchanceté, mais
avec un petit sentiment de revanche, parce que Paule

l'agaçait, depuis toujours, et que cette histoire de briqueterie avait fini par l'agacer aussi, à force de s'en faire rebattre les oreilles par sa femme. Le meilleur garçon du monde n'aime pas à se sentir spolié. Jo rit aussi.

— Tu vois, je suis sûre maintenant qu'Allegra n'est pour rien dans l'affaire. C'est Paule et Jean-Phil qui ont tout manigancé. Mais elle aura son mot à dire au moment des partages, auprès de Bonne-Maman. Je vais m'arranger pour la prendre à part. Phil est grisé par l'idée de quitter la clinique, qu'il a en horreur, et Paule profite de la situation. Mais Allegra...

— Allegra est un chou, mais si tu cherches à la monter contre son mari...

— Je ne cherche pas à la monter, voyons! Je cherche à lui faire comprendre son intérêt réel.

— Oui... fit Antoine, dubitatif... Tu auras du travail...

Dans la Bentley, Maria et Mme Santoni devisaient prudemment, comme des duellistes qui tâtent le fer. Dans la D.S. Vanina avait mis la radio. Le temps était si beau, et il était si exceptionnel qu'elle eût son mari à elle, toute une journée. De temps à autre, elle posait la main sur son bras, en souriant. Le sort de la briqueterie était le dernier de ses soucis. Privat avait beau foncer, il était chargé, et Paule l'avait dépassé définitivement.

— Mais qu'est-ce qu'elle a Paule? Elle ne conduit pas si vite, habituellement? demandait Allegra, inquiète.

C'était vrai, Paule fonçait, avec une espèce d'ivresse. Sa vitre gauche était grande ouverte, elle avait senti son chignon s'écrouler et ses cheveux se défaire dans le vent. Elle n'accélérait que davantage. Elle aussi avait allumé la radio qui hurlait à l'unisson du moteur. Elle accélérait toujours. Elle voulait arriver la première, elle voulait que la course ne cessât jamais, et elle avait beau se dire que cette griserie était extrêmement vulgaire, elle ne s'en laissait pas moins aller, avec un soulagement tel qu'il portait en lui-même sa justification. « On verra demain! On verra plus tard! » Elle arriva bel et bien la première, dans un grincement de pneus spectaculaire, dans la cour de la briqueterie.

Puis tout le monde débarqua : tout se mêla dans la

grande cour où le vent agitait les herbes folles, le blouson rouge de Pierre Privat, les exclamations de Jo et d'Antoine « dire qu'on n'était pas venu depuis... depuis quand, au juste? Mais c'est un fameux bâtiment, dites donc! Je ne me rappelais pas que c'était si grand!» les retrouvailles avec le gardien qui arrivait en clopinant sur sa jambe de bois; les portières claquaient, Alex s'étirait avec des rugissements joviaux. Vanina tapotait sa jupe et ses cheveux, le docteur Svenson essuyait ses lunettes, clignait des yeux dans le soleil, comme un grand hibou bienveillant, Jean-Phil faisait déjà le tour des bâtiments en supputant les possibilités de l'endroit : «Est-ce qu'on a prévenu le maire?» Et les enfants criaient de joie, Marie et Sauveur du moins, car le petit était resté à l'écart, serré contre Allegra, qui de toute façon se tenait toujours un peu à l'écart. Seulement avec l'enfant ça se voyait davantage. Ils étaient allés s'asseoir sur les trois petites marches de briques qui menaient à la grande salle quand Bonne-Maman et Maria débarquèrent, après avoir décrit une courbe majestueuse, devant cet embryon d'escalier, comme elles auraient débarqué devant le perron de l'Elysée. Romuald, d'une extrême distinction dans son costume en tussor, descendit, la casquette à la main, pour leur ouvrir la portière. Elles descendirent en souriant, et dès ce moment, tout le monde eut l'impression que l'affaire se ferait. « Elle l'a eue », murmura Antoine à sa femme. Jo eut un sourire pincé.

— Il faut qu'elle soit très forte. Bonne-Maman ne se laisse pas avoir comme ça.

— Je me demande ce qu'elle a pu lui dire. Elle a un genre!

Avoir un genre, c'était pour les Svenson-Santoni-Sant'Orso avoir trop de beauté, trop d'argent, trop d'assurance, trop de tout, et Maria était le type de personne qui aurait dû, par sa surabondance, déplaire à Bonne-Maman. Alors ces sourires entendus s'expliquaient mal. Et pourtant... Bonne-Maman alla droit au gardien pour lui demander et lui apporter des nouvelles. Sauveur, suivi de sa sœur, était déjà à l'intérieur du bâtiment. On entendait sa canne dans les salles vides; il expliquait à Marie le processus de fabrication des briques. Vanina proposait à son mari de descendre jusqu'au ruisseau, Antoine cherchait l'endroit propice à la confection d'un barbecue.

— Alors, vous avez sympathisé? demanda Jo à Bonne-Maman non sans ironie, quand celle-ci eut achevé de congratuler l'invalide.

— Qui donc?

— Mais... cette dame et toi?

— Elle m'a rebattu les oreilles des exploits de ses fils, les merveilles du monde s'il faut la croire... et des qualités de son défunt mari... Je connais toute cette famille de perroquets royaux comme si je l'avais faite, dit Bonne-Maman en haussant les épaules. Et un ton plus haut : Alors je vous fais visiter?

Pierre Privat, Jean-Phil, Paule, suivirent avec empressement. Antoine demandait une bêche à l'invalide pour creuser un trou sous le barbecue. Romuald sous la direction de Jo retirait des paquets de l'Autobianchi. Jo se rapprocha de son mari, discrètement.

— Mais laisse donc ça! Le chauffeur s'en chargera. Va voir ce qu'ils disent. Bonne-Maman essaie de me donner le change, mais j'ai peur qu'elle ne se soit décidée. L'autre l'a eue avec ses histoires de famille. Vas-y, je te dis. N'est-ce pas, Monsieur Romuald, vous voulez bien installer le barbecue?

— Mais certainement, Madame, dit Romuald courtoisement. Il regardait cependant avec quelque répulsion les deux mallettes en fer-blanc, encore un peu grasses d'autres agapes, que Jo disposait près de lui. Ah! la malle en osier, les flacons à bouchons d'argent, les saladiers de porcelaine, les thermos fourbis amoureusement! Cependant, il enleva sa veste, alla la pendre dans la Bentley, sur le cintre toujours prêt, et prit la bêche avec résignation. Alex qui traînait le nez en l'air se crut en devoir de l'aider. Il était toujours l'allié des minorités opprimées.

— Pendant que vous creusez, je vais sortir ce petit rosé, dit-il avec une jovialité un peu excessive. Il y a bien un évier par là?

L'invalide le guida jusqu'à la petite maison d'habitation.

— A la bonne heure! Je vais mettre les bouteilles là,

sous un petit filet d'eau, et dans une demi-heure...

— Il y a de la glace dans les thermos de Madame, intervint Romuald qui s'était résolu à faire contre mauvaise fortune bon cœur.

— Formidable! Vous me donnez un coup de main, mon vieux? On va préparer tout ça.

Ils se dirigèrent vers la Bentley.

— Vous parlez drôlement bien le français, dites donc! Il y a longtemps que vous êtes en France?

— Depuis trois ans, Monsieur. Mais j'ai été élevé en français autant qu'en espagnol, dans une très bonne institution religieuse. Je parle et j'écris le français depuis toujours.

— Ah! très bien, très bien... dit Alex, un peu gêné.

La « très bonne institution religieuse » et les airs d'ambassadeur de Romuald l'avaient un peu douché. De toute évidence il y avait peu de points communs entre Romuald et l'Oncle Tom. Il éprouva le besoin de se présenter.

— Alex Letessier. Je travaille aux Editions du Seuil.

— Je suis très honoré, Monsieur, dit Romuald.

Ses bras chargés de bouteilles le dispensaient de serrer la main à cet homme sans usages, qui se présentait à un chauffeur. Mais enfin, il paraissait animé de bonnes intentions. Et puis, même un modeste lecteur de maison d'édition, au complet usagé, n'était pas une relation à dédaigner. Romuald ajouta donc courtoisement, en cédant le pas à Letessier, qui pénétrait dans la cuisine du gardien :

— Excellente maison, le Seuil.

— Pardon? fit Alex, estomaqué.

— Oui, j'aime bien cette maison, poursuivait Romuald, en déversant la glace dans l'évier de grès. Très bon catalogue. Je suis tout cela d'assez près surtout depuis que nous sommes à peu près installés à Paris, Madame et moi. En fait, j'avais pensé à y déposer mon manuscrit, quand je l'aurais terminé. C'est une maison qui a de la classe.

— Vous écrivez? dit Alex, l'œil brusquement allumé. Mais comme c'est intéressant! Comme c'est inattendu! Comme c'est...

Il s'arrêta, réalisant que « inattendu » pouvait paraître offensant.

— Je veux dire que je n'avais pas pensé découvrir un auteur en venant à ce pique-nique. Vous n'avez jamais publié?

— Oh! Monsieur! A Caracas! dit Romuald avec un sourire.

Il avait fini de disposer le rosé (de marque inférieure) et quelques bouteilles de champagne dans l'évier. Les autres attendraient; heureusement la pièce était assez fraîche. Alex s'était laissé tomber sur une des chaises Henri II du gardien, qui avait disparu, sans doute pour participer à l'examen des lieux. Par la porte restée ouverte, il pouvait voir un coin de la cour ensoleillée, les herbes ondulant au vent, la jeune femme et l'enfant, tous deux en bleu marine, assis sur les trois marches, qui ne bougeaient pas. La vision le frappa à cause de ce bleu. Ils avaient l'air perdu de deux orphelins.

— Ils en ont pour des heures, vous savez, mon vieux. Si on buvait un coup?

— Vous croyez, Monsieur? dit Romuald, un peu choqué.

Mais Alex prit sa réserve pour de la timidité.

— Mais oui, voyons! Elle ne va pas se formaliser votre patronne, elle a l'air d'une brave femme. Où est-ce qu'il peut y avoir un tire-bouchon? Ah! dans le tiroir, évidemment. Dans la plus humble demeure française, il y a toujours un tire-bouchon! Alors, passez-moi une bouteille. Ce ne sera pas encore bien frais, mais je crève de soif. On avale une poussière dans ces petites voitures de sport!

Il s'empara de la bouteille embuée, la déboucha avec maestria, trouva deux verres. Il se déplaçait avec une grande légèreté, malgré sa corpulence.

— Allez, on trinque à votre manuscrit. Vous me le ferez lire quand vous aurez terminé, je pourrai peut-être vous être utile. Nous nous intéressons beaucoup aux écrivains noirs. Nous avons...

Il parlait chaleureusement, le verre à la main. Romuald s'était assis avec réticence, et retenait avec peine une grimace en goûtant le rosé douceâtre. Cette famille, décidément, ne connaissait pas les vins. Mais déjà Alex se resservait. Bien que la situation lui parût extrêmement déplacée, Romuald but poliment. Un auteur doit faire des sacrifices. Alex discourait, enchanté de sa découverte, du vin, du soleil. Il avait craint de s'ennuyer un peu, et s'enchantait de rapporter une proie. Quand il leva les yeux, après le quatrième verre, la cour était vide.

Elle est partie parce qu'on la regardait. Alex, de la cuisine. Le gardien, qui est venu deux ou trois fois dans la cour : « Vous avez assez chaud là, Madame Allegra ? Ce n'est pas à vous ce beau petit, pas vrai ? Vous devez trouver la vieille baraque bien changée. » Et du bâtiment principal, d'où venaient des éclats de voix, des rires, elle a vu à travers les vitres cassées, un visage, puis un autre, qui se tournaient vers elle. Elle s'est sentie gênée. Pourtant, souvent elle se met à l'écart, et personne ne semble s'en apercevoir. Le jeudi, chez sa mère, comme le bruit des voix la fatigue un peu, par exemple, elle se met dans un coin, dans « son petit fauteuil brun » et puisqu'il lui est dévolu, puisque sa mère dit souvent « le petit fauteuil brun d'Allegra » c'est bien que son attitude paraît toute naturelle, fait partie de sa personnalité, en quelque sorte. Elle aime les regarder d'un peu loin, groupés, discutant avec ardeur, elle les regarde, elle participe à sa façon, puisqu'elle les regarde. Le sujet de ces discussions l'intéresse peu. Mais le visage de sa mère, toujours orienté dans la direction de son père, y revenant toujours irrésistiblement, et la beauté à ce moment-là de ces yeux sans beauté, elle les connaît mieux que personne peut-être. Tout comme le regard tendre et un peu nostalgique « je fais ce que je peux, je t'aime autant qu'il est possible » qui y répond. L'ardente incertitude de Paule, les ondes de chaleur et de brusque retrait qui passent sur ses traits réguliers, les gestes saccadés de Jo, son ironie qui se retourne contre elle-même, son anguleuse fierté (là, il y a une ressemblance qui va de Bonne-Maman à Jo en passant par Vanina), le rire d'Antoine, épais comme une bonne soupe, et Phil, Phil si à l'aise dans le cercle de famille, fournissant les réponses, les plaisanteries, avec une aisance de prestidigitateur, mais — elle avait cru cela

dès le début, et maintenant elle ne savait plus — avec
une certaine distance lui aussi, une façon à lui de se
mettre en retrait, d'avoir « son petit fauteuil brun ».
Elle s'y était trouvée à l'aise, dans ce petit fauteuil.
Aujourd'hui, elle l'était moins. C'est qu'ils étaient deux.
C'est que ça faisait clan, ça faisait groupe, deux. Si elle
avait eu un enfant, pourtant? Elle aurait bien aimé qu'il
restât près d'elle — pas, bien sûr, sans parler, comme
Rachid, mais tout de même, que parfois ils se taisent
ensemble. Ça n'a rien d'extraordinaire, alors pourquoi
soudain dans ce soleil, dans cette cour, cette impression
d'être guettée?

A cause de lui, bien sûr. A cause de l'enfant. Elle ne
craignait rien pour elle, mais lui, d'être ainsi regardé,
ça pouvait l'angoisser, le troubler? « Pauvre petit »,
avait dit Bonne-Maman au moment de l'embarquement,
avec un dédain bienveillant. Sauveur et Marie avaient
regardé Rachid avec une intense curiosité — sans rien
dire, c'étaient des enfants bien élevés. Mais qui sait si
Rachid avait jamais été en contact avec d'autres enfants?
S'il n'allait pas se mettre à crier, ou à rire — il avait un
si drôle de rire. Elle avait peur. Au fond c'est dangereux
de se mettre à l'écart, même si c'est pour mieux aimer
les autres, mieux les voir. Personne ne lui avait dit
« viens avec nous ». Maria, Privat et Phil parlaient avec
Bonne-Maman, qui rayonnait de se sentir l'autorité du
lieu. Vanina et le docteur se promenaient au bord de la
rivière. Jo chuchotait avec Antoine, et de temps en temps
criait rituellement aux enfants :

— Vous allez tomber! Ne montez pas si haut!

Paule suivait, l'air soulagé de voir le problème pris
en main par d'autres. A travers toutes ces fenêtres, Allegra les voyait apparaître, disparaître, passer d'un étage
à l'autre, sortir par une porte, visiter un appentis, disparaître à nouveau. C'était comme un théâtre, comme un
rêve. Ce qui lui paraissait curieux était qu'ils ne lui
parlaient pas, ne faisaient pas de gestes, mais la regardaient, semblait-il, avec curiosité. Peut-être qu'elle se
l'imaginait? Ou peut-être était-ce, à cause de l'enfant,
parfaitement naturel. Ils ne le connaissaient pas, après
tout. C'était un peu bizarre qu'un enfant fût si calme
et si silencieux. Donc c'était normal qu'on les regarde,

même Alex de la cuisine (où il buvait plus que de raison), même le chauffeur noir qui préparait maintenant le barbecue. Elle avait tout de même conscience qu'en temps normal elle aurait su masquer son silence, son besoin de retrait par une fausse activité. Elle aurait aidé le chauffeur, fixé le gril, ravivé la flamme du charbon de bois. Rachid ne savait pas faire semblant de s'activer. Il restait là, sur les marches de pierre, ses larges yeux sombres se posant avec la plus vive attention sur les personnages qui apparaissaient aux fenêtres, sur les différents bâtiments qui entouraient la cour, sur l'activité du chauffeur. Alex buvait maintenant avec le gardien. Rachid regardait, il absorbait par les yeux, avec une intensité qui la mettait presque mal à l'aise. Un si petit enfant, et pourtant elle sentait qu'il ne regardait pas tout à fait comme elle, qu'il ne se laissait pas pénétrer par les visages, les proportions de la cour, la beauté du soleil sur l'herbe, qu'il y avait dans son regard une tension qu'elle n'éprouvait pas, ou du moins qu'elle n'aurait pas éprouvée s'il n'avait pas été là.

— Rachid!

Il tourna la tête vers elle, vivement, en souriant. Il n'aurait pas réagi aussi vite, n'aurait pas souri, quelques mois plus tôt. Tout de même, il fallait s'en réjouir? Elle se secoua, se leva.

— Viens, je vais te montrer la campagne. Monsieur Romuald, dites-leur que nous revenons. Je vais montrer un peu les environs au petit.

— Bien, Mademoiselle, pardon, Madame, dit Romuald.

Il sembla à Allegra que lui aussi la regardait curieusement. Leur échapper! Elle quitta la cour avec tous ces regards dans le dos, et une fausse allure de flânerie, comme si elle ne fuyait pas. Rachid près de la grande porte cochère s'arrêta pour cueillir une fleur, qu'il devait laisser tomber aussitôt sur la route : il apprenait vite. Enfin ils furent libres. Elle l'emmena vers la colline.

A gauche c'est le Mesnil, à droite c'est Sacy; deux clochers identiques, des fermes, des bosquets où les oiseaux se réfugient, quelques mares, quelques vaches, de grands lés de maïs raide, de colza ondulant, d'herbe rase, jaune ou verte, de terre noire ou violette, une sombre terre généreuse qui avait la couleur des yeux de Rachid. Des collines, des collines encore, et ce point précis où disparaissent les clochers et les maisons basses, où l'on ne voit plus que des collines et l'alternance irrégulière de champs semblables. Ce point précis où elle a ressenti, des années auparavant, une sorte de paix subite, où elle a eu le sentiment de s'ajuster enfin quelque part, ce point précis où elle a rêvé qu'elle venait avec Rachid. Ils grimpent. Les chemins sont moins boueux que dans son souvenir : ce n'est pas l'hiver, c'est le printemps. Préférait-elle l'hiver? Les oiseaux sont plus nombreux, les feuilles bourgeonnent ou éclatent, le soleil est plus gai. C'est son souvenir, mais les couleurs en sont rehaussées, elles ont plus d'éclat et moins de mystère. Rachid est là.

Il grimpe courageusement avec elle. Les escaliers si souvent montés et redescendus ont dû l'entraîner. Il dose bien son effort, jauge la pente d'un coup d'œil, est solide sur ses jambes. Il se campe au sommet de la colline comme un conquérant, gonfle ses petits poumons, regarde tout autour de lui. « Il a l'air heureux. Il aime la campagne », se répète-t-elle. Mais tout est différent. L'endroit n'est plus magique, ou il l'est autrement. Ce coup d'œil qu'elle a jeté autour d'elle et qui l'a laissée autrefois haletante, perdue, ravie, n'est plus le même. L'immensité n'est plus l'immensité puisque Rachid est là, et bien qu'il se taise, bien qu'il se tienne debout à côté d'elle sans bouger, elle se demande s'il ne s'ennuie pas, s'il n'a pas froid, elle n'est plus hors du temps, hors du monde, et la colline n'est plus nulle part : elle est un endroit où elle se trouve avec Rachid. Un cri léger l'arrache à sa découverte; ce cri d'hirondelle, c'est le cri de Rachid heureux. Il montre une fleur, dans un champ en contrebas, près d'un bouquet d'arbres. Ce n'est plus une fausse fleur, comme celle de la cour : c'est une vraie fleur qu'il découvre, lui, une fleur bleue, et il tire Allegra par la main, pour qu'elle le suive, qu'elle enjambe la rigole et vienne dans le champ. Pour qu'elle le suive. Une très brève hésitation. Un regret, peut-être : dans son rêve elle ne le suivait pas, elle n'avait pas à le suivre puisque immobiles tous les deux, ils faisaient partie de la colline. Et puis elle le

240

suit. C'est sans doute lui qui a raison : il faut aller regarder les fleurs.

Ils vont regarder les jacinthes sauvages. Rachid va découvrir que les fleurs sentent bon. Au jardin d'Acclimatation, il n'avait jamais eu l'idée de les respirer, ni Allegra celle de lui donner l'exemple. Mais ici, elle cueille une fleur, la lui fait respirer, et il s'agenouille, plonge son petit visage bistre dans la touffe bleue, il aspire avec délices, et il rit de ce plaisir nouveau. Plus tard il va courir sous le vol d'un oiseau, sachant bien qu'il ne l'attrapera pas, aspirant le vent, grisé. Il découvre l'espace, comme elle l'a découvert, mais lui, c'est pour le parcourir. Il devient comme fou de ne pas rencontrer de limites, de murs, de clôtures, ni les arceaux de fer du Jardin des Plantes, ni les rebords de trottoirs, ni le mur blanc, impitoyable... L'espace. Il crie encore, des cris aigus, et les corbeaux se lèvent d'un bosquet en un vol épais, et semblent l'imiter comiquement. Il montre les oiseaux, il rit, il revient vers Allegra, les montre encore du doigt, et tout à coup, c'est lui qui les imite :

— Crooâ...

Allegra s'immobilise. Elle veut être sûre. Elle montre à son tour les corbeaux qui tournoient au-dessus d'eux.

— Crooâ... fait-elle.

Et l'enfant répète, en riant aux éclats :

— Crooâ... Crooâ...

Il ne s'en lasse pas. Il le répétera cent fois, le cri de cet oiseau si comique, en tirant sur le bord du pull-over d'Allegra, pour partager encore son rire. Il répétera ce son volontairement. Pour elle. Pour la faire rire. Il est capable d'imiter un son, d'en comprendre le sens. Elle en a toujours été sûre, jusqu'à la visite de Jo qui l'avait un peu ébranlée. Il n'a pas à guérir. Il parlera s'il le veut. Si elle le veut. Si c'est vraiment nécessaire.

Ils ont parcouru la colline plus longtemps sans doute qu'il n'est raisonnable. Quand ils redescendent, Rachid est fatigué, et Allegra aperçoit de loin, Paule, Josée et Jean-Phil qui sont venus à sa rencontre. Paule, Josée et Jean-Phil s'avancent vers la colline et voient redescendre une silhouette éclairée à contre-jour, une femme dont le visage est obscur et qui porte un enfant sur les épaules.

Si Romuald avait pu prendre l'initiative, il aurait disposé le barbecue près de la rivière. Esthétiquement le site s'imposait. Un pique-nique dans une cour, ça n'a pas de sens. On avait dit : le vent. Mais il aurait été facile de créer un écran. Et dans la petite prairie légèrement en pente, au bord de l'eau, le pique-nique aurait tout de même eu plus de classe. Enfin, du moment que tout le monde paraissait ravi... C'était le tableau qu'il regrettait, les petits groupes massés au-dessus et en dessous des touffes de roseaux, les apartés, les jeunes femmes courant d'un groupe à l'autre sous les arbres... Tout le monde était assis en rond, aux pieds de la grand-mère à laquelle le gardien était allé cherché un incroyable fauteuil en osier, et on mangeait de la viande dans des assiettes en carton. Les sandwichs étaient trop grands, et le champagne de l'avenue Bugeaud coulait à flots dans des gobelets de carton. Alex, déjà un peu ivre dans la cuisine, sous le soleil qui chauffait faisait preuve d'une cordialité gênante et Maria allait tacher sa robe de Balmain dans l'herbe.

Jo boude un peu dans son coin et Antoine essaie de faire de même, malgré les cris des enfants qui s'éclaboussent de limonade. La joie de Sauveur fait plaisir à voir. La briqueterie représente exactement tout ce qu'il aime, un jeu de construction gigantesque, dont les pièces sont à combiner entre elles, à répartir d'une nouvelle façon, et il écoute passionnément Bonne-Maman qui éprouve, semble-t-il, le même plaisir puéril... Du moins c'est ce que pense Jo, agacée à l'extrême de voir Bonne-Maman, entourée de Privat, de Jean-Phil et de Paule, parler adduction d'eau, emprunts indexés, coût de la main-d'œuvre, etc., avec un plaisir évident.

— Ils lui font croire qu'elle a l'affaire en main! chuchote-t-elle à son mari qui s'éponge le front. Regarde Paule! Elle rayonne! Toutes ses hésitations de l'autre jour, du bluff! Je ne suis même pas sûre qu'elle ait vraiment visité d'autres locaux. Elle devait avoir tout combiné depuis longtemps, va!

— Oh! dit Antoine qui a peine à croire à tant de perversité, voudrait bien faire plaisir à Jo, mais aussi profiter du soleil, du champagne, et de la présence de Maria qu'il trouve extrêmement séduisante, avec sa capeline qui serait plus à sa place à Longchamp. Et pourtant l'animation de Paule semble donner raison à sa sœur. Apparemment, ses incertitudes l'ont quittée. Elle rassemble son monde pour aller voir le maire. On se lève à regret, on ramasse les assiettes, le gardien qui a un peu forcé sur le champagne, boitille à droite et à gauche, feignant d'aider et récoltant quelques pourboires : Maria a donné ce pernicieux exemple. Alex et le docteur Svenson déclarent qu'ils vont faire la sieste dans le pré. Antoine en ferait bien autant, mais un regard de Jo lui intime l'ordre de suivre le groupe qui s'en va vers la petite mairie-jouet, précédée de trois peupliers, en haut de la côte. Bonne-Maman tient absolument à montrer sa verdeur en gravissant la côte à pied, Vanina lui prend tout de même le bras « en cas » et les enfants profitent de l'occasion pour aller explorer les greniers, Marie prêtant main-forte à son frère dans les escaliers. La cour redevient silencieuse. Romuald a ramassé les débris du repas, transportés dans la maisonnette du gardien, et s'est réfugié dans la Bentley. Il lit.

Jo et Allegra restent seules, assises dans l'herbe, brusquement ramenées à des temps très anciens « allez jouer dans le jardin, dans la cour » où elles restaient là les bras ballants ne sachant que faire, alors que Paule, audacieuse et bravant les interdits, s'en allait jouer dans la rue.

— Tu n'as pas amené Renata? demande Allegra mollement.

Rachid est assis à ses pieds, mais c'est comme s'il n'était pas là. C'est étonnant comme cet enfant, si vivant, si expressif quand il est seul avec elle, sait se faire inexistant, invisible, devant les autres. A moins qu'il ne soit tout bonnement épuisé par le changement d'air.

— Elle est punie.

— Qu'est-ce qu'elle a fait, la pauvre?

L'étonnement d'Allegra ne vient pas tant de l'inconduite supposée de Renata, que de voir Josée passée si vite du clan des enfants, qu'on met à l'écart, devant lesquels on ne discute pas certains sujets, à celui des mères, qui élisent ou bannissent à leur gré.

— Elle est insupportable en ce moment. Elle discute

tout ce que je dis, elle refuse de rendre service, elle veut s'habiller d'une façon ridicule, et pour comble, elle empeste l'appartement avec des choses qu'elle fait brûler dans sa chambre...

— Des drogues? demande Allegra, plutôt pour entretenir la conversation, car elle aussi a un peu sommeil et ferait bien la sieste comme son père.

— Tu es folle!

Josée pousse les hauts cris. Allegra ne s'émeut guère car il semble que Jo vive dans une indignation perpétuelle.

— Des drogues! Mais si je savais qu'elle connaît seulement des enfants qui... elle est trop surveillée, pour... ce sont les familles désunies qui...

Allegra n'écoute jamais très attentivement Josée quand celle-ci est en proie à ces grandes crises d'indignation. Elle a dit ça... mon Dieu, parce que tout le monde dit ça, parce que quand on parle de la jeunesse, on parle de drogue, de violence; tout cela se passe, bien sûr, dans un autre monde, où les Josée et les Renata n'ont pas accès, dont elles ne font pas partie — mais le monde de la maladie, « les clients », c'était aussi un autre monde, et, pourtant, Sauveur était malade...

— ... non, ce sont des bâtonnets qu'elle fait brûler, de l'encens, du santal, est-ce que je sais, c'est déjà bien suffisant, et si tu la voyais, avec des tuniques, des espèces de robes de chambre à ramages, je ne sais pas où elle les trouve, j'ai déjà jeté je ne peux pas te dire combien de ces saletés, et voilà que l'autre jour, je lui avais acheté un pull en lambswool tout à fait joli, et voilà que je ne le retrouve pas dans ses affaires, je lui dis : « Qu'est-ce que tu as fait de... »

Allegra caressait les cheveux noirs et bouclés. Elle se demandait ce que Rachid pouvait saisir de ce discours enflammé. Accroupi à ses pieds, immobile. Son visage même n'était plus pareil. Il laissait pendre un peu sa lèvre inférieure, ses yeux étaient totalement inexpressifs, et avec ce petit visage pourtant régulier, ces yeux pourtant si beaux, il réussissait à avoir l'air presque idiot. Pas étonnant que Josée, imbue pourtant du sacro-saint principe du « rien devant les enfants », ne tînt pas compte de sa présence. Elle avait connu cela, ces conversations qui passaient au-dessus de sa tête, où on l'oubliait, où elle avait le sentiment (mi-agréable, mi-humiliant) de ne pas exister. Tout à coup elle se mit à rire, et Jo s'interrompit, le sourcil froncé.

— Je ne vois pas ce que ça a de drôle.

C'est qu'elle se demandait, si, enfant, elle avait eu l'air aussi bête, si elle avait su prendre d'instinct un air aussi bête que Rachid. Peut-être l'avait-elle, cet air demeuré, pendant que Phil lui parlait de ses projets, et à l'instant, pendant que Jo récriminait. Mais allez expliquer cela! Dans un grand élan de complicité, elle serra le petit contre elle, elle l'embrassa.

— Tu l'aimes bien, hein? dit Josée brusquement détournée de l'aigre courant qui la portait.

— Oui, dit-elle.

— Mais si tu l'aimes, dit Jo d'un ton pressant (et son petit visage étriqué se détendait soudain, s'embellissait, l'amour maternel, c'était son affaire, sa passion, et toute son aigreur contre Renata n'était qu'une face de son amour, car à treize ans, Renata déjà lui échappait, et elle ne pouvait supporter ce présage), mais si tu l'aimes, pourquoi tu ne fais rien?

Parce que je l'aime, pensait-elle. Qu'est-ce qu'il y a d'autre à faire que d'aimer? Elle aurait tant voulu lui dire ça à Jo, à Jo tôt debout, tard couchée, lavant, repassant, briquant ces êtres qu'elle aimait, les tarabustant pour qu'ils fussent à l'heure, pour qu'ils fussent en bonne santé, pour qu'ils fussent parfaits, mais était-elle seulement sûre d'avoir raison? Jo l'accusait de nonchalance, d'égoïsme. Peut-être elle aussi craignait-elle de voir lui échapper son petit compagnon?

— Je ne te comprends pas. On a toujours dit que tu étais si gentille, si affectueuse, l'enfant modèle (Paule aussi avait dit « l'enfant modèle », mais Jo le disait affectueusement), tu adores tout le monde, Maman, Bonne-Maman, ton mari, ce gosse, et finalement qu'est-ce que tu fais pour eux? Je sais très bien que tu n'as pas trempé dans cette affaire de briqueterie, mais au fond, est-ce que tu l'as fait par honnêteté, ou parce que tu t'en fiches? Mais ne prends pas cet air ahuri! Tu sais tout de même de quoi je parle!

— Je ne pensais pas... je ne savais pas que ça

245

t'ennuyait, dit Allegra sincèrement. Après tout, tu me reproches de ne rien savoir, et tu ne me dis rien. Si tu m'en avais parlé...

— Mais je ne t'en ai pas parlé pour ne pas te mettre en difficulté avec ton mari, voyons! Par délicatesse! dit Josée d'un air de vertu.

Allegra avait baissé les yeux sur le sol, elle arrachait des brins d'herbe, négligemment.

— Il est vrai que je ne risquais pas grand-chose. Tu n'es pas précisément ce qu'on appelle courageuse!

Allegra relevait les yeux, et allait peut-être répondre quelque chose, quand un brouhaha se fit du côté de la route, où le groupe mené par Bonne-Maman arrivait en triomphe, Paule sautillant comme une petite fille (elle avait peut-être un peu bu) et criant :

— L'affaire est dans le sac!

Cependant que de l'autre côté, Marie dévalait les escaliers et traversait la cour en criant :

— Maman! Sauveur est tombé! Je crois qu'il s'est fait mal!

Alex et le docteur Svenson surgirent alors à ces cris, l'un se dirigeant vers Paule pour obtenir des détails, prêt à sympathiser et du reste à nouveau assoiffé, l'autre se hâtant vers la maison pour soigner son petit-fils, vers lequel Jo s'était déjà précipitée; Romuald sortait de la Bentley pour offrir ses services. Maria repliait son ombrelle, pour aider Bonne-Maman à se rasseoir dans le fauteuil. Vanina éperdue se demandait s'il fallait d'abord s'occuper de sa mère, un peu rouge depuis la marche au soleil, ou de Sauveur déjà bien entouré. Antoine allait de l'un à l'autre avec de bonnes paroles cordiales et indistinctes. Privat était allé, sur son élan, chez l'entrepreneur du village pour demander un devis. Alex apportait de la glace dans un torchon pour la vieille dame. Marie allait chercher dans la D.S. la trousse d'urgence de son grand-père.

— C'est pourtant vrai, pensait Allegra devant cette agitation, que je suis inutile.

III

Paule n'avait plus à s'interroger sur elle-même. Quel soulagement! Elle savait. Elle n'était qu'une garce, une « mauvaise femme », comme aurait dit sa mère. Elle trahissait sa sœur, la famille, la loyauté la plus élémentaire, la condition féminine tout entière. Elle était pire que Gabrielle, pire que la cousine Giulia-qui-couchait-avec-son-professeur-de-tennis, en dessous de tout, quoi. Et cela deux jours sur trois, après des après-midi de remords, de résolutions prises fermement, de serments et de pétitions de principe : « Il suffit de décider. » Et puis elle n'avait pas le courage de sortir ça à Jean-Philippe au milieu de l'agitation des fins d'après-midi, les clientes qui la réclamaient, les comptes à faire, le dernier cours de gym, l'affolement de Mme Lheureux qui voulait un taxi, tout de suite, de Mme Delage qui avait un coup de fil urgent à donner alors qu'on allait fermer... Paule attendait. Elle n'osait pas rentrer dans son bureau où Jean-Philippe fumait au mépris du règlement (le règlement! quelle dérision!) en lisant le Monde. Elle faisait semblant de s'affairer, ramassait les serviettes dans le gymnase, rangeait les vestiaires « pour aider Lucette », se baissait, se relevait, ressassant les mêmes résolutions définitives.

Odette partait la première, doucement ironique, portant son ventre comme un Saint-Sacrement. Puis Jicky, pressée, riant trop haut, avec Lucette dont le fiancé attendait dehors. Et la petite qui remplaçait Allegra l'après-midi. Enfin Renée, qui partait la dernière, éteignant des lumières, fermant des portes, avec une désapprobation silencieuse, mais évidente, qui rendait plus urgente encore une dernière entrevue avec Jean-Philippe, une explication, un point final.

Elle entrait. Il se levait, posait sa cigarette, son journal. Il la prenait dans ses bras, avec un sourire incertain. Il se disait « c'est idiot ». Elle murmurait : « C'est fou... » et se laissait étreindre dans le bureau, dans le couloir, sur le canapé blanc de la salle d'attente, résistant faiblement, cédant vite, cédant, à la face du monde lui semblait-il à cause de ces parois de verre, se déshonorant et se justifiant à la fois...

— ...Mais puisque tu ne veux pas qu'on aille chez toi, chuchotait Jean-Philippe en la serrant contre lui, contre son corps anguleux, ardent. Et puis ils allaient chez elle, prendre un *dernier* verre, et elle succombait encore, sa faible défense ne faisant que confirmer Jean-Philippe dans le sentiment troublant qu'elle ne pouvait lui résister. Et après tout, c'était vrai, n'est-ce pas? Une mauvaise femme, sans doute, mais indubitablement une femme. Les femmes perdent la tête, c'est connu, sont emportées par la passion, capables de tout quand elles aiment. Ni Odette, ni Jicky, ni Lucette n'iraient lui dire le contraire, car bien entendu elles avaient deviné, mais l'aventure était par trop passionnante pour que le moindre blâme se fît sentir.

Il y avait eu un renversement des alliances; Odette qui promenait un ventre glorieux de cinq mois, Jicky qui était toujours prête à s'attendrir sur le bonheur des autres, Lucette qui était, d'après Renée, « le type même de la grande sentimentale » vivaient au rythme des remords et des bonheurs de Paule. « Comme elle doit souffrir! » murmurait Lucette avec gourmandise. Jicky était d'avis que Paule aimait pour la première fois. Odette, que « ça devait arriver ». Il n'y avait aucune raison particulière pour que cela arrivât : Paule aurait pu s'éprendre de Renouvin, le représentant, de l'élégant Privat, de n'importe qui. Mais elles aimaient, toutes, à penser qu'une Némésis ordonnait la vie des femmes, et que les qualités mêmes de Paule, sa réussite, avaient

attiré cette foudre, l'avaient condamnée à devenir
« Vénus, tout entière à sa proie attachée ». C'était parce
qu'elle était loyale qu'elle avait été obligée de trahir,
parce qu'elle était forte qu'elle avait tout à coup faibli,
parce qu'elle avait été libre qu'elle se retrouvait tout à
coup esclave de ses passions. Ainsi revenaient-elles toutes
à cette antique culpabilité de la femme, que Paule représentait, avec une perfection dans la traîtrise et dans
l'innocence qui satisfaisait à tout. Une atmosphère de
fièvre et de mélo remplissait les couloirs, une attente
anxieuse et impatiente les animait toutes.

Seule Renée se tenait à l'écart de ce flot et continuait
à prétendre que « quand on se conduit comme une
garce, c'est qu'on le veut bien », dans un tollé général.
L'enthousiasme que ressentaient les autres au spectacle
de Paule défaillante, partagée entre le remords et
l'extase comme dans un mélo des années 30, la révul-
sait. Elle eût encore préféré voir à son amie un tranquille cynisme, la volonté bien arrêtée de conquérir cet
homme et de se l'approprier, fût-ce aux dépens de sa
sœur, que cette complaisance à se laisser aller, ravie et
éplorée, à la catastrophe.

Car, à l'Institut, nul ne doutait que Paule n'allât vers
un grand drame. Quand la famille saurait... Quand
Allegra se douterait... Quand Jean-Philippe se lasserait,
où, dévoré de remords, romprait... Tout cela ne pouvait
manquer d'arriver. Cela aussi, c'était la Némésis qui ne
donne aux femmes une grande passion que pour la briser
aussitôt. Ainsi, punie de n'avoir pas aimé, punie d'avoir
aimé, Paule aurait payé au destin son tribut de femme,
et pourrait, l'orage apaisé, se consacrer avec succès aux
produits de beauté naturels, ou faire un mariage de
raison. Et l'on attendait, en massant, en coiffant, en
fléchissant trente fois les jambes, le cri d'Allegra surprenant les amants, l'irruption furieuse de la belle-mère
corse, ou, moins satisfaisante mais possible, la scène
de rupture des amants dans le gymnase. Les rôles
étaient distribués, la pièce écrite depuis toujours; seul
élément perturbateur et pour tout dire décevant:
Allegra.

Car enfin une femme trahie tient le rôle de son existence! On ne laisse pas passer une chance comme celle-

là! On se doute de quelque chose, on se ronge, on pose des questions, on pâlit! Allegra arrivait le matin, à neuf heures, ponctuelle et rose, et d'une sérénité! Etait-il possible qu'il s'agît d'une « courageuse dissimulation »? Ici, tout de même, se marquait le mérite de ces femmes libres, prises au piège le plus niaisement romanesque du monde : aucune ne se permit une allusion, un sourire. On se contenta de penser qu'Allegra, une fois de plus, décevait.

— Tu crois vraiment qu'elle ne s'aperçoit de rien? commentait passionnément Lucette, dès que le départ d'Allegra la libérait de son méritoire silence. Ça paraît presque impossible!

— Elle *s'arrange* pour ne s'apercevoir de rien. C'est toute l'hypocrisie bourgeoise. Elle a été élevée comme ça. Elle veut sa tranquillité avant tout, donc elle se bouche les yeux et les oreilles, et elle se répète qu'il ne se passe rien. La politique de l'autruche.

— Et qu'est-ce que tu ferais, toi, Jicky, dans un cas pareil? disait Odette que sa grossesse pacifiait. Tu irais tout casser chez ta sœur? Faire un scandale énorme d'une chose qui va peut-être se tasser tout doucement? Perdre ton emploi — car enfin Paule a beaucoup fait pour Allegra....

— Tu parles! dit Lucette, grossière et cordiale, comme toujours.

— Allegra ne doit rien du tout à Paule. Elle n'est pas plus payée que nous.

— Oui, mais elle est plus gourde que nous, dit Lucette en riant.

Renée intervint pour la première fois.

— Allegra travaille à la perfection, dit-elle sèchement. Les clientes la redemandent toujours, ce qui n'est pas ton cas, Lucette.

— Je ne disais pas ça méchamment! protesta la grosse fille.

— Bien sûr que non, dit Odette conciliante. C'est vrai qu'Allegra travaille bien. Mais c'est vrai aussi que sans Paule, elle n'aurait peut-être pas travaillé du tout. Ce n'est pas la femme moderne, Allegra. Elle travaille parce que sa sœur l'a prise en main, lui a fait passer un C.A.P., l'a employée ici. D'ailleurs, elle ne travaille plus qu'à mi-temps, la preuve.

— La preuve que quoi?

— Qu'elle ne tient pas à son travail.

— Qu'elle n'a cherché qu'à s'accrocher à un bonhomme.

— Qu'elle doit quelque chose à Paule qui n'en aurait pas gardé une autre dans ces conditions-là.

— Elle la garde, mais elle lui prend son mari! Et vous trouvez qu'Allegra lui doit quelque chose! dit Renée que tant d'illogisme rendait furieuse. Et vous parlez comme si c'était Paule la victime!

— Mais dans un sens... murmura Odette.

Il y eut un instant de silence méditatif. La discussion se passait dans les vestiaires situés en dessous de la salle de gymnastique. Paule y venait rarement. Du reste, eût-elle su que son cas était ainsi disséqué avec passion, qu'elle fût probablement restée indifférente. Elle avait renoncé, elle, à se faire une idée de son cas.

La petite de chez Camille, tenue à l'écart de ces conciliabules, qui avaient lieu en général dès le départ d'Allegra, à la pause d'une heure, venait parfois en haut de l'escalier signaler qu'on manquait de kleenex, de peignoirs, ou que deux rendez-vous avaient été accordés à la même heure. Des ricanements la décourageaient. C'était bien la question! Même Renée, si consciencieuse, le pilier, la base de l'Institut, la rabrouait.

Une fois de plus, Renée se retrouvait à peu près seule contre toutes, et Paule refaisait ainsi l'unanimité alors qu'elle agissait comme une folle. Un comble!

— L'amour, n'est-ce pas... murmurait Lucette, soudain respectueuse.

Une sorte d'approbation tacite l'entourait, qui déchaîna Renée.

— Mais vous êtes donc des idiotes! L'amour, c'est un alibi qui excuse tout? Et le respect de soi, et la dignité? Et l'amour d'Allegra pour son mari, alors, ce n'est pas de l'amour, peut-être?

— Ben... dit Lucette.

Et elles se turent de nouveau.

— Si elle l'aimait tant que ça, elle s'apercevrait bien qu'il n'est plus le même... dit Odette, incertaine.

— Elle s'en est aperçue, puisqu'elle s'est mise à travailler à mi-temps.

— Tu crois que c'est pour le garder?

— On m'avait dit qu'elle s'occupait d'enfants handicapés...

— D'*un* enfant handicapé. Ça ne lui prend sûrement pas tout son temps.

— Mais il y a déjà quatre mois qu'elle ne travaille plus que le matin... Ça prouve bien...

— Ça ne prouve rien du tout. Ça prouve qu'elle sentait venir la chose, ou ça prouve qu'ils se sont cachés un certain temps, ou... Et si Allegra n'adore pas son mari, ce serait une raison de plus pour Paule d'aller la trouver et de lui avouer la vérité.

— Oh! Renée!

— Tu es folle!

— On ne fait pas ces choses-là!

Ce fut un tollé.

— Pourquoi veux-tu qu'elle aille tout bousiller?

— Et sa famille?

— Et qui sait, dans six mois...

— Mais c'est précisément ce que je vous disais pour Allegra! Qu'elle ne peut rien faire. Mais bien sûr, vous avez deux poids et deux mesures. Paule perd la tête, néglige ses affaires — si elle n'avait pas Mme Vega-Ramirez, il n'y aurait toujours rien de fait pour les produits de beauté naturels — agit comme... j'aime mieux ne pas dire comment, et vous lui donnez raison! Vous trouvez ça normal! Et vous reprochez encore à Allegra de garder son calme et sa dignité!

Elles savaient qu'elles avaient tort, mais Lucette exprimait bien l'avis général en déclarant : Garder son sang-froid à ce point-là, ça n'est pas normal.

— Et si elle ne sait rien? Si elle croit qu'il l'aime? Si elle a confiance?

— Qu'est-ce que tu veux, dit Lucette, ce n'est pas bien normal non plus.

＊
＊ ＊

Elle le regardait dessiner.

Elle se trompait peut-être. Le jeu, les corbeaux, ce n'était qu'un clin d'œil, une allusion. C'était pour la faire rire. Il n'était pas malade. Ils n'étaient pas malades. Ils étaient heureux. Les fleurs s'épanouissaient au Jardin des Plantes, le soleil devenait plus chaud, elle avait troqué le manteau écossais des jours froids pour son imperméable noir, puis pour sa veste en toile — toute sa garde-robe ou à peu près. Elle restait assise de longues heures, la fenêtre ouverte, à écouter bruisser la maison — une casserole heurtée, un cri d'enfant, la radio, l'ébéniste d'à côté qui faisait ronfler sa machine — elle pensait à Sauveur malade, à Phil qui lui apportait des plans d'architecte, à Mme Weber qui s'était fait teindre en roux, elle y pensait comme on pense à des objets, à des plantes, qu'on caresse des yeux sans y toucher, elle rayonnait sur eux, comme elle voyait sous un jour très pur et mystérieux les façades des maisons bâties autrefois par des hommes et le grand catalpa qui avait, c'était sur l'écriteau, traversé autrefois la mer, tout cela, et Lucette, et les barres du gymnase, et les efforts de Mme Weber pour paraître jeune, tout cela était plein de significations, était les jambages d'une belle écriture qu'elle admirait ou aimait sans tenter de la déchiffrer. Il y avait si longtemps qu'elle avait renoncé à apprendre à lire!

Rachid dessinait. Il avait appris à manier le crayon avec habileté, il était passé des lignes droites aux lignes courbes, il tenait la feuille de papier d'une main pour l'empêcher de glisser, il progressait. Qu'elle le voulût ou non.

Mais il progressait dans son sens à lui! Personne ne pouvait comprendre. La preuve en était dans la pitié incompréhensive de Bonne-Maman et de Vanina, au pique-nique. Pour elles — c'était simple. Un enfant handicapé, un débile mental. Rachid était catalogué, cela leur suffisait.

253

Il cassa la pointe de son crayon.

— Mm! fit-il.

Il ne savait pas encore se servir du taille-crayon. Elle se leva, vint s'asseoir à la table, prit le taille-crayon, inséra le crayon dans l'ouverture, le fit tourner sur lui-même. Elle décomposait ses mouvements, sachant qu'il l'observait avec gravité, qu'il saurait se servir du taille-crayon le jour où il aurait décidé qu'il l'avait assez observée.

Elle lui tendit le crayon. Il le reprit, avec ce beau sourire d'homme, qui avait l'air de l'encourager, elle.

Elle avait besoin d'être encouragée. Sa paix s'était effritée, fissurée. Le modeste symbole de cette colline qui n'était nulle part perdait de sa signification, se ternissait, parce que Rachid allait vers quelque chose, allait quelque part. Mais où? Il avait tellement l'air de le savoir. Comment aurait-elle pu l'aider? Et quand Jo prétendait qu'elle l'aurait dû, comment savoir si elle ne se trompait pas du tout au tout? Comment savoir?

Elle demeurait accoudée à la table, les yeux fixés sans le voir, sur le dessin de Rachid. D'habitude elle s'éloignait, pour ne pas le gêner. Mais elle était absorbée par sa pensée, comme par un mode d'appréhension nouveau pour elle. Jusque-là elle avait agi avec la sécurité des aveugles, suivant des trajets connus d'elle seule. Ouvrir les yeux à un monde inconnu était perdre son assurance, ou son ingénuité. Se poser la question était déjà l'avoir perdue. Aider Rachid... Mais l'aider à quoi?

Il y avait des cercles dans le dessin de Rachid, maintenant, presque parfaitement ronds, et des arabesques. Peut-être faudrait-il lui acheter des crayons de couleur, lui faire des modèles, c'était probablement ce que Jo aurait fait. Des maisons, des chiens, des bonshommes... « Tu as essayé de lui poser des questions brusquement? De lui refuser un bonbon s'il ne le demande pas autrement que d'un geste? De... » Quelle horreur! Elle ne pouvait pas le contraindre, se contraindre ainsi... Mais s'il désirait être contraint? Etait-il possible que ce fût cela aussi, l'amour? Ses yeux étaient fixés sur le papier, dans son effort de réflexion, elle ne voyait pas le dessin, mais sans doute s'inscrivait-il sur sa rétine, à son insu, car tout à coup, elle le vit. Elle *vit* le dessin, le rectangle presque régulier, les arabesques, les traits parallèles en haut et au bas du dessin : *le tapis!* Elle resta là, sans trahir une émotion si vive qu'elle en avait la bouche sèche, le cerveau tari; il y eut un blanc dans sa pensée. *Le tapis.* Rachid avait dessiné, avait reconstitué patiemment le dessin du grand tapis suspendu dans sa vitrine préférée; tous ces dessins, informes à ses yeux qu'elle jetait depuis des semaines au panier, qu'elle ne déchiffrait pas, ces traits qui lui paraissaient sans signification, c'était des études de plus en plus patientes, de plus en plus proches du dessin du tapis. Les franges, le rectangle, les arabesques... Elle aurait dû voir, comprendre. Elle n'avait rien vu.

Et elle restait là, atterrée sans savoir pourquoi, le cœur étreint d'angoisse, tandis que l'enfant repoussait le dessin, reprenait une autre feuille de papier blanc, et recommençait, patient, le dessin maintenant identifié, menaçant, du tapis.

*
* *

Pourquoi Sauveur s'est-il cassé la jambe? Parce que ses os sont restés friables, parce qu'il souffre de décalcification — réponse du docteur Svenson. Parce qu'on ne l'a pas assez surveillé, qu'il est turbulent, que sa sœur l'a entraîné dans le grenier de la briqueterie — réponse de Vanina. Parce que ça devait arriver — réponse de Bonne-Maman. Mais Jo sait bien que si Sauveur s'est cassé la jambe c'est par sa faute. Non pas parce qu'elle a négligé de le surveiller en bavardant avec Allegra, mais parce qu'elle a cessé de penser à lui pendant quelques jours, de concentrer son énergie sur lui. Elle s'est laissé avoir par cette histoire de briqueterie, dont elle se moque comme de sa première brassière. Elle a obligé Antoine (qui voulait regarder les quarts de finale de la TV) à se rendre à Sacy pour « avoir l'œil ». Elle s'est laissé gagner par l'intérêt passionné de la famille pour les histoires d'héritage, de succession, de préséances. Elle a voulu se rendre compte, montrer qu'elle n'était pas dupe, elle s'est intéressée à autre chose qu'à Sauveur. Elle s'est persuadée, parce qu'on l'a persuadée, que c'était son devoir de s'intéresser à des histoires d'argent qui la dégoûtent profondément. Mais raison de plus, n'est-ce pas ? « Entre deux devoirs choisis toujours le plus pénible. » Ainsi de génération en génération, pour le principe et avec dégoût, des femmes parfaitement désintéressées, se disputent « pour les enfants » des vaisselles dépareillées, des titres dévalués, et se brouillent avec la tante Emilie pour un buffet Renaissance qui finira au garde-meuble, parce qu'il ne passe pas par la porte du trois pièces-cuisine. Le piège. Car il s'agit bien d'argent ! Il s'agit de renforcer les liens qui unissent la famille, oui, une belle brouille unit autant qu'elle divise, par l'intérêt passionné qu'elle suscite. En ce moment même, Hjalmar et Vanina : « Jo ne m'a pas paru très contente de l'arrangement de Bonne-Maman... Qu'est-ce qu'elle aurait fait d'une briqueterie ?... Le terrain a de la valeur, si près de Paris... Il faudra que Paule fasse attention à... Jean-Philippe n'est tout de même pas notre fils... J'ai trouvé un peu exagéré qu'Antoine... » Juste ou injuste, ce bavardage passionné tisse la toile qui les retient tous et toutes : prisonniers, prisonnières surtout, d'une action illusoire, car tout s'arrangera au moment des « partages », il n'y a pas de traîtres, et Jo le sait. Pas de traîtres en ce qui concerne le moins important, l'argent. Mais qui, sinon Vanina, a trompé sa vigilance en venant la voir, huit jours avant le pique-nique, le front soucieux ? « Ma chérie, je ne sais pas comment tu vas prendre ça, mais Bonne-Maman est pratiquement décidée... » Entrée en matière bien calculée pour hérisser Jo, qui donne dans le piège tête baissée. « Comment ? décidée ! Sans nous consulter, sans une réunion de famille... »

Elle a dit cela, Jo, pauvre dupe ! Elle se taperait la tête contre les murs, quand elle y pense. Elle a dit : « Réunion de famille », comme si elle faisait encore partie de la famille ! La famille qui, tacitement, a condamné Sauveur. « Mon Dieu, Jo, mais tu n'aurais pas dû le laisser... dans son état... » Elle s'efforce de garder la tête froide. Il est certain que Sauveur restait fragile. Qu'il boitait encore. Qu'il avait voulu imiter Marie qui gambadait dans les greniers. Mais elle ne pouvait se persuader que là était l'imprudence, la faute : l'avoir emmené à Sacy. La faute, c'était d'y être allée, elle, de s'être intéressée à Sacy, d'être rentrée dans le cercle étroit des préoccupations familiales, se soumettant à une règle qui impliquait à la fois qu'on s'intéressât à l'argent (sans en avoir et sans en désirer) qu'on se déplaçât en groupe, et qu'on se résignât quand la famille, quand la médecine avaient décidé qu'on devait se résigner. « Cela aurait pu arriver n'importe où » avait dit Bonne-Maman avec bonté. Non, l'accident ne serait pas arrivé n'importe où, pensait Josée avec une injustice passionnée. Il ne pouvait arriver qu'en famille.

*
* *

Les « cousins » revenaient toujours. C'était en partie à cause des invectives de Patricia — si elle avait pu se taire, ne pas répondre, faire la morte! ils ne seraient pas revenus, comme une meute de chiens hargneux, affamés pourtant, frappant aux volets fermés, donnant des coups de pied dans la porte, à moitié rigolant, à moitié saouls mais Diane savait d'expérience immémoriales que ces rires nerveux, ces plaisanteries salaces, étaient le prélude d'une explosion de violence qui se produirait un jour, qu'elle redoutait.

— Ouvrez, là-dedans! Ouvrez, bande de garces! On est des parents tout de même, des cousins! On a bien le droit de vous rendre visite, pas vrai? Une petite visite d'amitié!

Ils riaient, ils donnaient des coups de pied; ils étaient rarement plus de quatre : Béchir était le seul véritable « cousin », les autres étaient des voyous plus vieux que lui, un Français, deux Arabes, des garçons qui avaient bien dix-neuf vingt ans, qui ne travaillaient pas et qui s'étaient procuré on ne sait comment des solex ou de petites motos qu'ils faisaient ronfler comme des bolides.

Diane les connaissait de vue, parce qu'un soir ils étaient entrés au restaurant, derrière Béchir, qui prenait de grands airs affranchis dans son blouson de plastique (il n'avait que quinze ans, lui) et qu'elle avait reconnu les voix. Mais quand ils avaient vu le père, son visage toujours sombre, ses épaules trapues, le cousin Jo derrière, et Salvador qui passait sa tête rébarbative à travers le passe-plat, ils n'avaient pas insisté. Ils avaient pris un verre de Boukkha au bar, « aux frais de la maison » et étaient repartis, le père Bellem trop content d'en être quitte à ce prix. Ils revenaient pourtant, parfois bruyants, parfois à pas de loup, les épiant à travers les fentes des volets, si proches que Diane croyait les entendre respirer. Et toujours le matin, pendant que le père n'était pas là. Et elle n'osait pas lui en parler, de peur d'une bagarre, de peur d'une discussion, de reproches, ou pire encore, de son silence accablé sous les criailleries de Pat. Si elle pouvait se taire seulement, celle-là, se taire !

Depuis « le malheur », le malheur qui était Rachid, Diane avait tout le temps sommeil. Elle avait le sentiment que si une fois seulement elle avait pu dormir tout son saoul, au réveil tout serait arrangé. Mais comment voulez-vous dormir, avec tout ce qu'il y avait à faire pour empêcher Patricia de transformer le studio en taudis et Rachid en enfant du ruisseau ? (On aurait dit qu'elle le faisait exprès, et pourtant, elle l'aimait : elle l'appelait près d'elle, le couvrait de baisers trop brusques qui faisaient peur au petit.) Comment dormir en entendant, dans son réduit carrelé, le père qui se tournait, se retournait, rallumait pour refaire ses comptes et retrouver l'éternel déficit qui leur permettrait pourtant de survivre ? Comment dormir, avec la crainte des cousins qui allaient revenir un jour, hilares et menaçants, qui criaient dans la cour sonore, à cause desquels le gérant avait déjà réclamé plusieurs fois, qui terrifiaient le petit ?

— Allez ! ouvrez, qu'on rigole un peu ! On est de la famille quoi ! Ne faites pas les difficiles, on n'est pas les premiers, quoi, ouvrez ! Didi ! Pat ! Pa-a-tri-cia ! On vous fera de beaux enfants, nous !

C'était un jeu, se répétait-elle pour se rassurer, un

jeu humiliant et cruel, mais un jeu. La preuve, c'est qu'ils n'avaient même pas osé leur parler, au restaurant. Mais pourquoi Pat, convulsée sur le lit, leur répondait-elle d'une voix stridente, en français, en arabe (quelques mots glanés au restaurant qu'elle, Diane, ne comprenait même pas) et qui fouettaient leur ardeur? Peut-être que si elles s'étaient tues, peut-être même que si elles leur avaient ouvert la première fois, il ne se serait rien passé? Elle se représentait avec une cruelle précision le studio, volets enfin ouverts, un bouquet de fleurs sur la table en formica recouverte d'une nappe brodée, les verres peints du restaurant disposés sur le plateau de cuivre, le thé fumant, les gâteaux qu'elle aurait offerts si elle avait eu des visites, de vraies visites, le phono qu'elle aurait fait marcher... Elle aurait pu être heureuse, même au fond de ce puits. Mais il y avait Pat, il y avait Rachid, il y avait cette malédiction visible et tangible, le silence, les yeux mornes de Rachid, et quand il rentrait le soir, le silence, les yeux mornes du père. Et le cauchemar toujours recommencé de ces voix d'hommes derrière la fenêtre, de ce scandale qui finirait par éclater...

Heureusement encore, c'était une maison où les locataires travaillaient, étaient presque tous sortis le matin. Mais un jour ce serait le dimanche, ou le lundi, il y aurait des têtes aux fenêtres, des réclamations, ce serait l'expulsion, la police, l'Assistance publique peut-être pour Rachid, menace familière de Pat... Et voilà, le cauchemar recommence. Les pas, on piétine un peu dans l'entrée, on se pousse l'un l'autre, les voix qui s'élèvent « je t' parie qu'elles nous font rentrer cette fois... c'est qu'une question de fric, tu penses... Avec les clients du restau elles se gênent pas... » et en passant dans la cour les voix se font plus sonores, les rires plus forcés... Bang! le premier coup de pied dans la porte, celui qui leur donne du courage, qui les met en train. Diane s'effondre en gémissant sur les coussins, les mains aux oreilles. Patricia se dresse sur le lit, comme une bête traquée, furieuse.

— Voulez-vous me foutre le camp! Tas de voyous, bons à rien, crapules!... hurle-t-elle d'une voix suraiguë.

— Tais-toi, Pat, au nom du ciel, tais-toi! supplie Diane presque sans voix.

Elle se balance d'avant en arrière, folle d'une terreur incontrôlée, de honte, de désespoir. Mais qui a jamais fait taire Patricia? Son visage illuminé de haine, comme éclairé de l'intérieur, elle frémit toute sous l'insulte, comme si elle la revendiquait, la voulait pour elle seule.

— Patri-ci-a-a! crient les voix taquines, mais dont le diapason monte dangereusement. On a touché la paie! Tu peux ouvrir! On a de quoi! C'est combien, déjà, la passe?

— Salauds! Je vais appeler la police! Salvador va rentrer et vous casser la gueule! Même une pute ne voudrait pas de vous, bande de minables!

« Ça recommence! ça recommence!» pense Diane dont la pensée tourne en rond, comme un animal pris au piège, tandis que le quatuor de voix moqueuses scande comme un slogan, de plus en plus fort : « On — a touché la paie! On — a touché la paie!» Diane sanglote. Pat aspire à plus de violence, à quelque chose de terrible, à l'explosion; ils vont tout casser, ils vont mettre le feu, ils vont... Mais le silence est retombé. Ils se concertent. Des rires étouffés. Puis un porteparole, tout contre la porte. Il ne crie pas, cette fois.

— Ecoutez bien, là-dedans. Ou vous ouvrez, ou on va prendre votre affreux Jojo et vous n'aurez plus qu'à venir le chercher, compris? Je ne rigole plus, vous ouvrez?

Avec un cri, Diane veut s'élancer vers la porte. Pat la retient par le poignet, enfonce ses ongles dans la chair.

— Vous ouvrez, oui ou non! dit la voix mal assurée de Béchir. C'est qu'il s'est trop avancé devant ses camarades, il ne peut plus reculer maintenant, la menace lui est venue sans qu'il y ait réfléchi, pour se venger en paroles, pour avoir le dernier mot, et voilà qu'ils attendent, enfiévrés, qu'il la mette à exécution.

— On ne vous fera pas de mal! insiste-t-il (mais en est-il si sûr?) on veut vous voir, c'est tout!

Peut-être failliraient-elles, mais Jean-Pierre, qui est

le plus vieux, le plus endurci, dit : «On ne va tout de même pas se laisser faire par ces salopes!» et donne quelques coups supplémentaires dans la porte, derrière laquelle Patricia glapit de brèves injures qui le stimulent. Jean-Pierre se retourne vers Béchir le visage empreint de cruelle malice — car outre le tour qu'il va jouer à ces idiotes, il sent bien que son camarade est pris d'appréhension, et il se réjouit de le mettre au pied du mur.

— Alors, où il est le gosse?

Béchir a le sentiment d'avoir déclenché quelque chose qu'il ne peut plus arrêter. Charles et Patrick, eux, se laissent porter par le besoin d'agir, de faire n'importe quoi, une curiosité bête de gosses.

— Oui, où il est? Elles vont se précipiter quand elles l'entendront piailler!

Béchir ne peut plus reculer.

— Il doit être là-haut, dans la deuxième cour.

— On y va! Comme en 14! hurle Charles en éclatant de rire, et Patrick le suit en s'esclaffant aussi. Il ne leur viendrait pas à l'idée que ce qu'ils font est pire que de faire vrombir leur solex. Du reste, malgré leurs longs cheveux, leurs voix brutales, ce ne sont pas de méchants garçons. Charles, même, a une petite sœur qu'il adore et pour laquelle il a des attentions maternelles : ils ne voient pas le rapport, voilà tout.

Une cavalcade ébranle les tommettes de l'escalier. Diane implore Pat du regard.

— Ça ne servirait plus à rien d'ouvrir maintenant, chuchote Pat. D'ailleurs *elle* doit l'avoir sorti.

Propos confirmé par les hurlements de désappointement là-haut.

— C'est de la triche! Le ouistiti n'est pas dans sa cage! Remboursez! Remboursez!

Charles s'est affalé sur les trois marches qui remontent et n'en peut plus de rire. Tout cela est tellement absurde! Patrick se roule une cigarette et songe, puisque tout espoir semble perdu de s'amuser ici, aux programmes des cinémas du quartier. Béchir est soulagé d'un poids immense, jusqu'à ce que Jean-Pierre qui furète partout pour voir si le gosse ne s'est pas caché (et c'est le seul, Jean-Pierre, qui ne rie pas et qui n'ait pas déjà oublié leur objectif : faire sortir les filles de leur cachette) s'écrie :

— Mais ça continue, l'escalier! Il doit être caché dans un coin! et s'élance. Riant toujours, Charles se relève et le suit, Patrick fait de même avec plus de nonchalance. Ils se bousculent dans l'escalier étroit, criant et riant (Béchir un peu à la traîne, mais rassuré, car il sait qu'il n'y a pas de cachettes dans l'escalier et que Rachid ne peut y être caché) ils donnent des coups de poings au passage dans les murs... et l'escalier finit sur une dernière porte.

— Il n'y est pas, le petit salaud! Oh! merde! C'est râpé!

Leurs voix remplissent l'étroite cage d'escalier, béton sonore. Leur entrain retombe déjà, quand cette porte, au sommet de la montée blanche, s'ouvre, et qu'une jeune fille apparaît, en jean, et pull-over rouge et rose, aux cheveux cendrés, qui dit avec une mystérieuse politesse :

— Vous cherchez quelqu'un?

Ils ont battu en retraite avec des explications confuses. Leurs pas, dans l'escalier A, sont presque timides, résonnent moins. Un conciliabule confus dans l'entrée :

— Qu'est-ce que tu fais, toi?

— Oh! j'ai quelque chose à trafiquer sur ma mob...

C'est Charles. Patrick, décidément, va au ciné. Béchir n'a qu'une idée, c'est de se défiler au plus vite, avec le sentiment vague qu'il n'a pas été à la hauteur, mais à quel moment? Jean-Pierre, les joues brûlantes, commence à se dégriser, et se rend compte qu'il a été au bord d'une énorme connerie. Les autres ne s'en sont même pas rendu compte. «Mais c'est qu'on aurait pu le tuer, ce gosse, si on l'avait trouvé» se dit-il tout à coup, les mains moites. Et il se promet de ne plus remettre les pieds rue d'Ecosse. Il y a quelque chose de malsain dans cette maison.

*
* *

Il fait beau. Le vent passe dans les herbes folles de la cour avec nonchalance. Le soleil pénètre dans les recoins de la briqueterie éventrée. Le petit logement du gardien, une fois la literie et les rideaux changés, n'est pas désagréable, avec sa chambre unique au premier, son papier à fleurs, son dessus de cheminée en bronze, son vieux parquet aux lattes larges, soigneusement encaustiqué, et une odeur subtile de cire, d'œillet, de bois fraîchement scié, que Jean-Phil trouve érotique. Le parfum de Paule aussi lui plaît, un parfum cher, compliqué, qu'elle a dû acheter pour lui plaire (elle n'avait pas ce parfum-là autrefois, avant — ou alors il ne l'avait pas remarqué). Ce parfum la rend terriblement présente, dans le grand lit en acajou; ses cheveux si noirs, si abondants, son corps chaud, à la fois passif et exigeant, est aussi tellement *là*. Jean-Phil a presque le sentiment que c'est la première femme qu'il possède, au sens plein du terme. Effrayé et flatté par l'égarement de ses yeux si grands, par l'abandon de cette bouche brûlante, par cette chair qu'il comble et martyrise à la fois, dont il sent qu'il dispose, en cet instant, totalement.

— Paula!

Son regard plein de choses, comme une eau à travers laquelle on voit des algues onduler.

— Oui?

— C'est peut-être l'heure?

Elle le regarde. C'est peut-être l'heure. Il a le sentiment que s'il n'insistait pas elle resterait là, dans ses bras, la nuit tombant, un autre jour se levant, les ouvriers, le chef de chantier arrivant, sans qu'elle s'en souciât, ou plutôt, en les défiant, prête à se battre, à affirmer désespérément son droit à être là; il a le sentiment, dans cette toute petite maison (échangée au vieil invalide contre un F 2 qui a comblé ses vœux) qu'ils sont retranchés du monde, mais que Paule s'attend à une attaque imminente qu'elle est prête à soutenir, par tous les moyens, comme les forcenés qu'on voit dans les journaux, le visage flou, marqué d'une croix sur la photo grise, mais le fusil bien apparent. Il a le sentiment qu'elle aspire à cet instant, à un paroxysme, pour aller jusqu'au bout d'elle-même et disparaître enfin dans une gerbe de flammes, dans une explosion de poutrelles, un cataclysme semblable à l'amour mais dont on ne renaîtrait pas. Il ne partage pas ce bref délire, il en a un peu peur, il en est fasciné.

— Paula?

— Tu es pressé? dit-elle agressivement, en se dressant sur un coude. Pourquoi agressive? Pourquoi implorante sous cette agressivité? Pourquoi toujours se plaçant en situation d'infériorité, pourquoi toujours esclave, humiliée, abandonnée au moment même où « prise » selon le langage masculin? Prise *donc* laissée, et méritant d'être laissée puisqu'elle s'est laissé prendre; elle n'en sortira jamais, et tout est dans le mot « abandon » qui signifie à la fois l'état où une femme se laisse « prendre » et celui où elle va tomber tout de suite après.

— On t'attend?

Voix banale, crispée, question banale, crispante, et elle jouit sauvagement de sa maladresse, car il va se dérober, il doit, c'est la règle, le châtiment, se dérober, et elle serait presque déçue s'il ne la blessait pas jusqu'au cœur, et il le fait, plus durement qu'elle ne s'y attendait.

— Je suis marié, tu sais.

Palpitante, elle reçoit le coup, elle s'y attendait, du reste, elle n'a pas cessé de penser à Allegra.

— C'est vrai. J'oublie tout, ici, je suis un monstre. Pourtant, je te jure, je l'aime, jamais je n'ai voulu cela, il faudrait trouver la force, je ne sais pas... Dissoudre l'association; si on travaille ensemble, je ne pourrais jamais...

Elle se roule dans ses cheveux, écrase sur le bras de Phil ses seins magnifiques, son visage est moite d'émotion, prisonnière qui se débat dans des liens qu'elle craint de rompre.

— Tu es belle, dit-il la gorge serrée, avec cette émotion primitive de l'homme devant l'objet de sa terreur, réduit à l'impuissance. Elle gémit.

— Non, Phil! Tu as dit qu'il était tard! Non, Phil! et il ne résista pas à la tentation de posséder encore, de détruire, d'anéantir cette femme qu'il trouvait belle; qu'il trouvait bonne, qu'il admirait du temps où il ne l'aimait pas. Une joie si profonde, si âcre, si différente, car, bien sûr, lui aussi pense à Allegra, à Allegra

264

jamais possédée, jamais détruite, et même pas froide dans ses bras.

— Je t'aime, dit-il avec rage, je t'aime, je t'aime.

Quand il dit « je t'aime » à Allegra, son visage exprime une douce surprise enfantine, elle sourit tendrement, et elle dit : « Bien sûr. »

*
* *

Carmen Corail est grande, mince, sèche, élégante, un chapeau de paille tressée et laquée sur ses cheveux tirés qui semblent aussi enduits de laque. Son tailleur à jupe plissée semble fait de rabane; la jupe courte laisse voir des genoux secs, des jambes maigres comme des allumettes, seul indice de son âge possible. Carmen Corail a pour visage un masque japonais très bien fait, très stylisé, les pommettes hautes, la mâchoire nette, les dents pures des morts, les lèvres dessinées au crayon de Néfertiti, les cheveux noirs tirés en arrière, durement. Emprisonnés, ses yeux piquetés d'or sont tristes et tout à fait étrangers au masque : des yeux de femme vitriolée.

Carmen Corail, c'est l'argent. Le vrai, l'impitoyable argent. Toute la tribu Svenson-Santoni, invitée par Maria Vega-Ramirez à dîner avec cette « puissance », perçoit la différence. Les bijoux de Maria, son appartement, ses torchères en verre de Venise, son bar acajou et cuivre, ses tableaux monstrueux, ses robes à volants, tout ce qui a choqué au premier abord Vanina et Josée (« être aussi riche, ça ne se fait pas ») perd de son lustre devant la rabane et les bijoux fantaisie de Carmen Corail. Il devient évident que Maria n'est pas élégante, mais endimanchée, que l'appartement n'est pas luxueux, mais tapageur, et que si l'argent que manie Carmen Corail, c'est bien l'argent, celui de Maria, ce n'est pas de l'argent, c'est des sous.

Du coup, la tribu un peu ahurie par le bar, par Romuald en veste blanche servant des cocktails invraisemblables, par les bougies dans les chandeliers en argent (des bougies autrement qu'à Noël!) et quelque peu désapprobatrice, ne sait plus dans quel clan basculer. Bonne-Maman manifeste une certaine sympathie à Maria et accepte un porto. Vanina et Josée sont très raides au bord de leur fauteuil, silencieuses; mais leur regard fait le tour de la pièce, prend note, et que de choses à se dire le lendemain! Antoine s'agite, mal à l'aise. Alex, invité pour faire d'une pierre deux coups, (parler du roman de Romuald) n'est pas moins embarrassé de sa personne, et n'ose pas boire le petit coup qui le soulagerait sous les yeux de Josée, attentive et réprobatrice comme une épouse. Allegra reste dans son coin, dans une robe verte, très « jeune fille », dont la couleur ne lui va pas et la rend presque laide. Paule, par contre, rayonne; elle porte une robe trop habillée, en soie crème, avec des entre-deux, une sorte de dentelle, une espèce de drapé sur la poitrine, tout cela d'assez mauvais goût, et pourtant ce soir elle ne se pose pas de questions sur sa toilette, tout lui va, elle se sent bien, elle a la conviction que tout va lui réussir, qu'elle fascine Jean-Philippe, qu'elle surprend sa famille, qu'elle va plaire à Carmen Corail et conclure l'affaire... De temps en temps, une brusque crainte l'envahit, ne brave-t-elle pas les dieux, n'enfreint-elle aucun tabou, et son regard soudain vulnérable, qui semble ignorer le corps triomphant, l'embellit encore.

La soirée a pourtant assez mal commencé. Romuald s'est bien rendu compte que Maria, une fois de plus, a agi sans discernement en invitant tout ce monde. Pour faire connaître Carmen Corail à Mlle Svenson, il était inutile de réunir toute la famille!

— On croirait un dîner de mariage, Madame!

— Mais tu comprends, je sais qu'ils avaient tous tellement envie de voir l'appartement... Et puis je ne pouvais pas inviter Jean-Phil sans sa femme, alors avec Paule ça aurait été gênant, et puis la grand-mère, comme elle donne pratiquement le terrain, il fallait bien qu'elle vienne, ce qui fait que je me suis dit : tant pis, faisons une fournée!

— Je crains que Mlle Corail ne soit assez surprise...

Maria s'est mise à rire.

— Tout ce que je fais la surprend toujours. Elle me prend pour une sauvagesse!

— Il y a un peu de ça, Madame, a dit Romuald affectueusement.

Mais il n'avait pas entièrement tort, Romuald. Maria s'en rend compte dans ce salon où tout le monde se trouve réuni, un peu guindé, un peu tendu, comme dans l'attente d'un feu d'artifice qui ne commence pas. Elle a beau se multiplier, offrant des alcools, des pistaches, des amuse-gueules exotiques, virevoltant, éclatant de rire, rien ne peut effacer l'entrée de Carmen Corail, qui, souriant à tous avec une bienveillance royale, a cependant marché droit sur Allegra, et avec un sourire :

— C'est vous, Mademoiselle, qui voulez lancer une nouvelle gamme de produits?

Il y a eu un grand moment de confusion. Maria, plus confuse soudain qu'une petite fille prise en faute, s'est élancée, expliquant les parentés, rectifiant l'erreur. Mais Paule a paru soudain — on ne voit pas pourquoi — horriblement vexée, et dans l'ensemble cette méprise a jeté un froid. Elle s'est mise à parler produits de beauté avec Carmen Corail, affable et distante, mais son assurance a été un peu entamée. Jean-Philippe aussi s'est assombri. Ce « Mademoiselle » qui est venu spontanément aux lèvres de Carmen Corail... C'est vrai que Allegra fait jeune fille, parle, agit comme une jeune fille. S'habille, passe inaperçue comme une jeune fille d'autrefois. Il l'a donc si peu changée, si peu marquée, alors que Paule, de tout son épanouissement meurtri, n'est qu'un aveu...

Pour détendre l'atmosphère, Maria annonce, comme une joie pour tous, l'arrivée imminente de son second fils, Arturo. Fernando joue au polo quelque part en Angleterre. Ramon, l'aîné, gère « les affaires » à Caracas. « Les affaires » depuis qu'elles sont devenues stables et sans imprévu, n'intéressent plus Maria. Elle en parle comme d'une vieille parente à laquelle on pense le moins possible, mais qu'on respecte : il faut bien que quelqu'un s'en occupe. Ce quelqu'un, c'est Ramon, le pauvre. Maria montre les photos de ses fils, à cheval, en smoking, en maillot au bord de diverses piscines, et dans des fêtes célèbres dont la tribu n'a jamais entendu parler : des bals, des festivals où ils exhibent des compagnes célèbres et parées. Carmen sourit avec une bienveillance plus appuyée : tout cela est si affreusement mauvais genre que c'en est attendrissant. Bonne-Maman n'est pas tellement loin de penser la même chose. Le docteur Svenson et Alex, auxquels personne ne prête plus attention, se sont mis à boire dans un coin, et entretiennent une conversation factice, pour la galerie. « Quel dîner ! » pense Romuald.

L'arrivée d'Arturo aggrave la confusion. C'est un grand et beau jeune homme, cordial, démodé, sentant le parfum, les cheveux noirs, les yeux noirs, le menton empâté déjà, des dents magnifiques : il respire la santé, c'est tout ce qu'on peut en dire. Il baise la main des dames et laisse voir immédiatement, avec une ingénuité de cannibale, la convoitise que Paule lui inspire. Il s'installe près d'elle, engloutissant les amandes, les biscuits, boit du cognac comme de l'eau et, vautré dans son fauteuil, dévore Paule des yeux.

— Que fait votre fils, Madame ? demande Jo qui sent qu'il faut soutenir la conversation.

— Oh ! il est sportif, très sportif, répond Maria avec une sérénité comblée. Il fait beaucoup de tennis, du ski, de la voile... C'est un barreur de premier ordre, n'est-ce pas chéri ?

— Par petit temps, répond modestement le jeune homme. Et il se rapproche de Paule. La stupeur de Josée, qui n'imagine pas qu'on puisse mener une vie oisive sans au moins en rougir, fait plaisir à voir. Carmen Corail s'amuse. Elle s'amuse toujours chez Maria, comme une duchesse s'amuserait follement à un bal de banlieue. Tout est toujours si parfaitement *à côté.*

— Ah ! le bateau ! répond Bonne-Maman, impassible. C'est comme mon fils Pascal, que j'ai malheureusement perdu en 1940. Il faisait beaucoup de bateau lui aussi...

Le bateau de Pascal était une malheureuse barque de pêcheurs, mal gréée, et il est plus que vraisemblable que le yacht d'Arturo vaut des millions, mais ni Maria ni la vieille dame n'y voient de différence. Carmen leur accorde pour cela une certaine considération. La jeune fille aussi a assez bon genre. Les autres... L'envie vient à Carmen Corail de les faire un peu remuer. Elle remet la conversation sur le projet de produits de beauté. Tout gèle autour d'elle quand elle parle, ou prend feu. On va voir.

Carmen Corail a une belle voix grave, de ces voix qu'on appelle chaudes et pourtant sa voix est froide. Elle boit un petit verre de gin : on ne l'imagine pas buvant autre chose que cet alcool sec et sans goût. Ce qu'on sait de Carmen Corail? Elle possède *la* marque de produits de beauté, celle que tout le monde connaît, de la dactylo à la star. Elle est la fille d'un pharmacien. Elle a été autrefois mannequin, elle a plus de cinquante ans et, disent les journalistes, tout ce qu'elle touche se transforme en or. Peut-être est-ce pour cela qu'elle tend avec précaution ses longues et très belles mains, douces et froides?

Carmen Corail parle avec une douceur inhumaine. Elle commence par expliquer comment elle a réussi à lancer ses produits. On l'écoute avec déférence. Ce qu'elle explique, du reste, n'explique rien. L'emballage, la promotion, les prix qui doivent toujours être le plus bas ou les plus hauts...

— Je n'ai pas fait, jusqu'ici, de produits anallergiques, c'est ce qui m'intéresse dans votre projet. Mes coloris, et vos formules. Je crois qu'il suffirait de réaliser trois ou quatre gammes au départ...

Paule et Jean-Philippe manifestent un désarroi visible. Maria ne leur avait parlé que de distribution, ne leur avait pas laissé entendre qu'il s'agissait d'une association aussi étroite. Est-ce cela, l'argent, une chose dont il suffit de s'approcher pour être happés, dévorés? Un instant ils ne sont plus sûrs de le désirer. Mais il ne saurait en être autrement. Carmen Corail ne s'occupera de rien qui ne porte sa griffe. C'est inimaginable, voyons! Maintenant qu'ils sont engagés à fond, elle pose ses conditions. *Ses* coloris, *ses* bénéfices.

— Bien entendu, je ne vous mets pas le couteau sur la gorge. Vous trouverez d'autres circuits qui vous laisseront une autonomie totale. Mais je produirai certainement cette année une gamme anallergique. Vous n'avez pas intérêt...

269

Maria intervient avec cette robuste vulgarité qui soulage :

— Mais bien sûr, Carmen, mon chou! Le tout est de se lancer, voyons! Quand une affaire marche, tout le monde y trouve son bénéfice. Mais je pense que Paula n'aimerait pas disparaître complètement derrière ton étiquette, tu ne crois pas?

Carmen soupèse, comprend.

— Mais après tout, je n'ai besoin que d'un chimiste, dit-elle.

Il y a un froid. Evidemment. Mais alors, la distribution, les magasins? Paule voit fondre sous ses yeux la briqueterie, les employées en blouse blanche, se refermer sur elle les portes de verre de l'Institut qui lui paraît soudain rapetissé, tapi au fond de sa petite rue sombre comme une prison où elle va disparaître : elle jette à Maria un regard de détresse. Jamais elle n'a réalisé qu'elle tenait à ce point à ce projet. Elle a eu tant de peine à se déterminer, à se lancer : va-t-elle perdre la partie, maintenant, devant la famille, devant Jean-Philippe?

Maria va se resservir un apéritif. Un vin noir, épais, sucré. Elle seule en boit, tout le monde a horreur de ça. Elle revient, son verre à la main, les doigts entourant largement le verre, virevoltant avec une lente, lourde grâce, manœuvrant ses hanches comme une barque : nullement atteinte.

— Ma Carmen, je pourrais te dire que tu m'as promis..., commence-t-elle.

Carmen le reconnaît d'un signe de tête attentif.

— Mais non. Ce n'est pas un argument. On promet, on promet par amitié, et puis... Non. Je te dirai que si tu n'as besoin que d'un chimiste, nous n'avons besoin que d'un circuit. Il n'en manque pas. Tu es axée sur le produit de luxe; nous pouvons nous tourner d'un autre côté. Je suis très bien avec la petite Schwartz, qui est acheteuse pour les Galeries — une fille adorable d'ailleurs. C'est un point de départ.

— C'est une tout autre optique, dit Carmen avec froideur, en regardant ses ongles soignés. Mais elle bat en retraite. La chaleur de Maria, son « nous » cordial avec lequel elle englobe Paule, Jean-Philippe, leur famille, leur clientèle future, l'univers, a réinvesti le salon. Carmen Corail est attentive, sans hostilité. La passion, la chaleur, sont aussi des investissements. Si Maria, si son amie, sont prêtes à verser leur chaleur et leur passion au service de ses produits, elle est prête à considérer ce facteur. Elle écoute, douce comme une mélomane au concert qui à travers la forêt des instruments essaie de discerner la note de cuivre d'un cor, ou l'aigu d'une petite flûte. Elle regarde Paule, avec plus d'attention. Ce corps généreux, prêt à bondir, est de la même famille que celui de Maria; il y a là une réserve de vitalité qui contraste heureusement avec la sécheresse anguleuse de Jean-Philippe, ses ongles rongés, cette intelligence inquiète qui se lit sur ses traits. Le rapport entre ces deux êtres, juge Carmen Corail, est bon. C'est-à-dire qu'il est productif. Si elle voulait, elle pourrait, car son jugement est un instrument de pesée infiniment subtil, déduire de cet examen les liens qui unissent pour l'instant Jean-Philippe et Paule, calculer la dose de malheur et de bonheur qu'ils sont capables de se procurer l'un à l'autre. Mais ce n'est pas le genre de choses qui intéresse Carmen Corail. Elle voit deux rouages complémentaires, qui s'actionneront l'un l'autre et produiront, c'est sûr, une certaine quantité d'énergie. Mettre ce garçon à la tête d'un département pseudo-médical? Le stimuler par une rivalité avec Paule? Amener Maria à investir dans d'autres secteurs? Maria parle toujours avec la majestueuse abondance d'un fleuve, sûre de tout emporter dans son flot. Elle évoque avec gourmandise les débuts du « pauvre Manolo », son mari, l'arrivée de la prospérité dans la demeure patricienne, mais délabrée, l'extension de sa chaîne de restaurants qui gagna les Etats-Unis, l'élaboration d'un style, qui alla de la nourriture, exotique juste ce qu'il fallait, à l'uniforme des serveuses — tout cela à quoi elle s'est prodigieusement intéressée — et prédit aux produits Svenson une carrière semblable. Elle décrit les laits, les crèmes, comme de vrais laits, de la vraie crème qui mousserait aux pieds de Carmen Corail.

La famille Svenson regarde comme au spectacle, ébahie. Maria, Arturo, c'était des réalités — répréhensibles, sans doute, mais sur lesquelles on pouvait se faire une opinion. Ce jeune homme qui semble considérer que faire de la voile et du ski constitue une activité professionnelle est une pâture offerte à la critique. Et est-ce qu'il s'intéressait à Paule? La chaleur de Maria laisse-t-elle présager quelque chose? Sujet passionnant, que nulle cupidité ne ternit : le cas échéant, la famille considérerait dans son aristocratique étroitesse d'esprit, que c'est elle qui ferait un cadeau aux Vega-Ramirez en leur « donnant » une fille, à cause de la fortune même des Vega-Ramirez. Ils assistent, noblement obtus, à l'espèce de joute courtoise qui se livre entre les deux femmes. Bien entendu, Carmen considère Maria comme lui étant (cette notion n'impliquant aucun mépris) très « inférieure » : ce n'est pas l'une des dix ou douze fortunes qui comptent vraiment; elle n'est apparentée à aucune famille politique influente, à l'aristocratie encore moins, elle ne fait même pas partie de la Café Society. Cependant Carmen Corail fréquente Maria, à cause d'une curiosité qui est sa seule passion. Le fait que Maria ne se soucie d'aucune de ces infériorités l'intrigue et l'amuse. Qu'elle n'ait jamais cherché à créer un salon littéraire par exemple. Qu'elle donne des dîners disparates, insensés, au hasard des « têtes » qui lui reviennent, ou non. Qu'acheter des robes l'amuse encore, et qu'elle livre un combat passionné pour lancer des produits de beauté, et déclare avec une chaleur d'amoureuse : « Voyons, Carmen, on a toujours besoin d'argent frais! » « On dirait un personnage de bande dessinée », pense Carmen Corail, qui n'a pas choisi son pseudonyme, sa marque, sans un humour allusif à ce genre de culture. « La reine du hamburger au piment! Et elle croit me convaincre! » Cependant Carmen Corail elle-même dépend de quelque chose, qui n'est pas l'argent, mais le mouvement de l'argent. Elle en dépend d'autant plus qu'elle n'en a pas besoin; elle peut se retirer demain en Sologne, en Haute-Provence, à Rio, à Ibiza, mais elle ne sera plus le pivot qui fait tourner la machine, donne et retire, ouvre et referme les portes de l'argent, elle ne remplira plus son rôle d'organe, elle ne sera plus Carmen Corail. Elle est donc acculée au choix, aux décisions, ne jouissant que de son impartialité capricieuse.

— Mais bien entendu, Maria, je plaisantais, tu sais. Je m'intéresse à l'affaire, je m'y intéresse beaucoup. Ce n'est qu'une question de modalité.

Maria triomphe et regarde Paule avec l'air de dire « Voilà le travail! » fanfaronnade qui fait encore sourire Carmen. Cet amusement que lui procure Maria donne à leurs rapports une apparence d'amitié. Paule et Jean-Philippe ont visiblement retenu un gros soupir de soulagement. Ils étaient suspendus aux lèvres de Maria, comme Arturo, fasciné, aux seins de Paule qu'il fixe d'un air affamé. « C'est l'humanité », pense Carmen Corail avec une indulgence un tout petit peu dégoûtée. Mais un peu seulement : elle sait par expérience que ce sont ces passions, ces appétits, ces ambitions qui font tourner la machine. Ce sont ses outils, et on s'attache à ses outils. D'une discrète volte-face, elle indique que l'affaire est entendue, qu'il n'y a pas à y revenir ce soir.

— Venez donc un de ces jours avenue Montaigne, je vous ferai voir quelques projets que j'ai fait établir... à tout hasard.

Et souriant de leur surprise, elle se tourne gracieusement vers Allegra, assise un peu en retrait à sa gauche :

— Venez aussi, mademoiselle. Cela vous amusera de visiter nos locaux...

— C'est ma femme, dit brusquement Jean-Philippe, si brusquement que tout le monde s'étonne.

— Oh! pardon... Je n'avais pas compris. Elle paraît si jeune!

*
* *

— Les vacances! Les vacances! Il n'y a pas que les vacances, clame Paule en repoussant son assiette.

— Ah! pardon! moi je tiens beaucoup, pour moi et les enfants, à des vacances convenables!

— Mais puisque l'oncle Camille a écrit...

— Si Pascal y met les pieds, j'aime mieux vous dire

273

tout de suite qu'on ne m'y verra pas souvent, au mas.

— Enfin, mes enfants, si Camille l'invite, il est bien libre...

Vanina s'est arrêtée de desservir la table, et un compotier à la main, restée sur le pas de la porte, s'efforce de dominer le tumulte.

— C'est chaque année la même chose, intervient le docteur Svenson, de sa voix lasse. Est-ce qu'on ne pourrait pas...

Sa phrase reste inachevée. Jo est hors d'elle.

— Sauveur a besoin d'une chambre pour lui seul, pour achever sa convalescence!

Les yeux de faïence de son père se posent sur elle, incertains. Mais il ne dit rien.

— Il peut très bien se reposer *et* partager la chambre de Marie. Il n'a pas une maladie des nerfs, que je sache, dit Bonne-Maman, sèchement.

— De toute façon, pour moi il ne sera pas question de vacances.

— Comment, Jean-Philippe?

— Je profiterai du temps que me laissera la clinique pour surveiller les travaux. Il faut qu'à la rentrée tout cela soit prêt à démarrer.

— Je ne sais pas si moi-même je partirai. Ou alors, une dizaine de jours pour changer d'air, dit Paule en regardant la glace qui fond dans son assiette.

— Dans un sens... fait Vanina. Alors Allegra pourra prendre la petite chambre jaune, Renata et Marie coucher dans la lingerie, et cela laissera la grande chambre du second pour Pascal et Rosette.

— Mais on ne peut pas mettre deux lits dans la chambre jaune, dit Allegra.

— Si Jean-Philippe vient pour un week-end, je suis sûre que Camille sera d'accord pour coucher dans le bureau. Il comprendra très bien... des jeunes mariés...

— Mais je ne parle pas de Phil, maman. Je pense au petit.

— Quel... mon Dieu! Mais tu n'y penses pas! Tu veux emmener ce petit malheureux chez ton oncle?

— Ils ne partent pas en vacances, dit Allegra, sur le ton de l'évidence.

— Qui ça, *ils*, d'abord? On ne sait même pas d'où il

274

sort cet enfant! On ne peut pas imposer à Camille...

— Oh! il n'est pas dérangeant, tu as vu?

— Un infirme, c'est toujours gênant, dit Bonne-Maman.

Elle vit trop tard Jo devenir écarlate.

— Je veux dire... ce genre d'infirmité... mentale, tu comprends. Ça jette un froid. Et les enfants vont poser des questions, et les gens du pays...

— Mais il n'a aucune infirmité mentale, dit Allegra gentiment. Il ne parle pas, c'est tout. Donc il dérangera plutôt moins qu'un autre enfant, je vous assure. Et les enfants de Jo sont assez grands pour comprendre...

— Naturellement, dit Jo.

Vanina la regarda avec surprise. Jo soutenant Allegra, c'était neuf.

— Mais enfin, Allegra, quel caprice! Je comprends bien que tu t'intéresses à ce pauvre petit, mais tu ne peux pas faire de la maison de ton oncle une colonie de vacances! Je suis prête à chercher avec toi une solution pour que cet enfant prenne l'air. Il y a sûrement un organisme...

— Il est habitué à moi, dit Allegra.

Il n'y avait pas trace de nervosité dans sa voix. Elle regrettait d'être la cause de complications, mais qu'y faire? Laisser Rachid un mois, deux mois? Elle n'était pas sûre qu'il fût assez grand pour comprendre qu'elle ne s'absentait que momentanément. Donc impossible de le laisser.

— Je crois qu'il n'a pas cinq ans, expliqua-t-elle avec bonne volonté. Il ne comprendra pas que je vais revenir.

Cela lui paraissait si simple, si évident!

— Mais puisqu'on te dit que c'est impossible! dit Phil, d'une voix si brutale que Paule tressaillit.

Allegra ne parut pas s'émouvoir.

— Mais je comprends très bien! dit-elle. Tu sais, je ne tiens pas tellement à partir, cette année. Puisque toi-même tu restes à Paris... Au moins, tu ne seras pas obligé d'aller au restaurant...

— C'est ça! Dis tout de suite que tu restes à cause de moi!

— Mais je reste aussi parce que tu restes...

— Tu restes à cause de ce sale môme pouilleux, et

voilà tout! Tu ne songes même pas à me demander mon avis, et par-dessus le marché, tu espères me faire avaler la chose en prétendant que c'est pour me faire plaisir! C'est un comble!

Ces quelques répliques s'étaient succédé si rapidement que nul n'avait pu intervenir. Du reste, Bonne-Maman restait pétrifiée, le bec cloué par la violence de Phil. Cela dépassait le ton acerbe, mais cordial, de la famille. Allegra restait interdite, mais plus surprise en apparence que peinée.

— Tu es fâché? Mais puisque tu ne pars pas, toi, je ne vois pas...

— Je ne pars pas pour des questions sérieuses, figure-toi! Je ne pars pas parce que je ne veux pas m'éterniser dans cette clinique pourrie, et que je veux mettre une affaire en train! Aucun rapport avec ce caprice, cet entêtement stupide, sans raison, sans...

— Mais Phil, il y a une raison. Je te dis que Rachid ne comprendra pas, qu'il se croira abandonné. Ça peut lui faire beaucoup de tort! Mais si tu préfères que je parte, je suis sûre qu'on lui trouvera bien une petite place chez Camille, n'est-ce pas Maman?

« Maman » n'eut pas le temps de répondre. Phil avait quitté la table, jetant violemment sa serviette, et claquant la porte. La tablée restait encore pétrifiée quand la porte d'entrée claqua à son tour.

— Eh! bien... dit Bonne-Maman.

Tout le monde se ranima comme par enchantement.

— Mais ma petite fille, tu es folle!

— Tu n'aurais pas dû le prendre de front...

— Je n'aurais pas cru que Phil...

— Qu'est-ce que...

— Tu as fait du joli!

— Moi je comprends qu'Allegra se sente une responsabilité vis-à-vis...

— Quand on se marie...

Allegra se taisait, un peu pâle, sans marquer d'émotion particulière. Bonne-Maman prit la direction des opérations et d'un ton de voix plus élevé, domina le tumulte.

— Enfin, qu'est-ce que c'est que toute cette histoire? Allegra, explique-toi. J'ai cru, nous avons tous cru...

Ton mari s'oppose à ce que tu t'occupes de cet enfant?

— Je ne sais pas, dit Allegra d'une voix blanche.

— Comment, tu ne sais pas? Il n'y a pas un an que tu es mariée, et tu ne te préoccupes pas plus que ça de ce que pense ton mari?

— Qu'est-ce que ça peut lui faire, à Phil, qu'elle s'occupe de ce pauvre petit? intervint Jo.

Vanina s'était rassise, la table débarrassée :

— Ça peut lui faire, dit-elle sèchement, qu'il ne faut jamais laisser un tiers s'immiscer dans un jeune ménage.

— Un tiers! Un bébé!

— Ce n'est pas une question d'âge, mais de leur intimité, qui...

— Alors il ne faudrait pas avoir d'enfant, pour préserver son intimité?

— Mais ce n'est *pas* leur enfant, justement!

— Tu as été très imprudente, dit Bonne-Maman, remettant Allegra en jeu, pour apaiser Vanina et Jo. Tu as pris des responsabilités sans consulter ton mari, tu as subi l'influence d'un milieu déplorable, car je suis sûre que cette idée de vacances ne t'est pas venue toute seule! Ma pauvre petite, tu n'as pas l'expérience de ces gens-là. (Ici Vanina intercala un « c'est bien vrai » et un vigoureux hochement de tête; injustement, elle en voulait à Allegra de l'opposer à Jo. Quand il s'agissait d'enfants, Jo perdait tout bon sens, mais enfin, c'était pour ses enfants *à elle!*) Tu t'es laissé embobiner par des mines piteuses; ces gens-là ne sont jamais contents. Plus tu en feras, plus ils voudront t'en faire faire! Il y a déjà eu cette histoire ridicule de guérisseur, puis tu as quitté ton travail (« Comment? » Vanina n'avait jamais fait le rapprochement) et maintenant ce sont les vacances. Et après? Non! (Elle leva le doigt, arrêtant une objection imaginaire) je ne veux pas dire que tu as eu tort. Tu as obéi à un très joli sentiment, à un sentiment *respectable!* Il faut aider les malheureux! Mais... attention! Pas trop n'en faut! Tu mets ton ménage en danger, et tu n'agis même pas pour le bien de l'enfant. Non! parce que tu donnes à sa *famille* (ici le mot famille fut prononcé d'un ton dédaigneux, car enfin, la « famille » d'un enfant qui s'appelle Rachid peut à peine être qualifiée de ce nom) de faux espoirs. Tu seras bien obligée de t'en désintéresser un jour. Tu auras toi-même des enfants, ou tu déménageras, ou...

— Si on pensait à tout ça, on ne ferait jamais rien... dit Allegra.

Le ton incertain rachetait un peu ce fait sans précédent : s'opposer à Bonne-Maman. Mais tout de même! Vanina prit la relève, d'un ton sévère.

— Tu te butes stupidement, ma petite fille! Qu'est-ce que tu espères obtenir? Que cet enfant guérisse? C'est l'affaire des médecins, et je serais la première à t'aider, si tu veux le faire examiner sérieusement. T'occuper? Faire du bien? Ton ménage d'abord, avant tout. Et puis il y a les œuvres. Il est dangereux, comme dit ta grand-mère, de t'attacher à un enfant qui ne doit tenir aucune place dans ta vie. Tout cela n'est pas sérieux, voyons!

Allegra se taisait. Paule aussi. Jo hésitait. Antoine allumait son cigare, résigné à ces querelles entre femmes dont il ne se mêlait jamais. On était dans une impasse, quand le docteur Svenson leva la tête.

— Ecoute, ma chérie, amène-moi donc ce petit dans la semaine. La première chose à faire est de voir s'il est récupérable. Je suis sûr qu'une fois rassurée sur ce point, tu verras les choses différemment. Il est inutile de discuter sur un problème tant qu'on n'en possède pas les données, n'est-ce pas?

Vanina approuvait déjà, tout heureuse de voir son mari intervenir dans ces problèmes intérieurs, dont il paraissait toujours si détaché.

— C'est vrai, au fond, on est là, on discute, on se monte la tête... Papa va l'examiner, ce petit, on ne va pas le laisser tomber, naturellement, tu penses bien, on n'est pas des monstres... Un cognac, Antoine?

— Je vais le prendre avec Papa dans son bureau.

— C'est ça, c'est ça... Allez discuter un peu entre hommes... Il y a un bon film à la télé, les filles?

Elle était si évidemment soulagée que Bonne-Maman n'insista pas. Petite dispute de famille, pas bien grave, après tout. Elle se leva pour aider Vanina à faire la vaisselle : sans quoi elle manquerait le début du film. Jo et Allegra s'installèrent. Paule avait filé, comme d'habitude — ce qui prouvait que tout était rentré dans l'ordre. Dans la cuisine, où Vanina se dépêchait de finir la vaisselle, pour ne pas manquer le début, Bonne-Maman, en se lavant les mains :

— Elle n'a pas dit grand-chose, Paule, ça m'étonne.

— Oui, dit Vanina par-dessus le bruit de l'eau, en général les Arabes, la charité, les sentiments bourgeois, ça la déclenche.

— Elle était pressée de partir...

— Plus pressée que d'habitude?

— Il me semble bien...

— Cet Arturo, tu crois? Il n'a pas très bon genre...

— A son âge, elle ne peut guère espérer...

— Ou alors, est-ce que c'est pour parler à Phil?...

Elles ratèrent tout de même le début du film.

⁎
⁎ ⁎

Paule avait foncé jusque chez elle. Dans le sous-sol elle accrocha encore une fois — légèrement — le pare-chocs de sa voisine, la dernière fois c'était le jour où... Mais elle avait complètement oublié Etienne. Elle était sûre que Phil était chez elle : il y avait huit jours qu'elle lui avait fait faire une clé, toute honte bue.

Haletante :

— Tu es là?

Il y était, arpentant le salon, fumant rageusement.

— Mais Phil, qu'est-ce qu'il y a eu? Est-ce que c'est ma faute? Est-ce que j'aurais dû...

— Aucun rapport avec toi, dit-il brièvement.

Elle en eut un coup au cœur. Il pouvait donc s'irriter ainsi pour une autre — Allegra. Puis elle se força à espérer, vaillante.

— Ça te contrarie qu'elle reste à Paris? Mais ne t'inquiète pas, je vais écrire à l'oncle Camille, j'arrangerai tout, elle pourra loger...

— Je me fous de l'oncle Camille! dit-il violemment. Je me fous de vos arrangements de vacances, de vos projets. Je te demande pardon! Ça m'a échappé, je suis nerveux, tu comprends, à l'hôpital, je suis entre deux chaises, on se doute que je ne resterai pas, mais si jamais l'affaire ne se fait pas, ou ne donne pas ce que nous espérons...

Elle l'écouta. Son instinct comme son intelligence lui faisait sentir qu'il fallait le laisser parler, feindre d'être dupe. Mais son cœur s'affolait, essayait de fuir l'évidence.

« Il est jaloux. Il est jaloux d'Allegra. »

★
★ ★

— Mais comment peut-on être jaloux d'un enfant? Renée était à la fois incrédule et outrée.

— Je te le jure. Tu ne l'as pas vu comme moi. Il était dans un état!

— C'est tout de même chez toi qu'il est venu se réfugier...

Renée avait beau désapprouver la conduite de Paule, elles étaient amies depuis si longtemps qu'elle ne pouvait s'empêcher de compatir.

— Au fond, ça devrait presque te faire plaisir. Parce que si ça va aussi loin que tu le dis, ça prouve qu'Allegra n'est pas très attachée à son mari.

— Et après? dit Paule avec colère.

— Enfin, cela fait plutôt ton affaire, non?

— Tu crois que ça me fait plaisir de voir Phil malheureux?

— S'il est ton amant c'est qu'il est susceptible d'être consolé, non?

Paule garda le silence pendant quelques instants, l'air buté.

— Allegra n'a pas de cœur! dit-elle avec indignation.

— C'est possible, mais qu'est-ce que ça peut te faire? Si elle aime s'occuper d'enfants, si elle n'adore pas son mari, après tout c'est son droit. J'ai toujours pensé, excuse-moi, que dans ta famille, le fait de considérer qu'une femme est faite pour le mariage et rien que pour le mariage, avait dû l'influencer. Si elle s'est trompée en épousant Phil, et que tu te sois trompée toi-même en restant célibataire, en somme tout s'arrange, et je ne vois pas pourquoi tu en fais un drame.

Renée avait parlé avec une certaine sécheresse. Il lui semblait que Paule se complaisait dans une situation en somme banale, et qu'elle ne se déchirait pas le cœur sans une certaine satisfaction. L'influence de la famille ! Toujours l'influence de la famille ! Paule avait eu beau les braver en ouvrant l'Institut, en se lançant maintenant dans la fabrication, elle avait toujours dû ressentir un remords inconscient, le sentiment qu'elle violait un tabou, qu'il faudrait un jour « payer ». Elle avait trouvé une occasion, elle ne la lâcherait pas sans combat.

— Mais c'est un drame ! dit-elle en effet, les larmes dans la voix. Enlever son mari à ma propre sœur ! Tu es folle !

— Mais si elle n'y tient pas ! Peut-être vous êtes-vous trompées de vocation toutes les deux, et qu'Allegra...

Paule l'interrompit avec une véritable fureur.

— Allegra ! Une vocation ! Mais si elle s'intéressait véritablement aux enfants, ou même seulement à cet enfant, est-ce qu'elle ne se serait pas adressée à des personnes compétentes, à Phil, tiens, à Papa, ce ne sont pas les médecins qui manquent, dans la famille ! Est-ce qu'elle n'aurait pas signalé le cas de cet enfant soi-disant abandonné, est-ce ce que... Allegra une vocation ! Tu me fais rire. Allegra n'est ni médecin ni assistance sociale, elle ne peut rien pour ce petit, et elle ne veut rien faire. Ce n'est pas une femme ! Elle veut demeurer dans son univers d'enfant irresponsable, dans sa féerie idiote. C'est Blanche-Neige, Allegra.

— Elle pense peut-être qu'elle s'en tirera toute seule ? Quand on s'intéresse à un enfant ou à un malade, il y a tout de même d'autres solutions que de le mettre aux mains de l'Assistance publique ! L'éducation d'un enfant, c'est une création aussi, tu sais. Je ne vois pas pourquoi Allegra n'y aurait pas droit tout comme une autre. Si c'était son enfant à elle, tu trouverais tout naturel...

— Mais ce n'est pas son enfant, justement !

— Tu vois comme tu es encore la proie des préjugés. Que ce soit son enfant ou un autre, quelle différence ? Quand tu dis que ce n'est pas son enfant, tu te réfères encore à ta famille, à une conception purement sentimentale du rôle de la femme. Les entrailles, toujours les entrailles. Pourquoi Allegra n'aurait-elle pas un cerveau comme tout le monde, un cerveau qui s'intéresse à la rééducation d'un petit être qui...

— Oh! Arrête! Arrête! Ne fais pas la sainte laïque en ce moment! Tu vois bien que je suis à bout! Phil ne m'aime pas, voilà tout. C'est elle qui l'intéresse, c'est d'elle qu'il est jaloux... (Paule pleurait.)

— C'est elle qu'il trompe.

— Mais il la trompe parce qu'il l'aime, justement!

— Ma pauvre chérie! soupirait Renée, dépassée par cet illogisme. Tu n'es plus toi-même... Je vais te faire une bonne tasse de thé.

Renée avait toujours été féministe. Mais à voir Paule ces jours-là, elle se disait en soupirant qu'il y avait encore bien du chemin à faire. Elle l'avait tant admirée, elle l'avait jugée si supérieure aux autres! Et la voilà se détruisant elle-même, incapable de se déterminer, d'agir, et même de raisonner juste. Car enfin, cette histoire d'Allegra la faisait plutôt remonter dans l'estime de Renée. Elle connaissait assez la famille Svenson-Santoni pour savoir qu'on ne lui échappait pas facilement. Les griefs, les arguments de Paule ne devaient être qu'un faible écho de ceux de la famille, si elle était au courant de tout. « Pauvre Allegra! Je la plains. » Renée s'identifiait un peu à elle. « Quand j'ai voulu faire mon C.A.P. de kinési, quel tollé! » Et naturellement, la famille était incapable de voir dans cette histoire d'Allegra autre chose que l'aventure touchante et niaise de la jeune femme sensible qui se laisse toucher — exagérément — par un enfant abandonné et malade. « Comme si nous n'étions capables, nous autres femmes, que d'attendrissement! D'éternelles infirmières! Mais moi, quand je vois mes malades progresser, ou même reprendre goût à la vie parce que leur corps se transforme, c'est un intérêt intelligent que je ressens, pas un attendrissement! Toujours la misogynie! La création aussi, c'est les entrailles, tous les hommes vous le diront, seulement ils se les réservent, ces entrailles-là. Le créateur peut plaquer sa femme, abandonner ses enfants, brûler ses meubles

282

comme Bernard Palissy, il n'en est pas moins honoré, il a son portrait dans les manuels. Mais imaginez une femme qui mette ses enfants à l'Assistance pour écrire, qui brûle ses meubles pour faire d'horribles cérami-ques — des serpents sur des assiettes, des artichauts en relief sur des soupières, ces monstruosités qu'on voit dans les musées, toutes poussiéreuses — vous croyez qu'elles seraient dans les livres de classe, ces femmes-là? Comme Rousseau et Bernard Palissy? Comme la Brinvilliers, peut-être! Essayez seulement de brûler une chaise, une seule, pour cuire un pot! Vous m'en direz des nouvelles!»

Ce monologue intérieur habitait Renée comme elle entendait discuter les filles de l'Institut. Quelle absence de conscience politique, sociale! Sa considération pour Allegra augmentait. Elle se taisait, elle agissait, au moins, celle-là. Les autres, quels babillages dépourvus de sens!

— Mais il paraît qu'il est tout à fait mignon, ce petit! (Lucette) C'est bien naturel, quand on voit un gosse malheureux...

— Je ne dis pas. Mais aller jusqu'à abandonner son travail pour ça... Tu vois, c'est tout de même une alié-nation, disait Jicky vertueusement. Que ce soit un mari ou un enfant, il ne s'agit pas d'une œuvre, d'une action qui ait un sens général, je ne sais pas... Elle avait besoin de se sacrifier à quelqu'un, alors comme son mari... enfin, comme elle n'a pas réussi à résorber sa personnalité dans celle de son mari, elle s'est dé-vouée à cet enfant. Il y a des femmes comme ça, qui croient que se sacrifier, c'est une solution à tout. En général, c'est un manque de personnalité, voilà tout.

— Et puis tout de même ce n'est pas son enfant, disait Odette d'un ton définitif. Qu'on soit gentil, d'accord. Mais elle pouvait emmener ce petit en pro-menade deux ou trois fois, lui acheter des bonbons ou un pull-over sans abandonner son travail!

Renée, ces propos la faisaient bouillir. Elle leur sor-tait tout, Rousseau, Bernard Palissy, et que c'était parce que cet enfant n'était pas le sien, justement qu'en s'y intéressant Allegra avait entrepris une tâche en même temps que cédé à un mouvement du cœur.

— Alors parce qu'elle mouche un petit Arabe, elle est devenue saint Vincent de Paul?

— Lucette!

— Remarque, je dis ça, mais on l'aime beaucoup, Allegra. On la plaignait, même, à cause de... (Regard vers l'étage au-dessus, tout cela se passant au sous-sol, dans les vestiaires.) Mais on se demande maintenant si elle ne l'a pas un peu cherché.

— Lucette!

Renée se réembarque sur Bernard Palissy, mais elle sent bien qu'elle n'est pas suivie. Et pourtant, de la façon dont elle comprend les choses aujourd'hui, le jour où Allegra a décidé de ne plus travailler qu'à mi-temps, elle a brûlé son premier barreau de chaise.

★
★ ★

C'était un nouveau jeu. Il n'attendait plus qu'elle vînt le chercher, et même, si elle rentrait, vers une heure, de l'Institut, il refusait de la suivre. Stupéfaite, la première fois, elle avait insisté, essayé même de le porter. Il avait secoué la tête énergiquement, en signe de refus, s'était débattu avec impatience, lui avait montré l'escalier du doigt. Elle l'avait reposé à terre, était montée. « Qu'est-ce qu'il veut? Mais qu'est-ce qu'il veut encore?» Le cœur étreint d'angoisse, de curiosité anxieuse, plutôt, elle avait refermé la porte du studio. Refusait-il désormais de la suivre, lui en voulait-il, s'était-il lassé? C'était inimaginable. Mais alors?

Alors elle avait entendu son pas dans l'escalier, sensible au poids des lourdes chaussures, à l'effort qu'il faisait à chaque marche, si haute pourtant. Il avait frappé, avec décision. Elle avait ouvert. Il était allé s'asseoir sur le tabouret, et pendant qu'elle restait là, indécise, encore le cœur irradié de cette horrible inquiétude, il avait souri, d'un sourire apaisant, et il s'était mis à parler.

Pas en articulant, bien sûr, il ne prononçait pas de mots. Mais il babillait, d'une voix incroyablement claire et haut perchée (un peu comme s'il imitait une voix de femme) dont le diapason montait et descendait, parfois affirmatif, parfois interrogatif, un bruit de fontaine, un gazouillis d'oiseau — non, Allegra, un bruit de conversation. C'était un nouveau jeu; il imitait une conversation. Du geste il lui faisait signe; il voulait qu'elle lui répondît, il attendait avec impatience qu'elle comprît. Qu'elle était donc lente! Il la rassurait d'un sourire, et d'un balancement de son petit corps trapu exprimait l'agacement de qui n'est pas suivi. Elle ouvrit la bouche, elle essaya de produire un son, et n'y parvint pas. Alors, elle éclata en sanglots.

Voilà. Ce pouvait être des sanglots de joie, bien entendu. Ou bien le choc, la surprise. Les corbeaux, le tapis, avaient été des indices. Le jeu des gaufres et des brioches au Jardin des Plantes l'était peut-être aussi, elle ne l'avait pas compris sur le moment. Mais aujourd'hui, pouvait-elle se leurrer plus longtemps? Il avait imité en somme les deux visites de Josée (ou peut-être d'autres visites chez sa mère ou sa tante). Mais pourquoi? Il y avait un monde entre l'imitation des corbeaux, ou même le dessin du tapis et ce comportement. Il semblait préfigurer un futur où il frapperait à la porte, entrerait chez elle, et lui parlerait. Un futur où il n'y aurait plus entre eux cette complicité du silence. Et ce futur, il le voulait. Il l'obtiendrait : elle ne doutait pas qu'il n'obtînt ce qu'il voulait, cet enfant obstiné et secret. Elle éclata en sanglots.

Elle pleurait, elle sanglotait, sans pouvoir se contenir, se réprimer. Toute secouée de sanglots, elle s'était accroupie à côté du tabouret. Elle appuyait sa tête sur les genoux du petit, elle pleurait, se demandant pourquoi, elle pleurait avec une sorte de soulagement, un désir d'aller jusqu'au bout de cet incompréhensible chagrin, de l'épuiser, d'en être quitte. Ses sanglots s'apaisèrent au bout de quelques instants, mais ses larmes coulaient toujours, et la petite main sale de Rachid lui caressait les cheveux, avec précaution, comme si c'était elle qui était devenue l'enfant.

Elle finit par se reprendre. «Je vais l'inquiéter, l'affoler.» Elle releva la tête, s'essuya les yeux. Il se taisait, bien sûr, il la regardait, avec une sorte de tendresse, d'inquiétude, il lui prit son mouchoir, lui essuya la figure avec l'application qu'il mettait à tout, il l'embrassa avec force, en appuyant bien les lèvres sur la joue humide. Mais déjà elle sentait, elle savait qu'il recommencerait, impitoyablement, le nouveau jeu, comme il avait recommencé son dessin, dix fois, cent fois, jusqu'à ce qu'il fût enfin ressemblant.

La santé, chez les Svenson, est un article de foi. Si l'on se met à douter que la médecine soit une science exacte, c'est l'aventure, l'empirisme, l'anarchie; plus de notion de santé, plus de notion de morale : le désordre. On boite sa vie, on croit pouvoir remettre sa montre en marche d'une chiquenaude, on n'a plus d'heure, plus de feuille de température, pour un peu on croirait aux extra-terrestres. « C'est mauvais pour la santé » prononcé par Vanina ou Bonne-Maman, c'est plus grave que le péché originel. Du reste tout se tient : ce qui est mauvais pour la santé constituant souvent l'agrément de la vie, le renoncement aux plaisirs est profitable à la fois pour l'âme et pour le corps.

— Allegra n'a toujours pas téléphoné à son père. On ne plaisante pas avec les questions de santé! dit Vanina à sa mère qui, très droite dans le fauteuil de Lætitia, faisait du crochet.

— Tu peux l'appeler à l'Institut le matin.

— Un téléphone qui est dans le couloir, où tout le monde peut entendre!

— Tu as des secrets à lui révéler?

— J'ai à lui laver la tête. Hjalmar a la bonté de bien vouloir s'occuper de ce petit Égyptien, Libanais, est-ce que je sais, et elle ne se donne même pas la peine d'un coup de fil!

— Tu aurais pu lui en parler mardi.

— Paule était là! Et Jo! Je n'allais pas souligner devant elle ce qui n'allait pas dans le mariage d'Allegra!

Bonne-Maman posa son crochet, indice de préoccupation exceptionnelle.

— Voyons, ma chérie, ne mélangeons pas les torchons et les serviettes. Il y a quelque chose de nouveau?

— Mais puisque je vous dis qu'elle n'a pas... .

— Téléphoné à son père pour prendre rendez-vous, je sais. Mais qu'est-ce que ça peut faire à Jean-Philippe ?

— Oh! ça, rien.

— Tu n'es pas claire, dit Bonne-Maman avec une dangereuse patience.

Ce n'était pas Allegra qui l'inquiétait en ce moment, mais ce désordre dans les propos de Vanina, dans le climat général de la famille. Vanina reprit avec animation :

— Vous comprenez, Maman, c'est très désagréable pour Hjalmar. Et naturellement pour Jean-Philippe, bien que lui, la médecine, maintenant... On pourrait croire qu'elle a consulté ailleurs, qu'elle n'a confiance ni en son père ni en son mari, et si elle n'a pas consulté, c'est encore plus grave !

Bonne-Maman se contenta de lever les sourcils pour plus ample information.

— Mais si! La santé d'un enfant est en jeu! Le temps qui passe est peut-être précieux. Il faut prendre ces choses-là du début, rééduquer s'il en est encore temps... Peut-être qu'en plaçant ce petit dans une Institution... Mais naturellement c'est ce qu'elle veut éviter.

— Crois-tu ?

— Mais voyons, Maman! Cette histoire de vacances, c'est transparent! Elle veut partir *de son côté,* tout simplement, sans mari, sans famille, avec ce petit muet pour toute compagnie, et qu'il guérisse ou non, que Phil se fasse un sang d'encre, elle s'en moque. Mais que je la tienne en tête à tête, et je lui dirai son fait. Elle n'a aucun droit de...

— Quel imbroglio! dit Bonne-Maman avec un enjouement parfaitement artificiel (elle prononçait le mot à l'italienne), une chatte n'y retrouverait pas ses petits. Voyons, tu estimes qu'Allegra ne soigne pas cet enfant comme il convient, alors qu'elle a pris des responsabilités. D'accord. Mais Phil qui a l'intention d'abandonner la médecine, et qui est tout absorbé par nos projets de Sacy, ne m'a pas l'air d'y attacher beaucoup d'importance. Après tout, si cette femme au nom grotesque leur assure un bon revenu, Allegra pourra rester chez elle, s'occuper d'une troupe d'enfants si ça lui plaît, et je ne crois pas que Phil en soit vexé le moins du monde. Un mouvement d'humeur ne signifie rien... Quant à ton mari, ce n'est pas la clientèle qui lui manque.

— Mais enfin cet enfant doit être rééduqué!

— Il est peut-être irrécupérable, dit Bonne-Maman, jouant l'avocat du diable.

Il y eut un silence. Bonne-Maman avait repris son crochet, mais sans conviction. Elle réfléchissait.

— Est-ce que Phil se plaint? demanda-t-elle enfin.

— Il ne se plaint pas à proprement parler, mais je vois bien qu'il est malheureux.

— On ne change pas d'orientation sans problèmes...

— Mais enfin, Maman, vous ne comprenez donc rien? Phil est malheureux parce qu'Allegra le néglige, ne s'intéresse pas à lui, ne l'...

— Ma fille, tu vas dire des bêtises, l'interrompit sa mère sèchement. L'intérieur d'Allegra est bien tenu, elle ne sort pas sans son mari, elle le traite avec affection, elle ne discute pas ses décisions? Alors, jusqu'à nouvel ordre, je considère qu'Allegra fait tout son devoir. Et tu n'as pas à t'immiscer entre elle et son mari.

— Moi, je...?

— Tu te mêles de ce qui ne te regarde en rien, et tu raisonnes comme une midinette. La vie n'est pas un roman. A ton âge, et grand-mère, tu devrais l'avoir appris.

— Mais l'enfant...

— L'enfant, c'est autre chose, et il faut prendre les choses en main. Mais au fond, l'enfant, tu t'en moques bien un peu, non?

Vanina eut un geste de protestation, vite retombé.

— Bien entendu, je me préoccupe davantage du jeune ménage que de cet enfant — on ne sait même pas d'où il sort! Mais...

— Il n'y a pas de mais. Si tu n'avais pas eu ces idées. romanesques, si tu avais laissé ton mari bien tranquille (tu sais que j'aime beaucoup ce pauvre Jaja et que je ne le critique pas) peut-être n'aurait-il pas pris l'habitude...

— Maman!

— Bon, bon. Je n'insiste pas. Mais ce n'est pas à toi de critiquer Allegra, crois-moi ; tu es trop passionnée, Vanina, pour faire une bonne épouse.

La phrase tomba comme un couperet. Mais Vanina ne se révolta pas.

— Je sais, dit-elle avec une fière humilité. J'ai assez lutté pour cela, pour savoir. Mais justement, c'est pour cela que je sais, que je sens, que Phil se tourmente et que peut-être même toute cette histoire de Sacy est née de ce qu'il est malheureux, insatisfait du moins.

Cette capitulation avait apaisé Bonne-Maman.

— Je crois que tu te fais des idées... Les hommes, tu sais, en fait de sentiment... Mais enfin, si vraiment tu crois qu'il y a péril en la demeure, c'est à Phil que tu dois parler. A Phil, pas à Allegra.

*
* *

Allegra avait le cœur qui battait étrangement. Rien n'était plus étranger à son caractère que cette démarche, que toute démarche. Elle était devant la porte, tout au fond du puits. Les poubelles étaient vides mais dégageaient néanmoins des odeurs fétides. Elle avait un peu envie de rire, comme quand on a peur bêtement.

Parce qu'au fond c'était la première « démarche » qu'elle accomplissait spontanément. Non, il y avait eu le bureau de Paule, la décision de ne plus travailler qu'à mi-temps. Mais elle était inconsciente, à ce moment-là : elle avait été stupéfaite de la réaction de sa sœur. Elle n'avait toujours pas compris, du reste. Les autres en prenaient bien, des décisions. Phil, qui s'apprêtait à quitter la clinique, Paule, en s'associant à Carmen Corail, Bonne-Maman, en apportant la briqueterie. On en discutait, mais elle était assez intuitive pour sentir que c'était sans cette stupeur indignée que suscitaient ses décisions à elle. Car elle avait pris une décision : celle de partir en vacances avec Rachid, ou de ne pas partir. Et c'était pour cela qu'elle frappait — qu'elle allait frapper — à la porte de Diane et de

Patricia. Résolument — mais non sans une peur presque physique, comme si quelque chose allait lui sauter à la figure — elle frappa si fort qu'elle se fit mal à la main. La cour couverte était tiède sous sa verrière, et sonore.

— Qui est-ce? (Il lui sembla, à Allegra, que Diane haletait derrière le lourd battant. Et elle le comprenait, maintenant qu'elle aussi avait tremblé derrière une porte, avant de réussir à chasser les assaillants.)

— Moi, dit-elle sottement. Se reprit : C'est Allegra. J'habite en haut! C'est moi qui promène Rachid!

Sa voix résonnait bizarrement sous le plafond de verre et de béton. Elle entendit tirer un lourd verrou, comme d'une prison. Diane ouvrit. Mue par un courage tout neuf, Allegra passa devant elle, entra.

Il y avait plusieurs mois déjà qu'elle s'était tenue pour la première fois sur ce seuil. Mais étrangement, rien dans la pièce ne semblait avoir changé. Le plateau de cuivre bien astiqué, les trois poufs marocains à la même place, Patricia sur le lit défait, le couvre-pieds rose, la lampe mauve, et, à droite, par la porte ouverte, le lit étroit, fait au carré, qu'on entrevoyait dans le cagibi carrelé de blanc étincelant jusqu'à mi-hauteur.

— Vous êtes bien protégées... plaisanta-t-elle, d'une voix qui s'étranglait.

— Il faut ça, dit Patricia, hargneuse, sans lever les yeux de son photo-roman.

Diane s'empressait, fébrile :

— Asseyez-vous donc... Est-ce que je peux vous offrir un café? Un thé à la menthe? Il est excellent, j'ai des feuilles fraîches justement... Comme c'est gentil de nous faire une visite! J'aurais dû aller vous remercier depuis longtemps, mais vous savez ce que c'est, il y a toujours tant à faire dans un intérieur...

Pat, sans lever les yeux, ricana.

Allegra s'était assise. Le pouf lui rappelait le divan mou, si malcommode, offert par Paule. La politesse de Creil et celle des Batignolles se ressemblent. Diane parlait comme eût parlé Vanina « J'aurais dû depuis longtemps », et Allegra répondait comme eût répondu Vanina « Ne prenez pas cette peine » et regardait la pièce comme Vanina l'eût regardée, notant l'extrême propreté de la plaque chauffante, le soin avec lequel

Diane essuyait d'un torchon le dessous de la bouilloire avant de la poser sur la plaque, mirait les verres peints de fleurs devant l'ampoule avant de les poser sur le plateau. « Pauvres, mais impeccablement propres » eût décrété Vanina, et elle eût conçu pour Diane un préjugé favorable. Mais qu'eût-elle pensé de Pat, de son négligé provoquant, voulu, qu'eût-elle pensé de la petite pièce carrelée, inquiétante à force de propreté, comme la salle d'opération dans un film d'horreur? Elle n'en eût pas senti le maléfice, sans doute. La porte ouverte, là? Manque d'usage. Pat? Une « mauvaise femme » qu'il fallait traiter avec pitié. Mais le malaise, la peur insidieuse, le sentiment d'étrangeté, Vanina ne les eût pas connus. « Peut-être cela vient-il entièrement de moi? »

— Le petit est dans la cour? demanda Diane timidement, pendant qu'elle servait le thé bouillant, versant de très haut, professionnellement.

— Je l'ai laissé chez moi. C'est justement pour ça... Enfin, je préférais qu'il n'entende pas... Je voulais vous parler de lui.

Diane s'était assise en face d'Allegra, dans la pénombre. Les volets clos, la lumière violacée de la lampe près de Pat, et l'ampoule trop faible du luminaire de cuivre suspendu au-dessus d'elles deux, donnait à leur conversation quelque chose de clandestin, de mortuaire.

— Ça devait arriver, dit Patricia du fond du lit.

Elle avait lâché son magazine, s'était adossée à ses oreillers, les bras croisés derrière la tête, avec affectation. Ses seins étaient visibles sous son léger peignoir.

— Vous trouvez sans doute qu'il faudrait alerter une assistante sociale? dit-elle avec une ironique douceur. Essayer un traitement peut-être? Je sais que votre mari est docteur. Il propose peut-être de nous faire des prix?

Allegra éclata de rire. Un moment l'atmosphère devint moins pesante. Diane parut se détendre.

— Non, pas du tout, répondait Allegra. Vous auriez aimé que je l'emmène à une consultation?

Patricia parut déconcertée. Ses bras se dénouèrent, et elle ramena le couvre-lit sur elle.

— Je vous aurais tuée si vous l'aviez fait! dit-elle mélodramatiquement, mais sans beaucoup de conviction.

— Pourquoi?

Ça l'intéressait, Allegra, parce qu'elle-même avait éprouvé cette répulsion à laisser examiner le petit (au point qu'elle ne l'avait pas encore amené à son propre père).

— Parce que ça ne sert à rien! cria Pat, parce que ça ne servira qu'à le tourmenter, qu'à... on s'en servira pour des expériences, je sais qu'ils font cela, les docteurs, et lui ne parlera jamais, jamais! Tais-toi, Diane! Tu le sais bien!

Allegra but une gorgée de thé. Elle le trouva trop sucré. C'est désagréable, cette habitude orientale de sucrer le thé à l'avance. Elle n'adorait pas leurs pâtisseries, non plus. La violence de Pat ne lui causait qu'un désagrément physique : elle détestait qu'on criât. Mais son opinion l'intéressait.

— J'ai pensé cela aussi, au début, dit-elle en dirigeant son regard pensif sur Pat, maintenant recroquevillée sous l'édredon. Mais maintenant je me demande... Comment pouvez-vous être *sûre?*

Le ton sans acrimonie parut galvaniser Pat. Elle se rassit d'une brusque détente.

— Mais je le sais! dit-elle d'une voix soudain basse et farouche, pleine d'une espèce de joie âpre, enfin sincère. C'est impossible qu'il parle! Il n'est pas normal, voyons. Essayez de comprendre ça vaut mieux pour lui, ça vaut beaucoup mieux pour lui qu'il ne comprenne jamais...

Un cri étouffé de Diane l'arrêta. Mais contrairement à ce qu'elle attendait, la jeune femme pensive ne posa pas de question.

— Peut-être, dit-elle doucement.

Il y eut un silence.

— Il vous aime, murmura Diane, sans lien évident avec ce qui venait d'être dit, il vous aime beaucoup.

— Moi aussi je l'aime beaucoup... c'est pour cela...

— C'est pour cela qu'il faut le laisser tranquille! dit Pat. Promenez-le, jouez avec lui si ça vous amuse et si vous n'avez rien de mieux à faire. Celles qui peuvent se la couler douce, tant mieux pour elles! Mais laissez-le tranquille! Pourquoi voulez-vous qu'il parle? Pour tout comprendre, le malheur et la honte, tout ce qui l'attend plus tard, pauvre petit, un enfant sans père, un bâtard, un pauvre petit maudit!

Elle cherchait, frémissante, d'autres mots, des mots terribles qui feraient rougir, pleurer, battre en retraite la jeune femme assise là, les genoux pliés sur le côté, les mains croisées sur les genoux, si calme, si posée en apparence, et contre laquelle les armes s'émoussaient.

— Mais vous vous trompez, disait la jeune femme. Je n'essaie pas de le faire parler. J'étais seulement venue pour vous parler de ses vacances. Je crois que vous ne partez pas?

Pat eut un éclat de rire furieux.

— Mais vous n'avez donc pas compris ce que je vous ai dit? Nous ne sortons jamais. Nous allons servir au restaurant pour gagner trois sous, c'est tout. Il est vrai que vous ne devez pas savoir ce que c'est que de gagner votre vie, non plus! Nous...

— Je suis esthéticienne, la renseigna Allegra, avec fermeté, pas millionnaire, vous savez. Mais je prends des vacances, c'est vrai. Et je voulais vous demander si vous verriez un inconvénient à ce que j'emmène Rachid quelques semaines, dans le midi, dans ma famille. Le grand air lui ferait du bien, je crois, et...

— Jamais! hurla Patricia hors d'elle. — Jamais!

Allegra se taisait, attendait.

— Jamais, je vous dis. Il restera avec nous, et si on vous laisse le promener...

— Il faut qu'il se promène, intervint Diane.

— ...c'est parce que nous ne pouvons pas sortir, nous! Nous ne pouvons pas passez notre temps à nous promener, nous!

— Pourquoi? dit Allegra.

— Nous sommes prisonnières ici, vous comprenez? Prisonnières! Enfermées!

— Enfermées de l'intérieur...

Patricia la haïssait, cette douce blonde incolore qui s'était introduite chez elle, avec sa voix modérée, ses gestes posés, elle la haïssait de ne pas s'irriter, de ne pas poser de questions, de lui voler son malheur.

« Enfermées de l'intérieur », avait-elle dit. Diane, qui s'était tenue à l'écart du conflit, relevait la tête.

— Oui, de l'intérieur, criait Pat, déchaînée, parce que dehors, si on savait, on nous jetterait des pierres, on nous montrerait du doigt, on nous enlèverait le petit; nous serions obligées de partir, de nous enfuir comme à Creil, où nous avions une maison à nous, tout ça parce que ma sœur, parce que ma sœur...

Diane leva les deux bras en l'air, émit un couinement étranglé, avant de recevoir le coup.

— Parce que ma sœur s'est fait faire un enfant par son propre père! Voilà!

Pat triomphait, le visage enflammé d'une fureur guerrière, épuisée et triomphante, d'avoir jeté l'exorcisme qui ferait fuir l'ennemie. Il n'y avait plus rien à ajouter, maintenant. Elle allait fuir en déroute. Et Allegra, en effet, se levait, un peu pâle, tandis que Diane affalée sur son pouf, sanglotait, la tête dans ses mains.

— Oh! je suis désolée... je ne voulais pas... Quel malheur!... Je voulais simplement vous demander si vous aimeriez... enfin, j'aurais pu emmener Rachid en vacances, au soleil...

— Oui, vous auriez pu... achevait Pat, comme une conclusion, mais voilà, vous ne l'emmènerez pas, c'est tout. Allez-vous-en maintenant! Et renvoyez-nous ce pauvre petit dont personne ne veut!

Allegra se baissa et ramassa son petit sac de toile, se pencha sur Diane et l'embrassa gentiment. Puis se dirigea vers la porte.

— Excusez-moi, dit-elle d'une voix mal assurée, je ne voulais pas vous déranger, réveiller ces mauvais souvenirs...

Aucune des deux sœurs ne lui répondit. La main sur le loquet, elle ouvrit la porte, hésita.

— Si Rachid ne part pas en vacances, je ne partirai pas non plus, dit-elle plus fermement. Et je vous renverrai le petit ce soir. *Comme d'habitude.*

Voilà, comme dit Patricia. Maintenant Allegra est rentrée chez elle, et s'est assise pour réfléchir. Elle s'est assise sur le divan mou, comme une visiteuse, comme en visite chez elle, afin d'être bien objective, d'être une autre qui porterait sur Allegra et ses problèmes un regard calme. Elle a allumé une cigarette, même, pour accentuer cet aspect de détachement presque scientifique — elle qui fume rarement. Rachid dessine en silence. Il n'a pas bougé pendant son absence, il ne bougera pas pendant qu'elle réfléchit, à moins qu'il ne casse la pointe de son crayon. Cette présence silencieuse, ce sourire qu'ils échangent par moments... Atmosphère qui lui est devenue si vite familière, comme si elle s'y fût reconnue... Tout cela va cesser un jour, se briser, Rachid cesser d'être un sourire, un silence, pour devenir un petit garçon « comme les autres » c'est-à-dire différent des autres par ses goûts, son caractère, ses humeurs. Il deviendra ce petit garçon qui aime ou n'aime pas l'école, est fort en orthographe ou en mathématiques, refuse de manger du poisson, est turbulent ou renfermé, parle, parle, parle... C'est curieux, que ce soit en devenant comme les autres qu'il acquerra une singularité. Son *infirmité* le préserve en quelque sorte de ces particularités par lesquelles on distingue un être, qu'on lui colle comme des postiches, des artifices pitoyables. Allegra est ceci, est cela... Si vous voulez. Elle s'y est prêtée. Mais tout de même, quelle oppression, quel sentiment de gêne, comme si on l'obligeait à porter un corset, des souliers trop petits. Elle s'est conformée cependant à ce qu'on lui demandait, elle a exécuté des tours « fais le beau! saute pour Hitler, pour Churchill, pour Josée... » comme autrefois, au mas, le chien Aramis. Sans même réfléchir, elle a su quand il fallait sauter pour faire plaisir. Mais quel soulagement quand elle a connu l'enfant pour lequel elle n'avait à être personne!

Tout cela qui semble éternel va se briser. Rachid parlera parce qu'il veut parler. Elle n'a qu'à laisser faire. C'est en l'entourant de silence, de non-être, qu'elle l'a aidé sans le savoir à aller vers la parole, vers l'être. Comme c'est étrange. Comme tout est étrange. Elle a l'impression de ne plus rien comprendre, elle qui a toujours d'instinct, toujours vécu comme s'il n'y avait rien à comprendre.

Elle voulait réfléchir, et la voilà qui rêve. Quant aux « terribles révélations » de Patricia, elles lui sont sorties de la tête. Ça lui reviendra peut-être, mais ce n'est pas sûr. Allegra, on l'a toujours dit, manque d'imagination.

⁎
⁎ ⁎

— Mais si, disait le docteur Albert-Vidal, d'un air encourageant, ça se ressoude, petit à petit, ne perdez pas confiance. Il boitera, bien sûr, mais je crois pouvoir garantir...

— Ce n'est pas possible, dit Jo.

Pierre Albert-Vidal vit une imploration dans cette affirmation.

— C'est un moindre mal, chère Madame. Votre Sauveur est grand pour son âge, la différence ne sera pas trop sensible. Un an plus tôt... Mais il est encore en pleine croissance. Il faudra voir plus tard...

— Est-ce que je vais devenir comme Toulouse-Lautrec? demanda Sauveur avec intérêt.

— Non, mon petit bonhomme, non... Ce n'est pas absolument le même cas, mais...

— Et Byron? suggéra Sauveur.

Il était adossé à ses oreillers, les jambes découvertes étendues devant lui, bien à plat, bien immobiles, comme des objets dont il eût oublié l'existence.

— Byron avait un pied bot; rien à voir avec ton cas, dit le médecin en souriant.

La figure éveillée, les yeux vifs, la courtoisie de Sauveur lui attiraient toujours la sympathie.

— Ne vous inquiétez pas trop, chère Madame. Nous envisagerons évidemment plus tard un programme d'élongations, de rééducation... pour l'instant, en dehors des piqûres, il n'y a pas grand-chose à faire.

Il avait hâte de s'en aller, devant ces yeux qui le fixaient comme un ennemi... Les mères... Enfin, l'enfant n'était pas en danger immédiat. Jo le raccompagna jusqu'à la porte, protestant de sa reconnaissance, d'une voix froide. Il s'était dérangé par amitié pour le docteur Svenson, alors qu'il ne faisait plus depuis longtemps de visites à domicile... « mais si c'était pour me dire ça, il aurait bien pu rester chez lui... »

Sa sœur l'attendait dans sa chambre.

— Et il me sort ça devant le petit, comme un fait exprès! Comme pour le décourager! Tu te rends compte!

— Evidemment...

— Et je les connais, leurs élongations, leurs tests : en milieu hospitalier, n'est-ce pas, ce sera tellement mieux fait! Et moi je traînerai Sauveur au milieu d'un tas de dégénérés, de monstres de foire, des enfants d'alcooliques, de syphilitiques... Et il ne guérira pas, parce qu'ils ne le veulent pas.

— Oh! tout de même...

— Mais enfin, Allegra, tu n'as jamais entendu personne, dans la famille, dire, non, espérer seulement que Sauveur guérira? Tu les as vus, quand il a eu son accident, car enfin, il est tombé, ç'a été un *simple accident,* tu les as vus en parler d'une façon normale? Comme d'une chose qui guérirait? Qui avait une chance de guérir? Non. Les formalités ont été remplies, Sauveur a vu « les spécialistes », n'importe quoi peut lui arriver maintenant, il est en règle. Catalogué. Toi et ton pauvre gosse, vous ne l'êtes pas, c'est tout ce qui les tracasse. Mais tu verras, une fois qu'on l'aura bien tracassé, rendu idiot, trimbalé d'un service à l'autre, on lui trouvera une étiquette, et de deux choses l'une : ce sera congénital, inguérissable, avec un beau nom par-dessus le marché, et tu n'auras plus qu'à te résigner, ou alors on te l'arrachera pour le mettre dans une Institution spécialisée, et guéri ou pas tu ne le reverras pas et tout sera dans l'ordre. Encore une fois, tu n'auras qu'à te résigner, comme moi. Etouffée vivante, et on n'a qu'à se résigner!

Elle parlait fiévreusement, assise sur le couvre-lit en satin bleu de son lit d'acajou, dans cette chambre à coucher froide. En passant, Allegra avait noté par désœuvrement que la coiffeuse, en acajou comme le lit, l'armoire, les deux « chevets » supportant des lampes à abat-jour bleu, ne portait aucune trace des crèmes, lotions, brosses, qu'on s'attend à voir sur ce meuble.

— Et toi tu te laisses faire! sifflait Josée, hors d'elle. Tu te laisses mener à l'abattoir!

Allegra revint à sa sœur. Elle avait tendance, ces jours-ci, à se laisser distraire, déconcentrer par la moindre chose. Mais le mot « étouffer » avait frappé son oreille. C'était vrai, qu'elle avait un peu la sensation d'étouffer.

— Mais non, protesta-t-elle faiblement. Tu as bien vu, pour les vacances...

— Tu as vu la réaction, aussi!

— Oh! ils ne m'enverront pas là-bas de force...

Josée parut s'apaiser un peu.

— Peut-être que je me trompe. Peut-être que tu as plus de ressort que je n'avais cru. Ecoute : ils ne veulent pas que tu continues à t'occuper de Rachid. Ils ne veulent pas que Sauveur guérisse. Il faut nous soutenir toutes les deux. Tu comprends? Tu comprends?

— Mais bien sûr que je comprends, dit Allegra un peu fâchée. Tu me parles toujours comme à une demeurée!

— Je te demande pardon, dit Jo, avec une douceur appliquée. Ecoute : ne partons ni l'une ni l'autre. Cet été, restons à Paris. Nous serons libres. Nous irons chez le guérisseur, ensemble. Deux fois, trois fois par semaine s'il le faut. Nous aurons deux mois devant nous. Bonne-Maman sera par monts et par vaux, Maman chez l'oncle Camille — elle n'y manquerait pour rien au monde — et j'enverrai Antoine à Bonifacio avec les filles. Il faut qu'il surveille le nouveau Centre de Loisirs, du reste. Deux mois pleins. Je suis sûre qu'on les guérira; tu veux? Paule et Phil seront absorbés par leurs pots de crème, c'est une chance unique. Tu veux, dis?

— Oui, dit Allegra, je veux bien.

Un peu plus tard elle alla embrasser Sauveur dans sa chambre. Il dessinait des fleurs sur son plâtre.

— Je t'en donnerai un morceau, quand on le cassera, promit-il généreusement. Peut-être que j'arriverai à trouver un truc pour le relief : alors tu pourras dire, c'est une antiquité, un fragment de *métope*...

Elle ne savait pas ce que ça voulait dire, métope. En s'en allant elle entendit Renata qui dans sa chambre grattait de la guitare. Jo avait renoncé à l'en empêcher.

Peut-être Rachid jouerait-il de la guitare, un jour, parlerait-il de métope... Elle avait l'impression d'avoir franchi un pas, comme si d'avoir dit, prononcé ces paroles « Je veux bien » (je veux bien qu'il guérisse) avait fait grandir Rachid, tout d'un coup. Ou elle-même. Car elle se sentait comme les jours d'anniversaire, un peu triste.

Peut-être à cause de cela, le soir même elle trouva Phil changé, fébrile, rentrant tard, trop gai... Mais qu'est-ce qu'ils avaient tous à changer?

— Tu travailles trop, lui dit-elle affectueusement.

— S'il n'y avait que ça!

Sa gaieté était brusquement tombée, il avait l'air boudeur.

— Qu'est-ce qu'il y a d'autre?

— Tu n'as pas l'air de comprendre que c'est tout mon avenir, notre avenir, qui est en jeu. Si je veux, en septembre je m'occupe de toute la publicité de notre gamme de produits, plus quelques nouveaux produits de Carmen Corail, qui me la confie à l'essai. Donc d'ici quinze jours, il faut que j'aie donné congé à la clinique, prévenu l'hôpital...

— Mais ce n'est pas ce que tu voulais? demanda-t-elle avec bonne volonté.

— C'est-à-dire... c'est toute une orientation, tu comprends. Et au début elle me prend au pourcentage, ce sera à moi d'obtenir des résultats, de faire mes preuves... A l'hôpital, c'était mal payé, mais enfin j'avais un fixe, une sécurité...

Allegra s'était mise à rire.

— Parce que tu trouves ça drôle, toi?

— Pas ce que tu dis, Phil, mais ton air sérieux... On dirait que tu imites un vieux monsieur!

Il la fixa un instant, puis se détendit.

— J'imite un vieux monsieur. Je suis un vieux monsieur. Est-ce que tu peux m'aimer, malgré la différence d'âge?

— J'adore les tempes argentées, dit-elle, entrant dans le jeu.

Il l'attira sur ses genoux.

— Non, tu sais, la clinique m'assomme, je voulais, je

veux encore en sortir à tout prix, mais quand tu vois la dimension de ces grandes affaires, le bureau de Carmen Corail, ces projets qui portent sur des millions... J'ai un peu peur, voilà.

— Et tu fais le vieux monsieur, dit-elle en l'embrassant.

Il faisait le vieux monsieur, l'homme d'affaires, le séducteur, et cela le rassurait un peu. Cela faisait un tout : l'ambition, les dîners en ville, Carmen Corail, et Paule, les étreintes de Paule, les larmes, les remords de Paule; un tout beaucoup plus cohérent que le jeune médecin malgré lui, amoureux malgré lui, rentrant le soir plein de questions insolubles dans sa maison de poupées. Parler avec Privat, en homme, des moyens de ne pas se laisser absorber par Carmen Corail, lire dans les yeux du chimiste qu'il était au courant de son aventure avec Paule, et la trouvait piquante, lire dans les yeux de Paule cette résistance qui n'attendait que de fléchir, tout cela, c'était la réalité, c'était chaud, consistant, c'était la vie! se répétait-il. Paule avait réussi à le convaincre, en partie du moins, qu'Allegra c'était de l'affection, un sentiment poétique, un reste d'adolescence, mais pas la vie, cette soupe épaisse dans laquelle il faut bien se résoudre à tremper sa cuiller, qu'il faut bien avaler, avec ou sans appétit, pour devenir grand — elle avait réussi à le convaincre que l'appétit vient en mangeant, qu'il n'y a que le premier pas qui coûte, un tas de bons gros proverbes substantiels. Et par-dessus le marché (sans le savoir, sans le vouloir) elle l'avait confirmé dans un doute plus sournois, une souffrance de qualité plus fine : qu'Allegra ne l'aimait pas.

Qu'Allegra qui riait, l'embrassait dans le cou, lui mordillait les oreilles en répétant gaiement : « Oh! le vilain vieillard! » ne l'aimait pas. Il la repoussa aussi doucement qu'il put.

— Ne fais pas l'enfant, dit-il, agacé.

Elle retomba à ses pieds, sur le pouf avachi, toute surprise.

— Hein?

— Ne fais pas l'enfant, répéta-t-il, incertain.

— Pourquoi?

Oui, pourquoi?

— Mais... parce que nous ne sommes pas des enfants. Parce qu'il faut évoluer.

— Tu crois? dit-elle brusquement sérieuse.

Elle le regardait avec tant de bonne volonté, de tendre attention! Il se trompait peut-être.

— Je crois que tu vis dans un monde à toi... essaya-t-il d'expliquer, tu ne vois pas les choses comme elles sont, les gens comme ils sont. Tu vis... comment dire? en dehors, comme si les autres n'existaient pas, leurs préoccupations, leurs angoisses... Si, si! Tu ne t'en rends pas compte, mais... Ton père, ta mère (il hésita imperceptiblement), tes sœurs, tu ne les connais pas; tu crois, comme une enfant, qu'il suffit d'un peu de gaieté, d'un peu d'affection pour donner satisfaction, c'est ça, comme une écolière qui veut donner satisfaction à l'école, tu comprends? et...

— Et ça ne suffit pas? demanda-t-elle sans émotion apparente. Ça ne te suffit pas?

Non, sans doute, ça ne lui suffisait pas. La tendresse, la bonne volonté, la façon qu'elle avait de devenir jolie, à volonté, quand il arrivait; son humeur égale, ses innocentes taquineries, la façon qu'elle avait d'être contente de son sort, d'exécuter les tâches ménagères comme si elles ne lui pesaient pas, de se désintéresser complètement de l'argent, du confort, de n'avoir aucun soupçon, d'avoir confiance, de l'aimer : ça ne suffisait pas. C'était trop, c'était trop peu. Une jeune femme charmante, une jolie ménagère : un rêve, un monstre. Comment s'expliquer?

Cependant elle ne sursautait pas, n'éclatait pas en sanglots, ni en récriminations, comme Paule l'aurait fait. Elle s'appliquait à comprendre (ou peut-être la diminuait-il encore : elle était pensive, tout simplement).

— Mais qu'est-ce que tu voudrais que je fasse, au fond? Quoi, exactement?

Elle le mettait en face de son absurdité, de sa cruauté. Il avait dévasté son innocente gaieté, il lui faisait des reproches vagues, il ne savait même pas ce qu'il voulait, comment aurait-elle pu comprendre?

— Je suis un salaud, dit-il brusquement, en lui caressant les cheveux. C'est toi qui as raison. Je me fais du souci pour un tas de bêtises, et je suis jaloux de te voir si tranquille, je ne dis pas indifférente mais... détachée, tu vois? J'ai l'impression que tu penses que je m'agite beaucoup pour peu de choses, que ça n'en vaut pas la peine...

La chevelure cendrée, sous sa main, était froide et lisse. Le petit studio s'immergeait lentement dans la pénombre qui montait du puits. Allegra était mal à l'aise. Elle pensa aux soirées de Rachid, entre les deux sœurs si étroitement ennemies, le père déchu. Du moins il n'avait pas à comprendre, à prendre parti : il se taisait. Phil cependant, encouragé peut-être par l'ombre et le silence, s'efforçait gauchement de s'exprimer.

— Tu dois penser que c'est pour une question d'argent... mais non, je t'assure. Je ne veux pas me faire meilleur que je ne suis, ça compte bien sûr, mais ce n'est pas ce qui m'a décidé... Je ne crois pas que j'étais fait pour être médecin. L'atmosphère de l'hôpital...

Il parla. Avec abandon — il avait besoin depuis si longtemps de cette *conversation* (il appelait ainsi son monologue). Avec une sorte de désespoir : le comprenait-elle, l'écoutait-elle seulement? Il s'adressait à la fois à une Allegra grandie, embellie, qui eût compris ses hésitations, ses tâtonnements, et à une enfant pour laquelle il eût fallu simplifier le langage. Avec une sorte de joie à se montrer faible, désemparé — et peut-être même avec une sorte de calcul, pour qu'elle se découvrît. Forte pour le réconforter, ou faible pour le rejoindre. Il parla du sentiment de la mort, qu'il avait découvert à la clinique, de sa répulsion devant les malades, de la vanité de son dévouement — il parla de Carmen Corail.

— Tu vois, on pourrait dire que ça se vaut, et qu'il vaut tout de même mieux soigner, ou entretenir les maladies, que... Mais ces bureaux (si tu avais vu ça, il y en a des kilomètres), cette organisation, c'est un peu vendre des illusions si on veut, ça aussi, eh bien finalement ça m'a paru plus franc, plus courageux presque que la clinique, justement parce que c'est si dur, si froid, c'est ça la vie, tu comprends, finalement on ne trompe personne, en tout cas on ne se trompe pas soi-même, c'est une question de prix, de barèmes, on ne se dit pas qu'on est des apôtres parce qu'on prolonge un peu les gens...

Il s'empêtrait dans des sentiments confus, un besoin de justification, d'exorcisme, un besoin de considérer les problèmes comme réglés, admis une fois pour toutes, sans plus de luttes, de combats. Carmen Corail c'était peut-être l'argent, la réussite; c'était aussi le renoncement à des illusions généreuses sans lesquelles il n'avait pas la force de poursuivre un travail ingrat, un combat perdu d'avance.

— Mais peut-être que tout ça n'a pas de sens? Peut-être que je suis seulement fatigué, surmené? En retard pour mon âge? Neurasthénique? Beaucoup de bruit pour rien, en somme? C'est ce que tu penses?

— Je ne sais pas, dit-elle enfin.

Elle était toujours assise à ses pieds, il sentait sous sa main la forme parfaitement régulière de cette tête petite, ronde, comme le crâne d'un chat. Les rideaux n'étaient pas tirés et de l'autre côté de la cour, on voyait s'allumer et s'éteindre les petits hublots ronds des cuisines.

— Je me demande... Au fond, on a un peu les mêmes problèmes, non?

— Comment ça? demanda-t-il désarçonné, comme tiré d'un rêve.

Il ne s'attendait pas à ce qu'Allegra eût des problèmes. C'était même la dernière chose à laquelle il se fût attendu.

— Oui, dit-elle, tu t'es demandé si soigner les gens, ça menait à quelque chose, dans le fond... (Il eut un mouvement d'impatience à entendre ses émotions si complexes, si profondes, énoncées avec tant de platitude)... Parce que de toute façon, ils vont mourir, n'est-ce pas? même s'ils ne veulent pas le savoir... eh bien tu vois, je me demande moi-même... enfin, parfois... ce que ça veut dire, guérir, être comme les autres... comme si les autres, je ne sais pas, se comprenaient si bien, s'entendaient si bien...

Il écoutait à peine, émerveillé qu'elle parlât, qu'elle eût, semblait-il, réfléchi à des choses qu'il n'avait jamais dites, qu'il n'avait jamais pensé qu'elle soupçonnât.

— J'ai réfléchi à ça, tu vois, à cause de Sauveur, de Jo, du petit (dans l'obscurité il se raidit, brusquement. Mais elle ne le sentit pas). Jo veut tellement qu'il guérisse, qu'il soit comme les autres, pour qu'elle soit elle aussi comme les autres, et moi je pensais... je me disais qu'au fond qu'est-ce que ça veut dire, comme les autres... est-ce que c'est bien nécessaire... enfin, un peu comme toi, tu vois, je pensais comme toi... et puis je vois maintenant qu'il veut tellement guérir, Rachid, que c'est lui qui le veut, que je me demande...

Brutale comme une injure, la lumière éclata dans la pièce. Elle sursauta. Phil avait étendu le bras, appuyé sur le commutateur de la lampe nickelée, trop forte, un cadeau de mariage. Elle vit un visage crispé, haineux.

— Mais tu n'es donc capable de penser à rien d'autre qu'à ce gosse? dit-il à voix presque basse. Tu n'as donc rien d'autre dans la tête? Tout ce que je te dis, que je te confie, ce qui m'est le plus intime...

Il ne put achever. Il étouffait de colère, Allegra ouvrait des yeux stupéfaits.

— Mais Phil... mais au contraire... Tu es fâché? Mais je voulais dire...

Il s'en allait. Il claquait la porte comme il l'avait déjà fait aux Batignolles, il descendait l'escalier quatre à quatre, poursuivi par sa propre colère, il fuyait vers Paule, vers les mensonges rassurants, vers l'esclavage consenti, vers la chaude incompréhension féminine qui ne verrait dans ses paroles que le moyen d'une intimité plus grande, plus passionnée, plus trouble. Paule venait de se mettre au lit — sûre de n'être pas surprise, elle avait de la crème sur le visage, et portait un vieux pull mité. Il aima cette crème, ce pull, ce laisser-aller; il l'eût aimée laide, ce soir-là.

— Phil! Mais qu'est-ce qui...

Il se déshabillait avec un reste de colère, arrachant ses vêtements, les jetant n'importe où.

— Ah! tais-toi, je t'en prie! Pas de questions idiotes! Je le sais bien que tu ne m'attendais pas. Si je viens c'est parce que j'ai besoin de toi!

Elle n'entendit que ces dernières paroles, et l'appel contenu dans cette sotte brutalité. Une flambée de joie lui mit le feu aux joues, elle le sentit à elle, tout à elle, enfin. Elle l'attira, l'enveloppa de ses bras, il s'enfouit dans ce lit tiède, dans cette femme tiède, il prit possession d'elle, il mourut.

Il dormit douze heures d'affilée; quand il se réveilla, Paule, assise au bord du lit, se tordait les mains.

— Phil! qu'est-ce que nous avons fait? Il est onze heures! Phil, il faut téléphoner, non, courir chez toi, qui sait, elle est peut-être chez le commissaire de police, elle a dû appeler Maman, il faut faire quelque chose...

— Quoi faire? Qui? (Il dormait encore à demi.)

— Mais Allegra, voyons! gémit-elle, et elle éclata en sanglots.

Il y avait donc plus de treize heures qu'il n'avait pas pensé à Allegra. Quel repos!

— Qu'est-ce que tu veux qu'elle ait fait? dit-il en s'asseyant de mauvaise grâce. Elle ne va pas ameuter Paris parce que...

— Mais elle peut croire que tu as eu un accident! Et puis si elle est allée à l'Institut, elle a bien dû s'apercevoir que je n'y étais pas! Mais qu'est-ce qu'on va faire? Tu es là sans réactions, dis-moi quelque chose. Tu vois bien que je deviens folle!

Phil achevait de se réveiller, et se sentait gagner peu à peu par cet affolement.

— Tu devrais peut-être aller jusqu'à l'Institut voir ce qu'elle fait. Si elle n'y est pas, tu vas rue d'Ecosse et tu lui parles...

— C'est ça! Et je lui dis quoi? Que je sais où tu es? Et si je ne dis rien, et qu'elle veuille aller, je ne sais pas moi, à la Morgue? D'ailleurs je ne *peux* pas y aller. Je suis dans un état nerveux! Je vais avoir un accident, accrocher quelqu'un je le sens!

— Prends un taxi.

— Ah! tu ne t'en fais pas, toi! Bien sûr que je vais prendre un taxi. Et nous allons nous expliquer, Allegra et moi, pendant que toi, tu iras prendre ton petit déjeuner!

Il fut patient.

— Ma chérie, il n'est pas question que tu t'expliques

avec Allegra. Elle ne se doute absolument pas.... Enfin elle ne sait rien, voyons. Il ne s'agit que de la rassurer... si toutefois elle est inquiète.

— Parce que tu as l'habitude de découcher sans prévenir? dit Paule avec une violence extraordinaire.

Il sourit. Il fut flatté. Jusque dans ses défauts, Paule lui apportait l'apaisement qu'Allegra lui refusait sans le savoir, sans le vouloir.

— Voyons, Paula! Tu perds du temps...

— C'est vrai, murmura-t-elle, et avec une hâte fébrile, elle enfila un pantalon rouille, passablement froissé, un pull marine, des mocassins.

— Tu as raison, je file à l'Institut, et chez toi, surtout ne sors pas d'ici, n'ouvre pas, ne réponds pas au téléphone, je reviens dès que je peux, te dire. Je t'en supplie, fais ce que je te demande, sinon on est fichus.

— Mais la clinique? Il faudrait que je prévienne...

— Eh bien, préviens. Mais en deux mots, sans détails. Je file. Ah! Mon Dieu! Quelle histoire!

Elle saisit son imperméable au vol, elle revint en courant.

— Mon sac!

Elle était partie. « Elle aurait tout de même pu me faire un café », pensa Jean-Philippe. Il était inquiet, un peu fier tout de même, il attendait les événements avec trop de nervosité pour se rendre compte de ce que cette réflexion, comme la scène qui avait précédé, avait de typiquement conjugal.

Cependant Paule remontait l'avenue des Gobelins, cherchant un taxi, en proie à une agitation extraordinaire, finissait par en trouver un, arrivait en trombe à l'Institut, mal peignée, pas maquillée, et gémissait très haut sur une migraine paralysante, attendant la révélation, le coup de théâtre. Allegra n'apparaissait pas.

— Allegra n'est pas venue, naturellement, dit-elle à Lucette en composant son visage du mieux qu'elle put.

— Mais si! cria Lucette qui passait, le visage dissimulé derrière une pile de serviettes, mais la voix claire, elle fait la paraffine de Mme Lheureux.

Elle faisait la paraffine de Mme Lheureux! Elle était là! « Qu'est-ce que ça cache? »

Elle ne put se retenir, n'y songea même pas : elle vola jusqu'à la cabine 10, entrouvrit la porte.

— Allegra?

— Oui?

— Tu... tu as assez de paraffine pour aujourd'hui? Il faut que j'en commande, j'ai oublié.

— Il y en a encore pour au moins trois jours, fit la voix d'Allegra, ni triste, ni gaie.

— Ah! bon...

Elle referma la porte. Elle n'aurait pas supporté de voir le visage de sa sœur.

Elle est là. Apparemment elle n'a fait aucune démarche, suscité aucun drame. Mais « est-il possible qu'elle trouve normal... Je la juge toujours d'après moi-même. Si elle l'aimait... Mais elle est très secrète. Elle a préféré ne rien dire, peut-être, parce qu'elle avait honte de son chagrin, honte de ne pas avoir su le retenir. Si elle n'a rien dit jusqu'à présent, elle ne dira plus rien. Il est bientôt midi ». Paule ne savait que faire. Retourner prévenir Phil qu'il pouvait rentrer tranquillement chez lui, qu'il n'y aurait aucun éclat? Il pouvait encore se passer quelque chose. Elle s'assit dans son bureau, devant une pile de factures, incapable même d'en lire les chiffres, attendant. A midi et demi, Lucette sortit déjeuner. A une heure cinq, Allegra échangea quelques mots avec Renée devant la porte close du bureau. Elle devait s'apprêter à partir, elle aussi. Paule bondit, ouvrit la porte. Allegra qui enfonçait un béret sur sa tête, la regarda avec surprise. Un peu pâle, peut-être. C'était tout ce qu'on pouvait déchiffrer sur ce visage fermé — pourtant, aujourd'hui, Allegra n'était pas jolie.

— Tu as encore besoin de moi? demanda-t-elle, avec obligeance.

— Non, non! Je me demandais si c'était toi... ou Lucette.

— Eh bien tu vois, c'est moi. Je me sauve. A demain.

Elle sentit les lèvres fraîches d'Allegra sur sa joue, vit s'éloigner la mince silhouette, le béret écossais, l'imperméable noir. Ce baiser, ce naturel... Elle ne se doutait de rien, c'était vrai. Paule allait pouvoir délivrer Phil. Elle rentra dans son bureau prendre son manteau. Elle était soulagée, soulagée, déçue...

Elle avait dit tout haut, dans un accès de colère enfantine : « Ça c'est un peu fort » quand Phil avait claqué la porte. Et, en se forçant un peu, elle avait ajouté, toujours à voix haute (se jouant un peu la comédie) : « Il ne faudrait tout de même pas que ça devienne une habitude ! » Puis, pour se reprendre, comme si elle mettait de l'ordre dans ses pensées, elle avait rangé dans la cuisine deux ou trois verres qui traînaient, remis de l'eau dans le vase bleu, tiré les rideaux. Elle ne pleurait pas. Chose curieuse, des femmes de la famille, femmes fortes, passionnées, Allegra, la plus frêle, était celle qui pleurait le moins souvent. Un peu de colère, sans doute, mais sous cette agitation superficielle, adolescente, une inquiétude presque tranquille. « Mais qu'est-ce qu'ils ont tous à changer ! » avait-elle pensé en voyant arriver Phil préoccupé, versatile. Sa brusque colère ne l'avait pas moins surprise que sa brusque confiance. Surprise qui la laissait incapable de réagir, et venant après les fureurs de Patricia, les supplications de Jo, lui donnant brusquement l'impression d'être transportée d'un intérieur paisible dans un paysage ravagé par d'incompréhensibles tempêtes. Tout le monde autour d'elle changeait, et elle avait le sentiment de ne pas y être étrangère. « Mais pourquoi s'est-il fâché, brusquement ? » Son inquiétude allait plus loin que la mauvaise humeur de Phil. C'était un signe de plus, un indice, elle eût été bien incapable de dire de quoi, mais elle n'en voyait pas moins ces mots, ces gestes autour d'elle, se charger de sens, devenir inquiétants. Et même l'enfant, même Rachid !

Surtout Rachid, si l'on y songe. Car tout avait commencé le jour des corbeaux, le jour du tapis ; c'était ses gestes à lui, sa volonté secrète, qui avaient été les premiers révélateurs de la tension qui montait, qui la menaçait. Elle était prise dans un processus irréversible. Elle ne pouvait ni ne voulait arrêter les progrès de l'enfant — et pourtant elle avait tous les jours davantage l'impression que quelque chose était en péril, que quelque chose de très précieux allait disparaître avant même de s'être épanoui, elle avait l'impression, ironie du langage, qu'il allait se mettre à parler *avant de lui avoir tout dit.*

« Mais tu n'es donc pas capable de penser à autre chose qu'à ce gosse ! » avait crié Phil. Elle était restée clouée sur place, abasourdie par sa violence. Elle n'avait pas eu le temps de lui dire qu'à travers cet enfant, c'était aussi à lui, à elle, qu'elle pensait. A une alliance qu'elle avait cru réelle, tacite, avant leur mariage et qu'il semblait aujourd'hui renier. Avait-elle eu tort d'y croire ? Les colères maladroites, les élans de Phil indiquaient qu'il avait attendu autre chose, mais quoi ? « Qu'est-ce qu'il a à me reprocher ? » Brève indignation qui la laissa tremblante, au milieu de la pièce impeccablement rangée. Jolie pièce, jolies couleurs choisies avec amour, oui, avec amour... Fallait-il l'attendre ? Elle doudait, elle n'agissait plus d'instinct, cet instinct qui eût rejoint la tradition de l'armée de métier, des épouses professionnelles — et qui eût pourtant été d'essence si différente.

Elle attendit, pelotonnée sur le sofa, retournant dans sa tête de petites phrases sans force. « Mais qu'est-ce que j'ai bien pu dire... Il doit traverser une crise... » Elle se regardait souffrir comme on regarde couler le sang, avec une répulsion que domine encore l'étonnement.

Ce fut une longue nuit ; elle allait de somnolence en somnolence, se réveillant brusquement à cette révélation répétée mais toujours surprenante, qu'il fallait réfléchir. Et si elle en voulut cette nuit-là à Jean-Philippe, ce fut certainement de l'avoir mise devant cette humiliante nécessité. Elle avait beau faire, elle s'en sentait diminuée. Elle avait évolué jusque-là avec un tel naturel ! En calculant, en déduisant, peut-être éviterait-elle de bien involontaires erreurs : mais elle sentait obscurément qu'elle y perdrait une intégrité, une grâce qui avaient été son moi le plus profond ; que ce moi fût insignifiant ou grandiose était une autre affaire.

Elle ne téléphona pas à sa mère avant neuf heures, et de l'Institut. L'absence de Phil n'était qu'un mystère parmi d'autres, tout s'expliquerait d'un coup, ou alors il n'y aurait jamais rien à expliquer. Aux Batignolles, le café venait d'être servi. Bonne-Maman répondit. Un filet maintenant sévèrement ses bandeaux, un ruban de velours autour du cou (coquetterie démodée), sa robe de chambre longue, à dessin cachemire gris, blanc et noir, boutonnée de bas en haut, Bonne-Maman, à neuf heures, déjà invulnérable, prit l'appareil.

— Où es-tu?... A l'Institut, bon... Qu'est-ce que dit Paule? Ah!... Vous vous êtes disputés?... Non, ne fais aucune démarche, ne t'inquiète pas, agis exactement comme d'habitude... C'est ça. Et quand il rentrera, fais comme si rien ne s'était passé, ne pose aucune question, sois naturelle... C'est ça... Où il est? Mais il est ici, voyons... Non, il dort encore, et puis il n'aura peut-être pas envie que tu saches, il veut sûrement te rendre jalouse, est-ce que je sais, des enfantillages... C'est ça, faire semblant de rien. Du calme surtout, n'est-ce pas, ma petite fille... Très bien, très bien...

Elle raccrocha, posément. Vanina, sur le seuil de la triste salle à manger jaune, la cafetière à la main, était l'image même de la stupéfaction...

— Maman! Mais qui?...

— Allegra, dit sobrement la vieille dame. Mais apporte le café, Nina! Il va refroidir une seconde fois.

Vanina s'avança et versa machinalement le café qu'elle venait de réchauffer.

— Mais qu'est-ce que vous racontiez? Qui est-ce qui dort encore?

La vieille dame s'accorda le loisir de beurrer parcimonieusement (la tension!) sa tranche de pain complet.

— Phil a découché.

— Mon Dieu!

— Dieu n'a rien à voir là-dedans, ma chérie.

Vanina fut obligée de s'asseoir.

— Après sept mois de mariage! Je n'aurais jamais cru... Il a peut-être eu un accident?

— Allons donc! Il est sorti après une dispute, il a couché ailleurs, c'est clair comme de l'eau de roche.

— Jésus! Qui aurait cru...

— Tu avais raison sans le savoir. En disant que ça n'allait pas.

— Mais qu'est-ce que vous...

— J'ai dit qu'il était ici. Nous prétendrons qu'il a dormi sur le canapé de la salle d'attente. Il faut gagner du temps.

Vanina contempla sa mère avec admiration.

— Pas mal, estima-t-elle, ayant repris son sang-froid. Mais il ne se doute pas qu'on lui a trouvé un alibi.

— Allegra n'est pas fille à poser des questions. Du reste je le lui ai déconseillé formellement. Et lui, s'il bafouille, s'il hésite tu as vu que j'ai trouvé une interprétation... Du reste, il se peut que nous puissions le prévenir, ce jeune idiot.

— Ça n'arrangera pas tout, dit Vanina qui méditait sans bien suivre les propos de sa mère. Le fait subsiste qu'il a agi d'une façon inadmissible, incompréhensible... Du reste comment le prévenir?

Bonne-Maman fixait le fond de sa tasse.

— J'ai bien une idée de l'endroit où il est.

— Oh! Maman, ne faites pas tous ces mystères! On dirait que vous allez lire dans le marc de café! Je suis sûre que vous ne pouvez pas avoir la moindre idée...

Elle s'arrêta net devant le sourire ironique et sans gaieté de la vieille dame.

— Oh! Non!

— Tu vois bien, dit Bonne-Maman.

*
* *

Ça faisait un mois qu'il ne l'avait vue, Mme Sant'Orso. Soulagé d'abord (les premiers quinze jours) oui, soulagé — et puis, tout de même, on se pose des questions. Cette femme qui croyait si fort en lui, qui était prête à payer n'importe quel prix, tout d'un coup se serait découragée? Invraisemblable! Il connaissait trop bien les femmes pour le supposer seulement. Se décourager! Elles ne se découragent jamais. Vous pouvez les insulter, leur prendre leurs sous, elles reviennent toujours, collantes, comme des guêpes après le sucre. Elles reviennent forcément : ce sont des femmes. Elle aura trouvé un charlatan, qui lui aura fait avaler n'importe quoi, qui aura senti l'idiote, la poire qu'on peut pressurer à volonté. Lui, il était trop honnête — et puis trop franc. Il n'avait pas voulu abuser. S'il avait augmenté ses tarifs, c'était pour la rebuter au contraire. Eh bien, si elle l'était, il avait atteint son but. Pourtant, la dernière fois, il n'avait pas eu l'impression... Elle l'avait regardé avec ironie quand il avait parlé d'augmentation. L'air de dire : « Vous ne m'aurez pas comme ça. » Alors ?

Elle avait fini par le trouver trop brutal, trop grossier. Il n'était pas de ceux qui entortillent la clientèle avec des phrases mielleuses, évidemment. Il fallait le prendre comme il était, un paysan; la rudesse, les rebuffades faisaient en quelque sorte partie de sa personnalité, du traitement. Parfaitement. Toutes ces névrosées, ces demi-folles, avaient besoin de sentir qu'il avait de la poigne, qu'il ne se laissait pas faire, ni par elles, ni par leurs prétendues maladies, qu'il vous expulserait tout ça en un tournemain. Mais évidemment la Sant'Orso n'était pas malade, c'était son fils. Ce fils précieux, idolâtré pour lequel elle aurait fait n'importe quoi, supporté n'importe quoi — pour lequel elle le supportait, lui. Alors pourquoi, pourquoi ? Ça l'agaçait, de ne pas comprendre.

Et si le petit était guéri ? Il s'entendit penser tout haut : « Allons donc ! » et s'en étonna. Il était chez lui, installé dans son grand fauteuil en cuir, la table roulante, acajou et cuivre tout à côté; avec un Ricard, de la glace, du fromage en petits cubes et des biscuits dans une assiette en cristal gravé. Bien installé, oui, et pourtant se remuant, mal à l'aise, déplaçant son énorme masse dans le vaste fauteuil; le petit souci lancinant ayant pénétré sous la couche protectrice de graisse qui l'entourait. Guéri ? C'est vrai qu'il avait l'air d'aller mieux, un mois auparavant, de marcher plus droit. C'est vrai qu'elle était si sûre, la mère, qu'il guérirait. Et lui, le Bon Docteur, il avait un don, tout de même, il en avait guéri d'autres... « Allons donc ! » Des tisanes pour le foie, pour les grossesses non souhaitées, des plantes calmantes pour les nerfs, des emplâtres, des recettes de bonne femme. Ce n'est pas ce qu'on appelle guérir. Tout de même, les impositions de main? La chaleur, les picotements, qu'elles disaient ressentir? Des hystériques, des débiles? Vraiment, toutes? Si le petit était guéri, cela prouverait tout de même quelque chose... «Elle aurait pu m'écrire un mot. Et même m'envoyer un joli cadeau.» Il but une gorgée, il se força à avaler deux biscuits Belin à l'oignon. Normalement, il adorait ça. Il agirait normalement. Donc en *supposant* que le petit fût guéri, et si bien guéri que la Sant'-Orso ne revînt plus jamais... Mais non! C'était ridicule! Il se racontait des histoires! Le petit Sauveur n'était pas une femelle hystérique. Il avait une vraie maladie, une maladie que les médecins avaient reconnue, déclarée grave. «Du reste j'avais refusé de le soigner. C'est elle qui m'a pour ainsi dire forcé.» De nouveau, un sentiment aigu, crissant, le traversa, fêlant sa quiétude, son confort bonhomme. Cette femme! Elle réussissait à l'empoisonner jusque par son absence. Elle le rendait aussi bête que ses clients : voilà qu'il se mettait à croire qu'il guérissait! Oh! Il y en a, et plus qu'on ne pense, qui s'imaginent... mais oui. Des mages, des guérisseurs, des herboristes, des voyantes. Qui «guérissent» les brûlures, qui lisent dans le marc de café, dans les taches de bougies... Tous dans le même sac, je les mets. Moi, au moins, je connais mon petit commerce, ma clientèle, mon harem d'eczémateuses, d'asthmatiques, de variqueuses, mal-aimées, mal-payées, mal-traitées, avortées neuf ou dix fois, et mères quand même de cinq, de sept enfants, les descentes d'organes des femmes de ménage, les ulcères «incompréhensibles» qui viennent des cantines, je les connais, je ne connais que ça, je ne suis pas dupe, une caresse, un coup de fouet, et elles repartent, pauvres carnes, haridelles fourbues. Je pousse un peu à la roue pour les aider à monter la côte, voilà tout, ça ne s'appelle pas guérir; s'il avait pu, il n'aurait pas demandé mieux.

S'il avait pu... S'il avait pu, évidemment, ç'aurait été autre chose. J'aurais été comme un médecin, mieux qu'un médecin. Parce que les médecins, n'est-ce pas? Il n'aurait demandé qu'à les soulager, qu'à les guérir, pour presque rien, pour rien, même. Il leur aurait dit : «Vous donnez ce que vous voulez...» comme son *collègue*, le mage de Rueil-Malmaison, qui bouclait avec peine ses fins de mois, mais qui y croyait, lui. L'imbécile! « Au moins, moi, j'ai quelques bonnes recettes, les tisanes, les onguents, c'est du solide. Et puis peut-être, tout de même, un fluide? » Il regardait ses mains. Si le petit Sauveur était guéri? Il regardait ses mains et essayait de se souvenir de choses entendues à la radio, à la télévision , qu'il n'avait écoutées que d'une oreille, goguenard. Un type (un juif!) qui faisait marcher des montres cassées... Un autre qui avait guéri par simple imposition des mains des gangrènes, des tumeurs. Il avait même (un Turc...) guéri des médecins, celui-là. Il regardait ses mains. S'il avait pu... La goitreuse prétendait aller mieux. De fait l'excroissance s'était un peu résorbée. Il était temps, depuis deux ans qu'elle venait. Et puis le goitre, ça doit être nerveux, ça ne prouve rien. Mais la jeune fille qui venait de Puteaux pour ses insomnies, le bruit de l'usine qui lui restait dans les oreilles toute la nuit (les bouteilles qui tintaient impitoyablement, elle travaillait à la mise en bouteille, travail très pénible, on ne croirait pas) elle allait mieux, celle-là. Il y avait les tisanes, bien sûr, et puis le fait qu'elle s'était fiancée. Mais quand il lui mettait les mains sur la tête, elle soupirait « Quelle fraîcheur! » ressentait un soulagement, un repos. C'était elle qui le disait : elle devait bien le savoir, tout de même. Et le petit Sauveur, lui, c'était des picotements, une chaleur, c'était un enfant, il n'avait aucune raison de mentir. Ce n'était pas une de ces femelles hystériques, idiotes, de ces malheureuses abruties par la misère, la ville, leur propre bêtise. S'il avait pu, il les aurait guéries de tout. S'il les faisait payer plus cher que le mage de Rueil, que la guérisseuse de la rue Bleue, c'était pour les punir de croire bêtement à tout ce qu'il leur racontait, à ce jargon hétéroclite puisé dans les ouvrages de vulgarisation, les collections populaires, les rituels de magie noire, berceuses de malheur depuis toujours; mais s'il avait pu guérir le malheur... Il pouvait peut-être. Et s'il pouvait guérir, qu'importaient les mots après tout? Le malheur ne demande qu'à être soulagé, et il a raison. *S'il avait pu*, le malheur se trouvait réhabilité. Il n'était plus tenu à le mépriser, à l'exploiter. Il n'en était plus exclu. *Il changeait de camp.*

La glace fondait dans le Ricard. Les fastes du petit écran se déroulaient comme un songe inintéressant. Au fond du corps obèse, affalé dans le fauteuil en skaï quelque chose s'éveillait, un absurde espoir adolescent, maladroit, qui, s'il avait pu s'exprimer, aurait utilisé les mots mêmes de la petite Mariette de Puteaux : « Je sens comme une fraîcheur... »

***

— Comment tu as fait pour sortir? demanda René. (Il pouvait bien la tutoyer, il l'avait connue si petite.)
— J'ai dit que j'allais reprendre le petit chez la fille d'en haut... murmura-t-elle, essoufflée, mourant de peur, visiblement.

Ils s'étaient réfugiés sous le porche à côté de la teinturerie, fermée le lundi. Ils s'étaient vus trois fois, le lundi, justement, parce que les boutiques étaient fermées, qu'il n'y avait pas le marché place Maubert, que la rue était moins passante, et que le père, incapable de supporter une journée inactive (le restaurant fermait aussi) sous les yeux de Patricia, s'en allait à Creil voir d'anciens amis. Ils s'étreignirent. La hâte, l'angoisse d'être surpris donnaient à cette étreinte une intensité que ni l'un ni l'autre n'avait jamais connue.

— Je t'aime, je t'aime... murmurait-elle, dans un paroxysme de culpabilité et de joie. Elle savait bien qu'elle n'avait plus le droit d'aimer, qu'ils allaient être surpris un jour ou l'autre, que tout finirait dans le drame. C'était ce qui excusait la rapidité avec laquelle elle s'était laissé étreindre, embrasser... Au bord du gouffre, il n'est plus temps de faire des façons.

— Je suis fou de toi, dit-il, les dents serrées, avec passion, avec colère, parce qu'on la lui refusait, parce qu'on la lui arrachait chaque fois. Il avait rôdé tant de soirées, autour du restaurant, il avait joué tant de parties de dames avec le cousin, il s'était même enivré pour détourner les soupçons, tout cela pour arriver à lui glisser un billet dans la main. « Je veux te parler, juste une minute. A n'importe quelle heure je viendrai t'attendre en bas. Mets-moi un mot.» Il était sidéré, d'en être venu à écrire ça. Mais il voulait Diane. Il l'avait vue servir, docile, apeurée, sous la surveillance de son père, de son cousin Salvador, le visage volontairement morne, et de temps en temps, sous ses cils trop faits, sous ses paupières bleuies si incongrues dans ce visage paisible et mou, un regard peureux et provoquant se glissait, le frappait au cœur. Il avait été touché, inexplicablement. Peut-être justement parce qu'il l'avait connue tout enfant, avec une queue de cheval et un cartable, et qu'il ne comprenait pas comment cette petite fille de Creil, comme par magie, comme sous l'effet d'un sort bon ou mauvais, s'était transformée en danseuse arabe, et à ce moment-là, quand elle commençait à danser, si maladroitement se balançant de gauche à droite avec une monotonie qui s'accordait à la musique, ses yeux baissés se levaient, s'agrandissaient, avec un regard étrange, un vide qui l'attirait, dont il ne pouvait plus se passer.

Elle avait trouvé moyen de lui faire passer un mot. « Viens à onze heures, sous le porche à gauche.» Il avait attendu jusqu'à midi, sans trop s'impatienter, occupé qu'il était par sa surprise d'être là, de se sentir nerveux, agité, incapable de penser à autre chose qu'à Diane. Et puis elle était arrivée en courant, «je n'ai qu'une minute, pas même!» et il l'avait saisie dans ses bras, puisqu'ils n'avaient qu'un instant, puisqu'elle était affolée, et il l'avait embrassée, et il avait vu ses yeux s'agrandir comme quand elle dansait, avec un regard douloureux, voluptueux aussi.

— Quand? Quand est-ce que je te reverrai?

— Lundi. Lundi mon père s'en va. Viens à neuf heures, Patricia se rendormira peut-être...

Il avait attendu jusqu'à onze heures. Cette fois-là.

— Mais c'est elle qui t'empêche de sortir?

— Les gens nous en veulent. Si on sort...

— Enfin, on est à Paris! On est au vingtième siècle!

— Tu ne me connais pas... Tu ne sais pas... Il vaut mieux qu'on ne se voie plus jamais...

Elle s'était enfuie en pleurant. Il était revenu ce lundi, à tout hasard. A neuf heures, personne. De toute la matinée, personne. Il n'arrivait pas à partir. C'était au-delà de toute raison, de tout bon sens. Il ne se rebellait même pas contre ceux qui retenaient Diane, contre elle qui ne se rebellait pas. A force d'attendre, elle viendrait. Il en était tellement sûr qu'il s'impatientait à peine. Elle vint à deux heures, mal démaquillée de la veille, les yeux charbonneux, tremblante comme les deux premières fois.

— J'ai dit que j'allais reprendre le petit chez la fille d'en haut... Pat ne s'est pas rendormie...

— Mais enfin quel droit ils ont de te séquestrer comme ça? Tu n'as pas envie, toi, de sortir, de vivre comme tout le monde, de...

— Je ne pourrai jamais vivre comme tout le monde... dit-elle en sanglotant tout à coup avec un naturel surprenant. Elle reniflait comme une enfant, et c'était bien une enfant qu'il avait devant lui, incapable de se défendre, une enfant maquillée en putain, d'autant plus attirante.

— J'irai lui dire son fait, moi, à ta sœur, et à ton père, et à toute la famille... Ce n'est pas parce que ta sœur a fait une bêtise...

Elle le regarda.

— Ben oui, le gosse...

— Il est à moi. C'est moi qui... c'est moi qui l'ai fait.

Elle sanglotait de nouveau. Il resta stupéfait. Il avait été si sûr que c'était Pat, à cause de son air tragique, de sa dureté; il éprouva tout à coup un soulagement si vif qu'il faillit éclater de rire.

— C'est à toi! Mais alors...

Mais alors, on la lui donnerait volontiers! Elle n'était plus inaccessible!

— C'est à toi! Mais ça ne fait rien! J'aime beaucoup les gosses, ça sera comme le mien, on le soignera...

Elle ne disait rien, elle se laissait embrasser, tôt ou tard il saurait et alors ce serait fini, alors pourquoi se priver, elle se laissait embrasser, elle serrait le corps de René contre elle, il pleuvait dans la rue, le porche était sombre, elle l'embrassait, s'il n'y avait pas eu Pat elle n'aurait rien dit, si le petit n'avait pas été muet elle n'aurait rien dit, puisque René acceptait l'enfant d'un autre, qu'est-ce que ça pouvait lui faire qui c'était l'autre, ç'aurait été si simple, si l'enfant n'avait pas été...

317

Elle pleurait, elle le serrait dans ses bras, elle ne pensait même plus à se dépêcher tant elle était malheureuse.

*
* *

Au moment où Vanina sortit de l'ascenseur, Paule mettait la clé dans la serrure. Elles restèrent en face l'une de l'autre, pétrifiées. Vanina était venue envoyée par Bonne-Maman, mais encore incrédule. Un regard jeté sur le visage de sa fille lui suffit.

— Il est là? demanda-t-elle à mi-voix.

Paule baissa la tête, envahie par l'appréhension et la joie du drame. Elle ouvrit la porte. Phil accourait dans l'entrée.

— Alors? Qu'est-ce qui...

Il aperçut derrière Paule la silhouette de sa belle-mère et se figea.

— Il s'est passé quelque chose? dit-il, haletant.

Posément, Vanina pénétra dans le salon.

— Il ne s'est rien passé, dit-elle avec un sang-froid d'infirmière. Absolument rien. Vous vous êtes disputé avec votre femme, Phil, vous êtes sorti pour marcher un peu, boire peut-être, réfléchir, et finalement vous avez couché à la maison, sur le canapé de la salle d'attente. C'est tout.

— C'est tout? répétait Paule, hébétée.

— Il faut t'en persuader, ma petite fille, dit Vanina sans colère. Maintenant va déjeuner, essaie de retrouver ton calme, et laisse-moi avec Phil. Nous avons à parler et tu ne ferais que nous gêner.

Paule eut un geste de dénégation.

— Mais si. Tu vas faire de tout cela un drame, alors qu'il ne s'agit que d'un accident. Si tu veux, tu peux venir à la maison ce soir, nous parlerons tranquillement. Ne t'inquiète pas. Allegra n'est au courant de rien.

Paule eut encore un geste incertain, avant d'aller vers la porte, désemparée, rompue par ces émotions.

— Mais comment...

— Je te dirai ça. Bonne-Maman a eu un bon réflexe, voilà tout.

318

Paule sortit. Elle n'aurait pu supporter une minute de plus cette confrontation, sa mère la trouvant avec Jean-Philippe, sa mère pénétrant dans le petit appartement où elle ne venait jamais, sa mère douce et sévère comme lors de ses visites de charité « ça n'est pas très bien tenu ici, il me semble ». Elle ne se demanda même pas ce que sa mère et Phil allaient se dire, elle se jeta dans l'ascenseur, puis sur le boulevard, s'engouffra dans la brasserie du coin, demanda un cognac, et respira enfin; il n'y avait plus qu'à attendre. Elle n'avait rien voulu, rien prémédité, n'est-ce pas? Pourtant son cœur battait d'un espoir vague, infiniment coupable. Elle alluma une cigarette, l'écrasa tout de suite dans le cendrier, l'estomac soulevé. Elle se cherchait des alibis pour la veille, la crème de beauté, par exemple, qu'elle avait eu sur le visage, et qui prouvait bien... Si elle avait attendu Phil, elle n'aurait pas mis de crème, ni enfilé (parce qu'elle n'arrivait pas à se réchauffer) ce vieux pull... Si elle avait attendu Phil, elle n'aurait pas été aussi stupéfaite, aussi déconcertée, elle aurait pensé au réveil, elle n'aurait pas dormi comme une masse... Lui-même n'avait rien prémédité. Ils étaient innocents. Doublement innocents puisque Allegra ne savait rien, puisque « Bonne-Maman avait eu un bon réflexe ». Innocents, puisqu'il ne se passerait rien. Elle ralluma une cigarette, se répéta qu'il ne se passerait rien, et attendit, comme elle allait attendre des semaines, qu'il se passât quelque chose.

Vanina s'était assise sans embarras dans le vieux Chesterfield dont Paule était fière. Elle fumait. Les femmes fumaient beaucoup dans cette famille, en dépit de leur traditionalisme. Allegra était la seule... Mais pourquoi Allegra était-elle toujours la seule à ne pas faire ceci ou cela? Phil admirait que Vanina fût pensive, calme, et non volubile. Peut-être était-ce la première fois qu'il sentait les dimensions de cette nature noble et bornée, éloignée de toute mesquinerie comme de toute compréhension.

— Ecoutez, Maman...

— Oui?

Il lui disait « écoutez » et elle écoutait, en effet. Allegra rassurée, ils avaient le temps.

— Je me rends bien compte que je... que je me suis mis dans une situation...

— C'est plutôt Paule, dit nettement Vanina. Allegra ne sait rien, vous, je suppose que cet... que c'est pour vous un... une sorte d'accrochage. Mais Paule... Cela risque d'avoir pour elle des conséquences... Elle va souffrir.

Vanina dit cela objectivement, sans excès de compassion. Elle était prête à consoler, à pardonner, mais pas à geindre. Si Paule avait à souffrir, on la soutiendrait autant que possible comme on l'eût aidée à payer, si elle avait fait des dettes. Mais après tout ce seraient ses dettes à elle. Jean-Philippe, tout coupable qu'il se sentît, la trouva dure.

— Je sais que c'est ma faute... Je suis prêt à...

— Prêt à quoi, mon pauvre Phil?

— Je ne sais pas, avoua-t-il.

Il était bien plus gêné qu'elle, se leva, se rassit, son grand corps encombrant le petit salon paisible. Il prit un verre sur le petit bar, le reposa sans avoir bu; il paraissait plus que jamais dégingandé, adolescent, anxieux, avec un beau sourire inattendu qui s'épanouissait tout à coup sans raison sur son visage osseux et le rajeunissait encore.

— Maman, je donnerais n'importe quoi pour tout arranger, mais je ne sais pas du tout...

— Il me semble pourtant qu'en ce qui vous concerne, c'est assez clair. Assez simple. Il s'agit de ne .plus revoir Paule, c'est tout. De lui ôter tout espoir. A moins que...

Cette femme restée jusque-là si simple, si calme, sembla tout à coup se troubler.

— ... vous ne songez pas à une... séparation? Phil, ce n'est pas possible?

Il s'étonna, alors, qu'en les trouvant ensemble, Paule et lui, elle eût paru simplement surprise, et qu'à la seule idée d'un divorce évoqué, elle s'affolât.

— Mais non, Maman, enfin, je n'y ai pas pensé... A vrai dire je n'ai pensé à rien...

— Enfin, vous l'aimez?

— Qui? demanda-t-il naïvement, ne sachant si elle parlait de Paule ou d'Allegra, et il ne se rendit compte de son apparent cynisme qu'en voyant rougir Vanina.

Bien sûr, il ne pouvait s'agir que de sa femme. Elle ne se fût pas permis de poser « l'autre question ».

— Oui, oui, dit-il précipitamment. Je l'aime... énormément. Mais c'est une enfant, n'est-ce pas ? Allegra est si... si jeune... Je ne cherche pas d'excuses, Maman, ne croyez pas ça, mais je me suis senti quelquefois si seul...

— Si elle est jeune et confiante, raison de plus pour ne pas la tromper.

— Je n'ai jamais eu l'impression de la tromper, dit-il, les yeux baissés sur le sol.

— Vous voulez dire que l'aventure de cette nuit dure depuis quelque temps ? demanda Vanina posément.

Il ne répondit pas. Elle comprit.

— Quel gâchis, mon pauvre Phil ! Et comment Paule a-t-elle pu... Oui, je sais, vous allez me dire que c'est votre faute. Mais enfin elle a l'âge de savoir ce qu'elle fait. Et quelle imprudence, aujourd'hui ! Sans Bonne-Maman, cela aurait pu tourner au désastre.

— Oh ! Au désastre...

— Vous ne croyez pas ? dit-elle avec vivacité. (Elle était plus tendue soudain, comme s'ils étaient arrivés au point crucial de cette conversation tâtonnante.) Vous croyez qu'Allegra aurait supporté...

— Je ne sais pas.

— Mais Phil ! Après quelques mois de mariage...

Elle en perdait son assurance d'infirmière prête à supporter le pire, son visage fin et marqué se brouillait, elle perdait la direction de l'entretien, plus rien n'était net, simple.

— Oh ! je ne dis pas qu'elle s'en moque... je ne dis pas qu'elle ne m'aime pas...

— Alors ?

— Je dis que je ne sais pas, voilà tout. Elle est douce, elle est affectueuse si on veut, Allegra, mais je me demande toujours, je me demande tout le temps ce qu'elle pense vraiment...

— Phil, je sais qu'on est porté à se poser ce genre de questions, quand on aime, mais il ne faut pas... je me demande si c'est bien sain. Allegra n'a pas du tout le tempérament, je veux dire le caractère de sa sœur. C'est une jeune fille toute simple, elle n'a pas d'ambition.

— Vous voyez ? Vous-même vous avez dit « une jeune fille », dit Phil avec une âpreté inattendue.

— Une jeune femme, si vous voulez, mais vous l'avez dit vous-même, qui est restée très enfant... Petit à petit, elle mûrira, vous la formerez...

C'était un axiome dans la famille que le mari devait « former » sa femme. Aucune femme de la famille n'avait jamais eu le moindre besoin d'être formée, mais c'était un axiome.

— Elle est si... évasive... dit-il.

C'était étrange, cette conversation presque murmurée, dans le petit salon calme, et après ces violentes émotions... Il s'attendait, avec une résignation exaspérée, au drame, aux reproches, aux serments exigés, et trouvait soudain une attention d'une qualité particulière, une insolite complicité.

— Elle a toujours été comme cela, calme... Elle tient de son père... Il a assisté à tant de souffrances...

— Mais pas elle ! dit Phil dans un nouvel éclat.

Il se leva et se rassit sur le canapé, à côté de sa belle-mère :

— Elle n'a pas souffert, elle n'a aucune raison d'être aussi... je ne sais pas comment dire, fuyante... C'est vrai qu'elle est affectueuse, parfaite, je n'ai rien à lui reprocher, ou presque rien, et moi je me comporte comme un idiot, je le sais, personne ne pourrait comprendre...

— Mais si, dit Vanina.

Il n'y fit pas attention, tout à son agitation, à son irrésolution. Elle regrettait déjà ce soupir, cet aveu passé inaperçu. Et pourtant, comme elle le comprenait, lui semblait-il, ce grand garçon maladroit, absolu, égaré au milieu d'un dédale où elle-même s'était résignée, depuis si longtemps, à être perdue. Perdue... Une douleur la traversait encore aujourd'hui, une douleur toute jeune, comme neuve, chaque fois qu'elle évoquait le regard irrémédiablement blessé de son mari, ce regard triste de Viking qui n'a jamais vu la mer. Il ne la trompait pas, il faisait consciencieusement son métier, il avait adopté toute la famille sans problèmes... Mais cette tristesse, ce vide, cette attente en lui... Allegra, elle, était d'un caractère plutôt gai. Egal et gai. Mais Vanina qui manquait d'intelligence sans manquer de finesse sentait bien une sorte de ressemblance entre ces deux êtres, le père et la fille, que tout en apparence opposait, lui grand, lourd, mélancolique avec de brusques poussées de cordialité, comme un ours enchaîné qui tout à coup se met à danser de bon cœur, elle efficace, souriante, frivole peut-être — mais tous les deux redoutables pour des cœurs aimants, par quelque chose qu'elle définissait mal.

— Pourtant Allegra n'est pas sans cœur, dit-elle, poursuivant sa pensée. Elle a de jolis gestes, elle est sensible...

— Vous allez encore me parler de cet enfant!

— Je ne vous ai pas encore parlé de lui, il me semble.

— C'est vrai, Maman, je vous demande pardon, mais j'en ai les oreilles rebattues, de cet enfant. Je sais que ça a l'air sans cœur, idiot, mais je ne peux plus supporter... On dirait qu'elle ne s'intéresse qu'à ça, qu'il n'y a que ça pour la tirer de sa... de son indifférence.

— Oh!

— Je sais que je suis injuste. Elle n'est pas indifférente, mais il y a une distance, vous comprenez? Une telle distance... Je ne sais plus où j'en suis, moi. Je ne sais pas si j'aime Paule — pardonnez-moi, Maman, je sais que tout ça est horriblement déplacé, que je ne devrais pas, mais vous êtes venue, vous êtes là, il faut tout de même que je parle à quelqu'un — eh bien, Paule, elle est là, vous comprenez, je lui parle, je la touche, elle a des réactions que je comprends, elle me rassure, elle...

— Mais vous aimez Allegra, n'est-ce pas? interrogea Vanina avec une sorte d'anxiété. Vous l'aimez? C'est avec elle que vous souhaiteriez avoir ce... genre de rapport? Ce contact?

— Bien sûr... mais est-ce que c'est possible?

— Naturellement, dit Vanina. Il faut l'attacher à vous. C'est une femme qui a besoin d'être mère pour s'éveiller. Faites-lui un enfant.

— Mais en ce moment...

— Est-ce que vous allez me parler d'appartement et de situation, d'argent, peut-être? Vous l'aimez ou vous ne l'aimez pas? Faites-lui un enfant.

— Mais si elle ne veut...

— Ce qu'elle veut n'a pas d'importance. Elle ne sait pas ce qu'elle veut. C'est à vous de le savoir, dit Vanina avec une calme férocité.

Elle trahissait sa fille, et le savait. Mais Allegra n'avait-elle pas commencé, en sortant du clan?

— Une fois qu'elle sera enceinte, elle cessera de s'intéresser à l'autre enfant. Par la force des choses. Puis vous serez obligés de déménager. Elle aura l'esprit occupé. Puis il faudra s'occuper de l'enfant, le vôtre. Elle deviendra une vraie femme.

Elle deviendrait une vraie femme. Comme Paule. C'est-à-dire qu'elle ne serait plus tout à fait Allegra. « Vous le voulez ou non? » dirait Vanina. C'est entendu, il voulait qu'elle fût à lui, qu'elle fût une vraie femme, quoi qu'on entende par là. Et même, et surtout, s'il fallait la blesser pour cela. Mais il éprouvait tout de même un vague regret, une nostalgie, de ne pouvoir se contenter d'Allegra telle qu'elle était. Cela, il ne pouvait le dire à personne, et moins encore à Vanina. « Faites-lui un enfant » et elle avait le regard que Jo avait parfois, quand elle parlait de son fils « Il guérira », un air de défi un peu égaré. Quelles qu'en fussent les raisons, elle était de son côté, tout de même, Vanina. C'était ça l'important. Elle était de son côté, et même Paule, d'une certaine façon, était de son côté, déchirée mais consentant à l'être, à l'être plus encore pour que tout rentrât dans l'ordre. L'ordre, c'était qu'Allegra devînt une vraie femme, comme elles.

*
* *

— Alors, finalement, il n'y a aucune des filles qui part? demanda Bonne-Maman.

— Pas moi, en tout cas, dit Jo avec une désinvolture appliquée. Rosette m'a promis d'avoir l'œil sur les filles, Antoine sera à Bonifacio pour vérifier les installations...

— Et puis l'air de Paris est excellent, l'été, pour un convalescent, qui ne pouvait pas même supporter de partager la chambre de Marie...

324

— Sauveur demande à être suivi de très près cet été, dit froidement Josée, que l'ironie de Bonne-Maman ne semblait pas atteindre. Et puisque sa scolarité est interrompue de toute façon, il pourra aussi bien s'aérer en septembre, quand il pourra marcher.

Il y eut un petit silence.

— Et toi, Paula?

— Oh! moi, avec les travaux...

— Tu n'iras pas même huit jours chez ton amie?

— Huit jours, peut-être...

— Mais il faut que tu prennes des vacances! Tu as absolument besoin de repos! s'écria Vanina impétueusement. Tu ne vas pas me faire croire qu'on a besoin de toi à Sacy tout l'été! On ne construit pas la tour Montparnasse, tout de même!

Paule souffrait le martyre. Elles *savaient*. Sa mère, sa grand-mère, et peut-être même Jo. Elle qui avait tant clamé son droit à l'indépendance se sentait incapable de relever le front, de les regarder en face. Elles savaient. L'abbesse, la femme d'affaires, le « cerveau », la belle image était par terre. Le tabou, l'illusion dont elles se berçaient était brisée, et Paule qui s'en était tant moquée en souffrait autant qu'elles — plus peut-être. Leur indulgence, leur pitié était plus qu'elle n'en pouvait supporter. Elle eût préféré l'indignation, la répudiation. Mais non. A peine soucieuses. Et pourtant, elle en était sûre, elles savaient qu'elle n'avait pas rompu avec Phil, qu'elle l'avait revu, revu encore, et même qu'elle avait passé le dernier dimanche à Sacy avec lui. Elles ne disaient rien. Sa mère n'avait même plus reparlé « d'avoir une conversation ». Redoutable éventualité, silence plus redoutable encore. Elles attendaient, sûres d'elles, sûres de leur morale, sûres que Paule allait, devait être abandonnée. Sans colère. Même sa mère lui témoignait des attentions qu'habituellement elle réservait à Jo, « si éprouvée », lui offrant deux fois du fromage, insistant pour qu'elle reprît du dessert, comme à une convalescente qui doit prendre des forces, comme à une condamnée qu'on retape pour l'exécution. Elle les détestait. Elle aurait dû se révolter. Elle aurait dû décider d'arracher cet homme qu'elle avait choisi à Allegra. Après tout, elle l'aimait; le fait qu'il était son beau-frère ne changeait rien, et si ce n'était pas elle, ce serait une autre : Allegra était bien incapable de défendre son bien, de soupçonner même qu'on le convoitât... Paule aurait pu le lui prendre, le lui aurait pris, sans cette faiblesse qu'on lui avait mise dans le sang, dans la peau, cette culpabilité qu'on lui avait fait boire au biberon, l'idée du sacrifice nécessaire, inévitable, de cette dette qu'il faudrait payer tôt ou tard; c'était ce poison qui l'avait empêchée, elle le savait, de lutter pour garder Etienne, qui l'empêcherait de lutter pour garder Jean-Philippe. Qui était à la source de chacun de ses échecs. Il fallait perdre. Gagner sur tous les tableaux, réussir à monter l'Institut, à s'associer avec Carmen Corail, et à s'emparer tranquillement du mari de sa sœur l'aurait transformée en monstre. Elle n'arrivait pas même à s'avouer que c'était cela qu'elle aurait désiré — elle ne le désirait pas, elle n'était pas un monstre... Elle avait souffert, elle avait pleuré bien des fois, elle avait fait tout son devoir de femme... Si elle avait pu se révolter, seulement!

— Encore un peu de crème, ma Paula?

— Non, merci, Maman.

— Je l'avais pourtant bien réussie aujourd'hui... Tu as remarqué, Jo, j'ai mis du zeste de citron comme la mère de Lucette, mais en plus, j'ajoute quelques gouttes de...

Conversation d'une douceur banale, mais la voix de Vanina est moins nette, moins précise que d'ordinaire, feutrée comme aux enterrements...

— Sérieusement je trouve que tu n'as pas bonne mine. Allegra non plus du reste. Tu es pâlotte, toi, c'est vrai... Et aucune qui veuille quitter Paris! Moi qui suis si heureuse de me retrouver au mas!

— Avec Pascal et Rosette...

— Oh! Antoine, vous... Pascal et Rosette sont tout à fait supportables à la campagne. On n'est pas obligé de leur faire la conversation. D'ailleurs Camille fait comme nous, il se terre, littéralement, tant qu'ils sont là!

On rit un peu, par habitude, mais moins fort, moins bruyamment que d'habitude. Il y avait dans l'air une lourdeur d'avant l'orage.

326

— N'est-ce pas, chéri, insistait Vanina, que Paule devrait partir? Toute l'année dans cet endroit étouffant, avec ces bains de vapeur, ces produits chimiques, je ne sais pas, ça n'est pas sain? Quant aux travaux, Jean-Philippe peut très bien...

Le docteur Svenson se taisait. Jean-Philippe hésitait. Bonne-Maman but une gorgée du vin détestable qui venait de la propriété.

— Ce n'est pas une mauvaise chose que Paule ait l'œil sur les travaux, dit-elle. Jean-Philippe ne peut pas tout faire.

La phrase tomba dans un grand silence. Paule restait comme frappée de la foudre. Le visage de Vanina exprimait une stupéfaction ingénue. Elle fut la première à se reprendre :

— Mais enfin, Maman...

Bonne-Maman tourna vers elle son œil de basilic. Vanina se tut. Antoine finissait la crème. Jo essayait de comprendre. Paule n'essayait même pas. La tension de ce silence tira le docteur Svenson de son rêve. Il sentit qu'il fallait contribuer de quelque façon à l'harmonie familiale.

— Alors, ces vacances? dit-il aimablement. Moi, je puis m'arranger pour partir aux environs du sept... Est-ce qu'il y aura Pascal et Rosette?

Alors ce fut un véritable déchaînement de fou rire. Antoine plongeait son visage congestionné dans sa serviette, Bonne-Maman mettait la main devant sa bouche pour pouffer comme une couventine, Vanina se laissait aller au soulagement d'avoir évité une gaffe.

— Eh bien... Eh bien... murmurait le docteur avec indulgence. On peut dire que j'ai du succès aujourd'hui!

— Papa, tu es... hoquetait Jo, tu es impayable! Regarde Paule, elle en pleure!

*
* *

— Là, Maman, je ne vous comprends plus!

— Tu ne comprends pas toujours tout, ma Nina, dit Bonne-Maman avec presque de la tendresse.

327

— Mais enfin, vous êtes au courant de tout...

— Tu veux dire que j'avais tout deviné...

— Deviné ou vu, quelle importance? Mais deviné, soit, si vous y tenez. Vous m'envoyez parler à Phil, vous vous arrangez pour qu'Allegra ignore tout, c'est bien, et puis au lieu d'écarter Paule...

Elles étaient assises dans la cuisine, la vaisselle faite, la nuit tombée. Par la fenêtre ouverte l'unique arbre de la grande cour, où passait parfois un souffle de vent, bruissait. Le docteur Svenson, au salon, dormait devant le match Nice-Ajax.

— Il ne s'agit pas d'écarter Paule. Il s'agit d'écarter le drame, dit Bonne-Maman sentencieusement.

— C'est la même chose, non?

— Non. Le drame, ç'aurait été qu'Allegra apprenne brusquement que Phil la trompait avec sa sœur, qu'elle accoure, qu'elle fasse un scandale — si elle en est capable.

— Et ce n'est pas un scandale qu'elles restent à Paris toutes les deux cet été, que Phil passe les dimanches à Sacy avec Paule et la semaine avec sa femme, que...

— C'est un scandale, ce n'est pas un drame.

— Mais on ne peut pas favoriser...

— Je ne favorise personne, Nina. J'attends.

— Vous attendez que Phil fasse son choix? s'indigna Vanina. J'aime beaucoup Phil, je lui trouve des excuses jusqu'à un certain point, mais de là à attendre comme au harem qu'il fasse son choix entre mes deux filles, il y a une marge.

— Phil n'a aucune excuse, et il n'est pas question de harem. Seulement Phil aurait beaucoup mieux fait d'épouser Paule, et je ne sais pas ce que tout ça va donner.

— Un divorce!

— Je ne pensais pas à ça. Mais quel cri, ma fille! Est-ce que c'est vraiment ce qui peut arriver de pire? A notre époque? Je croyais que c'était moi qui étais vieux jeu.

— Maman, je ne comprends pas que vous ayez le cœur à plaisanter.

— Mon Dieu que tu es guindée, Nina, que tu es guindée! A mon âge, on n'a peut-être plus beaucoup de cœur, mais on a des yeux et des oreilles. Du flair. Et moi je te dis qu'il y a quelque chose que je n'aime pas dans tout ça, en dehors des incartades de Phil et de Paule, qui sont sans excuse, je le répète — mais qui ne sont pas les seuls.

— Allegra?

— On peut tout de même se demander pourquoi une jeune et jolie fille, qui a toujours eu le meilleur caractère du monde, et a été parfaitement élevée, n'est pas capable de garder son mari, après un an de mariage à peine.

— Ça!

— Tu parles peu, mais tu arrives tout de même à dire ton lot de bêtises. Qu'est-ce que tu veux dire : *ça?*

— Je veux dire qu'Allegra n'aime pas son mari, qu'il en souffre, et que...

— Oui, je sais. C'est ton grand argument. D'après toi c'est Phil la victime. Eh bien c'est possible. Ça ne le rend pas plus sympathique d'ailleurs. Mais je vais te dire une chose : si Allegra n'a pas été capable de garder son mari, elle ne sera pas capable non plus de le reprendre.

— Alors?

— Alors... il n'y a que Paule qui puisse se décider à agir. Et pour ça il est inutile qu'elle parte. Je sais, tu vas me citer Napoléon et « la seule victoire, c'est la fuite ». Mais la fuite, c'est bon pour ceux qui ne reviennent pas. Paule au mas, ou chez sa Maria, elle et Phil vont rêver, bâtir des châteaux en Espagne et à la rentrée la situation redeviendra la même, ou pire. Si Paule reste, elle se rendra compte que c'est intenable.

— Et elle rompra?

Vanina regardait sa mère avec ses yeux d'enfants, persuadée de l'infaillibilité de la vieille déesse.

— Peut-être, ma fille, peut-être... Il faut l'espérer. Je ne suis même pas sûre, tiens, qu'il faille l'espérer...

Vanina abdiqua dans un soupir.

— Trop profond pour moi, Maman. Enfin, vous devez savoir ce que vous faites. Je m'en vais faire la piqûre de ma petite malade de la rue Brochant.

Elle embrassa sa mère, se leva, s'en fut très droite (elle se tenait particulièrement droite quand elle était fatiguée, avait mal au dos). La vieille dame la regarda partir, avec affection et sans attendrissement. Courageuse, Vanina, sensible et fière. Mais il y avait des choses qu'elle ne sentait pas. Bonne-Maman rentra dans sa chambre, reprit son crochet. Une femme ne doit jamais être surprise les doigts inactifs — surprise en train de penser. Et pourtant elle réfléchissait. Seule dans sa chambre Empire, corsetée, parfumée à la lavande, sans un cheveu dérangé dans ses bandeaux impeccables, elle avait les préoccupations d'un chef de guerre assiégé. L'aventure de Phil, certes; la mystérieuse incapacité d'Allegra; mais d'autres indices aussi, d'autres failles lui indiquaient que la citadelle était en danger. Josée s'obstinant à rester à Paris et laissant partir ses filles en vacances avec leur père (alors que Renata, à treize ans, se maquillait! et qu'Antoine avait besoin, c'était évident, d'être tenu en main!). Cette vieille histoire de guérisseur, Bonne-Maman ne l'avait pas oubliée non plus. Et Phil abandonnant la médecine pour le commerce. Cette fois c'était sûr, et en lui présentant l'affaire comme un passe-temps, il l'avait plus ou moins consciemment dupée...

La vieille dame crochetait, préoccupée. L'aventure de Paule et de Phil, encore que déplaisante, ne l'affolait pas. Elle savait que ces choses arrivent dans les familles, et bien d'autres. Il faut sans cesse désamorcer, étouffer. Les Atrides ne sont rien d'autre qu'une famille où les précautions n'ont pas été prises, où les conflits ont transpiré. Sous cet angle, l'attitude de Paule, attitude classique de la femme coupable, déchirée, était en somme conforme à la tradition. Plus même qu'on ne pouvait l'espérer. Alors, d'où venait le désordre essentiel, l'élément insolite, si ce n'était d'Allegra?

Un moment elle espéra que le docteur Svenson, qui devait examiner cet enfant dont on parlait trop, arrangerait les choses, le caserait quelque part, si vraiment cet enfant était pour quelque chose dans ce climat orageux. Mais l'intervention même d'un élément masculin dans ces affaires privées, affaires de famille, affaires de femmes, était tellement insolite! Pour en venir à l'espérer, il fallait vraiment que quelque chose n'allât pas. «La famille fout le camp», pensait Bonne-

Maman avec un semblant de découragement. Le mouvement de ses doigts maigres et agiles se ralentit, cessa.

* *

— Je ne vois rien d'organique dans tout ça... dit le docteur Svenson de sa voix douce, sourde. Evidemment à la rentrée on pourra pratiquer d'autres tests — n'oublie pas que je pars mardi — mais je ne crois vraiment pas...

— Ça veut dire que c'est rassurant, ou le contraire? demanda-t-elle avec nervosité.

Le petit garçon était assis sagement au bord d'un énorme vieux fauteuil de cuir qui semblait prêt à l'engloutir. Il regardait le soleil jouer sur les reliures de la bibliothèque.

— Eh bien dans un sens, naturellement... Ce n'est pas génétique, bien évidemment, ce n'est pas de la débilité mentale... mais on parle beaucoup d'autisme, de nos jours — bien qu'à mon avis ceux qui en parlent ne sachent pas toujours de quoi ils parlent — on pourrait penser évidemment à une forme de schizophrénie, mais rien ne permet d'affirmer...

— Et qu'est-ce qui te permettrait d'affirmer quelque chose?

Les yeux de faïence du docteur se posèrent sur sa fille avec une surprise lente. Il ne l'avait jamais vue nerveuse, ni agressive.

— Je ne suis pas de ceux qui veulent tout étiqueter, dit-il avec patience. Tu vois, il se peut très bien qu'il n'ait rien du tout, qu'un traumatisme psychologique... Mais finalement est-ce qu'un traumatisme est une maladie ou non? Nous en subissons tous, on pourrait dire qu'en somme on les appelle maladie quand ils ne sont pas surmontés. Mais ça ne t'intéresse pas... Tu veux savoir si ton petit protégé peut guérir, et moi je ne pourrais te le dire qu'après de longues semaines où il serait en observation. Ce qui n'est guère possible avant la rentrée... Les remplacements, tu sais... surtout cette année... Quant à l'opportunité de ce placement en observation...

— Oui. Je me demande aussi... Ça va lui faire un tel choc. Ça va le transformer en malade, à supposer qu'il ne le soit pas.

Leurs regards se rencontrèrent, incertains, s'éprouvèrent.

— A supposer qu'il ne le soit pas, murmura le docteur, en se détournant pour prendre sa pipe. Il y a beaucoup de pédiatres — ou d'autres spécialistes — qui te diront que dès l'instant où il n'a pas atteint le développement normal de son âge, ou tout au moins que son comportement le laisse supposer...

— Qui me diraient quoi? Qu'il est malade?

— Qu'il n'est pas dans la norme. Comprends-moi, c'est tout ce qu'on peut dire pour le moment. Je ne décèle aucun symptôme bien net, mais...

— Mais c'est encore pire?

— Allegra, je ne te comprends pas. Je ne suis pas équipé, de toute façon, pour faire passer ce genre de tests.

— Je savais bien que tout ça était absurde, dit-elle.

Il bourra sa pipe, lentement. Il était gêné de voir sa fille dans son cabinet, comme une cliente. Ça l'obligeait à la regarder, à la voir vraiment, en dehors du rassurant cadre familial. Il fut soulagé quand il la vit se blottir sur le canapé d'acajou, les jambes repliées sous elle, dans une pose familière. C'était une chose qu'une cliente n'aurait pas faite.

— N'est-ce pas? dit-il, soudain cordial. On ne peut pas presser les choses, ni faire des miracles. A la rentrée...

— C'est loin, la rentrée. Heureusement. N'est-ce pas, Papa?

Il se demanda, incertain, s'il y avait de l'ironie dans cette voix si douce. Pourquoi s'attardait-elle, puisqu'ils étaient d'accord? Plus tard, on verrait, plus tard. Cet enfant ne souffrait pas, ne se plaignait pas, Allegra veillait à son bien-être, pourquoi changer quelque chose, faire bouger quelque chose? Il se dirigea vers la bibliothèque, se ravisa, regarda sa montre. Il n'était que cinq heures et quart. Il avait décidé une fois pour toutes de ne pas boire avant six heures. Il revint vers elle.

— Alors pourquoi avoir insisté...

— *Je* n'ai pas insisté. Maman, Bonne-Maman ont insisté...

— Ta mère a toujours eu une confiance très exagérée dans la médecine, dit-il avec un demi-sourire. On retombait dans le cycle rassurant des plaisanteries familiales, ce cocon, ce coin du feu, la trame sans cesse reprise et complétée, ressassée, rapiécée, d'une histoire écrite à l'avance.

— Elle croit à beaucoup de choses, dit Allegra.

Elle regardait le tapis, désemparée, gauche. L'enfant la regardait. Le docteur Svenson se sentit mal à l'aise. Il y avait dans ce tableau quelque chose d'insolite, d'inachevé, qui le décontenançait. Il s'attendait à des interrogations fiévreuses, à des attendrissements : Vanina avait tant glosé sur l'attachement « excessif » d'Allegra pour cet enfant délaissé. Il n'entendait pas les questions attendues, Allegra ne jouait pas le rôle prévu, sautait des répliques, s'attardait sans raison. Du coup, il en perdait sa jovialité de commande, les propos bienveillants et dilatoires qu'il avait préparés, et même la mise en garde que sa femme lui avait soufflée.

— Moi... commença Allegra. Ces mots tombèrent dans le silence feutré du bureau et semblèrent la surprendre elle-même. Elle s'arrêta, reprit :

— Moi, je... Je ne suis pas sûre.

Elle s'arrêta, découragée. Espérer un secours de cet homme, son père, de cet étranger, n'était-il pas tout à fait inutile ? Jamais elle n'avait demandé d'aide à personne, elle n'en avait pas eu besoin; et aujourd'hui où elle doutait, où elle trébuchait, elle rencontrait à la place de ce personnage tutélaire, admis une fois pour toutes comme le père Noël, le père tout court, elle rencontrait un étranger dont le regard soudain durci se déroba. Les yeux de Rachid ne la quittaient pas. Et il restait immobile dans le fauteuil trop grand, d'une immobilité si tendue, si intense, qu'elle sentit qu'il fallait combattre encore.

— Je ne veux pas dire, reprit-elle d'une voix trop claire, trop volubile soudain, que Maman ou Bonne-Maman m'aient forcée à venir ! Je suis contente d'avoir ton avis, de toute façon, je veux dire, c'est plutôt ton avis que ton diagnostic qui m'importait. N'est-ce pas, je pense comme toi que c'est plutôt psychologique, le problème de Rachid, que ce n'est peut-être même pas un problème, et que... Les yeux bleu faïence, troubles, revinrent vers elle.

— Comment cela, pas même un problème? (la voix était froide, presque dure.) N'exagérons rien tout de même. Cet enfant qui a bientôt cinq ans ne parle pas. C'est un fait. Un fait contre lequel tu ne peux rien. N'allons pas...

— Justement.

— Quoi, justement?

— Justement, je n'y peux rien. Je voulais avoir ton avis là-dessus. Tu me le donnes. C'est tout.

— Mais je n'ai pas dit...

Il s'arrêta. Il s'entendit. Traqué, démasqué, et donc en colère. Colère froide et dangereuse des tempéraments flegmatiques. En trois phrases elle l'avait poussé dans ses retranchements, sa fille, cette fille assise là, si blonde, si pâle, dont il se demandait tout à coup s'il l'avait jamais aimée.

« Je n'y peux rien. » C'était la phrase avec laquelle il s'était cuirassé tant d'années. Cuirassé contre les souffrances qu'il ne pouvait soulager que dans leur forme matérielle, physique — et c'est si peu de chose. Cuirassé contre une compréhension trop grande qui le rendrait à la longue, il en était sûr, incapable d'aider et de guérir, de faire « son service » comme disait sa mère puritaine. Comprendre empêche parfois de guérir, et la pitié est dangereuse : elle est la porte ouverte au doute, au vertige, au goût terne de la mort qu'il a toujours combattu comme c'était son devoir de médecin. Il avait vaincu. Ou presque. Il guérissait souvent et beaucoup. Si on appelle ça guérir. De la compréhension, de la pitié, il ne lui restait qu'un souvenir, une *vieille douleur,* comme on dit aux malades chroniques, comme si l'ancienneté de la douleur en garantissait l'innocuité, en faisait un élément de la personnalité du malade. Une vieille douleur, une plaie refermée mais à laquelle il n'admettrait pas qu'on touchât.

— Quand je dis que tu n'y peux rien, j'entends au

fait médical. Tu peux et tu dois, au contraire, prendre dès la rentrée les mesures qui s'imposent, consultation d'un psychanalyste, tests moteurs plus poussés mise en observation de l'enfant. Là je suis tout à fait d'accord avec ta mère.

Le ton définitif. Il alla vers la bibliothèque. Cinq heures et demie. C'était trop tôt. Il revint encore. Mais sa nervosité croissait.

— Tu le penses, quand tu dis que je *dois?*

Elle le traquait. Elle lisait sur lui la vérité, la peur, l'indifférence qui lui ressemble, le sentiment du néant qu'il suait par tous les pores.

— Mais voyons! Si tu aimes cet enfant...

— Je l'aime, dit-elle gravement.

Elle l'aimait. La présence de l'amour s'imposa tout à coup dans la chambre. Il se défendit comme il pouvait.

— Allons donc! Un engouement de petite fille! Un caprice! Et permets-moi de te le dire, un dangereux caprice qui pourrait mettre en péril l'équilibre de ton ménage!

Les mots de Vanina. Le couple c'était le ménage. Et tout intérêt extérieur au couple, un caprice. Allegra regardait son père gravement, tristement. Il reprit en bafouillant — avec le sentiment qu'il s'était trop avancé, trahi même :

— Enfin, je ne nie pas... dans une certaine mesure, tu peux évidemment t'être attachée... Mais alors il faut le prouver.

— Le prouver en le mettant en observation, comme tu dis?

Elle ne se moquait pas. Elle suivait le fil d'une pensée souterraine.

— Tu ne peux pas l'aimer sans vouloir le guérir, voyons!

— Mais si!

Un cri. Ces mots avaient jailli d'elle impétueusement, triomphalement, comme un cri. Oh! si, elle pouvait l'aimer sans vouloir le guérir! Elle en était sûre, et de le formuler pour la première fois lui avait ramené le feu aux joues, avait fait briller ses yeux, l'avait tirée du brouillard où elle se mouvait douloureusement.

— Tu es folle.

— Peut-être.

Ennemis. Ils étaient l'un en face de l'autre comme des ennemis, soudain. Qui aurait cru le paisible cabinet du docteur destiné à entendre de telles paroles, et qu'après vingt-trois ou vingt-quatre ans, ces êtres qui avaient vécu douillettement côte à côte se trouveraient brusquement affrontés! Mais il n'allait pas se laisser faire aussi facilement. Il n'allait pas laisser la plaie se rouvrir, qu'il soignait depuis tant d'années, qu'il anesthésiait n'importe comment, sacrifiant tout pour échapper à cette nausée. Cette enfant dont on avait toujours dit qu'elle lui ressemblait, calme, pondérée, s'il lui fallait l'écraser pour se vaincre, il le ferait. Comme il avait écrasé le jeune médecin fasciné par la mort, par cet abîme pas même effrayant, par l'inutilité de la lutte, de la guérison, ce devoir, cette illusion; comme il avait sacrifié sa sensibilité excessive, ce cœur inflammable, ces emportements nordiques, tout intérieurs, qui évoquent plus le vent que la flamme. Il avait sacrifié même l'innocente attirance, la juvénile fierté d'avoir conquis sans peine, tout juste arrivé à Paris, une jeune fille ardente et brune qui s'appelait Vanina. Il l'avait épousée, bien sûr. Il l'avait épousée bien qu'elle l'attirât, bien qu'elle l'aimât. Mais comme il avait su étouffer dans la cendre des habitudes le beau feu clair de ses vingt ans, et oublier le malheur qui s'attache à toutes les amours mortelles. Faire son devoir, faire son service. Il rompait des amarres, il renonçait à des avantages, il se dévouait, laissait monter et s'enrichir des camarades moins scrupuleux ou plus habiles, il se donnait à ses malades avec une ardeur froide, une passion minutieuse, mécanicien, pas médecin, non, pas médecin, pas l'éternel perdant qui préside aux agonies. Se bouchant les oreilles, s'aveuglant. « Vous irez jusqu'à cent ans madame Weill » ne veut plus rien dire quand on le répète tous les jours. Il répéta à Allegra, avec application, avec méchanceté, « pour son bien » eût dit Vanina, ce qu'il répétait tous les jours. Lutter, lutter jusqu'au bout, un devoir, un exemple. Il y avait à l'hôpital des cas admirables, il les citait, le jeune leucémique qui tenait à achever ses études de comptabilité (ainsi ferait-il un jeune mort diplômé), la vieille dame qui se sortait de son troisième infarctus avec la jubilation d'un poilu de 14 « On les a eus », et il y avait des cancers guérissables, des cas désespérés qui tout à coup... Brusquement un argument lui revint.

— Tu es bien allée chez un guérisseur !

— Ce n'était pas vraiment moi. C'était Jo, répondit-elle.

Elle n'avait pas le sentiment de trahir. Elle sentait qu'il ne dirait rien, qu'une sorte d'enjeu très important, extérieur à leur vie quotidienne, se disputait.

— Eh bien, elle avait raison ! répondit-il avec emportement. C'était idiot, mais elle avait raison. C'était une façon de montrer qu'elle l'aimait, son fils, qu'elle le voulait guéri, qu'elle luttait...

— Oui, Papa. C'était une façon. Mais est-ce qu'il n'y a pas d'autres façons...

— Il n'y en a pas ! Il n'y en a pas !

Il marchait de long en large dans son cabinet, en proie à une agitation extraordinaire. Il n'y a pas deux façons d'aimer la vie, de protéger la flamme entre ses mains. Il n'y a pas deux façons d'aimer les vivants, sinon en protégeant la vie. Et peut-on aimer autre chose que ce qui est vivant ?

— Ne te fâche pas, Papa, dit-elle doucement. Je n'ai pas voulu te contrarier. Comme tu dis, on verra à la rentrée. Nous avons le temps.

Elle renonçait. Il en ressentit un soulagement inexprimable. Qu'il l'eût ou non convaincue importait peu.

— C'est ça. Nous avons le temps, dit-il avec empressement. Nous verrons plus tard, nous discuterons... Quelle heure est-il ?

— Six heures.

Elle avait renoncé à lui demander secours, à l'entraîner avec elle. Il ne lui en demandait pas davantage, et il était six heures. Il marcha d'un pas décidé vers la bibliothèque et tira du meuble la bouteille de genièvre. Il s'en versa un grand verre, avec un peu de défi. Il procédait, d'habitude, plus graduellement. « Doucement, Papa ! » disait Jo sans ménagement. Et Vanina avait un regard implorant à partir de huit ou neuf heures, quand un certain niveau de la bouteille était dépassé. Mais

Allegra, aussi calme que ce calme petit enfant, n'eut pas un regard pour le verre. Elle l'aimait aussi sans vouloir le guérir.

— Je le ramène à la maison, Papa. A mardi.

— C'est ça. Ce sera le dernier mardi de la saison, puisque nous partons. Ne viens pas trop tard.

— Non, non, je serai à l'heure, ne t'inquiète pas.

Il l'embrassa sur ses cheveux pâles, sans odeur. Elle prit l'enfant par la main. Il l'accompagna jusque sur le palier, comme une cliente. Justement la vieille dame du cinquième montait en ahanant (encore une qu'il avait dix fois remise sur pied).

— Bonsoir, docteur. C'est votre petit-fils ?

— Pas encore, madame Weill. Pas encore.

*
★ ★

Et tout à coup, elle fut au centre de l'été. Une sorte de soulagement physique l'envahit à apprendre par Jo que les bagages faits (cérémonie qui durait plusieurs jours, et comportait l'achat et l'emballage de cadeaux pour toute une parenté proche bien que critiquable). Vanina, Bonne-Maman, Lucette et son fiancé, Antoine, Marie et Renata, s'étaient mis en route dans plusieurs véhicules, après avoir résolu le problème toujours épineux de la répartition des places. Le docteur Svenson avait suivi presque immédiatement, retardé d'un jour par l'attente d'un remplaçant. Comme un coup de cymbale, la grosse chaleur éclata le 6 juillet, jour de ce départ en masse. Sous le toit, le petit studio bleu fut tout à coup surchauffé. Fenêtres ouvertes, stores légers tendus, lucarnes de la toiture créant un courant d'air, l'atmosphère en fut toute changée. Les lattes vernies du plafond exhalaient un léger parfum pharmaceutique ; le bambou des stores créait la pénombre dans cette jonque. Allegra décida de prendre immédiatement ses vacances. Paule n'opposa aucune résistance. Elle était chez Carmen Corail, elle était à Sacy, elle était ailleurs. Rachid comprit tout de suite et fut là dès le matin. Jo s'attendait à un signe de vie, pour cette histoire de guérisseur. Mais Allegra avait l'impression de vivre un soudain répit, une transfiguration. Elle emmena Rachid à la piscine. Elle fit une grosse commande de fruits et de légumes place Maubert, qu'elle se fit livrer. Elle acheta deux nouveaux disques. Les locataires de l'immeuble partaient les uns après les autres : elle avait l'impression qu'ils ne reviendraient jamais. Elle régnait sur un immeuble vide, dont la blancheur n'était plus maléfique; Rachid ne parlait pas.

IV

Voici Carmen Corail dans son domaine. Qu'est-ce que le modeste Institut Svenson devant ce royaume! Au rez-de-chaussée ses deux vitrines sur les Champs-Elysées ne laissent pas deviner, malgré leur luxe discret, que derrière cette façade de bon goût s'étend un domaine varié, avec des niveaux, des cercles dantesques; des zones tropicales : la boue, les odeurs chimiques, la menace imprécise des gants de caoutchouc verdâtres ou d'une rose couleur d'entrailles, les montagnes de linge souillé, taché, froissé, l'étage des préparations, et des poubelles; des zones tempérées, avec l'alibi des tests, des soins, des blouses impeccables, les photographies souriantes, la musique douce, les clientes privilégiées qui sortent et par le grand escalier de fer forgé du début du siècle, que Carmen Corail a respecté en élevant tout autour son royaume d'acier, rejoignent le magasin, le monde extérieur; la zone glaciaire, tout en haut, avec les dactylos, l'administration, les bureaux vitrés, le service des expéditions, les téléphones blancs, les courbes de ventes, les épaisses moquettes, et enfin il y a encore quelques marches, pour indiquer sans doute qu'il s'agit là d'un univers à part, qui ne participe plus des diverses opérations qui s'accomplissent aux différents étages : le bureau de Carmen Corail, immense et rond, avec une baie sur les toits de l'avenue Montaigne, un autre sur les cours et les combles et les immeubles moins hauts de la rue Washington, ce qui fait un ovale plutôt qu'un rond, un ovale à peine rompu sur deux côtés par des cloisons courbes qui paraissent étroites. Au milieu de cet espace imprévisible, un vaste canapé d'une architecture légère, des fauteuils pareillement bâtis en tubes, en toile, d'une matière qui paraît fragile et sans poids. Le bureau à proprement parler, le bar, et un classeur secret sont incorporés encore dans ces cloisons déjà menacées par la lumière, et blanches impitoyablement. Il suffit d'un geste pour les en faire jaillir, se dépliant (la table-bureau) pivotant (le bar-réfrigérateur) et ajoutant encore à l'impression d'instabilité de la pièce.

Car si ses visiteurs éprouvent en émergeant des cinq étages encombrés et bourdonnants une impression de soulagement à se trouver brusquement dans cette bulle de silence, de lumière, ce soulagement cède vite la place à une sorte de vertige, au sentiment que cette pièce ronde pourrait basculer d'une minute à l'autre dans le vide.

— On se sent bien ici, n'est-ce pas? dit Carmen Corail presque avec bonhomie. Elle respire à l'aise dans cet espace où d'être omniprésent, l'air paraît raréfié.

— Oh! très bien!

— C'est ravissant ce bureau! On ne s'attend pas...

Le bar sortit de la cloison de gauche. On s'extasia. Les commandes de ces miracles bien huilés se trouvaient dans le bras droit du canapé. La table bureau en acier se déploierait plus tard, au moment des contrats.

— Un jus de fruit? Un peu de vodka, de gin?

Carmen tenait dans sa main élégante un verre transparent, un alcool transparent.

«Comme tout cela est étudié!» pensa Paule.

Elle se sentait lourde, transpirante, presque malpropre au milieu de toutes ces surfaces polies. C'était un peu ce qu'elle avait voulu créer à l'Institut, cependant. Elle se rendait compte aujourd'hui de son échec. Le violet profond de sa robe lui paraissait de mauvais goût auprès du lin ocre que portait Carmen Corail. Une couleur qui n'était pas une couleur, qui n'avait pas la vulgarité d'être une couleur. Elle se sentait vulgaire. Et elle savait pourquoi. Elle se sentait vulgaire parce qu'elle n'avait pas rompu avec Phil. Comme dans un révélateur, leur amour, leur liaison, apparaissait là, sautait aux yeux; comme leur étaient apparus, au cours de la montée vers ce bureau, les laboratoires aux récipients souillés, la négligence des vestiaires, et par une porte qui s'entrouvrait parfois, des chairs violacées par le massage ou rougies par les ultraviolets, tout un processus un peu écœurant qui aboutissait à ce bureau, et que Carmen Corail admettait, sans répugnance, mais sans aucune promiscuité. Et sans doute — à supposer, mais c'était la timidité, le remords — que Carmen Corail lût en elle, elle n'aurait aucun sursaut, aucune répugnance à considérer l'amalgame de sentiments qui habitait Paule : triomphe, joie coupable, déchirant remords, haine, amour, volonté de se sacrifier et de sacrifier Allegra, Phil, dans un même holocauste, certitude enfin que ce soir encore ce bonheur, exorcisé par l'avenir, d'être entre les bras de Phil, s'accomplirait; il s'accomplissait déjà sous les yeux d'Allegra et de Carmen Corail. Là, dans ce bureau, elle appartenait à Phil, il lui appartenait, et leur étreinte virtuelle était là comme un outrage, comme une présence, que rien n'arrivait à dissoudre. Elle avait chaud, malgré le conditionnement d'air. Elle transpirait, malgré la fraîcheur sèche du bureau; elle aimait, souffrait pesamment, malgré la courtoise indifférence de Carmen Corail, le regard clair d'Allegra. Elle accepta un verre en forme de corolle, le tint, par pur égarement, un instant au creux de sa main, et sentit l'alcool s'échauffer. Elle corrompait tout. Mais tout allait changer. On allait signer les contrats. Phil serait à la tête du nouveau « département médical » ne comportant que des produits en vente en pharmacie. Il y aurait un secteur « Paule Svenson » dans le royaume de Carmen Corail. Une sous-marque? Et qui ne correspondait pas tout à fait aux promesses de Carmen — ou aux illusions de Maria? « Mais vous aurez un pied dans la maison, ma chérie », avait dit Carmen en octroyant ce don royal. « Et il ne tiendra qu'à vous de vous y faire une place de plus en plus grande. » Il ne tiendrait qu'à elle de se dépouiller de tout ce qui lui tenait chaud et dont elle avait honte, de s'élever jusqu'à ce bureau, tandis que brusquement alourdie Allegra descendrait au fond, dans les limbes, dans les linges, où tout s'enfante et dont elle, Paule, serait dégagée à jamais. « Il va m'aban-donner. Il va lui faire un enfant. Nous allons signer les contrats. Je vais faire l'amour avec lui ce soir. » Tout cela n'était que des étages, que des niveaux différents, indispensables les uns aux autres comme les différents étages du royaume de Carmen Corail. Tout cela menait au bureau aérien, selon une progression qu'elle dis-tinguait mal, mais qu'il n'était pas nécessaire, au fond, de distinguer. La visite de cette ruche avait suffi : elle signerait n'importe quoi. Bien entendu Carmen l'avait prévu sans le combiner. Il n'en était pas besoin.

— Nous allons relire ces contrats très rapidement, dit-elle, en touchant encore du bout des doigts les touches encastrées dans le canapé — qui semblait ainsi se prolonger par une sorte de machine à écrire. Les panneaux de verre opaque par lesquels ils étaient entrés s'écartèrent, et une jeune femme en blanc entra, parais-sant sortir du mur comme, du côté opposé, se déployait la table d'acier.

— Jeanne, faites donc visiter notre département d'esthétique à cette jeune dame, que la discussion ne va pas intéresser. Faites-vous donc maquiller, Allegra. Ce sera amusant de voir ce qu'on peut tirer de votre visage. Et cela vous fera passer le temps.

Ni Phil ni Paule ne soufflèrent mot en voyant Allegra ainsi escamotée. Qu'eussent-ils dit? Carmen Corail avait la situation en main. Et elle semblait agir toujours avec tant de détachement qu'élever une objection eût été une grossièreté. Ils se sentaient pris dans un engre-nage. Mais n'était-ce pas ce qu'ils avaient cherché? Carmen Corail, du reste, les traitait avec l'exquise cour-toisie que l'on doit aux vaincus dont on espère pourtant tirer parti.

— J'ai voulu que tout cela reste entre nous, dit-elle en souriant. Je n'ai pas convoqué mon avocat, puisqu'il s'agit, en somme, d'un arrangement presque... amical, et qui le deviendra de plus en plus, j'espère. Je vois que vous n'avez pas jugé bon non plus de le faire. J'en suis touchée, cela facilitera les choses...

Elle soulignait ainsi qu'ils se livraient à elle pieds et poings liés. Ils sentirent aussitôt leur erreur. Mais n'était-elle pas voulue, cette erreur? Maria n'avait-elle pas proposé l'assistance du cher Léo, homme à tout faire et expert en toutes questions légales? Ils l'avaient refusée d'instinct, l'un et l'autre. Ils se voulaient liés. Les hésitations, les tourments de Paule ne prendraient fin que par une reddition sans conditions : elle signerait le contrat les yeux fermés, Phil ferait un enfant à sa femme. Toutes les issues seraient bouchées. Elle aspirait à se reposer dans une contrainte totale.

— Vous n'avez pas d'objection à élever, ma chérie, sur l'étiquetage que nous proposons? Vous avez eu les projets?

— Il y a huit jours.

— Vous n'avez pas été déçue, j'espère?

Elle avait été déçue. Les pots, les flaconnages, portaient en caractère gras « Carmen Corail » et en dessous, dans le même caractère que les caractéristiques de fabrication, « ligne » ou « gamme », elle ne se souvenait pas bien « Paule Svenson ». Mais comment lutter? Elle ne sortait d'une abdication que pour tomber dans une autre. Brisée par Phil, absorbée par Carmen Corail, qu'importe? Prise entre ces deux désirs qui se combattaient, victime de l'un comme de l'autre. Si elle s'était sentie pleinement femme d'affaires, elle aurait discuté. Si elle s'était sentie fille de Vanina, élevée dans les durs principes de sa mère, elle aurait rompu. Si elle avait rompu tous ces liens, elle se serait battue pour garder Phil. Devant la multiplicité de ces tentations, elle s'abandonnait.

— Non... non... Le flaconnage est ravissant...

Carmen s'étonnait presque de ne rencontrer aucune opposition. Ces artisans! Elle entendit avec satisfaction Jean-Philippe élever une objection.

— Comme je fais l'objet d'un contrat tout à fait à part, ma chère Carmen, il faudrait tout de même prévoir, pour Privat et pour moi qui nous sommes beaucoup occupés du projet de Paule, une forme d'intéressement qui...

Carmen lui accorda un regard d'approbation.

— Vous êtes gourmand. Mais c'est bien, c'est très bien, mon cher Jean-Philippe. Seulement je vous fais observer, que nous n'avions pas prévu non plus au départ ce salaire fixe...

— Nous fournissons le laboratoire de Sacy, dit Jean-Philippe sans se démonter.

Le laboratoire de Sacy... Y retourneraient-ils seulement quand Privat y officierait avec des laborantines qu'il saurait choisir jolies, quand, les travaux achevés, la vieille briqueterie aurait perdu son charme, quand la petite maison resterait vide, ou servirait de bureau... Non, il fallait couper les ponts.

— *Je* fournis le laboratoire de Sacy — et c'est un bien grand mot, dit Paule.

— Si tu tiens absolument à traiter à part... dit Jean-Philippe agacé. En discutant pied à pied, il accomplissait un rite, il jouait un rôle dont il était détaché, sans doute, mais qui devait être rempli. Et l'attitude de Paule le choquait un peu. « Evidemment elle souffre... », l'excusait-il avec quelque fatuité.

— J'ai bien compris, dit Carmen Corail, conciliante, qu'il s'agissait là d'une affaire de famille. On ne peut séparer vos intérêts. Mais en somme, ce serait plutôt à Paule, qui s'occupera de sa gamme de produits, à voir si elle veut vous intéresser ou non.

— Son bénéfice n'est pas assez considérable, voyons! J'aimerais mieux y renoncer...

Ils ferraillèrent ainsi un long moment. Paule se sentait hors du monde, anesthésiée. Ce serait bon de travailler pour cet organisme inhumain, sans rapport avec personne, sans les multiples problèmes qui se posaient à l'Institut — et si elle le mettait en gérance? Odette, récemment accouchée d'un petit Guillaume, serait d'accord... L'indignation de Renée, la surprise de la famille, ne la concernaient plus. L'Institut, ç'avait été pour elle une sorte d'annexe de la famille, elle le réalisait maintenant. Tourner le dos à tout cela.

Elle signa. Ils signèrent. Une dernière fois l'un à côté de l'autre. Phil viendrait travailler ici, elle s'en irait voir à Sacy Privat qui l'accueillerait avec son beau sourire affable, qui l'inviterait à déjeuner dans les auberges de la région; il n'y aurait plus d'herbes folles dans la cour, plus de lit défait dans la petite maison. Elle regarda leurs signatures. Paule Svenson. Jean-Philippe Vernier. Une dernière fois? Non, ce soir, même pas, tout à l'heure, elle l'emmènerait chez elle; elle trouverait bien un prétexte, il n'avait amené Allegra que parce que Carmen Corail avait insisté — oh! à peine mais on ne résistait pas à Carmen Corail — et ils seraient ensemble.. Elle releva la tête, la beauté reflua en elle comme une vague brûlante, et Carmen Corail fut surprise, au point de se demander si le paragraphe que sa secrétaire venait d'ajouter au contrat ne comprenait pas quelque piège.

Ils burent encore un verre. Ils feuilletèrent des catalogues, des séries de photos de femmes transformées, modelées par Carmen Corail. Visages qui s'offraient comme des masques, et dont au fur et à mesure des photos successives, les pommettes se creusaient, les yeux s'affirmaient, les traits se faisaient plus précis ou au contraire s'estompaient...

— Comme vous avez dû vous en rendre compte, ma chérie, l'Institut en soi ne rapporte guère. Mais c'est une merveilleuse source d'études, en fait la plupart de nos clientes se prêtent volontiers à des essais, et regardez le résultat! Il y a des cas où la transformation est vraiment radicale!

Si l'on pouvait parler d'enthousiasme en parlant de Carmen Corail, c'était en cet instant qu'elle en était le plus proche. Paule trouva tout de même la force d'en être surprise. Ce n'était pas sa conception de l'esthétique.

— Mais est-ce que... plutôt que de transformer... il ne s'agit pas plutôt de retrouver une personnalité plus vraie... osa-t-elle murmurer, avec le vague souvenir de l'enthousiasme qui l'animait quand elle avait ouvert l'Institut de beauté rationnelle.

— Ma chérie! dit Carmen Corail, chez qui cette exclamation n'incluait nulle tendresse, vous êtes si idéaliste! La beauté rationnelle! Et au fond vous ne l'êtes pas assez. Car au fond la liberté de la femme, c'est aussi d'être ce qu'elle n'est pas, n'est-ce pas? De se choisir mince ou ronde, blonde ou rousse, impassible, romantique, de passer de l'un à l'autre... de ne pas rester prisonnière d'une *forme*...

Phil était assez séduit.

— Il est certain, dit-il avec un peu de pédanterie, que même l'identité est une entrave à la liberté, si on veut...

Carmen Corail lui accorda un bon point, d'un regard.

— Et pourquoi, dit-elle, les hommes seraient-ils exclus de cette libération? Mary Quant va lancer des palettes pour hommes, je le sais de source sûre. Voilà une idée vraiment nouvelle, vraiment révolutionnaire... Ça vous surprend, Paule? Vous y viendrez, vous verrez... Nous ne sommes pas si futiles que nous en avons l'air.

Elle eut un petit rire qui tinta comme des glaçons dans un verre.

Paule n'avait jamais pensé que l'esthétique fût futile — avant ces derniers mois. Elle ne pensait pas que Carmen Corail fût futile. C'était pire.

Ils redescendirent tous les trois, étage par étage. L'immeuble comprenait un studio fréquemment utilisé par des photographes et des mannequins. On était loin de l'austérité rêvée autrefois par Paule et par Renée, la gymnastique, la femme enfin libérée. Et pourtant Carmen Corail avait parlé de libération, elle aussi... Et elle était sûrement sincère. C'était drôle de parler de sincérité au milieu de tous ces artifices, ces publicités tapageuses « plus minces... plus rousses... plus jeunes... » Etait-ce cela, une libération? Peut-être, peut-être. Paule eût éprouvé un tel soulagement à n'être plus elle-même.

Arrivés au premier, dans les flots de musique douce, l'odeur indéfinissable de paraffine, d'huile à masser, de parfums de désinfectant, était bien celle de l'Institut, et Paule en éprouva un pincement au cœur, un déplaisir sensible. Elle ne voulait plus penser à ce qu'avait été pour elle l'Institut.

— Eh bien je vais vous laisser ici. Mais je ne vous chasse pas! Vous êtes chez vous maintenant. Jean-Philippe, votre bureau sera installé dès la semaine prochaine, mais bien entendu je ne vous presse pas... Paule, nous aurons encore bien des choses à régler d'ici...

Une des cabines s'ouvrit, et Allegra sortit, souriante. Ses sourcils avaient été épilés et leur pâleur légèrement rehaussée. Ses yeux étaient entourés de noir et ses pommettes soulignées. Ses cheveux avaient été légèrement gonflés, son teint bronzé. « Elle n'a pas changé », pensait Paule. « Rien ne la changera donc? Elle n'a pas changé du tout.» Il lui semblait maintenant revoir Allegra enfant, ce regard légèrement surpris qu'elle posait sur elle, «pourquoi tous ces efforts?», ce regard qui lui faisait pitié avant de devenir la maîtresse de Phil. La jalousie était plus clairvoyante que l'amour : elle déchiffrait maintenant ce «Pourquoi?» plein d'une interrogation sans impatience, sans souffrance.

— On y va? dit Allegra gentiment.

Elle les avait accompagnés par complaisance, mais elle avait envie de rentrer rue d'Ecosse. Elle n'aimait pas l'air conditionné, ni ce genre de musique. Ils prirent congé de Carmen Corail, d'Eliane l'esthéticienne, ils descendirent le bel escalier de fer forgé, aux balustres compliquées de roses et d'amours, ils sortirent. Carmen Corail les avait regardés partir.

— Franchement, Eliane, dit-elle d'un ton modéré à la jeune femme en blouse rose, votre maquillage, ce n'est pas une réussite.

★
★ ★

C'était peut-être la première fois qu'elles étaient seules à Paris, l'été, les filles. Vanina ne pouvait s'empêcher d'éprouver une sourde inquiétude à cette idée, qui lui gâchait un peu le plaisir d'être seule avec son mari. Enfin seule... Bonne-Maman n'avait pu supporter plus de huit jours de Pascal et Rosette, et s'était gaillardement envolée pour la Corse rejoindre Octave et Amélie, guère plus amusants, mais qui avaient des comptes à lui rendre, situation toujours divertissante, et avec lesquels elle allait lutter d'insultante générosité. Après, elle irait voir des cousines éloignées, des amies de pension. Antoine était parti à son tour pour inspecter divers points d'implantation de Soleil-Loisirs, emmenant la petite Marie et ne laissant sur place que Renata, qui en avait profité pour s'offrir un mini-maillot et disparaître à bicyclette tous les jours avec des jeunes gens (à treize ans!). L'oncle Camille s'était retranché avec philosophie dans son cabinet de travail, et en dehors des repas, où Pascal et Rosette sévissaient, Vanina aurait pu profiter tranquillement de son mari, sans l'inquiétude qui la rongeait et que personne n'eût comprise. «Paule a trente-quatre ans, Jo trente-deux... Allegra est si calme.» Ces évidences ne la rassuraient pas. En vacances, les femmes se tiennent, restent ensemble. C'est le moment où l'on fait le point, où on peut reprendre ensemble la chronique de la famille, cette tapisserie de Pénélope jamais terminée, œuvre commune, toujours reprise, amendée, ravaudée, éternelle... C'était l'éternité qu'elles tissaient là, oui, dans les vieilles chaises longues d'osier, sous les pins du mas, et le fait qu'avec les années leur espace se fût rétréci (le camping-caravaning, non loin! le trafic sur la nationale!) n'y changeait rien. Elles étaient sûres de détenir une vérité très ancienne, de redire des mots, de répéter des jugements qui avaient été portés par leurs mères et leurs grands-mères, de se réjouir ou de déplorer des événements qui n'étaient, sous d'infimes modifications, que la répétition de très anciens événements, et il leur plaisait de souligner cette pérennité en cherchant des ressemblances, en soulignant des similitudes.

«Veux-tu que je te dise? Ce qui est arrivé à Giulia, c'est exactement l'aventure de Reine avec son cocher... D'ailleurs elle ressemblait à sa mère, cette malheureuse, et Lucia, quand elle a voulu prendre des leçons de chant, j'ai compris tout de suite. A son âge!» Et voilà que la trame était interrompue. Inexplicablement. Sans doute, l'aventure de Paule et de Phil révoltait Vanina. Mais enfin, ce n'était pas une nouveauté. Ici même, sous ce paisible toit du mas Camille, si respectable aujourd'hui avec son air de vieil entomologiste, mais alors fringant, oisif, pas encore ruiné, avait entraîné plus d'une fois à la pêche aux oursins sa belle-fille Jeannette, et bien qu'on n'eût jamais rien su de précis, la fureur de Régis (qu'on avait poliment attribuée à une question de succession — il y avait toujours des successions) et la façon brutale dont il avait refusé de jamais remettre les pieds au mas, avait été disséquée, analysée, plus d'une fois. On avait eu tort, pensait Vanina, de fournir une excuse à Allegra pour ne pas quitter Paris, avec cette histoire de chambre. Bien entendu, c'était Paule qui aurait *dû* partir, si elle avait eu le moindre respect humain. Mais du moment qu'elle s'obstinait, que Bonne-Maman était d'avis de rien brusquer, on aurait dû recevoir Allegra et Jo. Elles auraient dû être là, s'ennuyant un peu, jouant mollement au ping-pong (une concession aux mœurs du siècle) allant se baigner avec les enfants, qui mettraient partout des maillots de bain mouillés, des coquillages sur lesquels on marchait, et du sable... Elles auraient dû être là, relisant de vieux romans, commençant des ouvrages qu'elles ne termineraient pas, préparant du thé et des orangeades pour les hommes qui n'en auraient nulle envie et s'en iraient en secret (croyaient-ils!) boire des pastis chez Julien, au village. Elles auraient dû rester ensemble. Cette conviction était plus forte en Vanina que le plaisir de voir son mari enfin tout à elle. Et ne la rassurait pas l'idée que ses filles, en somme, étaient « ensemble » à Paris. Si peu observatrice qu'elle fût, elle se rendait bien compte que ses filles n'étaient pas, ne seraient peut-être plus jamais « ensemble ».

★
★ ★

A force d'être répétés les rites se révélaient petit à petit avoir un but, les gestes un sens. Rachid avait exorcisé la cour, l'escalier, l'acte de frapper et de pénétrer dans l'appartement; il agrandissait chaque jour, pendant la promenade, son territoire. Oh! pas de beaucoup; de quelques maisons, d'un bout de square. Il était patient: lui fallait-il, devant un chien menaçant, un simple regard (qui suffisait à le faire se raidir au bout de la main d'Allegra, et battre en retraite), perdre du terrain, le lendemain il le regagnait, et le surlendemain. Mètre par mètre. Geste par geste. Il était courageux : son petit visage plus ferme maintenant, mais aux yeux toujours cernés, devant certaines rencontres, certains bruits, blémissait visiblement. Il ne criait pas. Il n'avait pas crié lors de l'irruption des cousins. Il ne criait pas quand arrivait Jean-Philippe (et pourtant elle pouvait voir, à son teint justement, à ses cernes brusquement creusés, à son petit corps un instant avant libre, souple, se roulant sur le tapis ou crayonnant sagement, et tout d'un coup raidi, tendu, qu'il n'était plus le même). Elle ne l'avait entendu crier qu'une fois : le jour où on avait enlevé le réfrigérateur. Le point de départ de...

Pourquoi pensait-elle « le point de départ »? Comme s'il devait y avoir une arrivée? L'arrivée, bien sûr, pour tous et peut-être pour lui-même, c'était que Rachid parlât. Il parlerait. Elle était sûre qu'elle vivait, dans le petit studio bleu, chauffé par le soleil, traversé par les courants d'air, dans la faible odeur médicinale du bois verni « leurs derniers jours ». On eût bien étonné la famille, et Allegra elle-même, si on leur avait dit qu'elle était capable d'ironie. Et pourtant c'était avec ironie qu'elle s'imaginait Rachid prononçant « Bonjour, madame... Merci de tout cœur... » Elle se l'imaginait, elle lui faisait dire des phrases idiotes, exprès : « Je suis absolument confus... C'est trop », et elle s'apercevait qu'elle avait trouvé stupides beaucoup de phrases, beaucoup de comportements. Elle voyait Vanina, sincère et maladroite, s'extasier. « Mais c'est merveilleux les résultats que tu as obtenus, ma petite chérie! Ah! je dis souvent : avec un peu de bonne volonté et d'amour... » Jo elle-même verrait là une sorte de triomphe. Même si le résultat était insuffisant. Il fallait proclamer bien haut la nécessité, la légitimité de la guérison. La guérison était souhaitable, convenable. Cela posé, que l'enfant guérît ou non...

Allegra songeait, accroupie sur un pouf, avec son jean et par-dessus un kimono blanc et noir qu'elle avait acheté récemment, à cause de l'impression que lui faisait le studio cet été-là, d'être une sorte de jonque, d'avoir quelque chose d'exotique. Elle avait lavé ses cheveux cendrés le matin même. Elle avait mis un disque sur l'électrophone de mauvaise qualité acheté à la Fnac, n'importe comment, pour se débarrasser du vendeur qui les abrutissait de précisions techniques. Du reste, même s'ils s'y étaient entendu, ils n'avaient pas les moyens d'acheter les appareils coûteux qu'on leur recommandait. « De toute façon c'est de la musique », avait dit Phil avec arrogance. Le vendeur les toisait avec une pitié méprisante. Ce que Phil appelait de la musique, c'était un bruit de fond, le contraire du silence. « He hears no music. Shakespeare. » Tout à coup cette bribe de ses études médiocres émergea d'un océan d'oubli. Elle en ressentit un peu de fierté mélancolique. Elle n'avait pas *tout* oublié. Elle avait même, sans doute, enregistré à son insu des phrases, des notions qui étaient là, qui dormaient, qui attendaient qu'elle en eût besoin pour réapparaître. Comment? disait Bonne-Maman, quelque chose sur la culture qui revient quand on a tout oublié? Si elle avait voulu, elle aurait pu lutter pour retrouver d'autres épaves, d'autres débris de connaissance enregistrés machinalement, avec lesquels elle aurait pu se constituer un univers à elle, une façon de penser. Elle n'en avait jamais éprouvé le besoin. C'était peut-être cela que Paule voulait dire quand elle disait affectueusement, en lui embrouillant les cheveux : « Toi, tu n'as peut-être pas beaucoup de personnalité, mais tu as un cœur d'or. »

« Mais pourquoi est-ce que j'aurais ce qu'ils appellent une personnalité? »

Rachid jouait à un jeu tout nouveau qu'il avait inventé. Il avait rassemblé sur la moquette trois boîtes vides de thé, deux boîtes de café, et quelques autres boîtes métalliques de taille à peu près semblables qui avaient contenu des biscuits, des bonbons, des boutons. Il mélangeait soigneusement les couvercles ronds, rectangulaires ou carrés, comme on bat des cartes, puis, en saisissant un, il scrutait les boîtes un moment, et d'un geste vif, il plaçait le couvercle. Il se trompait parfois. Il reprenait alors le couvercle, le remettait avec les autres, remélangeait le tout. Il ne s'impatientait jamais.

Si elle avait été Rachid, elle aurait recensé dans sa mémoire toutes ces bribes de connaissance qui y dormaient, mélangées comme au fond d'un tiroir qu'on n'ouvre jamais. Et non seulement ses connaissances scolaires, mais d'autres trésors hétéroclites, d'autres bouts de ficelle peut-être chargés de sens, des phrases entendues, des intuitions qui passaient rapides comme des feux follets, et qu'elle ne s'était jamais efforcée de retenir. Si elle avait fait cet effort, si elle avait tout ajusté, patiemment, comme Rachid, à plat ventre sur le

353

tapis, avec ses boîtes, qu'en serait-il résulté ? Elle n'était pas Rachid.

Elle se leva pour changer le disque. Elle enleva le Paul Williams et mit un Cat Stevens. Elle n'écoutait jamais de musique classique, au contraire de Phil qui trouvait *les Brandebourgeois* reposants. Elle trouva qu'il faisait chaud et échangea son jean contre un short, sans déranger le petit qui regardait, jaugeait, essayait toujours. Elle se rassit près de lui, en tailleur. Elle avait tout son temps, un repas froid préparé dans le réfrigérateur, c'était les vacances, et ajustant bout à bout de petites pensées presque enfantines, elle avait l'impression de jouer avec lui.

★
★ ★

— Il ne faut plus lui donner Rachid, dit Pat sourdement. Il ne faut plus, tu entends ?

Elle était étendue sur le lit. Toujours sur le lit. On aurait dit qu'elle n'avait jamais besoin de bouger. Et elle ne grossissait pas, malgré tous ces bonbons qu'elle avalait, et toutes ces liqueurs qu'elle buvait à petits coups, pendant des heures. Elle portait un peignoir violet, acheté sur sa demande par Salvador, au Prisunic le plus proche. Elle avait du chic. Elle ne grossissait pas, et elle avait du chic. Ces griefs minuscules s'ajoutaient à ceux combien plus graves que Diane pouvait avoir contre sa sœur, et leur donnaient du mordant.

— Il n'y a pas moyen, dit Diane avec mollesse.

Elle avait moins peur de Pat depuis quelques semaines. Elle était tellement malheureuse qu'elle ne voyait pas comment elle pourrait l'être davantage. C'est un état d'esprit dangereux.

— Comment, il n'y a pas moyen ?

— Je ne peux pas le garder à l'intérieur toute la journée. Et dès qu'il va dans la cour du haut, il monte chez elle.

— Mets-le en bas !

— Pour qu'il joue avec le contenu des poubelles, et se fasse une infection ?

— Défends-lui de monter.

La voix de Patricia s'élevait d'un ton, allait vers ce timbre criard qui faisait mal à Diane. Mais comment aurait-elle pu avoir plus mal ?

— Tu sais bien qu'il ne comprend rien, qu'il est idiot.

Pat resta stupéfiée. Il y avait comme une ironie, comme un défi dans la voix de Diane. Diane, qui avait toujours soutenu que l'enfant comprenait tout, que c'était uniquement à cause de Pat, de sa brusquerie, qu'il ne parlait pas, se rangeait à son avis ! Elle ne comprenait plus. Elle n'était pas très intelligente, Pat, mais suffisamment instinctive pour sentir qu'une faille s'introduisait dans son univers. Qu'un danger était là.

— Mais tu as toujours dit...

Diane sentit à son tour une incertitude dans la voix de sa sœur. Ce n'était plus Pat qui était maîtresse de la situation. Du fond de son malheur infini (Rachid ne parlerait jamais, elle ne serait jamais à son René, la vie était sans issue) un faible sentiment de triomphe palpita. Elle était en train de rincer des assiettes. Des assiettes à dessert, gluantes de sucre, du sucre des pâtisseries orientales que Pat dégustait sans jamais grossir.

— Tu sais bien ce que c'est qu'une mère. On se fait des illusions.

Elle rejetait mot à mot les paroles de Patricia. Deux mois avant, à ces paroles-là elle se bouchait les oreilles en criant.

— J'ai dit qu'il ne parlerait pas. Je n'ai pas dit qu'il était idiot...

Pat battait en retraite, déconcertée, abasourdie. La faible lueur de triomphe s'aviva. C'était un triomphe suicidaire, mais qu'importe.

— Dégénéré. Tu as dit qu'il était dégénéré. C'est forcé, à cause du mélange des sangs.

Pat prit une grande aspiration d'air, et fit un effort désespéré pour reprendre le contrôle de la situation.

— Dégénéré ne veut pas dire idiot. Et puis idiot... Même un chien comprend où on lui défend d'aller.

— Quand on le bat, dit Diane froidement. Elle était désespérée, elle était moche, elle devenait tellement grasse que dans quelque temps elle ne pourrait même plus faire la danse du ventre le soir. Et pourtant elle, elle se donnait de l'exercice! — Tu veux que je le batte?

Pat eut un recul.

— Tu es folle!

— Probablement. A force de rester enfermée... D'ici quelque temps je le serai complètement, je ne laverai plus, je ne ferai plus la cuisine, je hurlerai toute la journée, et on viendra me chercher pour me mettre à l'asile. Et Rachid à l'Assistance. Comme ça tu auras ce que tu as voulu.

Elle parlait sincèrement. Ces images mélodramatiques traduisaient le sentiment qu'elle avait d'être dans une impasse, une situation tellement insoutenable qu'elle finirait par prendre fin dans un paroxysme. Avant d'avoir revu René, elle avait toujours gardé comme un espoir vague que les choses finiraient par s'arranger toutes seules, parce que tout s'use, et qu'elle espérait sans raison que Pat se lasserait. Mais depuis les trois rendez-vous qu'elle avait eus avec René, ces rendez-vous hâtifs, haletants, elle avait senti le bonheur si proche, si facile, et en même temps impossible, qu'elle avait mesuré la hauteur des murs qui l'entouraient, ces murailles de malheur symboliques et réelles. Elle allait mourir de chagrin au fond de ce puits, c'était certain (bien qu'elle ne sût pas très bien pourquoi; ce que Pat appelait inceste elle l'eût par nature appelé « accident », ce que Pat appelait « malédiction », elle l'eût nommé « un peu de retard » dans le développement de l'enfant). Alors autant aller vite. Elle n'avait pas le don du malheur. Pat en avait longtemps tiré sa supériorité. Et voilà qu'elle s'avançait sur le même terrain!

— Je n'ai jamais voulu que tu deviennes folle, voyons...

Sa voix redescendait. Pour la première fois Diane l'avait empêchée d'accéder à ces paroxysmes de rage prophétique où il lui semblait posséder le monde. C'était déjà une défaite, bien qu'elle ne s'en rendît pas très nettement compte.

— Tu veux que j'enferme Rachid comme nous nous sommes enfermées nous-mêmes. A trois ici dedans, nous deviendrons tous fous. Comme dans un sous-marin.

Les gens qui restent enfermés dans un sous-marin trop longtemps deviennent fous.

— Tu as vu ça à la Télé, dit Patricia faiblement.

Dans le domaine de l'imagination, pour une fois elle était dépassée.

— C'était basé sur un fait vrai. Ils l'ont dit dans les débats.

— Mais c'était à cause du manque d'air... Pas à cause du sous-marin.

Elle se rendait bien compte que la conversation déviait, elle perdait pied, elle s'affolait, mais elle ne savait plus comment revenir à son point de départ.

— Rachid manque d'air, ici, dit Diane avec fermeté. Cette fille l'emmène promener. Elle s'embête, elle l'emmène promener. Ça l'aère. Même un idiot, il faut qu'il prenne l'air.

— Mais tu ne comprends pas que je dis ça pour son bien, pour le garder? Elle est mariée à un docteur, son père est docteur, si elle les prévient de ce qui s'est passé...

— C'est toi qui lui as dit, ce qui s'est passé. Elle ne l'aurait jamais su sans ça.

(Diane se battait pied à pied, d'une voix morne, mais avec détermination. Puisqu'elle n'avait plus rien à perdre.)

— Je lui ai dit pour qu'elle arrête de s'occuper du petit! dit Patricia.

— Pour ce que ça a empêché... (Elle s'entendit prononcer ces paroles. Elle posa son torchon, machinalement. Elle écoutait quelque chose en elle.)

Patricia sentait qu'en jetant ces révélations à la tête d'Allegra, elle avait commis une faute, mais elle ne savait pas très bien pourquoi. Elle ne croyait pas vraiment qu'Allegra fût capable d'aller prévenir une assistante sociale, de mettre en branle un appareil judiciaire. Elle n'avait pas l'air comme ça. Et puis on aurait toujours pu nier. Elle avait seulement espéré qu'Allegra, horrifiée, cesserait de s'occuper de l'enfant. Et contrairement à ses prévisions, cette jeune dame à l'air si bien élevé n'avait pas paru particulièrement horrifiée, et Rachid passait carrément toutes ses journées dans l'appartement du haut. Et il progressait,

Diane, cette grosse imbécile, ne s'en apercevait pas, mais elle, s'en apercevait. L'amour est moins vigilant que la haine. L'espoir est tellement plus vacillant que le désespoir. Pat voyait les gestes de l'enfant devenir plus précis, son regard plus interrogateur, il avait meilleure mine, il écoutait visiblement leurs moindres paroles... Un jour il parlerait. Il n'y aurait plus de malheur, de désespoir, d'après-midi vides de tout, où le feu avait tout consumé. Il n'y aurait plus que de la médiocrité. Tous ces gens autour d'elle, médiocres et mous, auraient le dessus. Son père qui ne demandait qu'à retomber dans l'ornière de l'ivrognerie, de l'oubli; Diane qui ne se souviendrait même plus de l'horrible chose, de la mêlée obscure de désespoirs, après l'enterrement de la mère; et cette fille, cette imbécile bien coiffée, si ostensiblement propre, qui avait continué à sourire vaguement après les révélations de Patricia... Qu'est-ce qui lui resterait à Pat, s'il lui fallait vivre au milieu de ces gens-là, sans pouvoir leur faire du mal, le seul pouvoir qui lui eût été donné?

Diane était debout près de l'évier, sans un mouvement. Il se passait quelque chose en elle. Qu'est-ce au juste qu'elle venait de dire « Pour ce que ça a empêché. » Evidemment, ça l'avait encouragée, l'absence de réaction de la fille. Tous les mêmes, tous imbéciles, tous des paillassons... Elle se sentait à l'aise dans un monde comme ça, Diane. A l'aveuglette, avec rage, Pat lança :

— Ça n'a rien empêché parce qu'elle ne l'a pas cru. Elle a cru qu'on voulait l'empêcher de prendre le gosse, c'est tout. Il y a des gens qui ne peuvent pas croire que ça existe, des choses pareilles, des monstruosités!

Cette fois-ci elle crut bien avoir maté Diane qui s'était assise brusquement, les jambes coupées, qui s'était laissée tomber sur le pouf marocain, qui avait caché sa tête dans ses mains, qui s'était recroquevillée comme sous l'effet d'un coup. Et ce coup elle l'avait ressenti en effet, une douloureuse fulguration dans le cœur, un éblouissement qui l'avait accablée, le souffle coupé, avant que dans ce corps avachi et ce cœur résigné, comme tuméfié de douleur, se lève tout à coup une craintive aurore qui n'allait plus cesser de grandir :

« Il y a des gens qui ne peuvent pas croire que ça existe !
IL Y A DES GENS QUI NE PEUVENT PAS CROIRE QUE ÇA
EXISTE ! »

Il lui fallut bien vingt minutes pour que du cœur, l'espoir passât à sa conscience, et qu'elle trouvât la force de feindre un air aussi las que d'habitude.

— Peut-être que tu as raison... dit-elle en contenant le frémissement de sa voix. Peut-être qu'il vaut mieux que je le lui reprenne, un peu plus tôt tous les jours, pour qu'il s'habitue...

Elle se leva, elle marcha jusqu'à la porte, traînant ses savates, sans prendre son châle, car son triomphe était encore fragile, car elle mourait de peur que Patricia ne se doutât, ne l'arrêtât, ne brisât tout. Elle ouvrit la porte. Patricia s'était repliée sur elle-même, avait repris son magazine, ses bonbons. Amollie par trop de victoires faciles, elle fut imprudente. Diane ouvrit la porte, la referma, marcha vers l'entrée d'un pas encore traînant (même le bruit d'un pas peut être révélateur, elle avait appris cela le temps d'un éclair). Ce n'est qu'une fois dans la rue qu'elle se mit à courir aussi vite que ses savates le lui permettaient (en perdant une de temps en temps, s'arrêtant pour la ramasser, repartant aussi vite, « Oh ! pardon, monsieur ! », les gens s'écartaient, croyant qu'il y avait un malheur, mais il y avait un bonheur et c'était autrement important), elle arriva à la place Maubert, elle remonta la rue Monge à toute allure jusqu'à la caserne des pompiers, elle haletait et souriait en même temps, elle trouva la rue sans même s'arrêter (le plan qu'il lui avait tracé s'était gravé dans son cerveau à son insu, pour l'instant précis où il devrait servir à quelque chose) et elle le vit. Il était courbé sur son établi, martelant une chaussure, paraissant, dans cette position, plus petit que d'habitude, presque bossu. Elle s'arrêta, comprimant à deux mains son abondante poitrine, reprenant souffle, goûtant un instant le bonheur compliqué d'être encore séparée de lui par une vitre, dernier obstacle qui allait éclater : elle entra.

— Didi !

— René !

Ils se jetèrent dans les bras l'un de l'autre, goulûment. Elle était un peu plus grande que lui. Il sentait le cuir.

359

Ils n'étaient pas très beaux ni l'un ni l'autre. C'était le Paradis.

En se levant brusquement il avait fait tomber une boîte en carton qu'il avait sur les genoux; tous les clous étaient éparpillés dans la boutique.

*
* *

Allegra vit un petit homme voûté, avec de grands yeux bleus, qui se frottait nerveusement les doigts.

— Si vous pouviez le garder pour la nuit, madame, juste un jour ou deux, pas plus, c'est juré. Je sais que vous avez été très bonne, que vous avez déjà beaucoup fait... On ne voudrait pas abuser, mais Diane ne peut plus vivre chez elle, elle n'y retournera pas, il nous faut le temps de nous retourner, de trouver une petite chambre pour le petit, alors comme vous vous en étiez tellement occupée, qu'il est habitué à vous...

— Mais bien sûr... disait Allegra sans bien comprendre. Bien sûr.

Le cordonnier était tout absorbé par ses projets.

— Je suis sûr de trouver, voyez-vous, je connais tout le monde dans le quartier, c'est vraiment l'affaire d'un jour ou deux.

— Et après? demanda-t-elle.

— Après? Mais... nous allons nous marier, bien sûr.

Il rayonnait, il s'était redressé, il voyait devant lui un avenir de félicité.

— Elle a tant souffert, vous savez! dit-il à Allegra avec une totale confiance. Son père, alcoolique! Sa sœur, on peut bien le dire, pratiquement folle. Mais vous êtes au courant...

Elle dut avoir l'air un peu surpris.

— Je sais que vous aussi, elle vous a raconté... Pour vous empêcher de vous occuper du petit! Vraiment il faut ne pas avoir toute sa tête pour inventer des choses pareilles! Mais si vous voulez... si vous avez la bonté de continuer à le prendre chez vous de temps en temps... nous aurons besoin d'en mettre un coup, de travailler dur, parce que moi je vois grand! Pour le moment Didi et moi on sera obligé de coucher dans l'arrière-boutique, mais ça ne durera pas! J'ai des relations. Je peux obtenir un crédit logement quand je voudrai.

— C'est magnifique, dit-elle faiblement. Mais le petit...

— Vous le preniez tous les jours, non? demanda-t-il avec une ombre d'inquiétude.

— Tous les après-midi. Je travaille le matin. Mais pour le moment je suis en vacances et je peux très bien...

— Formidable! Le temps que Didi trouve quelque chose — et avec tout le monde que je connais dans le quartier, ce ne sera pas long — et l'affaire est dans le sac. Je m'en vais lui chercher un mi-temps pour l'après-midi. Elle vous conduira le petit et je viendrai le chercher après ma fermeture. Je ne vous ai même pas dit que j'étais cordonnier! Et la boutique est à moi : pas le bail, les murs! J'ai fini de payer depuis six mois. Comme un fait exprès. C'est fameusement combiné tout ça, non? Ça ne vous embête pas que je vous raconte tout ça? Je suis tellement heureux! Didi ne voulait pas se marier, pour se consacrer à sa pauvre sœur, vous comprenez, mais elle s'est rendu compte que ce n'était plus possible... C'est peut-être à force de vivre avec cette folle que le petit... Vous ne croyez pas?

— C'est bien possible...

— D'ailleurs il paraît qu'il va bien mieux depuis que vous l'avez pris en main. Vous êtes d'une famille de docteurs, pas vrai? Il va sûrement guérir, alors. Parce que vous savez, pour moi ça ne fera aucune différence. Ce sera absolument comme mon fils à moi. D'ailleurs on va le rebaptiser, c'est pas un nom pour la France, ça, Rachid. On va l'appeler Robert, ou René, comme moi, on va le faire baptiser, parce que moi, ces choses-là, j'y crois; vous serez sa marraine, vous voulez? C'est bien le moins. Bon Dieu! quand je pense que toutes ces choses-là m'arrivent le même jour!

Il en louchait de joie. Ou alors il avait peut-être louché depuis le début?

— Vous ne direz rien à la sœur, hein? Juste deux jours. Dites que Didi est en voyage, si elle montait. Ne lui donnez pas le petit surtout! Faites-lui peur. Elle n'est pas si folle que ça, elle saura bien où est son intérêt. Si les docteurs s'en mêlent, elle n'aura pas le dernier mot. Vous ferez ce qu'il faut, pas vrai, madame...?

— Allegra, dit-elle. Je m'appelle Allegra. Ne vous inquiétez pas. Je ferai ce qu'il faut.

— Oh! Je sais qu'on peut avoir confiance en vous. Nous n'oublierons jamais, vous savez... Et si un jour vous avez besoin d'une *vraie* paire de souliers, pas de ces saloperies qu'on fabrique maintenant...

Il lui serra la main en la secouant énergiquement, avec une force qu'elle n'attendait pas de ce petit homme pâlot. Elle l'entendit dévaler les escaliers, courant vers sa boutique, dont les murs lui appartenaient, courant vers « Didi » qu'il avait conquise, vers un avenir bien agencé, férocement heureux. Un moment elle l'envia presque. Puis elle regarda Rachid (futur Robert ou Charles ou René) qui était resté au fond de la pièce pendant toute cette entrée de clown, ce discours volubile, qui disposait de lui. Il n'avait pas bougé, ne manifestait aucun émoi, et continuait à dessiner (il dessinait ce jour-là, mais ce n'était plus le tapis : elle n'était pas encore arrivée à identifier ce qu'il dessinait) avec un petit sourire. Et elle eut presque un remords de s'être laissé distraire par cette intrusion, qui n'avait pas semblé distraire l'enfant. Il savait, lui, ce qui était important, et qu'il ne leur restait pas beaucoup de temps.

*
* *

Paule continuait ses confidences à Renée. Celle-ci pourtant ne lui dissimulait pas une désapprobation qui restait affectueuse. Peut-être était-ce cette désapprobation que Paule justement recherchait.

Elle avait les yeux très brillants, cernés, les traits tirés, elle avait maigri (et, indice d'une passion poussée au paroxysme, ne songeait pas à s'en réjouir). Elle était coiffée n'importe comment, le chignon croulant, des mèches noires dans la figure, elle brûlait d'une beauté emphatique de cinéma muet. Tout cela paraissait à Renée suspect, empreint de complaisance et de mauvais goût. Mais une certaine loyauté, mêlée, il faut bien le dire, de curiosité, la retenait auprès de Paule qui s'épanchait — et Renée avait le sentiment assez amer qu'il valait mieux que ce fût elle, réprobatrice mais discrète, qui tînt cet emploi de confidente que Paule, dans son désarroi, eût attribué à n'importe qui.

L'absurdité même de la position de Paule fascinait Renée. Cette femme qu'elle avait connue gaie, indépendante, dépourvue de complications et même de subtilité (c'était une qualité aux yeux de Renée) mais franche, directe, avait apparemment perdu tout bon sens.

— Voyons, Paule, tout cela ne tient pas debout. Suppose que ta sœur et Phil aient réellement un enfant. Attendre un enfant n'a rien de magique. Ça ne modifiera pas les sentiments d'Allegra, ni ceux de Phil, ni les tiens.

Si, si, elle était obsédée par cette idée. Il fallait qu'Allegra eût un enfant. Alors elle annoncerait à son mari repentant l'heureuse nouvelle, ils se jetteraient dans les bras l'un de l'autre, la famille reviendrait de vacances juste à temps pour les bénir, et Paule entrerait chez Carmen Corail comme on entre au couvent. Tout cela était cohérent comme un mauvais roman, et tout aussi faux. Etait-il possible que Paule fût dupe?

— Et même à supposer que tout s'arrange selon tes plans, qu'est-ce que ça va donner? Tu auras réuni deux personnes qui ne s'aiment peut-être pas, provoqué la naissance d'un enfant que personne ne désire vraiment, sacrifié ton bonheur sans pour cela faire celui de ta sœur...

— Ça, je m'en moque!

— C'est le cri du cœur... dit Renée avec ironie. Si tu arrives à retrouver un peu de bonne foi, tout n'est pas perdu. Tu te moques du bonheur d'Allegra, très bien. De celui de Phil aussi, je suppose: on ne se préoccupe pas tant du bonheur de ceux qu'on aime. Reste le tien. S'il est avec Phil, pourquoi...

— Il ne m'aime pas!

— Il te l'a dit?

— ...

— Je parie qu'il te dit qu'il t'aime, au contraire. Tu ne veux pas l'entendre parce que ça t'obligerait à prendre une décision. Ma pauvre Paule! Est-ce que tu te rends compte à quel point tu agis comme l'aurait fait ta mère?

— Ma mère n'aurait jamais...

— C'est entendu. Ta mère a conçu sans péché. Ma pauvre chérie, tu as régressé d'un siècle en deux mois! Tu sais ce qui me frappe dans toute ton histoire? C'est que bien qu'elles soient au courant, tu ne sois pas en plus mauvais termes avec ta mère et ta grand-mère. J'irais jusqu'à dire que tu es en *meilleurs* termes avec elles que tu n'as été depuis longtemps.

— Tu es folle! Maman m'a absolument mise en demeure...

— De rompre, oui. Mais c'est bien ce que tu prétends vouloir faire? Vous êtes donc d'accord sur le fond. Ta mère s'inquiète sûrement, est sans doute désolée, mais il n'y a pas le moindre soupçon de dispute, comme vous en avez eu quand tu as ouvert l'Institut.

— Il n'y a aucun rapport! protesta Paule.

— Il n'y a aucun rapport, parce qu'en reconnaissant que tu es coupable, que tu n'as pas le droit de briser un ménage, comme doit dire ta mère, tu rentres en quelque sorte dans leur univers, dont tu étais sortie en te faisant une vie à toi. Tu leur reconnais le droit de te juger, de te conseiller, alors qu'Allegra...

— Quoi, Allegra?

Paule s'était dressée avec colère. Qu'on osât lui opposer sa sœur! Mais Renée poursuivait, impitoyable, de sa petite voix sèche.

— Eh bien Allegra ne les a pas consultés, elle. Elle vit comme elle l'entend, sans bruit, mais sans tenir compte des conventions et des ragots, et moi je trouve qu'en décidant de s'occuper de cet enfant, elle a agi d'une façon très peu conventionnelle, très courageuse!

— Tu me fais rire! dit Paule rageusement. Allegra, courageuse! C'est à mettre dans le même panier que toi, quand tu te crois qualifiée pour parler d'avoir ou de ne pas avoir d'enfants!

— Et pourquoi est-ce que je n'aurais pas d'avis sur les enfants? dit Renée, les lèvres tremblantes.

Que l'aigreur, la colère de Paule puissent se retourner contre elle, qui lui restait fidèle, qui l'avait toujours épaulée, c'était plus qu'elle n'en pouvait supporter. Son visage fin se contracta. Une petite grimace plate, courageuse, l'aida à contenir une larme. Mais Paule ne connaissait plus d'amitié, plus de limites.

— Avec la vie que tu as! Comment est-ce que tu pourrais juger qui que ce soit? Un poisson rouge dans un bocal, voilà comment tu vis, avec ta mère et ton chien, tes promenades hygiéniques le matin, ton ciné-club le vendredi : tu appelles ça vivre! Tu appelles ça avoir de l'expérience! Et tu me dis « ma pauvre Paule ». Bien sûr, pour toi, Allegra, toujours bien propre, toujours à l'heure, c'est l'idéal de la femme! Elle n'avait qu'un défaut, son mari. Et maintenant qu'elle est en train de le perdre par sa faute, de devenir une vieille fille à manies comme toi, elle est parfaite! Un muet, c'est comme un chien. Ça ne dérange pas votre petit train-train. Et tu appelles ça vivre libre! Vivre affranchie des préjugés! Vous êtes bien faites pour vous entendre, tiens. Quand tu auras perdu ta chère vieille Maman, vous pourrez partager le même appartement, Allegra et toi. Et le même chien, et le même enfant idiot! Ça vous fera une vie plus intéressante que la mienne, certainement. Et même plus passionnée, pourquoi pas? En y ajoutant quelques petites réunions politiques pour toi, quelques séances de patronage pour elle... Voilà des femmes évoluées! Je vous envie, positivement. Et je vous promets de prendre exemple sur vous quand j'aurai soixante ou soixante-dix ans, et plus de sang dans les veines!

Renée ne disait rien. Son petit corps maigre semblait s'être encore ratatiné, avoir rétréci dans le gros pull vert bouteille qui n'arrivait pas à l'étoffer. Mais elle tenait vaillamment le front haut, et bien qu'elle ne pût parler, elle regardait en face le visage enflammé de Paule. Il y eut un moment de silence intolérable, rompu heureusement par la sonnerie du téléphone. Renée se leva aussitôt et sortit, refermant la porte avec une douceur voulue, comme un grand blessé qui ménage ses forces. Mais Paule restée seule ne tendit pas la main vers le récepteur. Elle respirait à longs traits, reprenait des forces, revenait de son égarement pour se rendre compte qu'elle venait en quelques instants de briser une amitié, plus, un compagnonnage, une solidarité de plu-

sieurs années. Elle en ressentait la honte et le soulagement d'un enfant qui a cassé volontairement un vase
précieux.

*
* *

Renée était sortie bouleversée de l'Institut. Bouleversée, blessée au plus intime d'elle-même. La colère
ne justifie pas tout. Ces paroles méprisantes que Paule
lui avait dites ne s'expliquaient pas uniquement par la
colère. Elle avait dû les penser toujours. Avec plus
d'indulgence, plus de nuances peut-être, mais les penser.
Renée tombait de haut. Elle avait cru nouer avec Paule
une amitié d'une qualité rare, de celles qui se comprennent à demi-mot, qui subsistent à l'écart de la vie
quotidienne, vulgaire. Elle lui avait parlé avec humour,
donc avec confiance, de sa mère vieille, c'est vrai, para-
lysée et agaçante parfois, c'est vrai, mais qui brodait
avec un art délicat des fleurs fantastiques, dignes de
Séraphine de Senlis. Elle lui avait parlé de son chien,
qu'elle aimait, mais dont elle savait qu'il constituait
l'accessoire inévitable du célibat, et qu'on pouvait en
rire. Elle avait dévoilé devant Paule toutes les misères
d'une vie extérieurement médiocre, sûre que Paule était
capable de discerner à travers les apparences d'une
Renée sans beauté, sans fortune et sans dons, une certaine qualité morale, une beauté d'austérité, de résignation ironique, un certain sens de la beauté gratuite
qu'offre la vie aux plus démunis... Elle avait cru posséder en commun, avec Paule, un langage. Etait-il
possible qu'elle se fût complètement trompée? Ou
était-ce la passion qui comme un précipité chimique
avait radicalement transformé l'essence même de son
amie?
Blessée, humiliée, Renée ne doutait pas cependant
d'avoir raison. Paule se diminuait, s'abaissait, non pas
à cause de sa liaison, mais de la façon dont elle l'envi-
sageait. Elle en venait à douter des amours précédentes
de Paule, toujours mal terminées, toujours orageuses;
son amie était-elle vraiment innocente de tous ces

échecs? « Peut-être lui reste-t-il des tabous sexuels si forts qu'elle a besoin de l'échec pour se justifier? » pensait-elle gravement. Mais cela n'excusait pas la mauvaise foi de Paule. L'abus de confiance de cette amitié qu'elle avait feinte et qui ne pouvait pas avoir existé. « Ce n'était pourtant pas beaucoup demander à la vie, que l'amitié », pensait Renée en marchant à grands pas disgracieux vers la porte d'Italie où l'attendaient sa mère et la chienne Uranie. « C'était encore trop. Comme je me suis trompé sur Paule! Et sur Allegra, du reste. »

C'était un soulagement de penser à Allegra, qui ne se laissait pas ébranler (semblait-il) par toute cette agitation qui l'entourait. A la voir, tous les jours, à l'Institut, on ne se serait jamais douté... Marchant toujours, mais d'un pas moins rapide, Renée pensait à Allegra. « Est-ce qu'elle tiendra le coup? Il y a les femmes de la famille, indignée qu'elle s'intéresse à autre chose qu'à son mari et à son aspirateur. Et puis les filles de l'Institut qui s'attendrissent, oui, jusqu'à un certain point, mais trouvent tout de même un peu ridicule qu'on délaisse son travail et son mari pour un enfant. Si c'était une licence de sociologie, évidemment! Elle doit se sentir bien seule, cette petite. » La pensée de cette solitude parallèle à la sienne la réconfortait un peu. La pensée d'une vocation née dans ce cœur sage la faisait rêver. D'une certaine façon, dans les jours arides qui s'étendaient devant elle, Allegra allait lui tenir compagnie.

*
* *

Sauveur avait lentement entamé son plâtre, avec le poignard scout que son père lui avait donné l'année précédente. Puisque Joséphine voulait qu'il marchât, il marcherait. Il n'était pas pressé, lui. Il aurait bien été au mas, pour les vacances, étendu sur une chaise longue, Marie lui servant de truchement. Il avait justement eu l'intention d'étudier les insectes. La structure de la cigale, par exemple. Il rêvait de scalpels, de dissection, ces temps-ci. Ce n'était pas si différent des maquettes d'avion auxquelles il s'était consacré si long-temps. Mais c'était devenu trop facile. Il voulait remonter aux sources. Son rêve, ç'aurait été de disséquer un oiseau. On n'a pas besoin de ses jambes pour disséquer. Un bon établi, du formol. Une main, aussi, il aurait aimé. Mais quand il avait demandé à Phil s'il ne pourrait pas en ramener une de l'hôpital, ç'avait été des cris d'horreur. Sauf Bonne-Maman, qui n'avait pas crié, et lui avait fait cadeau d'un vieux traité de chirurgie retrouvé à la cave. « Il sera médecin comme son grand-père. Chirurgien, peut-être. » Il n'avait pas l'intention de devenir chirurgien. C'était la structure des choses qui l'intéressait. L'avion, l'oiseau, la cigale, la main. Quand il avait recherché des citations de roman pour en faire un livre, c'était la structure, la façon dont on bâtit un livre qui l'intéressait. Pas le livre, pas l'histoire. Naturellement, ni Joséphine ni les autres n'y avaient rien compris. Ils voulaient le faire changer de section, dans ses cours par correspondance, sous prétexte qu'il « s'intéressait à la littérature ». Quelle blague! Il ne se sentait pas incompris, il s'en fichait, mais c'est égal, ils étaient un peu bouchés, tous. Parce qu'il avait réalisé cette étagère à livres qui tenait sans colle, avec uniquement des chevilles, ils le traitaient de bricoleur. Si on veut. Les structures, les constructions, les machines l'intéressaient. Comment les choses se rejoignent, s'ajustent; il avait été très content quand il lui avait semblé comprendre que ça marchait pour les livres : parce que les livres, il n'aurait pas cru. Il avait envie maintenant d'examiner si c'était vrai pour la musique. Il y a des rapports mathématiques dans la musique, il en avait une vague notion, il avait lu quelque chose là-dessus. Mais il aurait fallu étudier le solfège, analyser des morceaux, classiques d'abord, modernes ensuite, et il n'avait pas les disques qu'il fallait, rien que les niaiseries que Renata faisait jouer à longueur de journée. Peut-être que même dans ces niaiseries il y avait des règles? Il aurait voulu les réentendre, se rendre compte. Mais Renata avait emporté son électrophone au mas, et elle était la seule à en posséder un. La musique n'était pas un art très apprécié dans la famille. Ça fait du bruit, ça indispose les voisins, à la télé c'est assommant, on ne voit que le dos du chef d'orchestre, un bout d'archet, un bout de clavier; la radio, c'est un bruit de fond, ça ne compte pas, donc jamais moyen de se livrer à une étude sérieuse, il y a toujours quelqu'un qui parle, qui claque une porte, finalement, déclarait-on sentencieusement, il n'y a qu'au concert qu'on apprécie vraiment. Lui, il voulait bien, mais il n'avait jamais entendu dire que sa mère, ni sa grand-mère, ni Bonne-Maman, fussent jamais allées au concert. Bon, il avait l'esprit disponible, alors il avait réfléchi au problème de sa jambe, qui affligeait tant Joséphine. S'il avait bien compris, une fois l'os ressoudé, la jambe ne grandirait plus, ce qui fait qu'il boiterait. Logiquement, il aurait donc fallu, pendant que l'os était encore mou, étirer la jambe au maximum. Il devait y avoir moyen de construire un appareil pour ça. Intéressant. Il pensa aux tortures du Moyen Age. Non, ce n'était peut-être pas tout à fait le Moyen Age. Après, plutôt. Les brodequins? L'estrapade? Il ne savait plus, mais est-ce qu'il n'y avait pas un système pour étirer la jambe en long? Et les poulies, quand on attache en l'air les jambes des gens, dans les cliniques. Ça soulève, mais est-ce que ça étire? Si j'installais une poulie au plafond, suffisamment loin, avec une sangle attachée en plusieurs endroits de la jambe, et que je m'accroche aux barreaux du lit, est-ce que l'extension serait suffisante, au bout de quelque temps? Un peu simple peut-être. Et si de l'autre côté de la poulie j'accrochais un poids? Un poids un peu plus lourd chaque jour? C'est meilleur, ça. Il essayerait d'en parler au Docteur Albert-Vidal. Il essayerait. Mais le Docteur Albert-Vidal se refusait toujours à avoir avec Sauveur des discussions vraiment intéressantes, à lui expliquer son cas, à chercher avec lui une solution. Sans doute, ce n'était pas tout à fait un imbécile. Il détenait des données que Sauveur ne connaissait pas. Mais son silence dédaigneusement bienveillant ne plaidait pas en sa faveur. S'il s'était expliqué clairement, il n'en aurait pas été diminué pour autant. Et comme il traitait de haut la pauvre Joséphine, toujours affolée : « Je ne puis pas me prononcer... Dans l'état actuel des choses... », disait-il de sa voix grave, sonore. Il parlait comme on parle à la télévision, pour ne rien dire. « Je suis sûr, moi, que je pourrais construire cet appareil », pensait Sauveur. « Si Marie était là. » Avec Joséphine, c'était plus difficile. D'abord, il aurait voulu lui faire une surprise. Et puis, Joséphine, son idée, c'était le guérisseur. Il faudrait lire quelque chose sur les guérisseurs. Sauveur ne rejetait pas l'idée a priori. Mais la machine, c'était tout de même plus séduisant. A qui est-ce qu'il pourrait demander de lui procurer les matériaux indispensables ? Faire une liste, des croquis... En attendant, avec une patience et une ruse de prisonnier, il entamait son plâtre, chaque jour un peu. « Tu ne t'ennuies pas, mon chéri ? » Il ne s'ennuyait jamais. Il avait toujours un but.

★
★ ★

Rachid. Ou Robert. Ou René. Ils n'avaient pas encore décidé. Ils lui demandaient conseil. Elle trouvait que la chose avait bien peu d'importance. Elle ne l'appelait jamais Rachid, dans son cœur. Il était toujours l'enfant qui jouait dans la cour, avec le vieux réfrigérateur, l'enfant qui avait exigé d'elle quelque chose qu'elle lui avait donné. S'il ne l'avait pas exigé, avec ses yeux exigeants et sévères, qui sait si elle lui aurait parlé seulement ? Elle aurait continué à le regarder par la fenêtre, comme elle regardait le monde, avec plaisir, avec tendresse, sans faire un pas. Ainsi regardait-elle Phil, avant leur mariage. C'est lui qui l'avait embrassée, lui qui avait posé des questions... Quand il s'était arrêté d'en poser, elle n'avait plus parlé. Elle n'avait aucun besoin de langage, c'était maintenant qu'elle s'en apercevait. Rachid, Robert ou René. Ou Phil. Sur tous les visages elle posait le même regard.

L'enfant n'avait pas été ému par son changement de vie. Sa main dans celle de Diane, le matin, dans celle du cordonnier, le soir, le visage impassible, un peu ennuyé, le regard à terre, pendant le sempiternel échange de courtoisies : « Je ne sais vraiment comment vous remercier... Un jour on pourra vous dire... Mais non, je vous assure, c'est un plaisir... » Ils rayonnaient tous les deux, Diane et son cordonnier, échappés du cachot tout d'un coup, et personne n'avait osé les poursuivre, qui l'eût fait ? Patricia ne sortait pas de son trou, ne se manifestait pas. Le père Bellem, si sombre toujours, on le surprenait à siffloter. Pour lui c'était un miracle. Diane lui avait tendu la perche, il l'avait saisie : Pat était folle. Le rideau bleu qui s'était ouvert un jour fatal devant le lit était refermé à jamais. Pat était folle. Didi allait se marier, il disait : « avec le père de l'enfant ». Quand il le rencontrait dans l'escalier il tapotait la tête de son *petit-fils*. Un jour il l'embrasserait. Pat était folle. Du coup il refit ses additions, réclama les ardoises qui traînaient, les affaires marchèrent moins mal. Vers la fin de juillet Diane dit à Allegra que finalement, le petit, on l'appellerait Charles. Le curé de la paroisse le baptiserait après le mariage. Allegra était invitée bien sûr. Ce serait courant août. Diane avait des boucles d'oreilles énormes, les yeux faits au kohl, des colliers, des bracelets, du parfum au santal, elle était beaucoup plus orientale qu'au temps où elle faisait la danse du ventre, elle avait trouvé une place de vendeuse à mi-temps à la Mosquée, ce n'était pas loin, elle y allait à pied en fredonnant des airs d'Oum Kalsoum, René les trouvait envoûtants, elle avait des caprices, elle marchait sur la corde raide du ridicule sans tomber : elle était aimée. Le jour de l'invitation, Allegra remarqua que ses cheveux, qu'elle laissait pousser, étaient superbes.

— Ce sera très simple, disait Diane, béate, mais vous êtes de la famille.

Heureuse. Elle était heureuse. Quand elle avait demandé au petit :

— Ça t'ennuyerait qu'on t'appelle Charles ?

Il s'était mis à rire. Il riait souvent. René qui avait obtenu un F 4 rue Monge avait dit « Celui qui rit en sait toujours assez » et avait acheté au petit une salopette en velours rouge, en velours côtelé. « Vous êtes de la famille » et elle avait embrassé Allegra avec élan. Odeur de santal, de sueur, et un peu de suint de mouton parce qu'elle travaillait au milieu des peaux, qu'on vendait comme tapis. Odeur que Vanina aurait trouvée de mauvais goût. Allegra avait reçu ce baiser, respiré cette odeur, avec une sorte de curiosité en face de cette fille transfigurée, retournée comme un gant : la laideur était devenue beauté, la graisse morose chair triomphante, le malheur bonheur, en un jour. « Vous êtes de la famille » non, tu n'es pas ma famille, petit enfant... Elle resta songeuse. Un peu plus tard, le même jour de fin juillet, un des *cousins* un peu aviné vint faire du tapage devant la porte, en bas. Il lui sembla qu'elle entendait la porte s'ouvrir.

Il faisait très chaud. Le tapis était très bleu. Le soleil filtrait malgré les stores. Elle était au centre de l'été. Au bord de quelque chose, d'un secret qui allait se révéler.

Phil rentrait tard, le soir, quand il faisait un peu plus frais. Phil arrivait avec la fraîcheur, c'était agréable. Ils faisaient l'amour, les lucarnes ouvertes, directement sous le toit, sous le ciel. Phil, ou Charles ou Robert... Pourtant, non, elle n'était pas indifférente. Elle aurait donné sa vie pour Phil ! Ou Charles. Parfois il ne rentrait pas. De toute façon il y avait un repas froid dans la kitchenette. Elle regardait un peu les images de la Télévision, montait s'étendre, la tête juste en dessous de la lucarne, les yeux fixés sur le ciel qui n'était jamais tout à fait noir. Elle s'endormait sans le savoir, comme on meurt.

*
* *

Mais quand Phil était là, elle s'endormait moins vite que lui. La famille en vacances, Paule absorbée par les travaux, Jo tout occupée à talonner le docteur, elle se sentait plus seule avec Phil. Elle percevait plus nettement ce que ses étreintes, ses baisers, exprimaient de désespoir, de violence. Pourquoi? Il s'endormait. Le cœur d'Allegra se mettait à battre de plus en plus vite à côté de cet homme qui s'était endormi insatisfait, malheureux. Elle ne se demandait pas si elle était heureuse. Elle n'avait jamais pensé à elle-même que pour se demander ce qu'on attendait d'elle, si elle donnait satisfaction. Maintenant, percevant que même l'élan de son corps, ce mouvement si naturel et doux qui les attirait l'un vers l'autre, n'était plus aussi simple, comportait des regrets, des sursauts, une tendresse rageuse, une tristesse nerveuse et sèche, elle se demandait non seulement si elle le rendait heureux, mais pourquoi elle n'y arrivait pas. Les yeux ouverts, le cœur battant, sentant contre son flanc la peau tiède de Phil, d'un compagnon, d'un amant, elle avait l'impression que profitant de ce sommeil, l'angoisse se glissait comme un serpent de ce dormeur jusqu'à elle, l'envahissait bien qu'elle luttât. « Mais qu'est-ce qu'il me reproche? » pensait-elle, car même désespérée, elle n'eût trouvé que des mots anodins. Elle était prête à l'aider, à lui porter secours, mais en quoi? Peut-être était-elle trop évidemment disponible, elle ne savait pas... Dans ce désarroi elle tentait de se raccrocher à la vieille sagesse familiale, à Bonne-Maman qui disait : « Une femme doit aimer son mari, certes, mais jusqu'à un certain point! » à la Paule d'autrefois qui disait : « Qu'une femme se fasse l'esclave d'un homme comme Maman, non, je ne l'admets pas. » Révolte et tradition se rejoignaient là, mais ne lui étaient d'aucune utilité. L'aimait-elle trop? Pas assez? Elle n'avait pas le sentiment d'aimer de cette façon qui peut s'exprimer par des mesures et des graduations.

Elle étendait la main, elle touchait ce flanc qui se soulevait régulièrement. Elle l'aimait. Il dormait comme un enfant. Elle aimait cet enfant, cet homme dépersonnalisé par le sommeil, elle aimait ce moment où tant d'êtres, dans cette ville agitée, se perdaient enfin dans le sommeil. Son cœur se desserrait petit à petit, à l'idée de cette grande communauté de dormeurs. La fatigue, la maladie, l'amour, font se ressembler les hommes. Cette pensée simple lui était douce. Mais peut-être n'aimaient-ils pas se ressembler? Toute leur agitation ne visait-elle pas au contraire à se diversifier, par leur conduite, leurs goûts affirmés, leurs langages? Ne s'efforcent-ils pas par tous les moyens de monopoliser sur leur visage la tendresse ou la colère, l'intérêt ou même la haine? La haine comme Patricia... L'amour comme Phil, qui n'avait pas pu supporter qu'à son visage se superposât un instant celui d'un enfant... « Ça ne lui enlève pourtant rien. » L'angoisse revenait. Elle sentait combien ces mots, ces pensées limitées comme des galets jetés dans l'eau, étaient insuffisantes. Arriverait-elle jamais à jouer avec ces pensées, à les ajuster comme Rachid au jeu des boîtes, au puzzle dont se dégageait finalement l'image claire et insignifiante? Elle ne savait pas si elle y arriverait, pas même si elle le souhaitait. Rachid avançait patiemment, avec un courage, une concentration extraordinaire chez un enfant, une espèce d'austérité même, vers son but. Elle l'avait aimé pour ce courage, cette exigence. Mais le but qu'il poursuivait, et qui était sans doute de surmonter la folie de Patricia, les silences du « grand-père », la souffrance de sa mère, de n'en être plus le prétexte et l'objet, mais lui, mais Rachid ou Charles ou Robert, un individu qui enfin parle et dit son nom, se libère d'une injuste contrainte, ce but, elle le percevait mais ne le comprenait pas, ne le comprendrait peut-être jamais. Et au cours de ces nuits où l'angoisse de Phil, la violence de Phil, passaient en elle, l'idée ne lui vint jamais de se débattre, au nom de son innocence, au nom d'Allegra.

Du reste, si elle éprouvait cette angoisse, cet injustifiable sentiment de danger proche, ce devait être la chaleur. C'était un été torride. L'odeur, agréable au début, du sapin verni finissait par lui donner la nausée.

Le 1ᵉʳ août, elle s'étonna tout de même de n'avoir pas de nouvelles de Jo, qui avait fait tant de projets pour elles deux. Elle descendit vers midi au café-tabac pour téléphoner. La terrasse était pleine de touristes qui déployaient des cartes et des plans de Paris sous les parasols vert et orange. Peu de voitures, une légère brise, une allégresse flottait dans l'air. Elle attendit un peu plus longtemps qu'il n'était normal : huit ou dix sonneries. Enfin la voix de Jo, comme essoufflée.

— Ah! c'est toi... Est-ce que tu pourrais venir tout de suite? Le... L'état de Sauveur s'est aggravé.

Elle remonta chercher l'enfant, et prit un taxi.

Sauveur avait dû se rendre à l'évidence : personne
à qui il pût faire confiance pour lui procurer de quoi
réaliser son projet. Cet été, il était isolé dans cet appartement, avec sa mère, comme Robinson dans son île
déserte. Situation difficile, mais intéressante. Robinson
réfléchissait aux ressources de l'île... Pièce par pièce,
Sauveur inspectait en pensée l'appartement. Il n'était
pas question pour lui d'en sortir à l'insu de sa mère
et sans son assistance : c'était un fait. Mais entre
onze heures et midi, quand elle allait faire les courses,
il avait le champ libre. En s'appuyant sur un tronçon
de canne à pêche tiré de sa réserve (son placard à
fouillis où personne, pas même Marie, n'avait le droit
de pénétrer) il était arrivé plusieurs jours de suite à
se déplacer pour une exploration. Il ne disposait pas
de béquilles : le docteur Albert-Vidal ayant décrété
qu'il valait mieux ne pas le tenter. Mais la jambe avait
l'air de tenir le coup, à l'intérieur du plâtre qui pourtant flottait, discrètement raboté en différents points.
Dans la salle de bains, Sauveur avait repéré une corde
à linge, reliquat d'un séchoir mural désaffecté. Trouvaille de première utilité. Dans la chambre à coucher
des parents, rien d'intéressant. Ç'avait été une déception,
d'autant que la chambre était au bout d'un couloir long,
dallé donc périlleux, et que l'exploration lui avait pris
deux jours. Mais Robinson aussi avait connu des décon-
venues. Lors de la première expédition, il avait failli
glisser, lors de la seconde, être surpris par sa mère,
et tout cela pour rien. Qu'à cela ne tienne. Il avait
plus d'un mois devant lui, et dès qu'il s'était engagé
dans une entreprise, il se passionnait. Il eut l'idée,
comme son modèle dans l'île déserte, de tenir son journal
de bord. « Aujourd'hui recherche désespérée d'une chignole, de clous et de chevilles. Rampé jusqu'à la cuisine, au péril de ma vie. Un tire-bouchon pourrait-il
faire l'affaire, en l'affûtant? Reconnu l'existence d'un
nouveau danger : les fenêtres ouvertes. Un voisin pour-

rait signaler mes expéditions à Joséphine.» Non, à la réflexion, il était impossible de se servir du tire-bouchon. L'enduit du mur serait trop épais; il le mit tout de même dans la réserve, on ne sait jamais. Par contre quelques jours après il eut une grande joie : dans la lingerie, où il se rendait vraiment par acquit de conscience, et pour rester fidèle à son plan d'exploration systématique, il s'avisa soudain que la suspension d'un très ancien modèle (sous laquelle venait parfois s'asseoir la vieille couturière, Mme Boussu) était reliée au plafond par un sytème de poulie! Dire qu'il ne l'avait jamais remarqué! «La Providence est avec moi», écrivit-il dans son carnet, avec un lyrisme inhabituel. «J'ai découvert la pièce maîtresse de mon appareil au centre de l'épave. Des problèmes subsistent : le mastic, les chevilles, et surtout, le moyen de me hisser à la hauteur voulue pour fixer la poulie, soit au plafond, soit au mur opposé à mon lit. Sans compter la nécessité de masquer mes projets. Le dispositif doit pouvoir être mis en place en quelques minutes, et retiré de même. Et comment me débarrasser du plâtre et le rechausser ensuite?» Mais il avait confiance, et la certitude de venir à bout des problèmes les uns après les autres. Il venait de convaincre sa mère de lui rapporter du mastic sous prétexte de commencer une maquette — on n'a jamais construit une maquette avec du mastic, mais comment le saurait-elle? — quand il découvrit dans le cagibi qui servait de bureau à son père une chignole toute neuve, et des chevilles comme s'il en pleuvait. Sûrement ce pauvre Papa avait eu l'intention de bricoler quelque chose et n'en était jamais venu à bout. Il n'avait pas la patience. Quand il avait voulu réparer les portes du placard sous l'évier, elles n'avaient pas tenu un mois; alors il avait décrété que le bois était fichu et on avait fait venir le menuisier pour les remplacer, alors que lui avait une idée si ingénieuse, avec des plaquettes de balsa qui auraient coûté trois fois moins... Enfin, le bon côté de ces velléités paternelles, c'est que le matériel était là. Cordes, poulie, mastic, chevilles, clous, chignole... il avait fait la liste de ses trésors. Ce qui manquait, c'était un escabeau bien d'aplomb, celui de la cuisine ne lui paraissait pas sûr, et puis le contrepoids. Le contrepoids... Il en fallait même plusieurs, car il serait bon de ne pas exercer sur la jambe une traction trop violente pour commencer. Il médita. Il trouva. Une série de pierres à lithographies, ayant appartenu au père d'Antoine, de diverses tailles, ne fournissant évidemment pas de prise — le système de ligature serait à étudier — mais admirablement graduées. « Joséphine les apporte dans ma chambre, serviable comme Vendredi, sans se douter qu'elle transporte là l'instrument de ma guérison. »

A ce stade il s'était peut-être laissé un peu griser. Il n'hésitait plus à s'appuyer sur sa jambe gauche — ça tenait. Le docteur Albert-Vidal étant parti en vacances après force propos lénifiants, il acheva de fendre le plâtre et arriva à en retirer la jambe en moins d'une minute. Il ne restait plus à résoudre que le problème de l'escabeau. Une cale ? Et comment persuader Joséphine de laisser cet escabeau dans sa chambre ? Sous quel prétexte ? Finalement, en allant jusqu'à la cuisine (sans plâtre, sans canne à pêche, pieds nus, se baissant en passant devant les fenêtres, un vrai sauvage sur la piste) il examina l'escabeau à fond, et découvrit que son instabilité venait de l'absence d'une des petites gaines de caoutchouc qui devaient en entourer les pieds. Retrouver cette gaine, c'était la touche finale des préparatifs. Après l'exécution, la création, la joie et l'émerveillement de Joséphine... Il fallait retrouver cette petite gaine avant qu'elle ne revînt. A moins qu'elle n'ait été déchirée, jetée ? Mais c'était douteux. Joséphine ne jetait jamais rien, c'était son bon côté. Fébrilement, il fouilla les tiroirs de la table, du bahut. Rien. La caisse où l'on rangeait les chiffons à encaustiquer : il y retrouva un pointeau perdu depuis longtemps, et un petit marteau qui pourrait servir. Mais pas de gaine. Et dans le fond du buffet ? Des clous, encore des clous, de la colle à bois, trouvailles qui l'auraient quelques jours plus tôt comblé de joie. Mais il s'obstinait dans son idée. La gaine devait être encore là ; ni sa mère ni la bonne n'avaient dû même se rendre compte qu'elle manquait à l'escabeau. Et elle allait rentrer, sa mère. Ne ressortirait pas, « pour lui tenir compagnie... » Encore un jour de retard... Il s'impatienta. Leva les yeux. Vit la boîte à couture sur l'armoire. Une illumination. Elle devait être là. Elles mettaient n'importe quoi dans la boîte à couture, ces femmes. Elles avaient peut-être cru que c'était un œuf à respirer! Souriant tout seul il approcha la chaise de l'armoire. Il avait pensé à ne pas se servir de l'escabeau, puisqu'il n'était pas sûr. Il leva le bras. Il lui sembla qu'il entendait un grand bruit en lui-même avant de tomber. La chaise qui s'était effondrée avait été bricolée par Antoine.

Elle descendit du taxi, monta l'escalier quatre à quatre, portant à moitié Rachid qui se débattait, sonna plusieurs fois, de façon prolongée. Jo vint lui ouvrir, les yeux gonflés de larmes, le visage tuméfié.

— Qu'est-ce qu'il a? Qu'est-ce qui est arrivé? demanda Allegra hors d'haleine.

Rachid regardait autour de lui avec émerveillement : l'entrée, chez Jo, avait un faux air de luxe avec le lustre à pendeloques, le miroir, la console et le bac à parapluies.

— Il est tombé, dit Jo entre deux sanglots. Il est tombé d'une chaise. Il avait réussi à casser son plâtre, il a voulu se promener, prendre quelque chose sur l'armoire de la cuisine, il est tombé! Alors qu'il allait peut-être pouvoir marcher dans huit jours!

Elle pleurait sans retenue, enveloppant sa sœur de ses bras, tout son petit corps maigre secoué par un orage de chagrin, trop grand pour elle.

— Et... c'est grave?

— La jambe s'est recassée, c'était encore fragile, tu comprends, et le... le poignet gauche. Oh! Mon Dieu! Je n'espère plus maintenant.

— Mais enfin, Jo, des choses cassées, ce n'est pas *si* grave. Il est vivant...

Jo refusa de se laisser détourner de sa peine. A vrai dire, depuis la veille, elle n'entendait plus raison. Elle était vaincue, définitivement vaincue, punie d'avoir voulu aller contre les tabous, les médecins, les traditions, tout. Pourquoi Sauveur avait-il voulu monter sur cette chaise branlante, sinon par un décret d'en haut, une vengeance

378

d'un dieu jaloux qui la voulait brisée, humiliée? Elle n'avait pas arrêté de sangloter depuis la veille; pour la première fois elle avait pleuré même devant Sauveur, tout pâle dans son lit. Elle avait failli griffer le médecin, remplaçant du docteur Albert-Vidal, qui avait feuilleté avec curiosité un carnet d'esquisses trouvé au chevet de Sauveur.

— Nous allons le transporter en clinique dès demain, madame. Il faut le replâtrer, et cette fois, l'avoir à l'œil pour qu'il ne fasse plus d'imprudences. Allons, allons, ce n'est pas si grave que ça. Alors, on a voulu bricoler un appareil de chirurgie, mon bonhomme? Ce n'est pas ça? Pas bête, pas bête du tout. Seulement, la prochaine fois, il vaudrait mieux demander conseil au spécialiste. Mais on va te raccommoder tout ça, va. Tu en verras à la clinique, des appareils. Tu pourras les dessiner tout ton saoul.

Il était jovial, ce médecin. Jo, égarée, ne comprenait goutte à cette histoire d'appareil, sinon que Sauveur, comme d'habitude, n'avait pas pu rester en place. La porte refermée :

— Il est intéressant, ce petit-là, dites donc. Quel âge a-t-il exactement? Onze ans? Ça vous ennuierait que j'emporte ce carnet? Pendant que nous l'aurons là-bas, j'aimerais bien lui faire passer quelques tests, si vous voulez bien.

— Quelques tests?

— Oui, des tests d'intelligence. J'ai l'impression que ce petit bonhomme doit avoir un Q. I. très élevé.

Un Q. I.! Elle n'avait plus pu y tenir. Elle l'avait giflé, puis s'était effondrée, en sanglots. Sauveur, qu'elle avait trouvé évanoui sur le carrelage de la cuisine, la tête en sang, le corps inerte, resterait infirme, elle en était sûre maintenant, et on venait de lui parler de Q. I.! « Crise de nerfs... », avait murmuré cet idiot, et il lui avait envoyé une infirmière. Maintenant elle attendait l'ambulance, d'une minute à l'autre.

— Mon Dieu! murmurait Allegra; elle se sentait les jambes molles. Malgré ses larmes, Jo remarqua la pâleur de sa sœur.

— Viens dans la cuisine. Je vais te donner un cognac. Ça t'a fait un coup, à toi aussi.

Elles traversèrent le couloir, Rachid sur les talons. Josée ouvrit l'armoire.

— Bon, il n'y a que du rhum. Ça t'est égal?

Elle n'entendit pas de réponse, se retourna. Penchée au-dessus de l'évier, Allegra vomissait par saccades.

★
★ ★

Il faisait toujours aussi bon sous les pins. Le temps semblait inaltérable. Le tricot de Vanina avançait. Les cigales étaient toujours à leur poste. Le ronronnement des voitures semblait venir du fond des âges. Le docteur Svenson s'avança à pas de loup, avec des allures de conspirateur. Son rare sourire le rajeunissait.

— Je suis passé par la cuisine, j'ai pu les éviter, chuchota-t-il.

Vanina se mit à rire sans bruit.

— Où est-ce qu'ils sont? chuchota-t-elle aussi.

— Sur la véranda. Ils ont capturé Camille. On a une heure de tranquillité devant nous.

Il s'agissait, bien entendu, de l'entité Pascal-et-Rosette, que tout le monde s'amusait à fuir, mais qui réussissait une prise de temps en temps.

Le docteur Svenson se laissa tomber sur une chaise longue, sortit de sa poche un étui à cigares, et l'alluma avec gourmandise.

— C'est comme les coups de marteau, Pascal et Rosette, dit-il un peu plus fort, c'est bon quand ça s'arrête. Pas de nouvelles des filles? Le facteur est passé?

— Une carte de Paule. Elle ne parle que de la chaleur et des travaux.

— Elles n'écrivent pas beaucoup, on dirait...

— Elles écrivent rarement. Mais c'est si rare qu'elles ne passent pas les vacances avec nous...

— Ça te manque? demanda-t-il affectueusement.

Elle se le demanda. Combien de fois, au cours des étés toujours identiques, avec sa famille groupée autour d'elle, le transistor de Renata, les chiens des environs que Sauveur trouvait toujours moyen d'attirer, les remar-

380

ques de Jo qui ne trouvait pas les menus assez abondants pour les enfants, celles de Paule qui les trouvait trop abondants et pas assez équilibrés, Bonne-Maman qui exerçait sa verve aux dépens de Pascal-et-Rosette qui se vexaient et qu'il fallait apaiser, Antoine qui empuantissait la maison avec du poisson que personne ne voulait manger, et par-dessus tout Camille légitime propriétaire du mas (« mais après tout ce qu'on a fait pour lui ! » disait Bonne-Maman) et qui en tant que maître de maison critiquait tout avec une douceur supérieure (l'éducation des enfants, la cuisine qu'on lui servait, la prostration de Hjalmar, le bateau d'Antoine) combien de fois Vanina n'avait-elle pas souhaité des vacances plus calmes, un peu de solitude, un peu de silence qui lui permette de goûter la beauté du ciel, l'odeur des pins échauffés par le soleil, la présence de son mari. Elle l'avait souhaité sans croire que ce fût possible ; et si son rêve s'était accompli, c'était à cause de tant de circonstances regrettables (maladie de Sauveur, inconduite de Paule, rébellion d'Allegra) qu'elle ne se sentait pas le droit d'en profiter. Mais allez expliquer cela à un homme !

— Tout de même, les trois filles à Paris ça fait un vide, soupira-t-elle.

— Il ne va rien leur arriver, va, à tes filles. Il faut toujours que tu te tracasses. Elles n'ont plus douze ans, elles sont capables de se débrouiller toutes seules.

Leurs deux chaises longues, vétustes, en osier (les mêmes depuis une éternité) étaient disposées côte à côte, sous le grand pin parasol, orgueil du mas. Ils étaient bien. Le docteur Svenson posa sa main sur celle de sa femme.

— Pour une fois, profite donc vraiment de tes vacances ! Détends-toi... A Paris, tu en fais trop, tu vis dans une tension nerveuse effrayante. Laisse tout ça un peu derrière toi. Je voudrais te voir vivre comme un lézard au moins quinze jours. Et les lézards ne tricotent pas, tu sais...

Le ton était affectueux. Le geste, par lequel il lui avait pris la main, affectueux. Il désirait vraiment qu'elle se reposât. Il avait été jusqu'à intervenir pour réglementer les « tours de cuisine », parce que si on laissait faire Rosette, Vanina serait obligée de lui porter ses repas au lit sur un plateau. Il prenait soin d'elle. Comme de ses malades. Il l'encourageait, la conseillait — comme ses malades. Sa bonté impersonnelle, découragée. C'était vrai qu'elle se tracassait trop. Mais vivre sans tracas, sans projets, sans contact, sans espoir, est-ce que c'est vivre? Quand elle ne le voyait pas elle se disait toujours que s'ils étaient seuls, s'ils avaient du temps devant eux, les paroles leur viendraient, qui n'avaient jamais été dites. Mais ils étaient seuls au centre de l'été, ils avaient le temps, et ils ne disaient rien. « C'est moi qui suis égoïste, qui demande l'impossible... Qu'est-ce que je souhaite, au fond? Qu'il me regarde, un moment, autrement que comme sa secrétaire, son infirmière, la mère de ses enfants, et même sa femme. Comme une personne qui s'appelle Vanina et n'est pas très heureuse... » Aspiration coupable, puérile. Quand elle le voyait allongé près d'elle, sur sa chaise longue, les yeux ouverts, fixant vaguement le ciel à travers les branches de pin, à l'idée que le temps passait, que l'été passait, et qu'ils retourneraient à Paris sans que rien fût changé entre eux, elle en avait les larmes aux yeux. Réaction d'adolescente, ridicule chez une femme qui avait dépassé la cinquantaine...

« Qu'est-ce qu'il a fait de moi? » pensait-elle avec angoisse. Pour les autres, elle avait une personnalité, elle n'était plus jeune, mais toujours élégante, elle se savait laide mais racée, « distinguée » comme on dit, elle était volontiers caustique, elle aimait la musique, elle s'intéressait à la théologie, à l'histoire, elle n'était pas n'importe qui, enfin. Pour Hjalmar, elle était n'importe qui. Elle se rappela un roman qu'elle avait lu autrefois (et pas du tout aimé, du reste : il lui avait paru choquant) mais dont le titre l'avait frappé : *Les Amitiés particulières.* Voilà, Hjalmar n'avait pas d'amitiés particulières. Son affection, ses bonnes paroles, s'adressaient à n'importe quelle femme assise à ses côtés, à une femme transparente. « Hjalmar s'adapte partout, il est toujours content », disait Bonne-Maman au moment de leur mariage, quand elle se réjouissait de cette acquisition, de ce nouveau gendre heureusement sans famille, qui leur serait tout acquis. Et elle, naïve, se réjouissait aussi. Comme il avait accepté la famille la France, la Corse, le vieil appartement des Batignolles que le cousin inspecteur des Finances leur avait cédé! Elle s'émerveillait devant ces concessions arrachées, croyait-elle, à l'amour. Elle admirait alors sa douceur un peu triste, le temps qu'il consacrait à ses malades, et même qu'il ne voulût pas trop s'y attacher, pour mieux les guérir. La famille répétait : « Pour Jaja, la médecine est un sacerdoce » et elle en était bêtement fière. Cet homme exceptionnel lui appartenait, l'aimait. Elle le croyait alors. Elle se croyait privilégiée. « L'homme ne séparera pas ce que Dieu a uni. » Avaient-ils jamais été unis? Avait-elle jamais été, un seul instant *préférée* au reste du monde? Du moins Phil serait aimé. Allegra n'aurait pas l'excuse d'un « sacerdoce » pour s'échapper. Et quand ils auraient un enfant, elle n'en aurait même plus envie, pensait Vanina, ingénument féroce.

— Quel vilain pli entre tes sourcils! Mais n'y pense pas tout le temps, à tes filles! dit-il avec une affectueuse indulgence. Pense un peu à moi, pour changer.

Pour changer!

— Je pense toujours à toi, mon chéri, dit-elle en reprenant son tricot.

Ils offraient l'image même de la paix familiale.

★
★ ★

— Elle ne t'a toujours rien dit?

— Puisque je te dis que non.

— Mais tu n'as pas l'impression...

— Je ne suis pas une femme, dit Phil avec mauvaise humeur.

Oh! son futur bureau tout blanc chez Carmen Corail! Les occupations absorbantes et futiles, les étiquetages, les analyses, les rouages qui se mettent en marche et vous entraînent doucement! Il ajouta plaintivement :

— Pourquoi est-ce qu'il faut que tu me harcèles constamment?

— Je dois être un peu maso, je suppose, dit Paule.

Les larmes lui vinrent aux yeux, faciles, douces.

— Parce que quand je te harcèle c'est moi qui en souffre le plus, tu sais...

Ils étaient « pour la dernière fois » couchés, ce samedi soir, dans la minuscule maisonnette de Sacy. Ils attendaient, à l'orée du village, ou plutôt elle attendait dans sa voiture, près de l'élevage de truites, pendant que Phil montait la côte pour voir si le camion de l'entrepreneur, M. Bordani, était encore dans la cour. Il revenait avec un sourire. Ces ruses de guetteur, ça l'amusait. Ça lui rappelait l'enfance, pas celle qu'il avait eue, mais celle qu'il aurait aimé avoir, les jeux d'indiens et de policiers de ses camarades, pendant que lui travaillait sous la suspension de la salle à manger. Rien en vue.

— Rien en vue.

Paule roulait doucement jusqu'au bord de la petite rivière. De là, on ne pouvait pas repérer la voiture. Ils remontaient le talus, souvent glissant, quand il avait plu la nuit, ils arrivaient dans la vaste cour qui malgré les travaux paraissait toujours aussi abandonnée, ils entraient dans cette maison si petite, avec ses deux pièces superposées et l'escalier de poupée qui conduisait de l'une à l'autre. Dans cet espace si restreint ils connaissaient déjà chaque objet : en bas, dans la cuisine salon salle à manger, les tommettes cirées, la table ronde en acajou, les quatre chaises qui avaient été en velours bordeaux, fané jusqu'à un rose mité; le fourneau, à côté de la cheminée, et même le petit réfrigérateur usé mais propre : le vieux gardien n'avait emporté, de cette pièce chaulée, que la garniture de poêlons de cuivre, d'assiettes de faïence et de fusils de chasse. Là-haut, le lit trop petit, ou plutôt trop court, le parquet aux lames très larges, luisantes encore de tant d'encaustique, la commode à dessus de marbre, le prie-Dieu et sur la cheminée les fleurs sous globe, il avait tout laissé, puisqu'il se remeublait « en moderne ». Paule dévorait chaque objet des yeux, le plafond bas où pris dans le torchis on apercevait des brins de paille, les poutres, la fenêtre basse.

— Tu dors? demandait-il parfois après un moment de silence.

— Mais oui... répondait-elle, en prenant bien soin de faire sentir qu'il n'en était rien, qu'elle ruminait douloureusement la précarité de leur situation, la fin inévitable de ces heures de paix.

— Pourquoi, dis-tu : oui? Je vois bien que tu ne dors pas.

Elle soupirait. Les larmes, toujours les larmes, les larmes contenues de toute une vie qui lui venaient sans effort, ne l'enlaidissaient même pas, lui rougissaient à peine les yeux.

— Mais ne recommence pas à pleurer comme ça! Ma chérie!

Il était irrité, attendri. Cette femme qui pleurait pour lui, souffrait pour lui! ça l'émerveillait un peu tout de même, comme s'il avait vu se réaliser sous ses yeux un roman, où il aurait tenu un rôle flatteur. Allegra ne lui donnait pas du tout ce sentiment d'être mêlé à une aventure romanesque. C'était autre chose.

— Je ne pleure pas exprès, tu sais. C'est devenu une seconde nature.

Elle esquissait un petit sourire mouillé, courageux. Tout à fait artificiel — mais depuis des semaines, elle était entraînée irrésistiblement à jouer un rôle, à adopter des conduites qui ne correspondaient pas à ce qu'elle croyait être sa nature, franche, indépendante, courageuse — mais était-ce vraiment sa nature, puisqu'elle éprouvait un tel soulagement à en sortir? Etait-elle vraiment la femme qui disait à Etienne (et à d'autres) : « Il faut que tu te détermines tout à fait librement... Je ne suis pas une femme qui s'accroche... qui fait pression... » Qu'est-ce qu'elle était d'autre, dans la petite maison de Sacy? Et c'était d'autant plus cruel qu'elle s'accrochait, qu'elle pleurait, dans une situation dont elle-même avait déterminé l'issue.

— Ah! si seulement... soupirait-il vaguement. Que voulait-il dire? S'ils s'étaient rencontrés plus tôt? Si elle n'avait pas été sa belle-sœur? Ou s'il n'avait pas aimé Allegra?

— Si tu m'avais rencontrée avant... tu m'aurais épousée, n'est-ce pas?

Elle s'arrachait de la bouche ces mots humiliants, elle

se suppliciait, mendiante résolue à se voir refuser sa requête.

— Mais oui... bien sûr.

Il ne l'aurait pas épousée. Il aurait attendu de rencontrer une de ces femmes frigides, indifférentes et douces, fluides comme Allegra, qu'on ne peut pas saisir, qui toujours se dérobent savamment et conservent ainsi leur empire, même dans le lit, dans les bras d'une autre. Tout à coup Allegra prenait les dimensions d'une fée malfaisante, d'une Mélusine, qui s'interposait entre les amants de chair, et que seul un exorcisme pourrait vaincre.

— Elle ne t'a toujours rien dit?

— Puisque je te dis que non...

— Mais tu n'as pas l'impression...

Son insistance était indécente. Elle était indécente, vulgaire même. Et après? Puisque c'était la dernière fois, ou presque...

— Elle est peut-être un peu pâle...

Il se laissait prendre au jeu, se laissait aller à parler d'«elle» comme d'un être surnaturel, aux réactions imprévisibles, qu'on ne peut qu'observer de loin.

— L'autre jour elle s'est plainte de vertiges... mais il fait si chaud.

— Elle est peut-être stérile...

Il s'énervait à son tour. Cette situation absurde, cette folie...

— Pourquoi stérile? Tu t'imagines qu'on fait des enfants comme ça, à la demande, le jour même? Tu le voudrais, qu'elle soit stérile? Ça changerait quelque chose?

Elle sanglotait avec rage.

— Je le sais bien, va, que ça ne changerait rien. Frigide, stérile, qu'est-ce que ça change, quand on aime, et tu l'aimes!

— Mais non... mais non, c'est autre chose, c'est...

Elle se dressait, assise dans le lit, ses beaux yeux, ses beaux seins, ses cheveux noirs ruisselants, ses larmes...

— C'est l'éternelle excuse de tous les hommes mariés, voilà ce que c'est! Comment oses-tu... Ce n'est pas la même chose! Dans les feuilletons les plus éculés, on

386

n'ose plus écrire des phrases comme ça! Tu me prends vraiment pour une imbécile, une folle, une hystérique, je ne sais pas? Autre chose! Va lui dire ça, à ta femme, que c'est autre chose!

— Je n'y manquerai pas, dit-il, avec une colère froide. J'y vais même tout de suite, si tu veux.

— Mais vas-y! vas-y! Tu en meurs d'envie!

— Pourquoi pas? D'autant plus que je puis t'assurer qu'elle n'est pas frigide le moins du monde.

Avec un cri de rage, elle bondit hors du lit, commença à se vêtir fébrilement, tâtonnant pour fermer son soutien-gorge, se débattant un instant pour passer la tête dans l'échancrure de son pull de soie. Il ne bougeait pas. Elle ne pourrait pas partir, il le savait. Il jouissait amèrement du plaisir de dominer la situation.

— Alors, tu m'abandonnes, ou tu vas me traîner de force jusqu'à la voiture? Songe qu'il n'y a pas de téléphone, pas de gare, et qu'il faudra que j'appelle un taxi du village...

— Salaud! dit-elle en se laissant tomber sur le prie-Dieu.

Elle entendait sa voix si fausse, ce dialogue si artificiel et cependant inévitable, fatal. Elle ne pouvait pas se comporter autrement, ni lui. Il n'agissait pas non plus selon « sa nature ». Il n'était pas cruel, ni moqueur. Qu'est-ce qui les obligeait à cette attitude, à cette torture? Elle savait qu'elle allait revenir près du lit, près de lui, qu'ils allaient s'étreindre à nouveau, se déchirer à nouveau, pour rien, pour le plaisir.

— Viens donc... dit-il doucement.

« Viens donc... » Il savait, lui aussi. Il savait qu'il leur fallait agir ainsi, que cette convention était peut-être leur seule façon de se rejoindre, de ne pas avoir peur l'un de l'autre. A l'abri derrière les personnages éternels de ce qu'on appelle l'amour, ils pouvaient se délivrer de leurs cris, de leur désir, des paroles jamais prononcées, adressées à d'autres peut-être... A l'abri derrière la colère, la jalousie, ils pouvaient s'entraider...

Ils se serraient dans les bras l'un de l'autre, sans douceur, comme si un grand danger les avait menacés.

— Mais quand tu découches... mais quand tu rentres, est-ce qu'elle...

— Tu sais comment elle est... elle n'a pas l'air de...
Malgré la solitude de la maisonnette, le silence, la
pénombre, ils chuchotaient comme s'ils avaient préparé
un crime. C'en était peut-être un. Peut-être.

★
★ ★

— C'est ma faute. Si j'avais été moins égoïste...
Allegra tenait dans sa main la main brûlante de sa
sœur, qui délirait, les yeux secs, dans son appartement
triste, dans son salon glacé, pompeux, assise — une
autre se fût couchée, délivrée par des cris, des pleurs,
mais pas Jo. Deux jours de faiblesse, c'est assez. Elle
regardait la situation en face, elle se déchirait à froid.
— Mais ce n'était pas égoïste de souhaiter...
— Si. Parce que je voulais qu'il guérisse pour moi.
Parce que je me suis révoltée contre ma souffrance à
moi. Parce que je ne voulais pas qu'on me plaigne, pas
être cette pauvre femme qui a un fils infirme. Si je
n'avais pas tant voulu qu'il guérisse, il n'aurait pas
imaginé cette folie, cette espèce de machine qu'il voulait
construire, il en serait encore à dessiner ses maquettes
d'avion, et peut-être il aurait guéri... Le piège, tu vois.
— Mais peut-être qu'à l'hôpital...
— Il boitera. La même jambe cassée deux fois de
suite, en pleine croissance, avec sa déficience osseuse...
Tu sais la première chose qu'il m'a demandée, en se
réveillant? Si avec ses économies il avait assez d'argent
pour s'acheter un électrophone, parce qu'il voudrait
profiter de ce nouvel accident pour étudier la musique.
— C'est un enfant extraordinaire...
— Oui. J'aurais préféré un enfant ordinaire, tu vois.
Qui coure.
— On ne choisit pas.
— Mais si. D'une façon ou d'une autre. J'ai choisi de
lutter, d'aller chez ce guérisseur. Il a voulu lutter aussi,
avec son bricolage. Il est tombé.
— C'est tout de même beau qu'il ait essayé... murmura Allegra.

388

— C'est drôle de t'entendre dire ça, à toi, dit Jo, avec comme une lueur de sa causticité passée.

— Oh, Jo, ne sois pas désagréable, soupira Allegra, d'une façon inattendue. Je suis si fatiguée.

— Je te demande pardon. Je ne voulais pas. Tu as été si gentille, tu ne m'as jamais critiquée, pas même posé une question.

— Ce n'est pas mon habitude de poser des questions, dit Allegra un peu tristement. D'ailleurs, pour ce qu'on me répondrait...

Brusquement son visage s'éclaira d'une fugitive gaieté.

— Tu te rappelles, au début, quand tu es allée chez ce guérisseur? Je croyais que tu avais un amant!

Quel que fût l'accablement de Jo, elle ne put retenir un bref éclat de rire.

— Un amant! Quelle imagination!

Elles étaient assises l'une à côté de l'autre, dans le salon, sur le canapé en acajou luisant faussement Louis-Philippe, recouvert de satin jaune, comme deux naufragées sur un radeau. Le salon avait un air d'enterrement, de fin du monde. Mais il avait toujours cet air-là, encaustiqué, impeccablement propre, avec ses meubles coûteux et inconfortables. Même la cuisine, dans l'appartement de Jo, était inconfortable, il était impossible de s'y installer pour bavarder. Elles étaient là comme dans une salle d'attente, mais pour Jo, il n'y avait plus rien à attendre.

— Ça m'étonne que Maman ne soit pas encore revenue. Ça ne lui ressemble pas.

— Je ne l'ai prévenue qu'hier. Par lettre, dit Jo d'une voix neutre.

— Pourquoi?

— Et toi, tu l'as prévenue? dit Jo doucement. Ne dis pas : de quoi? Tu m'as très bien comprise.

Allegra se taisait, et regardait le tapis imitation Boukhara.

— Tu ne prenais pas la pilule? Je suppose que ça aurait indigné Bonne-Maman. Ou que tu n'en avais jamais entendu parler.

— Je ne suis pas sûre, dit Allegra.

— Moi je suis à peu près sûre. Mais enfin tu pourrais aller faire un test?

— Je l'ai fait. Positif.

— Mais alors?

— Je ne suis pas sûre de ce que je vais faire.

Elles se turent toutes les deux. Josée avait eu comme un mouvement de surprise, tout de suite réprimé. Il y avait comme un blanc dans son esprit, depuis l'accident. Elle avait vécu si tendue dans son espoir, dans sa révolte, qu'elle ressentait autant de désarroi que de chagrin.

— Je ne comprends pas, dit-elle au bout d'un moment, avec un petit frisson.

— Il n'y a rien de spécial à comprendre.

— Tu n'es pas sûre de vouloir cet enfant, c'est ça? dit Josée d'une voix prudente. Comme elle aurait bondi, un an ou deux avant! Un ou deux mois avant, même.

— C'est ça... Tu sais, ce que tu disais tout à l'heure? Le piège...

— Ça n'a aucun rapport! s'écria impulsivement Josée. Puis elle craignit d'avoir blessé sa sœur, son alliée.

— Note bien que je ne te critique pas... Peut-être, après tout... Tu crois que ça ferait un choc au petit? Que ça retarderait sa guérison? C'est ça?

— Si tu veux, dit Allegra. Il me suffit.

— Le petit?

— Oui. Il me suffit... Pourquoi faut-il que j'en aie d'autres?

— D'autres! Mais, Allegra, ce n'est pas la même chose!

— Si, dit-elle avec une fermeté subite, c'est la même chose. C'est toujours la même chose. On a des enfants, ils grandissent, ils guérissent, ils... Pardon, Jo.

— Ce n'est rien. Continue.

— Continue, quoi? Tu peux l'expliquer, toi, pourquoi tu n'as pas prévenu Maman tout de suite?

— Elles allaient tellement triompher... Oh! comprends-moi, je ne veux pas dire que Maman ou Bonne-Maman, ou Lucette, je ne sais pas, les femmes de la famille, qu'elles n'aiment pas Sauveur, non, ou qu'elles ne m'aiment pas... Je suis sûre que s'il y avait eu un moyen de le sauver, un moyen officiel, elles se seraient cotisées, elles auraient donné leur sang... Je sais que c'était fou, que c'était peut-être inutile d'aller chez ce guérisseur. Mais ce n'était pas un crime! Pour elles, si. Je devais me résigner, je devais être courageuse, héroïque, c'est-à-dire ne pas me plaindre, ne pas agir, et tout accepter. Je ne pouvais pas. Tu sais, comme on raconte toujours ces histoires ridicules de Tante Amélie dont le mari s'est sauvé pendant six mois sur la Côte, et qui ne lui a dit, quand il est rentré, que « Ta soupe est sur la table » ? Ou Bonne-Maman elle-même quand l'Oncle Jean a été tué en 40, et qu'elle a dit je ne sais quoi comme : « Ce ne sera pas inutile » ? On nous a bourré le crâne avec des sacrifices, des héroïsmes quotidiens, et quand Sauveur est tombé malade, enfin quand on a découvert qu'il était malade, j'ai brusquement senti que tout ça était faux. Que les belles paroles du genre : « Dieu me l'a donné, Dieu me l'a repris » étaient fausses, de la tricherie, une lâcheté finalement. Il fallait se battre pour que Dieu ne reprenne pas ce qu'il avait donné, et tout le reste, c'était de la tricherie pour qu'on ne se batte pas...

— Se battre... Tu crois que c'est ça qu'il faut faire?

— Tu ne viens pas de me dire que tu envisageais de ne pas garder cet enfant?

— Si...

— Alors? Tu veux te battre pour que Rachid guérisse à n'importe quel prix, même si c'est ce prix-là, non?

— Je veux parce qu'il veut, dit Allegra d'un air de détresse. Mais je ne suis pas sûre qu'il ait raison.

— Qu'il ait raison! De vouloir guérir?

Josée tombait des nues. Allegra regarda sa sœur avec découragement. Comment lui faire comprendre? Quand elle disait que Rachid lui suffisait, ce mot suffire englobait tant de choses...

Elle dit, avec le sentiment de trahir quelque chose :

— Quand il parlera, je l'aurai perdu.

Ce n'était pas l'exacte vérité, cette chose ténue qu'elle essayait de percevoir dans le silence, cette plénitude qu'un regard de Rachid lui avait donnée et qu'il allait peut-être lui reprendre... Un rien, un trésor de pacotille, comme ceux qu'elle enfouissait, enfant, sous l'ombre des pins et des lauriers du mas, verroterie, billes d'agate, pour se donner la joie de les retrouver, dons

gratuits du hasard, dons précieux et sans valeur...
Comment exprimer le don que lui avait fait Rachid,
peut-être sans valeur pour l'enfant lui-même? A vouloir
en parler, ce qui lui avait paru lumineux, évident, s'évaporait.

— Je ne te savais pas si possessive, dit Josée.
Et avec un élan vrai, elle embrassa sa sœur. Elle
croyait la comprendre. Les passions se ressemblent : elle
retrouvait sa sœur. « Comme je l'ai mal jugée! pensait-
elle. Elle l'aime. »

— Mais alors?

— C'est lui qui veut parler, qui veut guérir, dit Allegra incertaine. Il faut qu'il fasse ce qu'il veut, non?

— Mais tu en souffres? Tu voudrais le garder tout à
toi?

— J'ai du chagrin, dit Allegra avec simplicité.

Cela, du moins, était vrai. Josée, devant la possibilité
de donner un conseil, de venir en aide, se reprenait vite.

— Veux-tu un porto? proposa-t-elle, mue par le désir
de mettre un peu de désordre, un peu de vie dans la
pièce. J'ai tout ce qu'il faut, j'ai eu trois dîners qui ont
sauté, j'avais des apéritifs, des amandes, plein de choses
qui sont restées là.

— Parce qu'il faut un dîner remis pour que tu aies
quelque chose de potable chez toi? dit Allegra, pâle
imitation des plaisanteries familiales.

Jo eut un rire complaisant.

— On ne peut pas toujours boire de la myrte... Pauvre Maman! Qu'est-ce qu'elle dirait si elle entendait nos
conversations! « Des enfants qui ont été si préservées! »
et Bonne-Maman « Si elles avaient cassé la glace dans
leur cuvette aux Filles-de-Marie, elles n'en seraient pas
là. » Pour elle, tous les péchés proviennent de l'inven-
tion du chauffage central.

Elle disposait des verres sur un plateau, la bouteille
de porto, des biscuits. La table était haute, inconfortable, elles durent en rapprocher les petites chaises raides,
en quittant le sofa. On aurait dit qu'elles étaient assises
à une table de café, attendant quelqu'un.

Jo vida son verre d'un trait et parut reprendre des
forces.

— Enfin, qu'est-ce que tu comptes faire? Te faire avorter? (elle prononça le mot d'un petit air brave : c'était la première fois) la famille ne sera pas d'accord, tu sais.

— Je ne compte pas les mettre au courant.

— Phil?

— Il ne sait même pas...

— Oh! Allegra! Tout de même...

— Tu vas lui dire? dit-elle, avec un regard traqué.

— Non, soupira Jo. Non, bien sûr. J'ai encore un peu d'honneur. Mais tu regretteras peut-être...

— Je ne suis pas décidée.

— Qu'est-ce que tu attends?

— De toute façon je le perdrai, dit Allegra.

— Tu veux dire s'il guérit comme s'il ne guérit pas?

— Que j'aie un autre enfant ou que je n'en aie pas.

— Alors est-ce qu'il ne vaudrait pas mieux en prendre ton parti?

— Est-ce que tu en as pris ton parti, toi?

Tout à coup elles étaient presque dressées l'une contre l'autre, et le regard d'Allegra était devenu farouche. Mais Jo se calma tout de suite.

— Non, mais j'ai perdu. Perdu parce que je voulais tellement gagner. Oh! peut-être même pas. Perdu parce que nous ne pouvons que perdre. Parce qu'on nous apprend à perdre.

— Qui ça, nous?

— Eh bien, les femmes.

— Mais je croyais que tu parlais de Maman, de Bonne-Maman...

— Je parle d'elles. Elles nous veulent comme elles, dans un monde qui n'est plus celui qu'elles ont connu.

— Tu parles comme Paule, dit Allegra, pensive.

Josée reversa deux porto. Elle s'animait, redevenait elle-même.

— Oh! Paule... C'est une fausse dure...

— Je croyais que vous vous entendiez bien.

— Quand on s'entend bien, c'est qu'on ne s'entend pas. Regarde, toi et moi. C'est la première conversation qu'on a depuis des éternités. Parce qu'on a un problème commun. Parce qu'on veut sortir du moule. Bon, la voilà qui rit! Briser leurs conventions, si tu préfères, mais je trouvais ça un peu « Paule » justement. Le fait que tu te sois attachée à cet enfant, simplement attachée, le fait que tu n'en veuilles pas *d'autre* pour l'instant, comme tu dis, eh bien pour elles, si elles le savaient, tu serais un monstre, tout simplement, un monstre. Parce que tu as une volonté, tout simplement — il faut dire que tu as caché ton jeu!

Allegra rit encore, soulagée de sentir que la chaleur, la cordialité, et l'agressivité qui allait de pair, refluaient en Josée. Tout cela était peut-être un peu à côté de la question, mais sa sœur avait perdu cette pâleur olivâtre, cette raideur effrayante qui résultait de la tension nerveuse.

— Mais Maman et Bonne-Maman...

— Ont de la volonté? C'est certain, et même une sacrée volonté; mais elles l'ont appliquée à entrer dans le moule, quoi que tu penses de cette expression. Et plus c'était dur et difficile et biscornu, plus elles ont été contentes d'elles-mêmes. Et Paule, avec le travail qu'elle s'est mis sur le dos, et ces amours qu'elle s'est refusées, tu ne crois pas qu'elle s'est déformée aussi, qu'elle a essayé de ressembler à quelque chose qu'elle n'était pas? Et toi, qui se serait douté...

— Tu parles comme si j'étais une hypocrite...

— Pas plus que moi, dit Josée avec amertume. Tu les as crues, c'était normal. Elles t'ont prêchées, c'était normal aussi, ça les justifiait. Et après tout est-ce qu'elles n'ont pas toujours pris toutes les vraies décisions dans la famille, est-ce qu'elles n'ont pas fait ce qu'elles voulaient? C'est leur vouloir même qui était faussé, dès le départ. Comme le mien, le tien...

Allegra regardait le fond de son verre.

— Oh, tu sais, moi, je n'ai jamais tellement cru... Je n'ai cherché qu'à les contenter.

— Pauvre petite, va. Et aujourd'hui?

— Si je pensais qu'elles pouvaient comprendre...

— Elles pourraient. Elles trouveraient immoral de comprendre. Ou elles te diraient qu'il n'y a rien à comprendre, que la règle, le devoir, toute cette gymnastique... Je les comprends si bien! J'ai été comme ça. Je croyais y gagner quelque chose, non, peut-être pas, le mot est trop gros, mais, si tu veux, jouir d'un certain crédit, pouvoir m'autoriser certaines libertés. Mais non. Souhaiter que Sauveur guérisse, le souhaiter vraiment, pas un vœu pieux, mais comme on souhaite quand on aime, c'était trop, c'était une espèce d'inconvenance, le refus de tendre le dos puisque j'étais faite pour porter des fardeaux qu'elles osaient appeler des croix!

Allegra se taisait devant cette violence chuchotée. A travers la table elle tendit la main, serra la main de sa sœur sans en ressentir aucun réconfort. Cette rage sèche était loin d'elle, elle emportait Josée comme un orage, et le petit visage ingrat souriait vaguement, comme on sourit dans un ouragan. Allegra revit la pièce bleue, isolée comme un bateau, un cerf-volant au plafond, souhaita s'y retrouver. Elle n'avait pas eu l'intention de consulter Josée, dont la violence la ravageait. Elle découvrait là des remous, des profondeurs qu'elle n'avait pas souhaité connaître, des questions qu'elle ne s'était pas posées.

— Je ne me suis jamais posé toutes ces questions, tu sais, dit-elle maladroitement. Je ne leur dis rien parce qu'au fond, on ne s'est jamais dit grand-chose...

— C'est ce qu'on appelle une famille unie, ma petite.

— Tu es méchante. Je les aime.

— Je suis méchante! C'est toi qui es bonne, et qui vas tout naturellement, sans consulter personne, ni ton mari ni ta mère, te faire enlever un enfant comme une verrue, bien peignée et l'air sage! Remarque, tu fais ce que tu veux. Tu es bien libre.

Allegra était devenue toute blanche. Elle se leva et prit son panier de raphia. Jo boudait, gênée au fond de cet éclat. Elle aurait dû savoir que la petite était incapable de comprendre. Pas de sang dans les veines (elle se rappela, après, s'être fait cette réflexion). Qu'elle fasse ce qu'elle voulait. Elle ne s'en mêlerait plus.

— Tu t'en vas?

— Je m'en vais.

— Tu es fâchée?

— Mais non, je ne suis pas fâchée.

— Qu'est-ce que tu vas faire?

Allegra déjà sur le seuil, s'arrêta pour regarder sa sœur avec gravité.

— Ce que je veux. Comme tu dis, je suis bien libre.

*
* *

Dans le rétroviseur du taxi, elle aperçut son visage : pâle presque laid. « Je suis insignifiante, vraiment... » se jugea-t-elle sévèrement. Il y avait un peu plus d'un an, quand elle avait épousé Jean-Philippe, la classique petite mariée blonde et blanche, dans ses tulles prétentieux, le jaillissement banal des œillets et des asparagus dans le miroir du salon, elle s'était ainsi regardée, avec une envie de rire devant ce stéréotype qu'on s'accordait à déclarer « un ravissement! » et qui était elle. Elle avait été plus gaie que Phil ce jour-là, et Vanina qui trouvait qu'un peu de gravité eût mieux convenu, soupirait sous sa voilette à pois : « C'est une enfant! Une véritable enfant! » Elle n'était pas une enfant : elle vivait cet instant avec un total contentement, c'est tout. Elle aimait Phil, elle les aimait tous, son père avec sa douceur un peu hébétée, sa mère, s'affairant autour du troupeau comme un chien de berger, sa grand-mère, royale sous une terrible capeline en paille noire, et Josée soutenant Sauveur, et Antoine qui s'informait du menu, et Paule qui s'était habillée exprès d'un deux-pièces de toile, « très déplacé » et tout froissé. Elle les aimait. Elle s'en croyait donc aimée. Elle n'y pensait pas. Elle se mouvait à l'aise dans l'espace qui lui était dévolu, si limité fût-il. Elle se résignait en riant à être cette jeune épousée « ravissante » tout en haussant les épaules devant la glace. « Je suis insignifiante, vraiment! » Ça l'amusait. Elle avait été dressée à cette forme de dénigrement indulgent d'elle-même. Il lui convenait. Elle n'arrivait pas, aujourd'hui encore, à croire que sa personne ou ses actes pussent avoir beaucoup d'importance. Pourtant tout avait changé. Quand elle se revoyait ce jour si proche encore de son mariage, prête à partir en voyage de noces avec Phil, en Italie, entourée de sa famille, pour la photo finale, insérée dans sa famille, placée bien au centre, exceptionnellement, mais avec aisance, placée où il convenait, comme quelques mois auparavant à l'arrière-plan, fille cadette sans trop de personnalité, quand elle se rappelait ainsi soutenue, encadrée, protégée, entourée de l'approbation générale, « casée » comme disait sa mère, et le mot n'était pas bien joli sans doute, mais correspondait à une réalité profonde, car ne s'était-elle pas toujours tenue à la case qu'on lui avait assignée, et n'avait-elle pas toujours eu l'intention, la certitude, de s'y tenir, quand elle pensait à cette page d'album, et à quel point en un an, tout avait changé, une détresse étonnée l'envahissait.

Tout avait changé. Elle ne songeait pas à en incriminer les autres. Elle ne songeait pas à s'en accuser. Tout avait changé comme le temps change. Elle frissonnait. Etait-il possible que cette trame à laquelle elle s'incorporait facilement fût si fragile qu'elle se rompît pour un si faible écart? Les certitudes au milieu desquelles elle avait grandi étaient-elles si faibles, pour s'effriter à la première péripétie? Après tant d'autres indices, la trahison de son corps : comme si lui aussi avait une vie à part, et choisissait de son côté... « Phil ne voulait pourtant pas d'enfant... », se répétait-elle, perplexe. Elle n'incriminait ni le hasard, ni l'accident, comme disent les femmes. Elle savait, d'une conviction aveugle et têtue, que Phil avait voulu cet enfant. Il voulait un enfant qu'elle n'aurait pas désiré, pas choisi. Il voulait un enfant pour les séparer. Etait-ce possible? Ce sont des choses qu'on ne peut pas formuler. On a l'air d'une folle.

— Arrêtez-moi là, dit-elle au chauffeur, il y a un sens interdit.

Il se rangea, lui rendit sa monnaie d'un air surpris. Elle avait une larme ou deux sur les joues. Pas plus.

La pièce était vide. Rachid était parti depuis cinq heures, Phil n'était pas arrivé. Il était huit heures. « Les jours raccourcissent déjà », constata-t-elle avec un brusque désespoir. Que la lumière déclinât lui faisait sentir brusquement le peu de temps qui lui restait.

Assise en tailleur au centre de l'appartement, elle essaya de s'imaginer revenue en arrière. Jeune mariée, locataire d'un studio charmant, choisissant avec soin ses meubles, sa vaisselle, assortissant ses couleurs, mettant son point d'honneur à tout acheter au moindre prix, mais avec goût. Cette œuvre lui avait paru suffisante. Elle avait composé le cadre de leur vie comme un tableau. Elle s'était appliquée à être pour Phil une compagne agréable. Elle avait composé sa conduite comme un tableau. Avec plaisir. Avec la conviction de faire plaisir. Les journées étaient fraîches, colorées. Chaque chose avait sa place. On aurait dit qu'il n'y avait que des matins. L'enfant faisait partie de ces matins. Ce rare sourire, ce rayonnement d'autant plus précieux... Comment pressentir un danger? Elle avait commencé, elle s'en souvenait, par lui tendre de temps en temps un bonbon, qu'il ne mangeait pas. Puis elle l'avait défendu, au moment de l'histoire du réfrigérateur. Jusque-là c'était tout simple, on ne pouvait pas lui attribuer de torts n'est-ce pas? Ce n'était pas ce geste tout simple qui avait pu changer quelque chose. Même quand elle avait fait monter chez elle cet enfant malheureux. «Tout le monde en aurait fait autant», plaidait-elle, devant l'invisible tribunal. Tout le monde en aurait fait autant, mais pas de la même façon. Il lui semblait entendre la voix sans appel de sa mère. Sa culpabilité commençait-elle là? Ou au moment où elle s'était mise à l'aimer?

Tout le monde convient que l'amour est une belle chose. L'amour des époux, des amants, l'amour maternel. Une chose heureuse. Mais Phil n'était pas heureux et Rachid voulait parler. Pauvre projet d'enfant, s'il venait au monde, que désirerait-il à son tour? Elle n'aurait rien désiré, si on l'avait laissée libre.

Une robe parfois, un concert, une promenade au soleil, un silence, c'était ce qui ressemblait le plus chez elle à un désir. Et pourtant quand elle avait regardé son père, en face de Rachid, ces yeux perdus, glauques, en face du petit visage tendu, passionné, elle avait pensé, mal à l'aise «il ne désire pas le guérir. Mais ce n'est pas la même chose». Elle n'avait pas ces yeux-là. Elle désirait que Phil, que Rachid, soient heureux. Que Josée, que Paule, fussent heureuses. Que Vanina fût aimée, et Bonne-Maman en paix avec elle-même. Seulement elle ne s'était jamais aperçue que ces choses leur manquaient, avant Rachid. Sa sérénité, son silence étaient sortis d'elle, doucement, comme on perd son sang, et elle se sentait devenue étrangement faible. Etait-ce une maladie ? Etait-ce au contraire l'évolution normale d'une guérison ? Elle était décontenancée par la souffrance, la sienne, celle des autres, qui lui était devenue perceptible. Et quand elle avait eu cette pensée, devant Rachid assemblant des cubes, des allumettes, dessinant, chantonnant, poursuivant sa tenace exploration du monde, « Je l'aime, et ça ne lui suffit pas », elle englobait au fond de sa douleur confuse, et Rachid, et Phil, et tous les autres...

Elle songeait, totalement seule, et ses pensées s'échappaient d'elle comme du sang, et elle ne bougeait pas, docile, prédestinée.

*
* *

Le cœur qui s'affole sous la graisse, les mains qui tâtonnent sur le bureau à la recherche de n'importe quel objet pour cacher leur tremblement nerveux, l'épais visage qui s'empourpre, le cerveau qui lutte contre l'envahissement soudain des pensées, des émotions complexes, confuses, ardentes. Il a tant attendu !

— Ah ! c'est votre sœur ! Et c'est elle qui vous envoie ?

— Oui, dit-elle pour simplifier.

Ses mains, ces grosses mains rougeaudes mais adroites, tremblaient sur la table, malgré l'effort qu'il faisait pour les y tenir appuyées, bien à plat.

— Il y a si longtemps que je ne l'ai vue ! Et son petit garçon ? Où en est-il ?

Elle pensa au désespoir de Jo, à sa honte, à son sentiment d'échec. « J'aurais voulu que personne ne le sache, personne ! »

— Il est guéri, dit-elle.

Il ne bougea pas. Figé dans son fauteuil pivotant, derrière le bureau crasseux. Ses petits yeux gris se relevèrent, indéchiffrables.

— Guéri ?

— Mais oui, il est tout à fait bien maintenant, dit-elle d'une voix brève de jeune fille bien élevée, et comme s'étonnant de sa question. Il est en vacances... Ma sœur a pensé que vous auriez peut-être une solution pour moi...

Elle expliqua; elle mentait avec aisance, le visage sérieux sans excès.

— Vous n'êtes pas mariée? dit-il distraitement. Il s'agissait bien de cela. Une vague chaude montait dans sa poitrine, tout son corps engourdi de vieil homme se réveillait dans une montée de joie, d'orgueil, presque douloureuse.

— Non, dit-elle fermement.

— Mais vous savez qu'avec la législation nouvelle, vous pourriez peut-être...

Il entendait sa propre voix différente, douce, chaleureuse presque. Il avait envie de lui sourire, à cette jeune fille, jolie, simplement habillée d'un jean et d'un pull à carreaux, de la rassurer; ce n'était rien. Il allait lui arranger ça, la pauvrette. Seulement il fallait qu'il récupère un peu : la surprise.

— C'est que vous comprenez, mon père est médecin, mon... fiancé est médecin, si ça s'ébruitait...

C'était un mot de Vanina, s'ébruiter. Et c'était curieux, en faisant une démarche qui eût indigné sa mère, elle se sentait davantage sa fille que pendant tant d'années de docile sagesse.

— Ah! les médecins! Je comprends. Votre sœur elle-même devait se cacher, sans doute, de venir voir un homme comme moi! Et son fils est guéri... guéri...

Elle fut tout de même un peu gênée. Il avait l'air si content. Il devait être très bon, ce gros homme, très secourable. Mais c'était une raison de plus pour lui mentir. Puisque Jo ne reviendrait jamais.

— Oui, oui, des médecins, je comprends... Et si je peux me permettre, ma petite demoiselle, votre accident... ce n'est pas votre fiancé... C'est ça? Ah! que voulez-vous. On est humain. Ce n'est pas moi qui vous jetterai la pierre, certainement. Vous permettez que je vous laisse une minute? Je vais m'occuper de vous tout de suite.

Il passa dans la pièce à côté, dans ce qui avait été

autrefois le salon de la petite villa délabrée. Petite pièce vétuste, avec ses papiers moisis, d'un bleu triste, et l'ancienne véranda dont plusieurs carreaux cassés avaient été remplacés par du carton. Un lit défoncé, recouvert de satinette noire, un placard dans le mur, contenant une provision d'herbes et d'onguents, une bouteille de cognac, une boîte en carton qu'il ouvrit : oui, il lui restait quelques vieilles sondes. Il se versa et but lentement un grand verre de cognac. Puis demeura un moment debout, seul dans la petite pièce humide. Il respirait bruyamment. Il repassa dans le bureau. La jeune fille était toujours là, regardant dans le vide. Il eut un grand mouvement de pitié désintéressée.

— Ne vous laissez pas aller, voyons, ma petite! Il suffit d'une fois! Non, je plaisante, mais je suis content, voyez-vous d'avoir des nouvelles de mon petit client. Je me demandais... Oh! ça m'arrive, ça m'arrive même souvent. J'ai un fluide, voyez-vous. J'ai toujours beaucoup de monde, du reste, vous avez bien attendu une heure, hein? Mais des enfants, je n'en vois pas tellement, puis je m'étais intéressé... Elle doit être contente votre sœur. Evidemment, une famille de médecins, je comprends maintenant qu'elle ne m'ait pas fait signe; mais vous pouvez lui dire que pour la discrétion, c'est le confessionnal ici. Elle n'avait rien à craindre : si elle m'avait mis un mot, je l'aurais brûlé. Et c'est pareil pour vous, vous pouvez avoir confiance. Si je vous rencontrais en plein jour, nez à nez, place de l'Opéra, je ne vous dirais même pas bonjour!

Il sentait la jeune fille étonnée d'un tel déploiement de cordialité; mais il ne pouvait arrêter le flux de paroles qui lui venait, comme une ivresse subite. Il était soudain le «Bon Docteur», le presque saint comme disaient les bonnes femmes qu'il avait méprisées si longtemps; il était prêt à les recevoir toutes, à les guérir toutes, et même à leur faire des rabais... raisonnables. Il découvrait qu'il avait toujours voulu guérir, que c'était de douter de ses pouvoirs qui l'avait peut-être rendu un peu rude, parfois. Toujours ces cas douteux, ces guérisons incomplètes, et le malade qui revenait après lui avoir donné un faux espoir, c'était normal qu'il le secoue un peu...

— Mais il marche? Il marche bien droit? Il ne boite plus?

— Plus du tout, dit la jeune fille.

Elle ne souriait pas, mais bien sûr, elle pensait à ses petits embêtements à elle, c'était normal. Il ne fallait pas non plus qu'il montre un contentement excessif, Dieu sait ce qu'elle irait s'imaginer.

— Evidemment, vous, ce n'est pas le même cas, dit-il avec cette jovialité qu'il ne pouvait contenir. Mais croyez-moi, c'est beaucoup moins grave. Alors, vous voulez que je vous donne quoi? Une adresse?

Elle se tut.

— Oui, je vois. On est pressée. Eh bien, comme vous êtes la sœur d'une cliente... Je ne vais pas vous lanterner avec des tisanes ou des piqûres. Tout ça c'est des histoires. Et puis vous m'avez apporté une bonne nouvelle... Vous voulez qu'on vous en débarrasse, de ce petit ennui? Là, tout de suite?

Elle fit oui, de la tête. Sûrement, c'était un brave homme. Mais lui offrir ça comme un bonbon...

— Voyons, je ne peux tout de même pas vous faire ça tout à fait... tout à fait gratuitement. J'ai des frais... Bien sûr, vous faites ça en secret. Une jeune fille n'a pas toujours les moyens... Mais vous avez bien dû penser... Enfin, on a toujours de petites économies?

— J'ai deux mille francs, dit-elle, en ouvrant son sac. C'était vrai, c'étaient ses économies de jeune fille, le livret de Caisse d'Epargne offert par Bonne-Maman, dans une autre vie.

— Deux mille francs... brmmm... bon, deux mille francs...

Il hésitait.

— Ce n'est pas assez?

— Mais si, mais si...

Il éprouvait l'envie folle, irrésistible, de faire partager à la jeune fille son éblouissement. Elle allait voir qu'elle ne se trouvait pas devant un charlatan, un exploiteur.

— Je ne vous en prendrai que la moitié, là. Contente? Seulement il faudra faire une promesse au Bon Docteur, c'est d'employer un peu du reste à acheter... vous savez? la petite pilule. Promis?

402

Elle hocha la tête. Elle pouvait à peine y croire, la pauvre petite.

— Bon. Eh bien on va passer à côté, et vous débarrasser de ça. Vous verrez — passez devant mon petit — qu'on s'en fait tout un monde et que... Notez bien que je ne le fais presque jamais! c'est bien pour vous! Ce n'est plus ce que c'était, mais il y a tout de même un risque, non, je veux dire pour moi. Défaites-vous.

Il n'avait pas dit « déshabillez-vous », mais « défaites-vous » comme un médecin, un vrai. Elle obéit.

— Vous êtes très bon, dit-elle.

— J'aime à rendre service, dit-il, et c'était vrai. Il se lava les mains, l'examina.

— Il était juste temps, dit-il. Vous êtes sûre de ne pas en avoir parlé, hein? En dehors de votre sœur?

— Pas un mot. Même ma sœur. J'ai parlé d'une amie.

— Bon ça. Vous êtes douillette?

— Pas du tout.

— Ne criez pas, hein? En tout cas, pas trop fort. Vous êtes passée la dernière, mais il peut toujours débarquer quelqu'un. Prête?

— Prête, dit-elle.

Il se pencha vers elle. Elle ouvrait de grands yeux très bleu, bleu marine. Elle dit doucement :

— Comme je vous remercie!

Il prit la sonde. Elle était comme neuve. « Comme je vous remercie. » Il avait entendu ces mots-là des centaines de fois, ils ne l'avaient jamais atteint. Il se pencha vers elle. Ses grandes mains tremblaient légèrement.

★
★ ★

Proprement vêtu d'une chemise blanche, d'un blazer bleu marine tout neuf, Rachid avait attendu dans le séjour du petit appartement que sa mère se préparât à sortir. Il avait les yeux fixés sur la pendule de la cheminée. C'était une belle pendule en marbre, avec de chaque côté une statuette dorée : des bergères qui s'appuyaient au socle et tenaient dans leurs bras des gerbes de blé. Diane et René avaient une chambre à coucher, à vrai dire fort obscure, car donnant sur une cour, et qui sentait le cuir. Rachid (Charles) disposait d'un cagibi sur rue, bruyant, mais clair, où il dormait sur un matelas pneumatique. Mais il y avait une salle d'eau. Mais le séjour-salle à manger était splendide. Vraiment splendide. René avait enfin pu faire venir de Creil le mobilier de sa mère. La table, les chaises, et l'imposant buffet rustique. La télé sur son meuble spécial — il y avait des tiroirs en dessous pour ranger les revues. Les deux fauteuils en peluche rosâtre, un peu usés peut-être mais si confortables. La garniture de cheminée enfin : la pendule aux bergères, et à chaque extrémité de la cheminée, les deux flambeaux à six branches supportés par des satyres, également dorés, arrangés pour l'électricité avec des lampes-bougies et de tout petits abat-jour roses.

Ce qu'il aimait, Rachid, c'était la pendule. Le bruit, peut-être. Les statues, qui sait? « Il a le goût des belles choses, cet enfant, disait René. Il ressemble à sa mère. » Et les aiguilles qui avançaient doucement. Il pouvait rester là des heures, sur le fauteuil à regarder cette pendule en attendant que sa mère le conduisît rue d'Ecosse. « C'est à croire qu'il comprend ce que c'est, disait Diane. » « Il comprend sûrement », disait René. Quelquefois il se levait, grimpait sur une chaise (« enlève au moins tes souliers... ») et effleurait des doigts le cadran, avec une telle délicatesse qu'il était évident qu'il n'abîmerait rien — bien que le verre fût cassé. Il commençait, le soir, à tirer sa mère par son tablier pour qu'elle lui donnât du papier et un crayon : il dessinait la pendule.

— Ce doit être à force de la dessiner, tu vois, qu'il a remarqué que les aiguilles ne sont pas toujours orientées pareil, dit René. Il est malin comme un singe, je te dis. On va voir s'il se rend compte que tu es en retard.

Il se rendait compte. Diane ne partait jamais après neuf heures, pour ne pas avoir à courir, elle avait horreur de ça, et entre la rue d'Ecosse et la Mosquée, il y a tout de même une trotte.

— Bien sûr qu'il se rend compte! Il a mis son blazer

tout seul et il voit bien que je reste en peignoir.

— J'ai fermé la boutique aussi, dit René tendrement.
Pour une fois que tu prends ta journée.

La cuisine n'était qu'un placard. Mais Diane trouvait
que c'était un avantage. Parce que ça lui permettait de
servir même le petit déjeuner sur la belle table du
séjour, ce qui, si elle avait disposé d'une vraie cuisine,
aurait pu paraître du gaspillage. Au moins, son séjour,
elle s'en servait, pas comme certaines des voisines dont
elle avait déjà fait connaissance. A neuf heures et demie,
Rachid (Charles! Je ne peux pas m'y faire) manifesta
un certain étonnement. Il s'agita. Il prit son crayon et
griffonna, sans vraiment dessiner. Il passait le temps.
Un moment, le vent qui entrait par la fenêtre ouverte
et faisait tinter les pendeloques de la suspension, retint
son attention. Il était charmé par le bruit du cristal.
Diane rangeait nonchalamment la vaisselle. Le cordonnier fumait sa pipe avec volupté. Il savourait son intérieur, sa femme, son enfant, à petites bouffées. Vers
dix heures et demie, Rachid sentit que le rythme de
la maison s'était détraqué. Il alla tirer le tablier de sa
mère dans la cuisine-placard. Il grogna. « Tout à
l'heure, on sortira », dit-elle, apaisante. « Tout à
l'heure. » Il retourna s'asseoir dans le fauteuil. Il paraissait tout petit là-dedans. René pensa que plus tard il
achèterait un appareil-photo. Ça ferait une jolie photo,
ce tout petit enfant dans ce grand fauteuil.

— Charles? Charlot?

Il faisait comme s'il n'entendait pas; peut-être qu'il
n'aimait pas Charles. Mais on ne pouvait pas le changer
de prénom tout le temps.

— Rachid?

Il ne bougeait pas. Il gardait maintenant les yeux
fixés sur la pendule, perplexe.

— Regarde-le. Il est trop mignon. Il doit se demander
si elle est cassée ou quoi. Je te jure qu'il fait le rapport.

Diane mit un ragoût. Du lapin. René bricola un peu
la radio qui grinçait comme une vieille porte. Le poste
venait de sa mère, aussi, et portait bien son âge. A
midi ils se mirent à table sans que Diane se fût habillée.
Il y avait tout ce qu'il fallait dans la maison, alors.
Rachid se laissa mettre à table, mais refusa absolument

de manger. Il fermait la bouche avec une énergie farouche.

— Ne le force pas. Il mangera bien ce soir.

— Tu es la crème des hommes... soupira Diane, que la chaleur et le repos alanguissaient. Ils finirent le lapin, et une bonne bouteille qu'un client de René lui avait offerte. La crème des hommes. Et si débrouillé. Le bonheur, le bonheur... Les oreilles lui en bourdonnaient, à Diane. Son peignoir s'ouvrait. Son odeur de santal s'échauffait.

— Si on faisait une petite sieste?

— Et le gosse?

Elle résistait faiblement.

Il était retourné sur le fauteuil, devant la pendule.

— Oh! Avec cette chaleur, il va s'endormir.

Ils passèrent dans la pénombre fraîche de la chambre à coucher, pleine de merveilles. Une heure ou deux après, tirés en sursaut de leur somnolence, ils entendirent un bruit affreux, aussitôt suivi de hurlements. Ils bondirent. Dans le séjour, Rachid trépignait en hurlant les débris de la pendule qu'il avait réussi à faire tomber de la cheminée.

— Mon Dieu! Il va attraper quelque chose! cria Diane.

L'enfant était écarlate de fureur et hurla de plus belle en les voyant paraître. René essaya de le saisir dans ses bras, en vain; l'enfant ruait, donnait des coups de pied, se cramponnait au fauteuil, criait de plus en plus fort, avec comme une écume aux lèvres.

— Un docteur! sanglotait Diane. Et tout ce verre! Il va se blesser, il va mourir!

René avait couru jusqu'au lavabo, pour remplir un broc d'eau froide. Des convulsions? L'épilepsie? S'il allait mourir là, sous leurs yeux! Il revint tout embarrassé de son broc, de la fenêtre ouverte qu'il aurait voulu repousser, du petit qui donnait des coups de pied dans la plaque de cuivre qui fermait la cheminée, il trébucha, tomba sur un genou, le broc se répandit. Rachid glissa, se heurta la tête au marbre, eut un nouveau hurlement qui s'acheva sur une note suraiguë :

— Où elle est? Où elle est? Où elle est?

Leur stupeur (René assis dans l'eau et les éclats de

verre) dut frapper l'enfant. Brusquement il se tut. La coquette petite pièce présentait un spectacle de fin du monde.

Il y eut un silence de quelques secondes, et Diane éclata :

— René! Tu as entendu?

— Oui, oui! Il a dit...

— Il a dit : où elle est. Il a parlé! Tu te rends compte! Oh! mon Dieu, mon Dieu! Demain je mets un cierge comme une maison. Il a parlé!

— Je te l'avais toujours dit qu'il parlerait; un peu de bien-être, un peu de... Ma Diane! Ma Didi! Charles! Rachid!

Ils pleuraient, ils riaient, ils s'embrassaient. Le pantalon de René était trempé. Quelle importance?

— Ta pendule! Ta belle pendule!

— Si tu savais ce que je m'en fous!

Ils embrassèrent le petit, qui se taisait maintenant, hébété.

— Trésor! Dis-le encore une fois, une seule : où elle est?

— Laisse-le! Le force pas! Tu pourrais le bloquer. Puisqu'on sait qu'il *peut* le dire!

Il avait les larmes aux yeux, René. Comme il les aimait. Elle n'aurait jamais cru ça possible. Elle ramassa tout, elle essuya tout, sans nonchalance cette fois, en un tournemain. La pendule, on la ferait réparer. Heureusement les bergères et leurs gerbes avaient peu souffert. C'était du solide. Elle déshabilla Rachid, le changea complètement — s'il était resté un éclat de verre quelque part, et qu'il le porte à la bouche! Il se laissait faire comme un poupon, dodelinant de la tête, tout mou. René en avait profité pour sortir et revint en triomphe, au moment où elle achevait de boutonner la petite salopette en velours côtelé, avec un tricycle.

— René, mais tu es fou.

— Non, non, tous les gosses adorent les tricycles, et il a l'âge. Tu verras, on l'emmènera au Bois, on demandera à Madame Allegra...

Diane eut un cri : — Oh! René! Elle a tant fait! Il faudrait la prévenir...

— Puisqu'elle est prise toute la journée...

— Mais elle est peut-être rentrée? Il est six heures. Elle sera si heureuse...

René eut un air un peu confus.

— Ecoute, j'avais pensé... On peut lui dire demain. Regarde ce que j'ai pris pour nous.

— Du champagne!

— Pour une fois! C'est un jour unique. Je vais marquer la date sur le calendrier. C'est plus important que son anniversaire. C'est un miracle, Didi. Comme pour Edith Piaf. Un miracle pour lui et pour nous.

— C'est vrai, dit-elle, profondément émue. Restons ensemble. On lui dira demain. C'est tout de même *notre* enfant.

★
★ ★

A six heures ce jour-là, pendant qu'on débouchait le champagne rue Monge, Allegra remontait le boulevard Saint-Germain en direction de la place Maubert. « Puisque vous n'êtes pas douillette, essayez de faire un bout de chemin à pied. » Elle avait fait arrêter le taxi près de l'église Saint-Germain. Elle marchait, la sonde « comme neuve » enfoncée dans sa chair, avec de temps en temps un élancement de douleur, net et bref comme un coup de couteau. Elle était calme. Peut-être lui faudrait-il une huitaine de jours avant de se remettre, mais du moins sa mère ne s'apercevrait de rien. Si Phil rentrait... mais le samedi, Phil rentrait rarement. Elle avait décidé, elle avait agi; elle avait le sentiment que rien ne pouvait plus lui arriver.

Elle marchait. De temps en temps, quand la douleur se faisait trop vive, elle s'arrêtait, de préférence devant une vitrine. Ne pas se faire remarquer : précepte maternel qui subsistait comme un rocher émerge en pleine mer. Elle avait l'impression d'être en pleine mer, d'avoir tranché, non pas une vie, mais des liens qui la retenaient à un rivage pourtant aimé. Elle reprenait sa marche, elle s'arrêtait, elle attendait patiemment. Il n'était plus temps de s'agiter, de s'impatienter. Des choses mystérieuses s'effectuaient, en elle; il n'y avait qu'à laisser faire. Elle eut un peu de mal à monter le premier escalier, puis le second. Il devait être sept heures du soir, alors. Il faisait encore chaud, la journée avait été orageuse. Elle avait cru, en partant pour Saverny qu'il allait pleuvoir, elle avait pris son imperméable noir, en matière plastique, et elle avait transpiré là-dedans tout l'après-midi. Elle soupira d'aise en le suspendant soigneusement dans le placard de la cuisine. Elle monta dans la loggia, s'étendre un peu. Quelle chaleur! Brusquement elle sentit la fatigue la submerger. Elle se laissa tomber sur le lit, sans même la force d'ouvrir la lucarne. Comme elle était calme! Elle s'en étonnait presque. De temps en temps un spasme, qu'elle endurait avec une patience attentive. A peine esquissé, ce projet d'enfant allait disparaître. Elle ne s'en sentait pas coupable. Au fond, quelle différence? Elle en souriait presque, comme de la découverte d'une évidence. La mort ou la vie, les mots ou le silence... Mais cette évidence n'avait rien de tragique. Rien qui pût justifier l'amer désenchantement de son père. La panique de Phil. Le courage de l'enfant, sa bataille en soi magnifique. Dans l'esprit d'Allegra, enfin libre, Phil et Rachid se confondaient dans une même tendresse. Il lui semblait que son cœur s'élargissait pour mieux les accueillir, les comprendre. Ils se battaient pour quelque chose qui était à la portée de leur main, qu'il n'y avait qu'à saisir, pas même, à regarder. Mais c'était beau de se battre. Elle avait tenté de le faire, elle avait été tentée de les suivre : elle n'était pas faite pour cela. Il fallait les laisser faire, les laisser découvrir... Elle se sentait presque plus proche de cette ombre qui allait la quitter dans un spasme plus fort que les autres, qui l'aurait traversée presque à son insu. Elle pensa à sa mère, qui l'aurait mal jugée : un monstre. Peut-être suis-je un monstre? Mais cette pensée même lui parut puérile, car elle ne ressentait aucun besoin d'être comprise.

S'il n'avait pas fait aussi chaud, si elle avait eu assez de force pour se relever et ouvrir la lucarne, comme elle le faisait tous les soirs, elle se serait sentie tout à fait bien.

Qui pense encore à Allegra, jeune morte de vingt-quatre ans, morte d'une fausse couche, d'un accident archaïque sur lequel la famille a fait silence? Une mort discrète. On n'a rien entendu. Le matelas avait bu tout le sang versé; aucun désordre apparent. Et si jolie sur son lit de mort, l'air d'une enfant : Blanche-Neige, comme disait Paule cruellement. La lèvre supérieure légèrement relevée, et un air de surprise, comme la petite princesse de *Guerre et Paix*. Les comparaisons poétiques, apaisantes, venaient tout naturellement à l'esprit.

Qui pense encore à Allegra? On l'évoque, on cite ses mots d'enfants, on exhibe des souvenirs touchants et faux. Mais il ne s'agit pas vraiment d'Allegra. Celle dont on parle, c'est la communiante de la photo, c'est la fille cadette de Vanina, la première femme de Jean-Philippe, c'est la sœur, la petite-fille, l'image, ce n'est pas Allegra. Son silence, sa décision brutale, sa mort feutrée et sanglante, personne n'y pense plus, semble-t-il. Aventure excessive, incompréhensible, qu'il vaut mieux étouffer. Ne pas tenter d'expliquer. Renée, peut-être, parfois s'interroge... Elle a entendu parler du miracle de l'enfant-qui-parle. Elle s'est dit qu'il était étrange de donner ainsi à la fois la mort et la vie. Mais qu'est-ce que c'était, pour Allegra, la vie? On ne saurait tirer aucune leçon de son aventure, et bien peu de réconfort, pense Renée. Et nous avons tous tant besoin de réconfort.

Et Paule épousa Jean-Philippe, et engendra Antoine, dont son beau-frère fut le parrain; puis elle engendra Vanina, du nom de sa mère. Et Josée engendra Ange-Paul, dont sa sœur fut la marraine, et puis Paule engendra encore José-Pascal. Et Sauveur grandit avec ses béquilles. Et Lucette engendra Sauveur-Paul-Antoine. Et puis Lucette engendra une petite fille qu'elle voulut prénommer Allegra, mais quelque chose la retint, et l'enfant fut appelée Marie-Ange. Et juste avant l'enterrement de Bonne-Maman qui avait fait une très belle fin, Renata qui avait alors dix-sept ans et n'était pas mariée, engendra Lætitia, ce qui veut dire la même chose qu'Allegra mais tout de même. Qui pense encore à Allegra? Elle aurait aimé ce silence. Personne ne pense plus à elle, pas même ce petit garçon, du côté de la rue Monge, qui sort de l'école, met ses patins à roulettes, et crie des mots grossiers et joyeux aux autres enfants, qui lui ressemblent.

CET OUVRAGE A ÉTÉ ACHEVÉ
D'IMPRIMER LE 23 JANVIER 1976
PAR FIRMIN-DIDOT S.A.
PARIS - MESNIL

Dépôt légal 1er trimestre 1976
Nº d'édition : 4332
Nº d'impression : 8148
ISBN 2.246.00299.0 Broché
2.246.00310.5 Luxe
2.246.00311.3 Relié